AtV

ERWIN STRITTMATTER wurde 1912 in Spremberg geboren. Bis zum 16. Lebensjahr besuchte er das Realgymnasium, danach Bäckerlehre. Arbeitete als Bäckergeselle, Kellner, Chauffeur, Tierwärter und Hilfsarbeiter. Im zweiten Weltkrieg Soldat, desertierte er gegen Ende des Krieges. Ab 1945 arbeitete er erneut als Bäcker, war daneben Volkskorrespondent einer Zeitung und seit 1947 Amtsvorsteher in sieben Gemeinden, später Zeitungsredakteur in Senftenberg. Lebte seit 1954 als freier Schriftsteller in Dollgow/Gransee. Er starb am 31. Januar 1994.

Romane: Ochsenkutscher (1951), Tinko (1955), Der Wundertäter I–III (1957/1973/1980), Ole Bienkopp (1963), Der Laden I–III (1983/1987/1992), Erzählungen und Kurzprosa: Pony Pedro (1959), Schulzenhofer Kramkalender (1966), Ein Dienstag im September (1969), 3/4hundert Kleingeschichten (1971), Die Nachtigall-Geschichten (1972/1977/1985), Selbstermunterungen (1981), Lebenszeit (1987). Aus Tagebüchern: Wahre Geschichten aller Ard(t) (1982), Die Lage in den Lüften (1990). Dramen: Katzgraben (1953), Die Holländerbraut (1959).

Mit einem lachenden und einem weinenden Auge verfolgt der Leser den Lebensgang des Stanislaus Büdner von seiner Geburt bis in das bittere Erleben des zweiten Weltkriegs. Das Leben macht es dem siebenten Kind eines Glasarbeiters nicht leicht, doch dieser Stanislaus macht es sich auch selbst nicht leichter. Am Ende des Buches, am Ende eines langen, mit bitteren Erfahrungen gepflasterten Weges, steht Stanislaus erst am Anfang, aber – nun wird er nicht mehr in die Irre gehen. Er hat begreifen gelernt – und der Leser mit ihm.

The German American, New York, 12/60

Erwin Strittmatter

Der Wundertäter

Roman Erster Band

Aufbau Taschenbuch Verlag

ISBN 3-7466-5411-4

2. Auflage 1995
Aufbau Taschenbuch Verlag GmbH Berlin
© Aufbau-Verlag Berlin und Weimar 1957
Umschlaggestaltung Bert Hülpüsch
unter Verwendung eines Fotos,
Archiv Aufbau-Verlag
Satz LVD GmbH
Druck Elsnerdruck, Berlin
Printed in Germany

Inhalt

I   *Wenn die Bäckervögel singen ...*

II Mancher ist lange unterwegs...

FÜR EVA

I Wenn die Bäckervögel singen ...

1

Stanislaus kommt in Waldwiesen zur Welt, verbraucht vor seiner Geburt teures Winterholz, und sein Vater Gustav verprügelt die Hebamme.

Der Herr der Wälder hob die Hand. »Halt!« Die hagere Hand pendelte zwischen den Baumzweigen wie eine gespenstische Frucht. Der Mann mit dem Handwagen blieb stehn. Furcht duckte ihn, er sah auf das Waldgras vor seinen Füßen. Den blinkenden Tau an den Halmen sah er nicht. Der Kuckucksruf wehte ungehört an seinem Ohr vorüber.

Der Förster verließ sein Fichtenversteck und ging auf den Mann zu. Seine Blicke schienen das Leseholz auf dem Handwagen auseinanderzukratzen. Der Mann war der Glasmacher Gustav Büdner; der Handwagen gehörte ihm und enthielt seine letzte Leseholzfuhre für jenes Jahr.

Der Förster entdeckte unter dem Leseholz einen zersägten Trockenstamm. Nun zog er sein Notizbuch und schrieb etwas hinein. Gustav Büdner starrte auf den langen Nagel am Zeigefinger des Försters. Wozu braucht ein Mensch einen so langen Fingernagel? Braucht er ihn zum Ausräumen seiner Baumelpfeife? – Der Förster ging bis zu einem Baum am Waldrand, bückte sich dort und ritzte mit dem langen Fingernagel ein Kreuz auf den Waldboden. »Hier abladen!«

Es kam ein Strafschein über einen Taler: »... wegen des Versuchs, aus den gräflich Arnimschen Waldungen ein Viertel Klafter Nutzholz zu entwenden ... Waldwiesen, 12. July 1909. Der Amtsvorsteher: Duckmann.« – Auf Nimmerwiedersehn, du liebes Talerstück!

Der Straftaler brachte die schmale Haushaltskasse der Büd-

17

ners in Unordnung. Es konnte keine Erlaubnis zum Blaubeeren-
sammeln von der gräflichen Forstverwaltung gekauft werden.
Lena, die Frau, mußte die drei Mark in der Blaubeerzeit mit
täglichem Angstschweiß bezahlen. Sie fürchtete den schnüf-
felnden Forsteleven, und dabei pochten zwei Herzen in ihrem
Leibe.

Sollte Gustav Büdner den Taler ohne Zucken und Mucken
rollen und das Holz des Trockenstammes, die letzte Fuhre
Leseholz liegenlassen, wo sie lag? Nein. Gustav spielte an einem
Sonntag mit den Kindern Auto. Jedes Kind schnurrte in einer anderen Tonart. Gustav war der Herr, der die Autos in alle
Welt aussandte. Er ließ sie zu einer ganz bestimmten Stelle
schnurren, zu der Stelle, an der der Förster mit langem Fingernagel ein Kreuz in die Erde geritzt hatte. Jedes ausgesandte
Auto mußte einen Knüppel Leseholz von dort mitbringen. Für
die Sägstücke des Trockenstammes stellte Gustav sogar
ein Lastauto, ein kräftiges Lastauto aus zwei Kindern, zu-
sam-men. Er mußte das den Kindern lange erklären; sie
hatten das hochrädrige Auto des Grafen, aber noch kein Lastauto gesehen. Solche Wirrnis um das Winterholz, solche Ungele-
genheiten!

Der Mensch Gustav Büdner hing durch eine Reihe lebenskräf-
tiger Väter wie durch eine gute Nabelschnur an der Welt. Sein
Vater, Gottlob Büdner, hatte Gustavs Großmutter, die eine
Magd war, zu früh zur Kindsfreude hingestoßen. Sie war noch
nicht reif für diese Freude, noch nicht bemannt, noch nicht auf
Muttersorgen gerichtet gewesen. Deshalb sollte und sollte er
nicht sein. Er aber trotzte den giftigen Absuden, die sie trank,
dem heißen Rotwein mit Nelken, den Sprüngen vom Melksche-
mel im Kuhstall und selbst dem kühnen Griff der Abtreibemuh-
me.

Er kam in diese Welt und ließ sich nicht zurückhalten.

Der Vater des Gottlob Büdner trotzte sein Leben dem preußischen Prügelstock des Grafen Arnim ab. Er entsprang dem
Sterbelager, auf das ihn gräfliche Ziemerhiebe geworfen hatten,
mit einem Humpelbein.

Der Großvater des Gottlob Büdner entrann den Pocken mit einem narbigen Gesicht, und dessen Vater hinwiederum steuerte sein hartholzenes Lebensboot durch die Pestwogen. Kurzum, die Büdners trotzten Tod und Verderben wie die Unkräuter am Wegrand, deren Lebenskraft der Stunde ihrer Entdeckung und Verwendung zuharrt.

Drei Wochen nach dem Einbringen der letzten Leseholzfuhre hastete Gustav Büdner eines Abends von der Arbeit. Fünf schnelle Schritte, dann ein Sprung! So kam er aus dem Wald in die Feldmark. Der Waldweg war schattig, auf dem Feldweg glitzerte der Sand in der Sonne. Büdner kniff die Augenlider zusammen und sah zu seinem Kartoffelstück hinüber, einem Streifen Sandland, auf dem die Stauden kümmerten. Am Feldrand sollte ein beladener Handwagen stehn. Büdner wollte ihn heimzerren. Es stand kein Handwagen dort. Seine Lena hatte kein Unkraut für die Ziegen gerupft! Im Walde hatte Gustav noch ein dummes Liedchen gepfiffen: »Ein Vogel singt vor Lust und Lieb, doch ist sein Nest erst voll Gepiep, ists mit dem Singen aus ...« Jetzt aber nistete sich der Ärger wie eine schwarze Waldspinne zwischen seinen Gedanken ein.

Da lag das Vorwerk – fünf Häuser stark –, und bei jedem Haus in einem Nest von Bäumen ein kleineres, ein Hausjunges, der Stall. Aus dem Schornstein auf Büdners Hausdach stieg eine zerzauste Qualmwolke. Die Lena verpraßte also das Winterholz, das teure, umständlich erworbene Winterholz! Die schwarze Ärgerspinne übernetzte Gustavs Gedanken ganz und gar. Am liebsten wäre er wie ein Tier auf allen vieren getrabt, um schneller daheim zu sein. Wie oft hatte er Lena anbefohlen, die Futterkartoffeln mit dem Mittagbrot zusammen abzukochen. Wieder hatte sie es unterlassen und kochte nun volldämpfig, um ihre Nachlässigkeit zu verbergen. Oh, die verdammte Nähfummelei! Ach, die verfluchte Lesewut seiner Frau! Er hatte nichts gegen das Nähen. Es mußte sein. Der Mensch konnte nicht mit bläkenden Löchern in seinen Kleidern unter dem hellen Himmel einhergehen. Er hatte auch nichts gegen das Lesen. Das Lesen half zuweilen die zwickenden Nöte vergessen. Er hatte aber gegen Nähen und Lesen etwas, wenn es am Tage geschah. Nähen war eine Ausruhbeschäftigung für den Abend, und den nagenden Nöten konnte man am Tage durch strenge Arbeit entkommen. – Der Zorn lag Gustav wie ein praller Sack im Rücken. Er stolperte auf dem glatten Fußsteig, da rief eine dunkle Kinderstimme: »Brauchst nicht zu sputen; er ist noch nicht da!«

Seine Tochter Elsbeth saß in der Wildfliederhecke. Gustav hielt so plötzlich ein, daß der Rest Gerstenkaffee in der Rucksackflasche gluckste. »Wer ist nicht da?«

»Der Neue.«

»Welcher Neue?«

»Ich hab die Tante Schnappauf holen müssen. Sie wartet mit der Mutter auf den Storch.«

Gustav lief schon wieder. War auf die Weiber Verlaß? Lena hatte auch den Decktag der jungen Ziege nicht aufgeschrieben.

Geschrei und Gekreisch. Gustav fuhr herum wie ein Wetterhahn bei Sturm. Hinter ihm trappelten seine sechs Kinder und schubsten einander; jedes wollte den neuen Jungen zuerst sehn. Herbert plumpste in den Mahlsand und schrie. Paul stolperte über ihn und kreischte. Elsbeth rannte zu Hilfe und barmte. Gustav fuchtelte. »Zurück, zurück zum Flieder! Erst wenn ich pfeife, kommt ihr!«

»Was wirst du pfeifen?«

»Der Jule hat sein Geld verjuxt ...«

Das Hoftor breit auf, die Gartenpforte breit auf.

»Das sieht nach Zwillingen aus. Gott, sei ein Kerl und steh mir bei!« räsonierte Gustav.

Die Viehkartoffeln lagen gekocht im Futtertrog. Aus dem Schornstein qualmte es fort und fort. Man siedete das Badewasser. Gustav raffte rohe Kartoffeln ein. Weshalb sollten nicht auf der gleichen Glut Viehkartoffeln für den nächsten Tag kochen? Den Topf vorn, den Rucksack hinten – so ging Gustav in die Küche und der Geburt eines weiteren Kindes entgegen.

Der Schlüssel knirschte im Schloß. Die Hebamme kam aus der Schlafstube. Sie war dick und rotgesichtig – die Gesundheit selber —, eine Mutter des Lebens. »Ein schöner Junge wieder, Gustav!«

Für Gustav war die Hebamme mit dem Totengräber verwandt. Anderer Leute Leid – ihre Freud. Hebamme und Totengräber arbeiteten auf die Länge des Lebens Hand in Hand; sie holte die Menschen in die vertrackte Welt, jener schaffte sie hinaus. Bezahlen mußten die anwesenden Weltbewohner. – Gustav rückte die Töpfe auf dem Herd zurecht und sah die Zubringerin des Grabgräbers nicht einmal an. »Geh mir los, Windelhexe!«

Die Hebamme plantschte lustig im dampfenden Wasser. »Neun Pfund der Junge diesmal, Gustav!«

Gustav fuhr sich mit einem ausgebrochenen Kamm durch seinen Haarstutz. »Gib zu, daß dich die kleinen Leute nähren!«

Die Hebamme trocknete sich die Hände ab. Ihr Gesicht glich dem eines Pferdehändlers, der gut verkauft hat. »Jeder Erdenmensch dankt Gott, schenkt der ihm Kinder mit gesunden Gliedern.«

Gustavs Hand zitterte. Der Scheitel in seinem Haarklecks über der Stirn wurde schief. »Gesteh, daß dich die kleinen Leute fröhlich machen!«

Das Gesicht der Hebamme wurde purpurn. »Nein!« Sie warf ihre Instrumente hastig in die Tasche.

»Dann zahlen andre besser, hä?«

»Ich weiß von keinen andren. Halt das Maul!«

»Ich meine die, die schon im zweiten Monat nach dir schikken.«

An der Nasenwurzel der Hebamme erschien ein Zornwulst. Gustav kämmte vor Aufregung sogar sein Bärtchen. »Bekenne, daß du Engel und Menschen aus Weiberleibern holst, je wann man dich bezahlt, früh oder spät.«

Die Hebamme streifte die Ärmel wieder hoch. »Wie meinst du das?«

»Bar auf der Hand ersetzt den Verstand. Von kleinen Leuten wird Verstand verlangt, aus deinen Bündelkindern rechte Menschen herzurichten.«

Die Hebamme packte Gustav. Gustav packte die Hebamme. Sie rangen miteinander, bis an der Hebammenjacke die Knöpfe absprangen. Die dicken Brüste der Wehmutter quollen aus dem Hemdlatz.

»Das schreckt mich nicht!« schrie Gustav und packte das dralle Weib bei den Hüften. Die Wehfrau krallte sich blauwütig in Gustavs frischgesträhltes Haarbüschel. Geächz und stummes Ringen – ein Wassereimer schepperte zu Boden. Das kalte Wasser beschwappte die Kugelwaden der Wehmutter. Sie kreischte: »Dank deinem Gott, daß ich von Amts wegen keine langen Fingernägel nicht haben darf!«

Die Schlafstubentür sprang auf. Lena erschien bei den Raufenden, Lena – zitternd mit wäschebleichem Gesicht. Gustav und die Hebamme flogen wie Kampfhähne auseinander. Die Hebamme fuhr zerzaust in ihre Amtsobliegenheiten. »In dein Bett, Lena! Mit dem da werd ich fertig, zur Leiche dresch ich ihn!«

Lena weinte nicht. Es war keine Träne mehr in ihr. Sie wrang die Hände; ihre ausgelaugten Lippen zitterten. Gustav packte sie, bevor sie umsank.

Der zerkratzte Mann saß auf dem Bettrand bei der Wöchnerin. »Man wird doch noch die Wahrheit sagen dürfen.«

»Nicht immer.«

»Immer nicht?«

»Die Wahrheit braucht ein gares Feld zum Keimen.«

»Woher nun diese Weisheit wieder, Frau?«

»Aus einem Buch.«

»In Büchern ist das Leben zahnlos.« Gustav streichelte die Hand seines Weibes. Sein Daumen hatte einen Hornbuckel. Das Blasrohr in der Glashütte hatte ihn herausgefordert. »Wie halten wir's jetzt mit der Taufe?«

Lena schloß die Augenlider. Aus ihrem blutleeren Körper kam Musik. Nur für sie. Gustav hockte wie ein Holzklumpen auf der karierten Zieche und dachte. Er konnte nicht denken, ohne zu reden. »Taufe, Taufe ... wozu muß ein Mensch getauft sein, hä? Damit sich andre bei der Feier vollfressen? Ich hab einen gekannt, den hatte kein Pfarrer aus dem Taufstein benäßt. Er hatte nicht mehr zu leiden als unsereiner. Er stand mit mir in der Fabrik und kam aus Polen oder da woher. Man hatte ihn vergessen abzutaufen. Er war sogar von Gott begünstigt und fraß Glas. Sobald er einen sitzen hatte, ernährte er sich spielend. Vorspeise meist ein Schnapsglas, die Hauptmahlzeit ein Bierglas. Die Gaffer zahlten ihm die Gasthauszeche. So sparte er sich manches Mittagessen.«

Lena kam wieder zu sich. Sie schaute ihren Mann an, wie wohl Mütter in aller Welt nach Geburten ihre Männer anschaun: Er war ein Zauberer, ein Wind, der in den Kirschbaum fährt und die staubbedeckten Leiber der Bienen an die Blütenpollen drückt. Ein Wind, der große Veränderungen bewirkt.

Gustav versuchte es noch einmal. »Es gibt ganze Völker, die sind nicht abgetauft. Sie haben keine Kosten.«

Lena versuchte sich aufzurichten. »Wir nehmen reiche Paten!«

»Wenn das gelänge!«

Gustav ging vor die Tür und pfiff: »Der Jule hat sein Geld verjuxt ...« Aus der Wildfliederhecke flatterten die Kinder. Er stampfte mit dem Handwagen zum Kartoffelacker. Für vierzehn Tage mußte er die Arbeit seines Weibes mit vertilgen.

Die Hebamme kam nicht mehr. Das Geburtsgeld trieb der Gemeindediener für sie ein.

2

Stanislaus erhält den Namen eines Glasfressers. Der Pastor umsorgt seine Seele und versetzt Mutter Lena in Teufelsangst.

Die Büdners berieten den Namen des neuen Jungen. Vater Gustav zählte seine Söhne. Sein Daumen hieß Erich, sein Zeigefinger Paul, Artur der Mittelfinger, der Gold- und der Kleinfinger hießen Willi und Herbert.

»Jetzt brauchen wir einen Stanislaus«, sagte er.

»Ich hätte an einen Bodo gedacht«, sagte Lena.

»Bodo? Ein großer Hund könnte zur Not Bodo heißen.« Gustav schaukelte den vierjährigen Herbert auf dem Schoße.

»Stanislaus heißt kein Mensch in der Welt. Wir brauchen einen Günther. Alle Leute haben schon Günthers.« Elsbeth, die Älteste, stemmte die Hände in die Hüften.

Gustav sprang auf, setzte den Jungen ab und marschierte mit baumelnden Hosenträgern in der Küche hin und her. »Handelt es sich um deinen Jungen? Wie alt bist du überhaupt?«

»Dreizehn.«

»So! Stanislaus, das war ein Glasfresser!«

Lena versuchte es noch einmal mit Bodo. »Er war ein Geigenkünstler.«

»Wo?«

»Im Buch, das mir die Vogtsfrau gab. Er strich dreimal über die Geige, und alle Frauen tanzten.«

Gustav trat sich auf die Hosenträger. »Und die Männer?«

»Sie haßten ihn.«

»Da hast du's. Bodo geht nicht. Der hier wird Stanislaus heißen und kein Gramm weniger!«

Elsbeth verkroch sich in der Herdecke. »Sie werden ihn Laus rufen. Stangenlaus werden sie ihn beniemen.«

Gustav starrte auf eine Fliege an der Küchenwand und sagte: »Bloß bis er anfängt, Glas zu fressen!«

Der Standesbeamte schob die Brille hoch. Eine große bläuliche Warze auf seiner Stirn sorgte dafür, daß sie nicht zurückrutschte. »Stanislaus? Ist das nicht ein bißchen zu polnisch?«

Gustav Büdner fuchtelte mit der Mütze. »Stanislaus steht im Kalender!«

»Wär Wilhelm nicht ein Name für dein Kerlchen? Schon seitenlang kein Wilhelm im Register.« Der Standesbeamte putzte die Schreibfeder an der Löschwiege.

Gustav wurde unleidlich. Alle Welt hatte etwas gegen seinen Stanislaus. »Wilhelm kann jeder Popanz heißen. Der meine, der heißt Stanislaus. Du hast ihn nicht gemacht.«

Der Standesbeamte rieb sein wulstiges Ohrläppchen. »Bei den Sozialdemokraten bist du nicht, Büdner, wie?«

»Geh mir mit Spezialkameraden! Ich bin, der ich bin, und Stanislaus wird Stanislaus und ein Glasfresser sein!«

»Und du weißt nicht, wer Wilhelm heißt?«

»Der Name steht nicht im Kalender.«

Der Standesbeamte schrieb widerwillig ins Register: »... ein Kind auf den Namen Stanislaus ...«

Gustavs Gruß blieb unbeachtet, als er ging.

Mit der Taufe sollte gewartet werden. Die Haushaltskasse!

Ein halber Wartemonat war herum, da klopfte der Pastor leise und heilig an Büdners Tür. Gustav hockte mit halb eingeseiftem Rasiergesicht vor dem zerschrundenen Familienspiegel. Der Pastor trampte auf blanken Lederschuhen in die Küche. Eine emaillierte Kindertasse mit dem Bild vom Kaiser Wilhelm rutschte Lena aus der Hand. Die Emaille splitterte. Kaiser Wilhelm hatte keinen Stehbart mehr, aber ein großes Maul. Der Pastor nestelte am Kragen seines schwarzen Rockes. Er steckte den dicken Zeigefinger hinter den weißen Stehkragen und leitete auf diese Weise seiner bebenden Brust etwas Frischluft zu. Auf dem gestärkten Kragen saß sein hochroter Kopf, ein Rotkohlkopf, und darauf ein schwarzer Hut. Der Himmelsgesandte plumpste auf einen Küchenstuhl und mit dem heiligen Gesäß fast in die Waschschüssel. »Der Frie ..., der Friede sei mit euch, Gottes Segen auch!«

Gustav fuhr sich mit der Hand über die beseifte Wange und warf die Rasiersahne zum Fenster hinaus. Lena band ihre Schürze ab, wendete die innere Seite nach außen und band sie wieder um.

»Bist du es, die Lena, die Nähterin auf dem Schloß war?«

»Diese bin ich, Herr Pastor.«

»Daß wir uns so lang nicht sahn, mein Kind.«

»Man hat sein Getu. Sieben Kinder, Herr Pastor.«

»Der Herr segnet euch. Sieben Kinder, sagst du, mein Schaf Lena? Habe ich sie alle oder hat anderswer eins weggetauft? Mich deucht, ich hätte sechs von den deinen, sechs und nicht mehr getauft.«

»Zu dienen, Herr Pastor, das siebente ist noch ein Frischling.«

Der Pastor sah Gustav an. »Wer bist du, mein Sohn?«

»Er ist mein Mann, Herr Pastor.« Lena schob trockenes Holz, zweimal gestohlenes Holz, für ein Kaffeefeuer ins Herdloch.

Der Pastor ließ kein Auge von Gustav. »Mein Sohn, reich mir die Hand!«

Gustav tat, wie ihm befohlen. Der Pfarrer sah auf die am Herd kniende Lena herab. »Ist er ein Heide, dein Mann? Ich sah ihn nie in der Kirche.«

»Ein Heide ist er nicht, Herr Pfarrer.«

»Wie alt ist dein Jüngstes, mein Pfarrkind Lena?«

»Zwei Wochen und einen Tag.«

»Wie wird es heißen?«

»Es wird Stanislaus heißen, Herr Pastor.«

»Stanislaus? Nicht genug, daß es zwei Wochen alt und immer noch ein Heide ist, auch noch Stanislaus?«

»Der Name steht im Kalender.« Gustav sagte es drohend.

»Schäm dich, neunmalgescheite Seele! Stanislaus, ein katholischer Name und so gut wie heidnisch.« Der fromme Mann patschte sich mit den Würstchenfingern das rote Gesicht ab. »Lena, wie lang warst du Nätherin auf dem Schlosse?«

»Sieben Jahre, Herr Pastor.«

»Und weißt nicht, daß die gnädige Frau, die den Christus in der Kirchvorhalle aufbessern und anstreichen ließ, unsere ehrenwerte gnädige Frau, daß sie zu Gottes Lobe weder große noch kleine Heiden zuläßt?« Der Pastor war außer Atem gekommen. Er mußte gegen das Mahlgeräusch von Lenas Kaffeemühle anpredigen. Lena schüttete den Gerstenpuder in einen Topf. »Ich weiß es, Herr Pastor, aber ...«

Der Pastor knipste ein Marienkäferchen von seinem Rock. »Laß mich kein Aber hören, Störrische! Richte dein Kind auf nächsten Sonntag her, daß ich es taufe und mit Gnaden aufnehme in die Familie der Christen. Ich halt mich bereit; so du aber nicht zur festgesetzten Stunde mit deinem Bündelkind am Taufstein erscheinst, wird Gott mich strafen, wenn ich fürder meine segnende Hand über dich und das Kind halte.«

Die letzten Worte sagte der Geistliche schon im Hausflur. Der Geruch des Armenkaffees trieb ihn hinaus. Er ging rückwärts und predigte. Lena begleitete ihn mit gesenktem Kopf.

Gustav gab dem frommen Mann kein Geleit. Er nahm den Schürhaken und hieb auf die Herdringe. Diese Heiligkeit war widerlicher als Soff!

Lena rannte noch am gleichen Tage in die Blaubeeren. Mühsam füllte sie ein Eimerchen mit raren Augustbeeren für den Taufkuchen. Der Zorn des Himmels sollte sie nicht treffen. Sie dachte an schlimmes Weibergeschwätz: Einem zu spät getauften Kinde sei auf dem Schenkel ein Mausfell gewachsen. Es hatte schon begonnen, ein Tier zu werden. Einen anderen Spättäufling habe der Teufel mit einem Pferdefuß bebürdet. Ein dritter Taufsäumling sei gar lebenslang ein Bettnässer geblieben. Das heilige Wasser, das ihn zu spät erreicht habe, sei fort und fort als unreines Hexenwasser von ihm gewichen.

---

3 Stanislaus erhält reiche Patinnen, wird abgetauft, erstickt und wieder ins Leben gerufen.

Patinnen wurden: die Frau des Gutsvogtes, deren Blusen Lena, die Nätherin, noch immer weiten mußte; die Frau des Dorfkrämers, die anschrieb, wenn Büdners Wochenlohn nicht reichte; die Frau des Bauern Schulte, der ab und an sein Pferd für kleine Leute herlieh. Patin sollte auch die Frau des Dorfschusters werden. Gustav dachte an Gratissohlen für die Winterschuhe. Lena war dagegen. »Die Schustersche ist katholisch. So etwas laß ich nicht an meinen Jungen!« Sie schlug die Frau des Försters vor. Gustav schüttelte sich wie ein Hund im Regen. Er dachte an den langen Fingernagel des Försters. Man einigte sich auf die Frau des Lehrers: eine Beamtenfrau.

Es wurden ein Blaubeerkuchen und ein Zuckerkuchen gebacken. Gustav schlachtete drei Kaninchen. Vier Wochen fehlten ihnen an der Mast. Die Eile des Pastors! Gustav brachte die zerlegten Kaninchen in die kleine Speisekammer und sog mit geblähten Nüstern den Kuchenduft ein. Lena stand, die Schürze schützend ausgebreitet, vor den gebräunten Fladen. Ihre Brüste strämmten den Blusenkattun. »Du Kater sollst nicht an den Kuchen!«

Gustav setzte eine Theorie in die Welt: »Wir haben Stachelbeerwein die Fülle. Laß die Paten davon trinken. Wer viel trinkt, der viel singt. Wer singt, aber kann nicht kauen.« Lena nahm sein Schlachtmesser und schnitt ihm ein Stück Blaubeerkuchen herunter. Gustavs Kiefer knackten. In der rechten Hand hielt er das Kuchenstück, mit der Linken streichelte er die Frau, und er drückte seinen Blaubeermund gegen ihre pralle Brust. Lena schüttelte sich, da legte Gustav das Kuchenstück beiseite und umschlang sein Weib mit beiden Armen. »Ich hätt fast Lust, dir noch ein Kind zu machen.« Lena juchzte auf.

Die Kinder kamen vom Hof getrappelt. Gustav griff nach seinem Blaubeerkuchen. Er schmatzte wie ein Igel. Den Rest starrten ihm die Kinder aus der Hand.

Sonntag. Tauftag. Die Kläräpfel im Garten färbten sich gelblich. Die Futtersaat grünte auf den Schäläckern. Die Hühner flogen aus dem Schlupfloch, auf Büdners Hof wurde es lebendig. Als der Hahn auf dem Torweg den Tauftag einkrähte, rasselte Lena schon mit den Herdringen, und Gustav verschnitt sich mit der großen Schneiderschere den Schnurrbart. Sorgsam schnipperte er sich die überständigen Haare aus den Naslöchern. In der Schlafstube rekelten sich die Kinder. Auf der Stalltür zwitscherten die Schwalben.

Acht Uhr, und die erste Patenfrau kam. Es war die Frau des Gutsvogtes. Lena sollte ihr die Festbluse weiten. Das Dickweib zog die Bluse aus. Sein Schweißgeruch vermischte sich mit dem Kochdunst. Gustav betrachtete die wabbeligen Oberarme des fremden Weibes. Begehren glomm in ihm auf. Lena sah seinen Gierblick. »Du kannst die Kinder anziehn und betun!«

Gehorsam schlurfte Gustav in zerlappten Tuchpantoffeln davon. Bei der Tür drehte er sich noch einmal um. Solche Arme aber auch! Er konnte sich nicht satt sehn. Die Vogtsfrau näselte, sie war so dick und traurig. »Was wird er denn schon sehn, wenn ich so sitze: ein bißchen mehr Fleisch als bei Ihnen. Mein Mann hats nicht ungern.« Sie legte die weißen Wabbelarme auf den Küchentisch. »Hättet ihr ein Krümchen zu essen für mich? Ich bin nüchtern von daheim weg.«

Lena kam aus der Speisekammer mit zwei Stückchen Zuckerkuchen. Ihr Gesicht war blaß. Die Vogtsfrau schob ein Kuchenstück bis zur Hälfte in den breiten Mund. »Ist Ihnen nicht gut, Frau Büdner?«

»Das sind so Nachwehn.« Lena schlüpfte auf den Flur, dort rief sie leise nach dem Mann. Gustav erschien mit einem Bündel Kinderhemden.

»Nur noch ein Rest vom Zuckerkuchen.« Lena taumelte.

»Was Zuckerkuchen?«

»Weg.«

»Die Katze!«

»Mit einem Messer?«

»Nun denkst du, ich?«

»Gustav!«

»Nie und nimmer.«

Die Kinder schrien durcheinander, eines beschuldigte das andere. Gustav warf das Hemdbündel auf die Dielen. »Kein Wort mehr, wir sind so genug blamiert!«

Die Alten standen in der Speisekammer und betrachteten den gezehntelten Kuchen. »Er wird nicht hin und her reichen!« Sie kamen überein, Elsbeth nach dem kirchlichen Taufakt um Plinsenmehl und Zucker auszuschicken. Den Kindern keinen Kuchenkrümel mehr! Gustav wollte Plinsen für sie backen. Beim Dorfkrämer konnte das Plinsenmehl nicht geholt werden. Die Frau war Patin! Also sollte Elsbeth nach Schleifmühle rennen. Nach der Taufe, mit dem Eingebinde, versteht sich.

In der Küche leckte die Vogtsfrau die Kuchenkrümel vom Teller. »Plagt Sie der Hunger auch so? Ich wäre imstande, den ganzen Kuchen zu vertilgen.«

»Herrliches Wetter«, sagte Lena.

Die Frau des Lehrers kam. Sie trug ein strenges Gesicht durch die Welt und war Besitzerin eines verkniffenen Mundes. Ihre Schotennase schleppte einen Kneifer. Gustav brachte sie in die ausgeräumte Stube und schenkte ihr Stachelbeerwein ein.

»Bitte, nicht auf nüchternen Magen.« Die strenge Dame wehrte sich. »Ich ging ungesättigt von daheim.«

»Man vergißt oft das Wichtigste«, sagte Gustav.

Die Kinder kamen und begrüßten die Lehrerdame mit eindressierten Dienern und Knicksen.

Die Frau des Krämers tappte heran, eine magere Frau. In ihrem blassen Gesicht klebte ein süßes Lächeln; eine chronische Krankheit, die sie sich im Verkehr mit der Kundschaft zugezogen hatte. Gustav überfiel auch sie mit Stachelbeerwein. Die Krämersfrau nippte. Der Wein war sauer und kratzig. Die Krämersfrau lächelte. Sie schüttelte sich innerlich.

Poltern im Flur. Die Frau des Bauern Schulte war eingetroffen. »Stachelbeerwein? Du bist verrückt, Gustav!«

Die Frau des Gutsvogtes kratzte sich in der Küche die nackten Arme. »Die Leute sagen, sie hälts mit dem Knecht. Sie schläft im Pferdestall bei ihm!«

In der Taufstube rümpfte die Lehrersfrau die Nase. Ihr Kneifer stieß an die Augenbrauen. »Eine drastische Person, die Schulte!«

Die Krämersfrau lächelte.

Glockentöne kullerten über den Hügel. Im Bachtale glitzerten die Wiesen. Grummetschober standen als graue Klecks in darin. Die Schwalben fuhren zwischen Baumwipfeln und Blauhimmel dahin. Im Taufhause bündelte Lena den Täufling. Elsbeth rannte nach Kuchen für die Vogtsfrau. Sie rannte gern.

Die Bäuerin Schulte packte das Taufbündel und wischte sich am Steckkissen die Nase. Wie am Abflußrohr der Dorfpumpe hing an ihrer pockigen Nase stets ein kleines Wartetröpfchen. Lena brachte vier Stauden Phlox als Schmuck und Abzeichen für die Paten.

Bis die Taufgesellschaft aus der Kirche kam, trippelten Gustav und Lena wie Meerschweinchen im Hause umher. Sie empfingen die zurückkehrenden Paten vor der Haustür.

»Der Pastor hat ihn Stanislausus abgetauft.« Elsbeth triumphierte. Stanislausus schrie, daß das Steckkissen wackelte. Gustav schenkte ein. »Ein Glas vor der Haustür, alte Sitte, auf die Gesundheit des Kindes!« Die Bäuerin Schulte trank ihr Glas wie ein Mannsbild auf einen Hieb leer. »Simm, simm, der putzt den Rachen.« Sie ächzte wie ein Saufaus.

Die Lehrerdame nahm das Glas mit zwei Fingern und schüttelte sich im voraus. Die Schulte gab ihr einen Puff. »Trink, trink nur, Lehrersche, dann gehts auf dem Herzhäuschen wie geschmiert!«

Die Lehrersfrau trank mäkelig wie eine Ziege. Die Frau des Krämers lächelte beim Trinken. Die Vogtsfrau klagte über Hunger und schlürfte den Wein wie ein Kalb. Die Paten gingen in die Stube. Gustav war wieder heran. »Ein Glas vor dem Hinsetzen, alte Sitte, auf die Milch der Wöchnerin!«

»Mir gleich zwei!« schrie die Schulte. »Zwei Brüste – zwei Schoppen.« Sie kippte den kratzigen Wein Hieb bei Hieb hinunter. Die anderen Frauen tranken mit Widerstreben.

Lena windelte den Täufling um. Gustav hütete in der Küche den Braten. Gleich mußte sich herausstellen, wie hoch das Eingebinde der Paten war. Die Küchentür flog auf. Die Bäuerin Schulte zog Gustav am Hosenträger. »Eingebunden habe ich nichts, Nachbar.«

Gustav trampelte aufgeregt hin und her. Die Schulte betrachtete ihn. »Das macht der Wein. Er fährt dir in die Blase!« Die Schulte teilte mit, daß Gustav sich statt des Eingebindes heuer dreimal ein Schultesches Pferd für die Feldarbeit ausborgen dürfe. Gustav stopfte sich eine Kaninchenleber in den Mund und verschluckte mit ihr seine Enttäuschung. Die zweite Kaninchenleber grapschte sich die Schulte. »Oh, Susanna, wie ist das Leben doch so schön ...«, sang sie.

Lena kam mit einem Bausch Windeln. Gustav riß die Augen auf. »Wieviel?«

»Fünf Mark.«

»Sie werden unterwegs vom Geld verloren haben. Die verrückte Schulte hat mit dem Steckkissen geschlenkert.«

Die großen Kinder wurden ausgeschickt, den Weg abzusuchen. Elsbeth wand sich vor Hunger.

»Geh, geh, geh, sonst sucht wer anders das Geld aus dem Wegstaub!«

»Wenn die Störchin hungrig ist, frißt sie grüne Frösche ...«, sang die Schulte in der Taufstube. Gustav rannte mit der Weinflasche zu den Patinnen. »Vor der Taufmahlzeit ein Glas, alte

Sitte, auf das Wachstum des Kindes!« Nur die Schulte überwand sich und trank.

Noch waren die Kinder nicht von der Patengeldsuche zurück, da wußten Gustav und Lena, daß kein Pfennig verlorengegangen war. »Eingebunden habe ich nichts«, flüsterte die Vogtsfrau. »Mein Mann schickt euch nach dem Dreschen ein Säckchen Hühnerfutter. Geld ist so unpersönlich.«

»Sie werden sich wundern, daß wir nichts einbanden«, sagte die Frau des Krämers und lächelte. »Man kann nicht so, wie man möchte. Ihre Schulden haben wir gestrichen. Jetzt ist reiner Tisch.«

»Ich habe leider nur fünf Mark einbinden können«, mäuselte die Frau des Lehrers und schwankte ein wenig. »Wie das so ist – kurz vor dem Monatsersten!«

Elsbeth rannte mit fünf Mark Patengeld nach Schleifmühle um Plinsenmehl, Zucker und etwas Schnaps für den enttäuschten, ach, so enttäuschten Gustav.

Am Spätnachmittag knisterten die Plinsen im Tiegel. Gustav versuchte, die Hungermäuler der Kinder zu stopfen. Jedesmal, wenn er eine goldgelbe Plinsenscheibe auskippte, zerrissen sie die Kinder in sechs Teile und schlangen. In der Taufstube sang die Schulte Schnadahüpfeln. Sie pochte dazu mit den Fäusten auf den Tisch. Die Kaffeetassen klirrten.

> Ham Kuchen gegessen, die Schnauze ist blau,
> jetzt ist er wohl alle, man weiß nicht genau.
> Holladrio, holladrihochhochhoch ...

Lena schnitt den letzten Blaubeerkuchen auf. Es dunkelte. In der Küche knisterten immer noch Plinsenscheiben. Der Öldunst durchzog die Räume des kleinen Hauses. Es kamen zwei Männer: Der Dorfkrämer und der Lehrer holten ihre Frauen ab.

»Das hat noch gefehlt!«

»Immer ruhig wie ein Belgierpferd!« Gustav überflog seinen Weinbestand und sah den Rest in seiner Schnapsflasche an.

32

Der Lehrer war ein hagerer Mann. Wo die Wölbungen der Wangen hingehörten, waren Mulden in seinem Gesicht. Wenn er staunte, blies er diese Mulden auf. »Sie entschuldigen den – wie soll man sagen – Überfall. Es ist ... meine Frau ängstigt sich bei Nacht im Walde. Ich habe darüber nachgelesen: Angst ist eine Sache der Nerven ... der Nerven, ja, wenn dann noch ein gewisses Gefühl der Be ...«

Die Schulte schnitt ihm das Wort ab. »Komm rein, Schulmeister, und friß was!«

Der Dorfkrämer schaute Dinge und Menschen an, als ob er beständig auszurechnen hätte, was sie kosten könnten, wenn er sie kaufen müßte. Sein Gesicht war ein Feld von Pickeln und Pusteln, es erinnerte an Erde am Frühlingsmorgen mit den Bohrhäufchen der Regenwürmer. »Hätt ich gewußt, daß der Lehrer geht, wär ich daheim geblieben. Ein Mann genügt für das bißchen Weiberangst.«

Die Schulte schob ihm ein Glas Stachelbeerwein zu. »Sauf eins mit mir, Krämer! Deine Alte verträgt nichts.« Sie begann wieder zu singen:

> Hat der Mensch den Soff erfaßt,
> sauft er aus dem Jauchefaß ...

In der Küche buk jetzt Elsbeth die Plinsen. Sie buk sie nicht so dünn wie der Vater. Die Kinder schlangen und rülpsten.

Der Lehrer hatte nach einem Wein zwei Schnäpse getrunken und wurde schwermütig. »Am besten, man geht in die Kolonien. Dort hat man – wie soll man sagen – Aussichten. Hier kommt man nicht vorwärts.«

Seine Frau schüttelte sich. »Ich laß mich nicht von den Wilden kochen!«

Die Bäuerin Schulte packte die Lehrersfrau. »Dich fressen sie nicht, du hast nichts auf den Rippen, Lehrersche. Komm, tanz ein Stückchen!« Die Schulte schob die Widerwillige durch die Stube und sang:

> Puppchen, du bist mein Augenstern,
> Puppchen, hab dich zum Fressen gern ...

Die Fledermäuse huschten um die Hausecken. In der Küche sirrten die Fliegen und letzten sich an Plinsenresten.

Die kleinen Kinder hockten sich in den Herdwinkel und schliefen ein.

In der Taufstube rückte der Krämer zum Lehrer. »Haben Sie sich überlegt, was das kostet?«

»Wie meinen?«

»Was das kostet – die Überfahrt in die Kolonien schon. Nachher brauchen Sie einen weißen Helm und ein Mückennetz.«

Dem Lehrer traten Tränen in die Augen, große Schuljungentränen. »Ich habe gelesen, die Neger sollen verrückt nach deutschen Schulmännern sein. Der Deutsche hat etwas an sich – wie soll man sagen –, etwas Unwiderstehliches ...«

Ein Schrei durchgrellte das Haus. »Der Junge, der Juuunge!« Lena stürzte mit dem Säugling ins Taufzimmer. Die Gesellschaft erstarrte, als sollte sie photographiert werden. Die Katze hatte sich auf den Jungen gelegt. Alle Gäste betasteten das schweißnasse Köpfchen des Kindes. Die Schulte entriß Lena das Steckkissen. Sie zog den krampfstarren Säugling heraus, packte ihn bei den Beinen und schlenkerte ihn kopfunter. Lange, lange kein Laut – dann ein leises, leises Quäken. Die Schulte drehte das Kind um und schüttelte es, daß die kleinen Glieder flogen. »Das Leben, das Leben kommt wieder!«

Das Gequäk des Säuglings wurde zum Geschrei. Die Schulte hielt das nackte Kind mit ausgestreckten Armen und tanzte mit ihm durch die Stube.

Puppchen, du bist mein Augenstern ...

Der Lehrer stieß den Krämer an. »Ich habe darüber nachgelesen: Das Leben protestiert, wenn die Dinge auf dem Kopfe stehn.«

Der Krämer knispelte an seinen Pusteln. »Die Unkosten mit der Taufe, wenn das Ding nun aus und alle gemacht hätte!«

Gustav schwankte mit ausgebreiteten Armen auf den wimmernden Täufling zu, küßte ihn auf den Nabel, ging zu den Männern und schenkte den Rest aus der Schnapsflasche in die

Gläser. »Ihr kennt den Stanislaus noch nicht; ein Glasfresser wird er!«

4

Stanislaus ißt täglich dreizehn Läuse und nasführt den Tod.

Es herbstelte. Am Morgen lagen Nebelfladen in den Wiesen. Im Walde tropfte es. Die Butterpilze hatten schleimige Hüte. Mittags kam die Sonne und täuschte Frühling vor.

Stanislaus war sechs Jahre alt. Blaue Beulen an seinem Köpfchen waren grün geworden und vergangen. Kleine Wunden an Händen und Füßen waren verschorft und vernarbt. Die Welt des Knaben Stanislaus war der Garten hinter dem Hause. Er riß dort blühende Feuerbohnen aus und bestimmte, sie sollten Blumen für die Mutter sein. Lena verprügelte ihn. Es blieb ihr keine Zeit, den Jungen zu belehren. Sie arbeitete in der Glashütte, trug dort geblasenes Glas vom Schmelzofen zum Kühlofen. Sie rannte mit einer Eisengabel hin und her – sie war Einträgerin.

Gustav lebte für die Familie nur noch in Briefen. Er hatte sein Blasrohr mit dem Schießrohr vertauschen müssen, er war Soldat. Er sollte die Russen erstechen. Bis nun hätte er noch keinen gesehn, schrieb er. Er sollte die Franzosen vierteilen. Bis nun habe sich noch keiner bei ihm blicken lassen, schrieb er. Ob der kleine Stanislaus schon Glas fressen würde, es seien schlechte Zeiten in Aussicht, schrieb er auch.

Stanislaus fraß kein Glas. Er aß Brot, wie die anderen, viel zuviel Brot. Er aß Kartoffeln wie die anderen, viel zuviel Kartoffeln. Er aß Marmelade aus Runkelrüben und bekam davon den Durchfall wie die anderen, aß Brei aus Brennesseln und weinte, wenn er ihn essen mußte, wie die anderen. Das einzige, was er nur allein bekam, war die Gelbsucht.

Die Bäuerin Schulte brachte ihrem Patenkind ein Ei. »Teil es gut ein und friß es ihm nicht weg«, sagte sie zu Elsbeth, der achtzehnjährigen Hausmutter.

Elsbeth machte einen halben Knicks. Die Schulte wischte sich den Tropfen von der Nase. »Könntet selber Eier haben, ihr füttert eure Hühner schlecht.«

»Der Futtersack ist leer.« Elsbeth deckte Stanislaus zu, der nicht im Bett bleiben wollte.

»Bengel, dürrer«, schalt die Schulte. Sie packte ihr Patenkind bei den Haaren. »Gelb wie eine Zwiebel! Gib ihm Läuse zu essen!«

»Läuse?«

»Eine Pflaume schneidest du auf, eine Laus setzt du rein. Dreizehn Pflaumen, dreizehn Läuse am Tag. Soll er draufgehn?«

Elsbeth suchte nach Läusen. In der Schule hatte es zuweilen Läuse gegeben. Jetzt war sie konfirmiert und ging nicht mehr in die Schule. Woher sollte sie Läuse nehmen? Sie ging tageweise auf das Gut des Grafen Arnim zur Arbeit und fragte die Frauen dort: »Habt ihr Läuse zu Hause?«

»Solln wir dir mit dem Hackenstiel den Rücken kratzen?«

»Gebt mir eins mit dem Hackenstiel, ich brauche Läuse für unsern Stanislaus. Er ist so gelb wie Herbstlaub.«

Wieder wars die Schulte, die Rat wußte. Sie ließ ihr Patenkind nicht verkommen. »Komm morgen! Ich beschaff dir Läuse.«

Der Knecht, mit dem es die Schulte gehalten hatte, war im Kriege. Es wurde ein Kriegsgefangener auf den Schulte-Hof gebracht. Die Schulte schickte ihren Mann in die Stadt. »Komm nicht ohne Zucker zurück!« Sie steckte Eier und Quark zum Vertauschen in den Sitzkasten des Wagens und wußte, daß ihr Mann bis zum Abend nach Zucker umherrennen würde. Er fürchtete sie, er hatte Respekt.

Der Mann fuhr in die Stadt. Die Schulte rief den Kriegsgefangenen. »He, Maxel, geh in die Küche!«

Der Kriegsgefangene hieß Marcel. Der kleine Franzose kam schüchtern in die Küche. Die Schulte goß dampfendes Wasser in ein Schaff. »He, besäuber dich!«

Der zierliche Franzose zögerte. Sie zog ihm die Uniformjacke vom Leibe. Er schämte sich für seine Löcher im Hemd. Die Schulte knöpfte ihm das Hemd auf.

Der scheue Gefangene kehrte der Schulte zag den Rücken zu und wusch sich. Die Bäuerin suchte sein Hemd auf Läuse ab. »Schöne fette Viecher.« Sie sammelte die Läuse in ein Gewürztütchen. Der kleine Franzose war bestürzt über soviel Mildtätigkeit. Die Frau steckte sein Hemd in heißes Wasser. »Es muß kochen, k-o-c-h-e-n, du Dummerling, du Heuhüpfer, du magerer.« Sie zerrte den Mann gewaltsam auf ihren Schoß und fütterte ihn mit gebratenen Eiern.

Der kleine Stanislaus aß jeden Tag dreizehn Pflaumen. Von den Läusen in den gelben Schnittwunden der Pflaumen ahnte er nichts. Der Kriegsgefangene auf dem Schulte-Hof bekam gute Tage. Jeden Tag wurden dreizehn Läuse gebraucht.

---

5   Stanislaus erzürnt einen Vogt, weilt ein Weilchen beim Tode und bringt die Büdner-Leute um die Winterkartoffeln.

Höchste Zeit, daß Stanislaus gesund wurde. Auf dem Gute des Grafen hatte die Kartoffelernte begonnen. Elsbeth konnte nicht länger Krankenwärterin sein. Wer auf dem Gute Kartoffeln ernten half, erhielt Deputat. Büdners Haushalt knurrte nach den Deputatkartoffeln. Lena und die Kinder konnten den kleinen Acker am Waldrand nur notdürftig bestellen. Die Familie wurde von Tag zu Tag magerer. Lena vertrocknete von der Hitze in der Glasfabrik. Die Rübenmarmelade verhalf ihr nicht zur Drallheit. Die größeren Jungen wurden als Viehhirten bei Bauern verdingt. Sie erhielten dort ein Quarkbrot auf den Abend, manchmal auch ein Schöppchen Magermilch. Ihre Hosen wurden trotzdem löcheriger, ihre Beine vom Preschen magerer, nur ihr Appetit wuchs. Elsbeth schuftete und schwitzte auf dem Gut. Sie mußte die Jungenmäuler stopfen helfen. Der Winter war lang. Das Brot war kurz.

Stanislaus saß am Rain und sang: »Tapp, tapp, tapp, mein Pferd, das ist ein Rapp ...«

Blauer Himmel. Die Erde schwelgte noch einmal im Licht. Die Fliegen putzten sich die Sterberöcke. Kutscherrufe hallten über die Felder. Ein Habicht kreiste über den Kartoffelhackerinnen. Eine drohte mit der Hacke zum Himmel. »Meine letzte Henne hat er geholt.«

Eine andere sah zum Habicht auf und schüttelte den Kopf:

»Sie machen Krieg, schießen in der Welt umher, aber das Raubzeug lebt.«

»Hackt, hackt, hackt und stiert nicht in die Luft!« Das war die Stimme des Gutsvogtes. Die Weiber duckten sich. Sie schwiegen. Der Gutsvogt stieg über den spielenden Stanislaus hinweg.

»Du bist ein Tolpatsch«, zirpte der Kleine.

Der Vogt drehte sich um. »Was bin ich? Sieh einer die Kröte!«

»Du hast meinen Rapp zertreten.« Auf dem Rain lag der breitgetretene Mistkäfer, mit dem Stanislaus gespielt hatte.

Der Vogt war bei schlechter Laune. Am Morgen hatte er vor dem Inspektor strammstehen müssen. »Ein Haufen Weiber und zuwenig Leistung. Treiben Sie, mein Lieber, treiben Sie!«

»Die Weiber sind morsch und hungerig«, versuchte der Vogt einzuwenden.

»Was für ein Quackquack von einem preußischen Gutsvogt. Entweder Sie treiben, oder ich treib Sie – zur Blaubohnenernte –, Sie wissen.«

Das war am Morgen gewesen. Jetzt packte der Vogt Stanislaus beim Jäckchen und hob ihn hoch. »Was willst du Schleimnase? Kaum geboren, schon frech wie ein Spitzbub.«

Stanislaus zappelte in der Luft. Die Nähte seines Jäckchens zersprangen. Auch der Kriegszwirn war morsch. Der Junge fiel bäuchlings auf den Acker. Ein Ächzlaut und kein Ton mehr.

»Steh auf, du Luder!« brüllte der Vogt.

Stanislaus bewegte sich nicht. Elsbeth rannte herzu. »Es ist Ihr Patenkind!«

»Was man noch!« Der Vogt trat den Mistkäfer mit dem Absatz ins Raingras und entfernte sich.

»Schinder, Schinder!« schrie eine Frau.

Ein anderes Hackweib rannte Elsbeth zu Hilfe. »Mach erst mal Kinder, dann bring sie ums Eck, leeres Kanonenrohr.«

Der Vogt ging schneller. Er tat, als sähe er das Hackengefuchtel auf dem Felde nicht.

Stanislaus erbrach sich. In der Lache schwammen die Samen der Käspappel.

»Er hat schieres Gras gefressen«, schrie die Frau, die ihn

aufrichten half. Sie zog ihr dürres Frühstücksbrot aus der Rocktasche und hielt es dem Jungen unter die Nase.

Stanislaus kam zu sich. Er biß in das Brot, schluchzte, schluckte und spuckte.

»Das sag ich den Sozialdemokraten«, schrie die Frau übers
Feld zum Vogt hin.

Gegen Mittag begann Stanislaus matt umherzutorkeln. Els-
beth rief ihn zu sich; denn der Vogt konnte zurückkommen.
»Stani, sieh die runden Kartoffeln, ei, die runden Kartoffeln.
Heb sie auf!«

Stanislaus gehorchte. »Katatoffeln«, lallte er müde und warf
die Erdfrüchte in Elsbeths Korb.

Um die Dämmerung schritt der Vogt noch einmal die Front
seiner Hackweiber ab. Bei Elsbeth blieb er stehn. Elsbeth sah
nicht auf. Sie wollte nicht für faul gelten.

»He, Rieke, hier steht wer.«

»Ich seh es«, sagte Elsbeth.

»Du kannst morgen wegbleiben.«

»Ich?«

»Ja, du.«

»Weshalb soll ich wegbleiben, Herr Vogt?« Durch Elsbeths
Stimme schimmerte schon das Schluchzen.

»Weil du Steine im Korb hattest.«

»Steine?« Tränen zitterten an Elsbeths Wimpern und fielen
auf die sandbekrustete Schürze – Armeleute-Tränen. Der Sand
sog sie auf.

»So große Steine in drei Körben!« Der Vogt gab das Maß mit
der Faust an. »Festgestellt beim Ausschütten. Der Inspektor war
persönlich zugegen. Was willst du?«

»Ich will nichts.« Sie haschte nach Stanislaus' kleiner Hand,
schob den Hackenstiel durch die Korbgriffe, huckte den Korb
auf und ging. Ihr Rücken zitterte. Der Vogt ging weiter.

»Dreckfresser!«

»Wer war das?«

»Ich war das.« Die Frau, die Stanislaus gefüttert hatte, reckte
sich.

»Auch du bleibst morgen daheim.«

Die Frau tappte wie eine Bärin auf den Vogt zu. »Jaaa.« Ein drohendes Knurren, dieses Ja. Sie stand vor dem Vogt, riß die Hacke hoch und brannte ihm den Hackenstiel über den Schädel. »Und auch du bleibst morgen daheim!« kreischte sie.

Der Vogt verdrehte die Augen, ächzte, spuckte Blut und taumelte von dannen. Alle Weiber standen aufgerichtet und sahen dem wankenden Vogt nach.

»Schöne Paten«, randalierte Lena daheim, »entziehn den Kindern die paar Kartoffeln.«

Elsbeth weinte sich aus. »Ich kann nicht dafür. Sollte er den Stanislaus noch einmal packen?«

Lena begann unfromm zu schrein: »Wer befiehlt den Menschen, Kinder zu machen?«

Um diese Zeit lag der Vogt daheim im Bett. Seine dicke Frau wälzte sich durch die Tür. Sie brachte ein Essigtuch. »Es ist wirklich mein Patenkind.«

»Geh mir los!« Der Vogt spuckte Blut.

»Hat es sein müssen, daß du das Mädchen verjagtest?«

»Freilich hats sein müssen. Reg mich nicht auf! Es dreht sich mir alles, Hirnzittern hab ich.«

Die Frau legte ihm das Essigtuch auf. »Was hast du mit dem Inspektor gehabt?«

Er ächzte. »Wir mußten Frauen entlassen. Auf Mittag kam ein Schub Kriegsgefangener. Sie kosten uns nur die Kohlsuppe.«

»Uns? – Was haben wir davon?«

Der Vogt schwieg.

---

6 Stanislaus verschlingt einen Rehkopf, und Lehrer Klügler wächst von innen her über seine Ränder hinaus.

Stanislaus war neun Jahre alt. Der Krieg war vorüber. Vater Gustav trabte wieder in die Glashütte. Die Welt brauchte Glas. Es schien, als habe man ihn und andere nur ausziehen lassen, damit sie Glas in der Welt zerschlügen. Die Geschäfte liefen sich wieder ein. Leider waren es nicht Gustavs Geschäfte.

Er war nicht Glashüttendirektor irgendwo in den Kolonien geworden. Ha, die Kolonien – die waren überhaupt weg. Möge jeder sehen, wie er zurechtkommt! Gustav hatte viel gesehen und wenig gelernt. Immer noch sprach er ein Quentchen schneller, als er dachte, aber er haßte jetzt ein wenig. Er haßte, wenn sichs traf, die Leute, die nicht im Kriege gewesen waren.

Lena bewaltete wieder das Hauswesen. Es fehlte gerade, daß die Weiber den Männern die Arbeit in der Fabrik wegnahmen. Sie war allerdings nicht die besonnene Frau geblieben. Zanksucht war in ihr Wesen gekrochen. Die Glasöfen hatten sie ausgedörrt. Die edlen Gestalten aus ihren Büchern kauerten frierend in einem ihrer Herzwinkel. Fast wäre ein achtes Kind zur Welt gekommen, aber da hatte Lena aufbegehrt: »Lieber ins Zuchthaus, aber das nicht!« Das achte Kind kam nicht. Die Liebe der Büdners vertrocknete.

Elsbeth wurde in die Stadt gegeben. »Soll sie sich umsehn, nicht gesagt, sie macht am Ende eine gute Partie, wie sie bei Leibe ist«, entschied Lena.

Elsbeth wurde an einen Mann verdingt, der Wasser färbte, Süßstoff und Natron untermischte und es auf Flaschen füllte. Die Menschen tranken es als Mineralwasser, Brause, Kinderchampagner oder Sportlerbier. Eigentlich stellte der Brausefabrikant Elsbeth als Hausmädchen ein, aber es waren schon mehr Hausmädchen dort, als die Fabrikantin verbrauchen konnte, deshalb mußten die überzähligen zum Flaschenspülen verwertet werden.

»Du mußt dich hervortun und in die Küche aufrücken. Stubenmädchen wird auch nicht eine und jede«, riet Lena.

Elsbeth nickte stumm. Als sie nach Monaten zu Besuch auf das Vorwerk kam, brachte sie außer dem neuen Tanzkleid für sich, einer Zigarre für Vater Gustav, einer Nesselschürze für Mutter Lena auch Zuckerbällchen für die Geschwister. Ihr Liebling Stanislaus erhielt ein Reh aus gefärbter Pappe. Als Stanislaus sah, wie seine Geschwister die Zuckerstücke vernaschten, biß er seinem Pappreh den Kopf herunter und verschlang ihn.

»Er fängt schon an«, sagte Vater Gustav bedeutsam.

Nach dem Kriege purzelten aus vielen Dorfhäusern neue Kinder. »Ich habe gelesen, daß nach einem Kriege – wie soll man sagen – mehr Knaben als Mädchen geboren werden«, sagte Lehrer Klügler zu seiner Frau.

Die Frau strich sich über die glatte Brust. »Ich merk nichts davon.« Sie hätte das nicht sagen sollen, aber sie hatte es wohl darauf angelegt, ihren Mann ein wenig zu beleidigen. Ihr Mann war nicht so ein Wilder, der bedenkenlos Kinder in die Welt setzte. Der Krieg hatte Lehrer Klüglers Lebenslust nicht gesteigert. Er war dem Rufe des Kaisers gern gefolgt. Der Gang zum Militär war für ihn schon die halbe Reise in die Kolonien gewesen. Der Aufstieg hätte beginnen können. Bei seiner Intelligenz! Die erste Verminderung erhielt seine Aufstiegskraft, als er drei Tage Rekrut war. Der Kompaniefeldwebel suchte einen intelligenten Menschen. Lehrer Klügler trat schnell vor. Er riß beinahe den Gefreiten vor der Front um. Lehrer Klügler war nicht der einzige intelligente Mensch in der Kompanie – fast zwanzig waren aus der Reihe getreten. Klügler aber war am weitesten vorgestürmt. Er hatte die längsten Schritte gemacht und wurde Laufbursche des Kompaniefeldwebels. Nicht lange, und er hatte sich als Kompaniefaktotum einen Namen gemacht.

»Was haben Sie über die Anziehungskraft der Erde gelesen, Klügler?« konnte der Kompaniefeldwebel fragen. Klügler riß die Hacken zusammen. Er tat es so gewaltig, daß er sein linkes Bein aus dem Stand schlug und ins Taumeln geriet. Dabei dozierte er: »Ich habe gelesen, die Anziehungskraft der Erde beruht auf der Umdrehungsgeschwindigkeit – wie soll man sagen –, die Gravitationskraft …«

»Ausgezeichnet, Klügler«, unterbrach ihn der Feldwebel. »Beweis: meine Stiefel. Sie haben Erde angezogen. Putzen, marsch, marsch!«

Lehrer Klügler war brav vier Jahre hinter seinem Kompaniefeldwebel hermarschiert, hergehinkt und schließlich hergezittert. Als aber der Krieg vorüber war, erfuhr er das für seine Vaterlandstreue: Es wurde ein zweiter Lehrer ins Dorf geschickt, dieser Lehrer sollte der Schulleiter und sein Vorgesetzter sein.

»Da hast du es!« Frau Klügler stopfte ihre Gardinen. »Du kaufst und liest unmögliche Bücher, und andere kommen vorwärts.«

»Es liegt nicht in meinem Schicksal, äußerlich vorwärtszukommen. Dafür wächst mein Inneres – wie soll man sagen – über seine Ränder hinaus.«

Frau Klügler sah ihren Mann an und hielt sich die Ohren zu. Sie fürchtete wohl, daß sein inneres Wachstum ihn sprenge, daß er platzen würde.

Der neue Lehrer war älter als Klügler. Glattrasiert vom Kinn bis zum Scheitel. Die Glatze aus praktischen Gründen mitrasiert. Das besorgte seine Frau. Lehrer Gerber hatte Augen, die auf Vorteile gerichtet waren, und Hornhaut auf der Seele.

Zwei Möbelwagen brachten den Hausrat, ein Bauerngespann Holz und Viehzeug. Der neue Lehrer war da.

»Sie werden einsehen, daß ich mit den vielerlei Sachen nicht unterkomme, wenn Sie sich nicht entschließen, als zweiter Lehrer, der Sie sind, ins Obergeschoß zu ziehen«, sagte Lehrer Gerber mit geschmalzter Stimme zu Lehrer Klügler. »Außerdem kann ich Ihnen nicht zumuten, unter mir zu wohnen. Sie sehen mein Handwerkszeug. Ich tischlere, ich schmiede, besohl mir die Schuhe selber, niete und löte und habe mir vorgenommen, hier auch meine Schweine selber zu schlachten. Selbst ist der Mann!«

Nein, nein, das nicht. Lehrer Klügler wollte beim Studieren nicht durch rohe Geräusche gestört werden. Er zog in das Obergeschoß des Schulhauses. Die Frauen funkelten sich an wie zwei Nachbarkatzen in der Wurfzeit. Die Männer kamen gut miteinander aus. Einer hielt vom anderen nichts.

Es war um die Osterzeit, als Lehrer Gerber ins Dorf zog. Stanislaus wurde von ihm unterrichtet. Bisher war nicht aufgefallen, was in Stanislaus steckte, aber Lehrer Gerbers Unterrichtsmethoden brachten es an den Tag.

7

Stanislaus verbessert die Geschichte des Jünglings zu Nain, und Lehrer Gerber wittert einen Heiligen auf evangelischer Seite.

Lehrer Gerber baute einen Kaninchenstall. Der ewige Unterricht störte ihn bei dieser wichtigen Arbeit. Das Fach, auf das er den meisten Nachdruck legte, war der Religionsunterricht. Er hatte es auf die Kantorstelle in der Kirche abgesehn. Das Geigenspiel, das Harmoniumtreten beherrschte er nicht schlechter als Nieten und Löten und das Nieten und Löten nicht besser als Geigenspiel und Harmoniumtreten.

Lehrer Gerber rief den Klassenersten und die Klassenerste nach vorn. Sie sollten das Aufsagen der Geschichte des Jünglings zu Nain überwachen. »Wer Unfug treibt, wer Mätzchen macht, wird nichts weniger als an die Tafel gekreidet. So steht die Fahne!« Lehrer Gerber würde mit den Unruhstiftern abrechnen, vorerst ging er zu seinem Kaninchenstall.

Die Kinder erzählten die Geschichte vom Jüngling zu Nain. Hin und wieder wurde ein Name an die Wandtafel gekritzelt. Ein Rotback war auf die Bank gestiegen und hatte das Bild des Reichspräsidenten Ebert besudelt. Er hatte dem ernsten Manne den kleinen Finger in die Nase gebohrt. Ein Wirrschopf hatte in Lehrer Gerbers Fensterblumen gespuckt. Bei einem Mädchen sollte ein Zwiebelwind losgegangen sein. Das behaupteten die Jungen. Die Mädchentafel konnte nicht leer bleiben.

Jetzt erzählte Stanislaus die Geschichte vom Jüngling zu Nain. Die Kinder begannen aufzuhorchen.

»... Als er aber an das Stadttor kam, siehe, da trug man einen Toten heraus. Es war ein Jüngling. Er hatte eine Mutter und war ihr einziger Sohn. Die Mutter war auf Arbeit. Der Sohn hatte sich in den Keller gemacht und fand dort das Eingeweckte, also begann er, sich zu laben.«

Die Klasse lachte. »Stanislaus!« rief der Klassenerste. »Gleich sollst du an die Tafel geschrieben werden!«

»Er aß, bis er alles Eingeweckte verschlungen hatte. Da bekam er Leibschneiden, und der Jammer packte ihn. Was, im Himmel, wird meine Mutter sagen, wenn sie von der Arbeit kommt!‹ Und der Leib schnitt ihm mehr und mehr, und er legte sich auf das Sofa. Als die Mutter kam, machte er, als ob er tot wäre.«

Die Kinder kicherten. Der Klassenerste hielt sich den Schwamm vor den Mund und schrieb Stanislaus' Namen an die Wandtafel. Stanislaus' Wangen glühten. Er blieb ernst, soviel die anderen auch grölten und rumorten.

»Die Mutter jammerte: ›Ach Gott, ach Gott, mein lieber Sohn ist tot!‹ Im Keller war zu sehn, weshalb er tot war.«

Jetzt brüllte alles in der Klasse durcheinander. Der Klassenerste hüpfte hin und her und unterstrich Stanislaus' Namen an der Tafel dreimal. Stanislaus wich nicht vom Faden: »Als der Herr den Toten sahe, roch er Lunte. Er sahe das Blaubeermaul des Jungen und kitzelte ihn. Zur Mutter sagte der Herr: ›Siehe, Weib, ein bißchen Leibschneiden wird dein Sohn haben. Mir deucht, er hat das Eingeweckte gefressen.‹«

Der Tumult war fertig. Er drang bis zum Lehrer auf den Hof. Lehrer Gerber kam mit einer Dachlatte in die Schulstube. »Weshalb ist Stanislaus dreimal unterstrichen?«

»Er hat gesündigt.«

»Wie?«

»Der Jüngling soll Eingewecktes gefressen haben.«

Gerber sah Stanislaus an. Stanislaus blickte mit Hasenaugen zurück. Was war? Er hatte nach seiner Meinung nichts Unrechtes vom Jüngling zu Nain erzählt. Lehrer Gerber geriet in pädagogisches Schwanken. Er ging behutsam auf Stanislaus zu wie auf eines seiner Jungkaninchen. Stanislaus rührte sich nicht. Seine Augen glänzten. Auf seiner Stupsnase erschienen zwischen den Sommersprossen Schweißtröpfchen. »Erzähl noch einmal!« Lehrer Gerber sagte es sanft wie zu einem Kranken.

Stanislaus erzählte. Diesmal hatte die Geschichte eine Abweichung mehr. Der Jüngling schmierte sich, bevor die Mutter kam, das Gesicht mit Kreide ein. Er wollte echt tot aussehn. Lehrer Gerber zwang sich trotz des Klassenkrachs zur Milde. »Steht das so in deiner Bibel?«

»Ich hab erzählt, was der vergessen hat.«

»Wer hat vergessen?«

»Der Herr Prophet, der Bibelschreiber.«

Die Kinder atmeten schwer. Hier wurde nun ein Verbrecher verhört, ein Verbrecher am Heiligen Geiste. Man überhörte einen weiteren Zwiebelwind des angeklagten Mädchens. Er wurde nicht mehr notiert. Lehrer Gerber schwankte zwischen zwei Ansichten: Auch für ihn hatte es einmal eine Zeit gegeben, da er sich den Jüngling zu Nain nicht anders als scheintot hatte denken können. Das war seine Seminaristenzeit gewesen. Damals hatte er sich noch Gedanken um mancherlei Vorgänge gemacht. Später war er davon abgekommen, es führte zu nichts. Diese Geschichten waren alt, hatten ein wenig Grünspan angesetzt, aber bewährten sich für und für bei der Erziehung von Kindern. Sie gehörten zum Leben wie der laue Juniwind zum Getreide. Die Menschheit brauchte sie zu ihrem Fortbestehn. – Die zweite Erwägung Lehrer Gerbers war die: Er hatte einmal von einer Frau gehört, die biblische Geschichten genauer erzählen konnte, als sie in der Bibel standen. Diese heilige Frau zeichnete das alte Jerusalem, den Berg Golgatha und den Leidensweg des Herrn auf ein Stück Papier und brachte es sogar fertig, an jedem Freitag blutige Tränen zu weinen. Die katholischen Gelehrten staunten, und der Papst ging mit der Absicht umher, das Wunderweib heiligzusprechen. Weshalb sollte nicht in Lehrer Gerbers Schule – gewissermaßen auf evangelischer Seite – so etwas losgehn? Lehrer Gerber befahl im biblischen Ton: »Man lösche den Namen des Stanislaus von der Tafel und streiche auch die, so noch darauf geschrieben stehn!«

Er ging nachdenklich zu seinem Kaninchenstall zurück. In die Kinder fuhr ein heiliger Schreck.

8

Stanislaus prophezeit seiner Schwester Elsbeth ein Kind und treibt seinen Eltern leise Schauer über die Rücken.

Der Wind durchwehte das Dorf. Der Wegstaub flog die Straßen entlang. Stanislaus' Geschichte vom Jüngling zu Nain flog durch die Häuser. Gustav erfuhr sie in der Schleifmühler Glashütte.

»Er wird euch noch mehr zu denken geben, wenn er erst Bierseidel frißt«, sagte er und spielte mit großen Geheimnissen.

Stanislaus sorgte in der Tat für neue Überraschungen. Eines Abends, bevor er zu Bett ging, plapperte er vor sich hin: »Wenn Elsbeth nun ein Kind kriegt, dann bringt sie mir gewiß nichts mehr, kein Pappreh, keinen Kuchen.«

»Was wird Elsbeth?«

»Alle Frauen kriegen Kinder.«

»Die Gusche hältst du! Husch, ins Bett!«

Am nächsten Sonnabend kam Elsbeth. Mutter Lena musterte sie. Na? Natürlich – nichts. Was Kinder so zusammenreden! Die Geschwister erhielten ihre Zuckertüte, und Stanislaus, der Prophet, kam nicht zu kurz. Elsbeth ging nur etwas abgemüdet umher. Ihre Arbeit war nicht leicht Die schweren Flaschenkästen! Bis in die Nacht hinein hatte sie sich zuweilen abrackern müssen.

Elsbeth kam auch vier Wochen später nach Hause – unverändert übrigens. Ach, der Kindermund! Das Mädchen saß lange bei den Ziegenlämmern im Stall und tätschelte sie. Am Sonntag zog es sein neuestes Kleid an. Elsbeth mußte zum Dorftanz, da halfen kein Gott und kein Teufel. Aus einem Fläschchen spritzte sie sich überdies duftendes Wasser ins Haar. Lena entriß ihr das Fläschchen und warf es an die Wand. »Jetzt wirds verrückt!« Die Schlafstube roch wie ein Seifenladen.

»Rabenvieh!« schrie Elsbeth.

Sie erhielt zwei Ohrfeigen von Lena. Das Mädchen aber nahm seine Tasche, ging zum Dorftanz und nachts vom Tanz ins Nachbardorf zum Bahnhof.

Vier Wochen später kam ein Brief für die Büdners. Elsbeth entschuldigte sich darin für ihre Heftigkeit, aber jetzt sei es aus und vorbei, sie käme nimmer heim. Man solle sich daheim auch nicht wundern, wenn von nun an kein Geld mehr von ihrer Seite eingínge. Sie müsse für ihre eigene Familie sorgen. Sie bekäme ein Kind. »Treue Grüße – Elsbeth.«

Aus.

Das Kind, das Elsbeth bekommen sollte, war ein Enkel des Brausefabrikanten. Sie hatte sich nach Lenas Ratschlägen hervorgetan. Sie war ein bißchen zu weit nach vorn gegangen und auf den Sohn des Fabrikanten gestoßen, der des öfteren im Hofe lümmelte und die Wadenparade bei den Flaschenspülerinnen abnahm.

Lena nahm sich Stanislaus vor. »Die Elsbeth hat dir wohl gesagt, daß sie ein Kind kriegt?«

»Nein, Elsbeth hat mir nichts erzählt.«

»Und woher weißt du Krabbe das?«

»Ich denke mir das immer so.«

»Wieso denkst du das immer so?«

»Weil ich mir immer alles so bedenke.«

Stanislaus huschte davon. Er hatte keine Zeit. Er war dabei, einer Jungziege das Sprechen beizubringen. Nach seiner Meinung sprach die Ziege schon.

»Was willst du, Micke, Blumen oder Klee?« Stanislaus hielt in der einen Hand dies, in der anderen das. »Mee«, schrie die Jungziege, und für Stanislaus bedeutete das Klee.

Lena konnte in dieser Nacht nicht einschlafen. Sie weckte Gustav. »Du, wenn der Stanislaus man nicht hintergesichtig ist.« Sie zog Elsbeths Brief unter dem Kopfkissen hervor. »Hier lies! Das Mädel wird uns rund.«

Gustav fuhr hoch. Den Brief schob er von sich, aber Stanislaus' Künste ereiferten ihn: »Hast du bemerkt, ob er schon hin und her ein wenig Glas frißt?«

---

9   Stanislaus hilft einen Mord klären und wird fortan für einen Hintergesichtigen gehalten.

Bald darauf unterlief Stanislaus ein weiteres Wunder: Der Förster wurde ermordet; von einem Wilddieb mit einem Messer erstochen. Das Dorf war eine kochende Gerüchtsuppe. Sie zischelte, plapperte, es stiegen Blasen von Verdächtigungen auf und platzten. Der Landgendarm Hornknopf ging von Haus zu Haus. Man hatte in den Akten des Försters eine Liste gefunden. In der Liste standen all die Dorfbewohner, die der verstorbene

Förster je bei einer Unredlichkeit im Walde betroffen hatte. Dort stand auch Gustavs Name. Einmal war notiert: »Gustav Büdner – Holzdiebstahl«, und viel, viel später hinter anderen Holzdieben und Pilzräubern stand noch einmal: »Gustav Büdner stößt Drohungen gegen mich aus. Feindlich!« – Gustavs kleiner Haß gegen alle, die nicht wie er im Krieg gewesen waren, hatte ihm einen Streich gespielt.

Als eines Tages in der Glashütte die Rede auf den Förster gekommen war, hatte sich Gustav hinreißen lassen zu sagen: »Den sollt man mal mit blauen Bohnen füttern. Im Krieg hat er daheim gesessen und arme Weiber abschurigelt. Unter die Röcke hat er den Weibern gesehn, und damit sage ich noch wenig.«

Gendarm Hornknopf kam auf Büdners Hof. Gustav mistete den Ziegenstall aus. Er sah den grünen Hahn nicht kommen. Dem forschen Mann flog eine Gabel Ziegenmist vor die gewichsten Schäfter.

»Hier steht die Obrigkeit, und du hast sie beleidigt.« Der Gendarm zeigte hinunter auf den Ziegenmist. Gustav ließ vor Schreck die Gabel fallen. Er wurde bleich.

»Du hast wohl deine Flinte dort vergraben, Büdner?«

»Flinte? Habe keine Flinte.«

»Hast du kein Knallrohr aus dem Krieg gebracht?«

»Nur Läuse, kein Gewehr, Herr Hornknopf.« Gustav hatte sich gefangen.

»Führ mich durchs Haus und laß mich deine Flinte suchen, Büdner!«

»Es ist in meinem Haus nur eine Flinte; das ist die Ihre, Herr Gendarm.«

»Laß deine Späßchen!«

»Das Reh war doch erdrosselt, nicht erschossen, Herr Gendarm.«

»Woher willst du das wissen?«

»Man erzählt es.«

Stanislaus' Stupsnase kam über die Ziegenstallwand. »Der Förster ist erstochen, Onkel Hornknopf.«

Der Gendarm sah mit einem zugekniffenen Auge auf Stanislaus herunter. Er tat es wie ein Gott, der Sonntag hat und nur mit einem Auge auf die murkeligen Erdenzwerge hinschaut.

»So, so, erstochen, was du alles weißt!«

»Ich weiß noch mehr.«

»Sei still jetzt, Junge«, sagte Gustav.

»Laß ihn doch reden, Büdner, oder bist du doch nicht sauber?«

Stanislaus plapperte los: »Der Mann, der Mann, der schlitzt dem Reh den Bauch auf. Der Förster kommt ganz leise und verschreckt den Mann. Der dreht sich um und sticht dem Förster mit dem Messer in den Bauch. Der Förster schreit: ›O weh, mein Bauch!‹ – ›Du kannst noch schrein?‹ sagt da der Mann und sticht noch einmal. Der Förster fällt, ist tot, da schreit der Mann: ›Weh mir, was hab ich nun gemacht!‹ Daheim, da will der Mann sich Pellkartoffeln schälen. Er zieht sein Messer aus der Hosentasche. Was sieht er? Blut auf den Kartoffelstücken. Da hat er keinen Hunger mehr. Er geht nach Birkenruten in den Wald. Er will sich einen Besen binden. Die Ruten werden rot vom Blut beim Schneiden. Da fürchtet sich der Mann und rennt. Er schreit: ›Ach, schneidet mir den Kopf ab. Ich sehe nichts als Blut in dieser Welt!‹ «

Der Gendarm pfiff durch die Zähne. »Der schwindelt schon ganz schön für seine Jahre.«

Gustav war verlegen. »Der Junge ist ein bißchen zweitgesichtig, Herr Gendarm!«

Der Gendarm machte sich an die Haussuchung. Er zog ein kleines Drahtstück aus der Tasche und hielt es vergleichend an jedes Drahtende, das er auf dem Hofe fand. Er prüfte im Hause die Dielen auf neue Nägel ab. Einen blankgetretenen Nagel ließ er herausziehen. Gustav mußte das Dielenbrett anheben. Ein paar Ohrwürmer und Kellerasseln im Dielenmulm, aber kein Wilddiebgerät. Nichts. Wirklich nichts? Etwas doch: Stanislaus hatte den Gendarm auf einen Gedanken gebracht. »Dein Taschenmesser gib mir, Büdner!«

Der Gendarm ging noch einmal durch das Dorf und ließ sich von allen Verdächtigen die Taschenmesser geben. Die Messer brachte er in die Stadt zum Kriminalamt.

Tags drauf schnitt sich ein Junge mit einem Messer in den Fuß. Er war durch den Dorfteich gewatet, und das Messer hatte dort im Schlamm gelegen. Es war kein Taschenmesser, und viele Dorfleute wußten, wer es getragen hatte. Dieses Messer war noch nicht beim Gendarmen, da meldete sich der Wilddieb und Mörder wirklich. Es war der Fellhändler aus dem Nachbardorf, aus Schleifmühle, ein makelloser Mensch, wenn man außer acht ließ, daß er bis zu diesem Tage Häute und Felle bei Arbeitern und Bauern billig aufgekauft hatte, um sie mit fünffachem Gewinn weiterzuverkaufen. Mit dem Messer, diesem allzu bekannten Messer aber hatte er vor den Augen der kleinen Verkäufer Fettreste und Fleischstückchen von den Häuten geschabt, um die Felle zu bemäkeln und zu verbilligen. Dieser Mann stand nicht in der Strafliste, die der tote Förster hinterlassen hatte; er konnte sein Winterholz kaufen und bezahlen.

Für die Büdners stand zeitan fest, mit Stanislaus einen Hintergesichtigen gezeugt zu haben, und sie waren ein wenig verschreckt darüber.

Bei den Dorfbewohnern gingen die Ansichten über Stanislaus' Hellsichtigkeit auseinander.

Lehrer Gerber behandelte ihn in der Schule wie einen Kranken. Stanislaus erweiterte und ergänzte sogar Gedichte nach seinem Bedünken. »Die drei Zigeuner« von Lenau sagte er so auf:

> Drei Zigeuner fand ich einmal
> liegen an einer Weide,
> brieten ein Hühnchen an einem Pfahl;
> fingen es kurz vor der Heide.
> Hielt der eine für sich allein
> in den Händen die Fiedel,
> einer suchte nach Läuselein,
> dazu sang er ein Liedel ...

»Oh, oh, in meinem Gedicht steht nichts von einem Huhn, Stanisläuschen.« Lehrer Gerber tippte mit der Kante seines Lineals auf das Lesebuch.

Stanislaus war nicht verlegen. »Das hat der Evangelist vergessen.«

»Es war in diesem Falle ein Dichter, mein Junge.«

»Der auch.«

Lehrer Klügler durchblätterte viele Bücher, um zu einem
Urteil über Stanislaus zu kommen. »Ich habe gelesen, daß eine
gute Beobachtungsgabe, gepaart mit enormer Phantasie – wie
soll man sagen –: eine Art von Hellsichtigkeit an den Tag för-
dern kann. Die psychischen Kräfte in so einem Menschen ...«

Niemand interessierte sich für das, was Lehrer Klügler gelesen hatte. Dieser Halbmann ging vollgestopft mit Wissen umher
und säbelte sich trotz aller Weisheit beim Brotschneiden in den
Finger.

Die Alten und Kränklichen im Dorf steckten Stanislaus hin und
her etwas zu: ein Stückchen Butter, ein Ei; oder sie ließen ihn
Milch trinken und tranken vor seinen Augen aus der gleichen
Kelle. Sie wollten ein wenig mit den Kräften in Berührung
kommen, die in diesem Jungen tätig waren.

»Schade, schade, daß man absterben wird, ehe dieses gottge-
segnete Kind ein kluger Pißdoktor und Wundertäter sein wird.«

Vater Gustav aber streute Trost unter die Menschen: »Er wird
euch nicht weniger als Glas fressen, wenn seine Zeit gekommen
sein wird.«

10

**Stanislaus zähmt die Vögel unter dem Him-
mel, wundert sich über die Gewohnheiten reicher Leute und
wird von der Gräfin zum Millionär gemacht.**

Stanislaus hatte sich manches Wunder geleistet: Eine Bauernmagd ertränkte ihr Neugeborenes im Dorfbach. Die Kindslei-
che wurde gefunden. Wer war der Vater?

»Wer war der Vater, Stanislaus?«

»Ihr Herr und Bauer war der Vater.«

Die Magd hatte bis da ihren verkniffenen Mund nicht aufgetan. Jetzt redete sie: »Was soll ich länger schweigen, wenn
Stanislaus, der Wundertäter, es doch gesagt hat.«

Stanislaus hatte beobachtet, wie die Magd und der Bauer beim Heuen scherzten. Sie fielen miteinander in einen Heuschober. Ein prächtiges Wunder! – Der Bauer hatte die Magd mit einer Abfindungssumme halb und halb gezwungen, ihre Leibsfrucht zu ertränken.

Stanislaus hütete sich bereits, alles auszuplappern, was er sah und dachte. Er hatte entdeckt, daß man nicht nur seine Glieder, sondern auch sein Herz vor leichtsinnigen Verletzungen schützen mußte. Die halb mitleidigen Hänseleien seiner Brüder und der Kinder in der Schule fühlte er wie kleine Risse im Herzen. Aus den kleinen Rißwunden tropfte Bittersaft, und der Bittersaft stieg ihm bisweilen zu Munde.

»Da kommt der hintergesichtige Stanislaus. Wir sehen mit den Augen, aber er sieht mit dem Hintern, hä, hä!«

»Aber euer Hintern wird gleich Blaubeulen haben«, sagte Stanislaus im jähen Zorn. Er trat zu wie ein flinkes Füllen, doch die anderen waren in der Überzahl, seine Brüder standen unter den Hänslern. Sie hielten ihn fest, spuckten ihm in die Ohrmuscheln und sagten: »So rauscht das Meer in Brasilien.«

Stanislaus befreite sich und rannte davon. Er wischte sich das Meer von Brasilien aus den Ohren und wünschte den Hänslern Ausschlag, Grind und Masern an den Hals. Sein Haß war klein und lebte nicht lange. Die lieblichen Dinge des Landes, unter denen er sich groß und verstanden fühlte , versöhnten sein Herz bald wieder. Ein blauer Heidschmetterling setzte sich auf seinen Holzpantoffel und wippte mit den Flügeln. Für Stanislaus war dieser Schmetterling ein geflügelter Blauzwerg.

»Was steht zu Diensten, Büdnerjunge, mein König?«

»Hol mir einen Wolkenwagen. Ich will fortreisen und das Meer von Brasilien sehn.«

»Bitte!« Der Schmetterling wippte und flog davon.

Auch daheim hatte Stanislaus seine besonderen Spiele. Er formte eine Puppe aus Stroh und zog ihr die abgelegte Soldatenjacke seines Vaters an. Auf den Strohkopf der Puppe stülpte er einen alten Frauenhut. Der Strohmann erhielt auch eine Tabakspfeife. Nun stand er, die Hände in den Hosentaschen, im Hausgarten der Büdners. Eine Zeitlang mieden die Vögel den

Hausgarten. Sie fürchteten den Strohmann, da er aber stand und stand, als sei er aus dem Gartenbeet gewachsen, wurden die Gartennäscher wieder zutraulicher. Zuletzt saßen sie sogar auf der Tabakspfeife des Strohmannes. Stanislaus hatte Würmer und Körner in den Pfeifenkopf gesteckt. Die Vögel atzten sich aus dem Pfeifenkopf auf bequeme Art.

Nicht lange, und Stanislaus stellte sich selber in den Hausgarten. Er hatte den Soldatenrock seines Vaters übergezogen, sein Sommersprossengesicht unter dem Frauenhut versteckt und hielt die Tabakspfeife des Strohmannes in seinem Munde. Siehe, die Vögel kamen auch jetzt und fraßen aus dem Pfeifenkopf. Nicht nur das: sie setzten sich auf Stanislaus' ausgestreckte Arme. Einige Wochen – und Stanislaus hatte weder Soldatenrock noch Weiberhut nötig. Er stellte sich in den Garten, pfiff wie ein Star, und die Vögel kamen. Sie fraßen, was er ihnen aus den Händen bot.

Die Dorfleute gingen an langweiligen Sonntagnachmittagen ein bißchen zu Büdners Garten und sahen sich dort das Vogelwunder an. »Die Krähe hack mich, wenn der Junge nicht Gotteskräfte in sich hat, Nachbar Büdner!«

Gotteskräfte? Stanislaus hatte nicht mit Gott gesprochen, hatte keine Kräfte von ihm erfleht. Stanislaus war Stanislaus und tat, was ihm Spaß machte. Gott war für ihn so schwer zu begreifen wie die Bruchrechnung. Gott wohnte in einem dicken schwarzen Buch, das ein Kreuz als Siegel trug. Lehrer Gerber und der ächzende Pastor nannten das Buch Bibel. Es war, als hätte man Gott vorzeiten in dieses dicke Buch gesperrt. Dort saß er nun und lauerte. Er lauerte auf die Schulkinder und überfiel sie mit seinen dunklen Sprüchen. Lehrer Gerber stand mit dem Stock dahinter und sagte: »Seid fromm und lernt!« Und die Kinder lernten Gottes dunkles Gemurmel und verstanden es nicht: »Die Güte des Herrn ists, daß wir nicht gar aus sind; seine Barmherzigkeit hat noch kein Ende ...«

Stanislaus ging in den Wald. Er wußte dort einen Fuchsbau. Jetzt mußte ein junger Fuchs gezähmt werden. Der Fuchs sollte an der Leine laufen wie ein Hund; wenn es aber angängig war, sollte er Hasen und Kaninchen für Stanislaus fangen wie ein Fuchs.

Stanislaus saß am Fuchsbau. Die Eichelhäher beruhigten sich bald. Der Junge hatte gelernt, reglos zu hocken, so daß ihn sogar Spähvögel wie die Eichelhäher für einen Baumstumpf hielten. Ameisen krochen an seinen nackten Waden auf und nieder. Die Jungfüchse aber wollten und wollten nicht ausschliefen. Dafür kam etwas anderes aus dem Gestrüpp. Es brummelte, knackte und tuschelte. Der Zwillingslauf eines Gewehrs schob sich aus dem Strauchwerk. Stanislaus ließ sich bäuchlings ins harte Waldgras fallen. Auf der Lichtung stand ein Mann in hellgrüner Jagdjoppe. Gemusterte Hornknöpfe, Birkhahnfeder am Hute, kleiner englischer Bart, gekreuzte Studentenschmisse auf der rechten Wange, zwei lange Oberzähne auf der Unterlippe – Graf Arnim. Der Graf stand vor dem Fuchsbau und begann zu rucksen wie ein Ringeltäuber. Es raschelte und knackte im Gesträuch: Die Erzieherin der Grafenkinder trat aus den Büschen. Wehendes Sommerkleid, mohnroter Mund, unter dem Hals eine sehr gebogene Bluse, den Rock trug sie gerafft in der weißen Rechten.

»Entschuldigen Sie gütigst die Strapazen, aber jetzt werden Sie das Wunder erleben.« Der Graf trampelte mit seinen senfgelben Pürschstiefeln das Gras um den Fuchsbau nieder.

»Wo?« lispelte die Erzieherin.

»Hier!« näselte der Graf. Er packte die Dame behutsam bei der Schulter. Das Fräulein zuckte wie eine Stute, die lästige Fliegen vertreibt. Vielleicht fror dieser Hauch von einem Weib im Strauchschatten. Der Graf wies auf das Fuchsloch. Auf seinem Zeigefinger blitzte ein Ring. Das Fräulein konnte das Fuchsloch nicht erkennen. Es hatte seine Brille im Schloß gelassen. Der Graf ging taktvoll darüber hinweg.

Nicht alles konnte Stanislaus verstehn, was der hohe Herr mit dem blassen Fräulein bewisperte. Sein Herz pochte zu laut. Der Graf konnte ihn entdecken und als einen Wilddieb niederschießen. Er war ein Wilddieb; er war auf einen Jungfuchs aus.

Der Graf überzeugte das Fräulein, daß es notwendig sei, sich zu lagern, um die Füchse nicht zu vergrämen. »Nicht ein Fuchsschnäuzchen werden Sie sehen, wenn Sie wie ein Blütenbaum dort stehn und duften.«

Das Fräulein fürchtete sich vor Ameisen.

»Der Fuchs duldet keine Ameisen in der Nähe seiner Höhle«, belehrte es der Graf und log wie ein Landstreicher.

Er zog seinen Jagdrock aus. Stanislaus konnte die bestickten Hosenträger des Grafen sehn, aber hinten fehlte dem Herrn ein Hosenknopf. Duft von Parfüm fuhr Stanislaus in die Nase. Das Fräulein begann sich girrend zu lagern. Der Graf drückte es mit sanften Bewegungen in das Gras.

Stanislaus kam erst gegen Abend heim. Er hatte außer dem Grafen keinen Fuchs gesehn. Der Graf und das Fräulein beschäftigten ihn mehrere Tage. Was für Gewohnheiten feine Leute hatten!

Auch die Gräfin hatte von Stanislaus' Vogelwunder und anderen Seltsamkeiten gehört. Hatte sie nicht das Recht, den Jungen, der in ihrem Kirchspiel von sich reden machte, von Angesicht zu Angesicht zu sehn? Sie beorderte den Wunderknaben auf das Schloß. Am Sonntagnachmittag sollte er zur Audienz erscheinen, Punktum! Es war um die Osterzeit und kurz vor Stanislaus' Konfirmation. Vater Gustav putzte Stanislaus die Schuhe — blink, blank nach Soldatenart. Die Flickenfenster konnte er dem Jungen nicht aus der halblangen Hose reiben; die Sommersprossen konnte er ihm nicht aus dem Gesicht blasen.

»Ei, der Deiwel, daß der Einsegnungsanzug noch nicht fertig ist! Man muß was darstelln, wenn man zu hohen Leuten geht.«

Stanislaus stand vor der gräflichen Dame. Er war aufgeregt und zitterte. Die Nase begann ihm zu tropfen. Er vergaß das Taschentuch, das ihm die Mutter für die Begegnung mit der Herrschaft in den Hosensack gestopft hatte. Die Gräfin holte Zigaretten. Er wischte sich die Nase am Ärmel. Die Gräfin wies ihm einen Ledersessel an. Er setzte sich auf die Armlehne. Konnte er sich wie ein Faulenzer vor dieser feenhaften Dame im Sesselpolster rekeln? Was wollte dieses weiße Wesen von ihm? Er war nicht dabeigewesen, als die anderen Jungen den gräflichen Karpfenteich abließen und fischten.

Die Gräfin zündete sich eine Zigarette an, setzte sich auf einen Diwan, schlug die Beine übereinander und wippte erwartungsvoll. Stanislaus sah verschämt in eine Ecke. In der Ecke schaukelte in einem goldenen Ring ein rosaroter Vogel. War Stanislaus mit seinem Wolkenwagen wirklich in Brasilien oder einem fernen Lande angekommen? Der Vogel knabberte an einem goldenen Kettchen; er war mit seinem rechten Fuß an einen goldenen Ring gefesselt. Sollte Stanislaus vielleicht diesen brasilianischen Vogel zähmen und sein Vogelwunder an ihm sichtbar machen?

Die Gräfin bot dem Jungen eine Zigarette an. Stanislaus überlegte nicht lange. Die Mutter hatte ihm eingeschärft, im Schlosse keine von den dargereichten Kostbarkeiten abzuschlagen. Sie kannte sich aus mit dem Anstand in hohen Häusern. Stanislaus hielt die Zigarette zwischen seinen aufgesprungenen Lippen und ging auf die Gräfin zu. Die hohe Dame wich entsetzt zurück. Sie läutete dem Stubenmädchen. Das Mädchen erschien. Die Gräfin flüsterte mit ihm. Das Mädchen musterte Stanislaus. »Er hatte kein Feuer nicht, Erlaucht. Er wollte mit Ihnen anstoßen, bitte.«

Die Gnädige lächelte erlöst. Das Stubenmädchen gab Stanislaus Feuer und kniff ihn dabei in den Arm. Die Gräfin lehnte sich auf dem Diwan zurück. »Man sagt, Sie tun Wunder, junger Mann, wie ist das?«

»Wies gerade kommt.« Stanislaus hatte den Mund voll Speichel. Der bittere Tabak! Wo sollte er hinspucken?

Die Gräfin wischte mit ihrem roten Spitzzünglein einen Tabakspan von der Unterlippe. »Sind Sie sich der Kräfte bewußt, die in Ihnen schlummern?«

»Erst muß ich wissen, was der Vogel frißt, dann kann ich ihn zahm kriegen. Es ist ein schöner Vogel und mag am Ende keine Würmer, nur Karnickelbraten.«

Die Augenbrauen der Gräfin zuckten. »Es handelt sich nicht um diesen Vogel. Ich frage Sie: Sehen Sie bildhaft vor sich, was Sie weissagen?«

»Ich denke mir eine Weile alles aus, auf einmal stimmt es.«

Die Gräfin blies den Zigarettenrauch steil in die Luft. »Befinden Sie sich im Zustand der Halluzination, wenn Sie Dinge aussprechen, die noch nicht bekannt sein können?«

»Nein, ich befinde mich nicht im Halleluja. Ostern werde ich konfirmiert.«

Die Gräfin kniff ein Auge zu und blies den Zigarettenrauch waagerecht gegen den Papagei.

»Trübes Wetter«, sagte der Kakadu.

Die weiße Dame erhob sich und ging im Salon umher. »Könnten Sie jetzt und hier eine Probe Ihrer Fähigkeiten ablegen?«

Stanislaus zuckte mit den Schultern.

»Könnten Sie mir beispielsweise sagen, wo sich der Herr Graf eben jetzt befinden?«

»Deeer? Was wird er machen? Im Bett wird er liegen.«

Das Stubenmädchen wurde ausgeschickt, vorsichtig zu erkunden. Stanislaus wurde blaß. Die Zigarette bekam ihm nicht. Er warf sie zum offenstehenden Fenster hinaus und griff sich an den Hals. Die Gräfin schob ihm eine Schale mit Südfrüchten zu. »Darf ich anbieten?«

Stanislaus nahm die größte Apfelsine und biß in die rotgelbe Schale der Frucht. Er mußte sich den Zigarettengeschmack aus dem Mund beizen. Schließlich pellte er den Chinaapfel und verschlang ihn. Die Gräfin sah drein wie Stadtleute bei der Affenfütterung im zoologischen Garten. Das Stubenmädchen kam zurück. »Erlaucht liegen lang und lesen die Jägerzeitung.«

Die Gräfin wippte mit dem Fuß. Der blauseidene Pompon auf ihrem Hausschuh war wie ein großer Schmetterling. »Interessant! Nicht, daß ich aus Neugier frage, aber Sie wissen vielleicht auch, welchen Weg der gnädige Herr nehmen, wenn er beispielsweise auf die Pürsch geht. Sie verstehen, mir ist das natürlich bekannt; man könnte also gut überprüfen, was Sie darüber wissen.«

Stanislaus wischte sich noch einmal mit dem Rockärmel über die Nase und begann: »Er geht die Allee hinunter nach dem Park. Hinter der Parkmauer sucht er sich eine Latte und springt damit über den kleinen Graben, weil die Brücke hin ist. Er drückt sich durch die Schonung und da ...«

»Und dann?« Die Gräfin stieß jetzt verfitzte Qualmwolken aus dem Mund. Stanislaus machte eine Kopfbewegung zum Stubenmädchen hin. »Die da muß erst raus sein.«

Die Gräfin schickte das Mädchen hinaus und stellte sich zur Sicherheit in der Nähe des Klingelknopfes auf. Konnte sie wissen? Das war ein Halbtier. Es biß in die Schale von Orangen. »Nun?« fragte sie mit ängstlicher Freundlichkeit.

»Die Alma quatscht alles aus, und Sie würden blamiert sein«, sagte Stanislaus. Die Augen der Gräfin wurden rund wie Fünfzigpfennigstücke.

Stanislaus erzählte vom Grafen und der Erzieherin am Fuchsbau. »Sie haben sich ein bißchen ausgezogen, aber dann kamen die Mücken, und sie zogen sich wieder an. Die Lehrerin fürchtete sich die ganze Zeit vor den gelben Pißameisen.«

Jetzt wurde die Gräfin blaß, aber nicht wie Stanislaus vom Genuß der Zigarette. Das war wirklich keine Sonntagspredigt. Sie wankte ein wenig, als sie nach dem Mädchen läutete. Alma brachte Stanislaus hinaus. »Hast du ihr etwas Schlimmes weisgesagt?«

»Das könnte dir passen.«

Daheim saßen die Alten und warteten. »Nun kommst du reichlich beschenkt und kostbar ausgestattet zurück, hä?« Gustav streichelte Stanislaus sogar den Kopf.

»Eine stinkige Zigarette und eine süße Zitrone!« Schöne Geschenke! Stanislaus krempelte zum Zeichen, daß er nichts weiter erhalten hatte, seine Hosentaschen um. Er ging in den Garten und pfiff nach den Vögeln.

Zwei Stunden später kam der Diener vom Schloß. »Der Stanislaus zur Gnädigen, hopp, hopp!«

Gustav schob den widerstrebenden Jungen zur Tür hinaus. »Jetzt wird sie dich ablohnen, wie es sich für solche Leute gehört.«

Diesmal lag die Gräfin auf dem Diwan. Das Stubenmädchen ging auf Zehenspitzen. »Hast du ihr die Krankheit geweissagt?«

Das Mädchen tippte Stanislaus auf die Schulter und fuhr wie zerblitzt zurück. »Du hast wohl Lichtstrom und Hochspannung in deinem Körper?«

»Quark auch!« sagte Stanislaus. »Soll ich jetzt den Vogel holen und ihn für euch zahm machen?«

Die Gnädige sprach matt. Sie hatte geweint. »Hier liege ich nun und gewissermaßen in Ihren Händen, junger Mann.« Stanislaus betrachtete seine Hände – zerschrundene Hände, schwarz in den Rillen.

»Nun dürfen Sie mich nicht enttäuschen! Ich brauche Beweise. Sie verstehen, vielleicht ist Ihnen nicht verborgen, wann der Herr Graf wieder ...«

Stanislaus zog ein Fädchen aus seiner geflickten Hose. »Da müssen Sie aufpassen.«

»Sie werden es mir nicht sagen?«

»Woher soll ich's wissen, aber das Taschentuch liegt noch dort.«

»Was für ein Taschentuch?«

»Das Seidenläppchen vom Fräulein. Es liegt am Fuchsbau. Der Fuchs hats im Fang gehabt. Er hat sich geschüttelt. Es stank nach Parföng.«

Die Gräfin richtete sich auf. Sie ballte die kleinen Fäuste und war zornrot im Gesicht. Vielleicht war sie gar nicht so krank, wie sie tat. Stanislaus war froh, die Gräfin nicht bettlägerig gemacht zu haben. Vielleicht war sie mit der Schmetterlingskönigin verwandt, nach der Stanislaus schon lange suchte? Die Bienen hatten eine Königin, weshalb sollten die Schmetterlinge keine haben? Am Ende führte ihn diese weiße Dame dort durch ihr Reich und weihte ihn zum Dank für das, was er ihr vom Grafen erzählt hatte, in die großen Geheimnisse der Schmetterlingswelt ein.

Die winzige Rechte der Dame fuhr wie eine weiße Maus in eine Kassette. Sie schlüpfte, mit einem Geldschein beladen, unter dem Deckel hervor. »Vielen, vielen Dank, und Sie kommen wieder, wenn ich Sie rufen lasse, nicht wahr?«

»Wenns klappt.«

Gustav starrte den Geldschein an. Es war ein Millionenmark

schein. Stanislaus legte ihn auf den Küchentisch. Der Alte beroch den Geldschein. »Es muß der Gnädigen doch gefallen haben, was der Junge ihr prophezeit hat.«

»Geld für ein Achtpfundbrot«, sagte Lena geringschätzig.

---

11 Die Büdner-Kinder fliegen aus. Stanislaus wird konfirmiert und scheintötet die Hühner seines Vaters.

Das Büdnerhäuschen wurde still wie der Bienenstock nach dem Schwärmen. Seit Elsbeth in der Stadt diente, war es, als ob der zweite Bienweisel davongeflogen wäre. Die größeren Büdner-Kinder flogen eines nach dem anderen aus dem Wiesental in die Welt.

Elsbeth fand sich einen Mann zu ihrem Kind und heiratete ihn. Der Mann war ein Kohlenbaggerer. Er nahm Elsbeth als Abraumarbeiterin in seinen Tagebau. So waren sie immer beisammen. Sie gingen auf das Standesamt, baten zwei Kohlenkumpel mitzugehen, und alle unterschrieben dort. Fertig war die Hochzeit!

Lena grämelte daheim: Ihre Tochter sei um das höchste Fest im Leben einer Frau gebracht worden. Gustav versuchte überlegen und mannbar dreinzublicken. »Recht haben sie«, sagte er. »Alle Feierlichkeiten kosten Geld. Nicht mal begraben wird man umsonst.«

Lena war damit nicht getröstet. »Gott im Himmel, sie werden am Ende eine rote Hochzeit gemacht haben!«

»Na ja«, sagte Gustav. Er selber war auch nicht mehr ganz farblos. Ein Vierteljahr zurück war er in den Ortsverein der Sozialdemokratischen Partei eingetreten und übte zuweilen im Ziegenstall seine Kampflieder: »Wir sind jung, die Welt ist offen...«

»Du siehst gerade so aus«, sagte Lena mit spitzer Zunge.

Gustav machte sich nichts aus Lenas Giftreden. Er marschierte am 1. Mai sogar hinter der Ortsvereinsfahne durch Schleifmühle. Dafür wurde er mit anderen Glasmachern vom Fabrikherrn ausgesperrt. Man sperrte ihn von der Arbeit ab, bitte.

»Nun kannst du dein Lied von der offenen Welt singen«, sagte Lena. »Herr im Himmel, gib ihm den Verstand zurück.«

Nach zwei Tagen wurden Gustav und einige Kumpel, die nur brav gesungen hatten, wieder eingestellt. Hatte Gott Lenas Gebet erhört? – Der Vorsitzende und der Schriftführer des Ortsvereins sollten ewig und für alle Zeiten ausgesperrt bleiben und nie wieder ein Blasrohr in die Hand bekommen. – Da wurde gestreikt. Nanu, sollte Gustav die Arbeit, die er eben zurückerhalten hatte, schon wieder niederlegen? Als er früh zur Glashütte kam, fingen ihn die Kollegen ab. »Da kommt Gustav. Er wird Streikposten stehn, wie wir ihn kennen!« Gustav wollte eigentlich zur Arbeit, aber er ließ sich bereden. Er war schließlich der Vater eines angehenden Glasfressers und hatte in seiner Jugend nicht gerade Kinderwindeln hinter dem Ofen getrocknet.

Gustav stand Streikposten und hielt aus. Zwar schlichen sich nach und nach immer mehr Kollegen von hinten in die Hütte und nahmen die Arbeit auf, aber Gustav hielt stand. Er wußte vom Kriege her, daß man einen Posten nicht ungestraft verlassen durfte. Aber die Streikfront zerbrach, und diesmal wurde Gustav gerade für treues Postenstehen bestraft. Er wurde entlassen. Für immer, hieß es. Er hatte die Gutherzigkeit des Fabrikanten nicht zu würdigen gewußt.

Lena warf Gustav die Margarinebrote vor wie einem Hunde. Gott mochte ihr verzeihen, sie hatte in ihren jungen Jahren viel gelesen, aber ein solcher Dummkopf wie ihr Alter war ihr in keinem der Bücher begegnet. Ein Glück, daß die Söhne nicht allzusehr nach dem Vater geraten waren:

Erich hatte Fleischer gelernt. Umgang mit Wurst ernährt seinen Mann. Arbeit hatte Erich nicht. Er ging auf die Walze und fiel daheim nicht zur Last. Er schrieb bunte Ansichtskarten nach Hause. Einmal teilte er mit, er habe bei einer Feierlichkeit den Reichspräsidenten gesehen, den Reichspräsidenten mit einem schwarzen Zylinder. Das war doch was.

Paul wurde Glasmacher wie sein Vater. Er zog nach Thüringen, heiratete dort und wurde niemand zur Plage.

Artur arbeitete im Dorf bei einem Bauern als Knecht. Es hieß, er werde die Tochter des Bauern heiraten. Er diente treu und biblisch um sie. Auch das lobte Lena. Artur kam alle Jubelmonate auf ein Stündchen, um nach den Eltern zu sehn. Er schüttelte sich, wenn man ihm Margarinebrot anbot.

Willi wurde Schornsteinfeger. Auch er hatte sein Brot. Er aß es mit schwarzen Händen, doch im Bauch ist es so und so finster. Daheim fegte er den Schornstein umsonst und hinterließ hin und wieder ein paar Eier, die er wie ein Zauberkünstler aus seinem haarigen Fegerzylinder fischte.

Da war noch Herbert, und der konnte sich lange nicht entschließen. Die Glashütte war ihm zu warm. Beim Bauern stand ihm das Misten nicht an. Er traf einen Versicherungsagenten und wurde mit dem handelseins. Herbert ging auf die Bauernhöfe und strich dort nah bei den Hundehütten vorbei. Die Kläffer fuhren heraus und zerfetzten ihm seine alte Hose. Herbert verlangte Schadenersatz. Die Bauern zögerten. Herbert ließ mit sich handeln. Die Hose sollte geflickt und ein Pfund Butter dazu als Schmerzensgeld gegeben werden. Herbert versprach, von einer Schadenersatzklage abzusehen. Zwei Tage später kam der Versicherungsagent auf den Bauernhof und schloß mit Erfolg eine Haftpflichtversicherung ab. Herbert erhielt vom Agenten einen kleinen Teil der Aufnahmeprämie.

Als alle Bauern ringsum versichert waren, ließ sich Herbert zur Reichswehr anmustern. Er war gut gewachsen – eine Feldwebelfigur – und wurde angenommen. Nun wollte er zwölf Jährchen bei den Soldaten dienen. An diesem Sohn hatte auch Gustav seine Freude. Er sah ihn schon als ausgedienten Soldaten, als fix und fertigen Gendarmen in das Dorf einziehen. Bei Büdners würde ein Gendarm aus und ein gehen und gleichsam zu Hause sein. Der Schleppsäbel des Gendarmen konnte nach Feierabend gut und gern über Gustavs Bett hängen.

Im Büdnerhäuschen blieb also nur noch Stanislaus, und der sollte jetzt konfirmiert werden. Es wurde ein großer Blumenkorb aus der Schloßgärtnerei gebracht. Gustav betrachtete ihn verzückt. Ein Himmelsgeschenk! »Da können wir uns geehrt fühlen. So ein Ansehen hat nicht jeder!« Er suchte zwischen den Blüten und Blättern des gräflichen Geschenks nach einem versteckten Gruß der Gräfin. Nichts – die Gräfin hatte das Grüßen vergessen.

Zur Konfirmation wurden nach der Sitte die Paten geladen. Sie feierten den Abschluß ihrer Fürsorge für den einstmaligen Täufling. Die Bäuerin Schulte brachte einen billigen Anzugstoff als Abdankgeschenk. Der Stoff war einem Knechte zugedacht gewesen. Der Knecht war ohne das Geschenk gegangen. Die Bäuerin Schulte hatte ihn wohl überfordert und noch nachts Dienstleistungen von ihm verlangt. »Die Leute heutzutage!« seufzte sie und sah Gustav mit sehnsüchtigen Augen an. Sie bemusterte auch Stanislaus. »Ein bißchen jung noch, aber gut bei Leibe. Könntet ihr ihn bei mir anfangen lassen?«

»Nein, er soll nicht bei dir anfangen.« Gustav zupfte sich sein Bärtchen.

Die Lehrersfrau war gealtert. Sie hatte nicht verwunden, daß sie wie ein minderer Mensch und Mieter in die Oberwohnung des Schulhauses hatte ziehen müssen. Sie und ihr Mann wagten sich kaum noch auf das Herzhäuschen im Hofe. Überall, wo nur ein Fuß stehen konnte, hatte der erste Lehrer etwas angesät.

Frau Klügler brachte für Stanislaus einige Bücher aus den Beständen ihres Mannes. Überzählige Werke. »Die Psychologie der Bettnässer. Erster und zweiter Teil.« »Religionsunterricht in der dreistufigen Volksschule unter Berücksichtigung der besten Geschichten des Alten Testaments.« Außerdem, in Seidenpapier eingewickelt, einen Schlips, den Herr Klügler nicht trug. Er war ihm zu rot.

Der Dorfkrämer wollte seine Frau nicht zur Konfirmation gehen lassen. »Was das wieder kostet!« Seine freundliche Frau ging doch, und auch er hatte nichts mehr dagegen, als er ihr klug ausgewähltes Geschenk sah: eine Schachtel abwaschbare »Mey-Kragen«, dazu zwei schwarze Schleifenschlipse mit gezahnter Schnalle, zwei Paar Pulswärmer aus Kriegswolle, einen Stoß veralteter Schreibhefte mit Hilfslinien und eine gebogene Tabakspfeife mit Porzellankopf.

Die Frau des Vogtes ließ sich nicht lumpen. Ihr Mann hatte den kleinen Stanislaus damals nicht gerade zart behandelt. Sie brachte eine Uhrkette aus Ersatzgold. »Eine Uhr bekommt jeder zur Konfirmation«, ächzte sie, »aber wer bekommt eine anständige Kette dazu?«

Stanislaus hatte keine Uhr. Er band eine Schraubenmutter an die Kette. So konnte er mit offener Konfirmationsjacke einhergehen. Jedermann konnte seine Uhrkette auf der kleinen Weste schimmern sehn.

Keine Lustigkeit bei der Konfirmationsfeier. Der fast zuckerlose Stachelbeerwein wurde kaum angerührt. Schwere Zeiten! Jede der Paten hatte ihre Lebensbürde. Die Kaufmannsfrau plagte sich mit dem Dollar. Im Laden hing eine Tabelle. Sie zeigte auf einer Seite den Dollarstand, auf der anderen Seite die Warenpreise in deutschen Reichsmark. Erst mußte der Zeitungsbote im Dorf sein, dann wurde im Laden verkauft. Die Zeitung brachte den Dollarstand. Niemand im Orte hatte je einen Dollar gesehn. Stanislaus stellte sich ihn vor wie eine kleine Sonne, die täglich stieg.

»Der Dollar kriecht in die Höhe, und man verkauft sich die Seele aus dem Leib. Holt man neue Waren aus der Stadt, ist das Geld nur noch die Hälfte wert«, sagte die Krämersfrau.

Die Vogtsfrau schlang Kuchen. »Man muß tauschen! Wir tauschen Korn und Kartoffeln gegen Nützliches.«

»Ja, wer eine so große Scheune sein eigen nennt wie Sie!« Die Lehrersfrau sagte es spitz. Die Frau des Vogtes verschluckte sich.

»Es möchte alles sein, wenn das Knechtsgesindel verläßlicher wäre«, stöhnte die Schulte. »Kaum hat man sich an einen gewöhnt, da schmiert er schon wieder die Schuhe. Sie machen lieber arbeitslos, weil sie auch dafür Geld kriegen.«

»Das könnte ich von mir nicht sagen«, warf Gustav zaghaft ein.

Stanislaus kümmerte sich nicht um die Konfirmationsgesellschaft. Er streifte gelangweilt durch Hof und Garten. Der neue Anzug war ihm lästig. Der gestärkte Stehkragen hatte schon schwarze Fingerabdrücke. Der Junge ließ die Ziegenlämmer aus dem Stall und freute sich eine Weile an ihren eckigen Sprüngen. Im Hühnerstall fand er eine Henne, die sich zum Brüten einrichtete. Sie hackte wütend nach seiner Hand. Stanislaus nahm die gluckende Henne vom Nest und wirbelte sie durch die Luft. »Gewöhn dir das ab!«

Der plötzliche Wirbel hatte die Henne erschreckt. Stanislaus legte sie überdies auf den Rücken und klopfte strafend mit dem Zeigefinger auf ihren Schnabel. »Nicht einen Ton mehr, verstehst du!«

Die Henne blieb auf dem Rücken liegen. Sie ließ die Beine sinken und lag wie tot, nur das zum Himmel gekehrte Auge zwinkerte. Stanislaus beobachtete das zwinkernde Hennenauge. Die Henne rappelte sich nicht. Stanislaus erschrak: Er hatte an seinem Konfirmationstage ein Huhn umgebracht. Strafe würde auf ihn niederprasseln. Er mußte die Spuren seiner Untat beseitigen. Später würde Vater Gustav glauben, das Huhn sei vom Habicht geholt worden. Stanislaus sprang nach einem Spaten. Er raffte die leblose Henne, aber die Henne kam auf die Beine und rannte davon. Stanislaus wunderte sich sehr.

Nicht lange, und er fing die Henne ein zweites Mal, wirbelte sie durch die Luft und legte sie auf den Rücken. Wieder blieb das Tier erstarrt liegen. Diesmal klatschte Stanislaus in die Hände und rief: »Huschah!«

Die Henne erhob sich und rannte davon. Da fing Stanislaus ein anderes Huhn, und siehe, auch das blieb liegen, solange er wollte. Eine feine Konfirmationsbeschäftigung! Er fing nach und nach alle Hühner ein und ließ sie erstarren.

Acht Hühnerleichen lagen schon auf der Stalltreppe, als Stanislaus aber den Hahn durch die Luft wirbelte, kam Vater Gustav aus dem Haus. Die Konfirmationszigarre fiel ihm aus dem Mund. »Leute, Leute, der Junge ist verrückt geworden!«

Die Weiber hasteten aus der Stube. Sie starrten auf die Hühnerleichen. Jetzt lag auch noch der Hahn daneben, hängeflügelig und wie erschossen.

»Einen Strick«, schrie Gustav, »und helft mir den Verrückten fesseln!«

Lena suchte nach einem Strick. Stanislaus lächelte. Gustav wagte kaum, diesen Teufelssohn noch anzuschaun. Am Ende fiel der ihn an, ehe noch der Strick zur Stelle war! Stanislaus klatschte in die Hände. »Schschschit!«

Die Hühner sprangen auf und rannten gackernd in den Hof. Der Hahn schrie aus verletztem Stolz, daß es weithin hallte.

Die Schulte spuckte dreimal aus. »Pui, pui, pui! Er hat den Deiwel! Wie muß so einer erst im Bett sein?«

Die schmalen Lippen der Frau Lehrer waren blau geworden. Etwas Außergewöhnliches war geschehn: Hier wirkten übernatürliche Kräfte!

Da stand Stanislaus, und dort stand die Konfirmationsgesellschaft. Vater Gustav hielt sich ängstlich abseits. Wie leicht konnte der Junge einen packen, dann lag man da und war selber eine Leiche.

»Er hat den Bösen Blick. Er wird euch Geld ranscheffeln wie Dreck«, schrie die Schulte.

Stanislaus rannte in den Wald. Er wollte kein Mensch mit dem Bösen Blick sein. Sollten die Kinder vor ihm davonlaufen und sich verstecken? In Schleifmühle wohnte eine alte Frau, die den Bösen Blick haben sollte. Ging sie am Stock auf der Dorfstraße und blinzelte, verbargen die Dorfleute Kleinkinder und Vieh. Der Blick der Frau sollte so ätzend sein, daß Kühe, die sie ansah, Blut statt Milch gaben.

Stanislaus weinte, daß die Uhrkette auf seiner kleinen Weste wackelte. Hatte er vielleicht bei der Konfirmation mit der Oblate oder dem Wein etwas versehn? Hatte er beides zu schnell heruntergeschluckt?

Er saß und sann, bis es Nacht wurde. Die duftende Nachtluft besänftigte seinen Kummer. Ein bunter Lindenschwärmer umflatterte ihn.

»Was weinst du, Büdnerjunge?«

»Ich soll den Bösen Blick haben.«

»Du sähest mich nicht, wenn du ihn hättest.«

12

Stanislaus heilt ein altes Weib von der Kreuz-Pein, soll einem Manne das Augenmuckern vertreiben, stößt dabei auf den Gendarmen und prophezeit den Verlust eines Säbels.

Vater Gustav blieb noch eine Weile mißtrauisch und wich dem Blick seines Sohnes aus. Er schickte ihn in den Ziegenstall. »Schau das Euter der kleinen Ziege an!«

Stanislaus betrachtete das kleine Ziegeneuter. Er ließ die Ziege sogar aus seinen Händen fressen. Jetzt mußte sie durch und durch verhext sein, wenn er den Bösen Blick hatte. Mutter Lena kam weinend und molk die Ziege. Das Tier gab schöne, fette Milch – kein Blut. Die Familie atmete auf.

Stanislaus mußte dem Vater zeigen, wie er die Hühner starr gemacht hatte. Vater Gustav probte es selber. Siehe, auch bei ihm blieben die Hühner liegen, bis er sie aufscheuchte. »Es ist nicht zu sagen, was man alles kann, hä?« sagte er. »Am Ende hast du die gewaltigen Kräfte von mir.«

Die Konfirmationsgesellschaft sorgte dafür, daß Stanislaus' Hühnerwunder im Dorfe begruselt und bestaunt wurde. Gutwillige Leute hielten ihn für einen Gottverwandten, böswillige für einen Bastard des Teufels.

Lehrer Klügler blätterte in seinen Büchern. »Es handelte sich im Büdnerschen Falle gewissermaßen um eine Tierhypnose. Die Tierhypnose wird – wie soll ich sagen – mit mechanischen Mitteln, überhaupt mit mechanischen Mitteln...« Niemand hörte auf das, was Klügler wisperte. Dieser Mensch war gelehrt, aber ungläubig. Er respektierte nur einen Blick; das war der Blick seiner Frau.

Aus dem Dorf kam eine Alte. Sie hinkte an einem Stock daher. Stanislaus grub im Garten, und Vater Gustav säte Mohrrüben ein. Die Alte ließ sich auf den frisch gegrabenen Acker plumpsen. »Junge, bestreich mir das Kreuz, wundertätig wie du bist!«

Stanislaus staunte. Die Alte schien ihm verrückt zu sein. Sie setzte sich hier wie eine Saatkrähe auf das Grabeland.

»Streich mir das Kreuz, wies mir der kluge Mann mal gemacht hat!«

Vater Gustav trat näher. Verschmitztheit blitzte in seinem Blick.

»Gustav, Gustav«, barmte die Frau, »er muß es lernen. Was soll werden? Wer gesegnet ist, muß wirken.«

Gustav zeigte Stanislaus, wie er über den Rücken der Alten streichen müsse. Der Junge gehorchte widerstrebend. Kaum hatte er das alte Weib berührt, da begann es sich zu recken. Ein Geknack in der Wirbelsäule des Mütterchens! Die Arme der Greisin flogen auf und nieder. Sie gähnte, daß ihr die Tränen in die Augen traten. »Bete etwas, bete, Junge!«

Stanislaus begann zu beten: »Unsern Eingang segne Gott, unsern Ausgang gleichermaßen. Segne unser täglich Brot, segne unser Tun und Lassen ...«

»Leise, leise mußt du beten!« sagte das Mütterchen. »Der kluge Mann aus Klattwitz hat nur gewispert. Selber mußt du Gebete machen gegen die Krankheit!«

Da war bei Stanislaus kein Mangel. Er murmelte vor sich her: »Krankheit im Kreuze, geh aus dem Haus, sonst prügle ich dich mit Gott, Vater, Sohn und dem Spaten heraus. Amen. Amen, amen, Mutter Gottes und alle Damen.«

Gustav nickte und machte seinem Sohn Massagebewegungen in der Luft vor.

Das Weiblein begann jetzt wirklich zu heulen. Es zitterte bis in die Dürrfinger hinein. »Wie mir wird, wie mir wird! Wie Zentner fliegt es davon.« Gleich darauf erhob es sich. Es schien gewachsen zu sein. »Gustav, du kannst dich freuen. So einen Segen im Hause!«

Jetzt weinte auch Gustav. Die Alte spießte ihren Stock in den Grabacker und zog einen Geldschein aus der Rocktasche. Sie legte den zerknüllten Schein in Stanislaus' erdige Hand und ging davon, ohne sich umzusehn. Stanislaus wartete auf einen Donner Gottes, auf einen Blitz, der ihm den Geldschein aus der Hand schlagen würde. Weder Donner noch Blitz fuhren daher und hernieder. Die Sonne blinkte. Der Himmel blieb blau. Gustav wischte sich die Tränen mit der Mütze. »Jetzt haben wir also ein bißchen Geld und sozusagen ganz und gar für deine göttliche Kunst. Die Mutter braucht warme Schuhe. Vielleicht bleibt noch ein bißchen was für Ziegenkleie.« Er eilte mit dem Geld zu Lena ins Haus.

Stanislaus warf sich, wie er war, aufs gegrabene Land. Nicht Blitz und Donner hatten ihn umgeworfen, die Freude hatte ihn gefällt. Er hatte keinen Bösen Blick. Kohlweißlinge umflatterten die Taubnesseln auf dem Rainstreifen. Sie nippten aus den blaßblauen Röhrenblüten, wippten mit den Flügeln, schnellten hoch, als ob die Freude über den Frühlingsmorgen sie in die Lüfte stieße. Sie strebten steil über die blühenden Birnbäume empor und entschwanden wie aufgelöst im Himmelsblau.

»Grüßt eure Königin, ihr Wolkenflieger!«

Vater Gustav kam zurück. »Dir dreht sich wohl die Erde? Das Wundertun soll Kraft und Knochen zehren.« Vater Gustav klopfte Stanislaus die schwarze Gartenerde vom Rücken. »Hast du am Ende Krämpfe?«

»Es ging ein Zittern durch mein Herz.«

Von da an war kein Halten mehr. Stanislaus wurde in das Amt eines Wundertäters hinaufgerissen. Er heilte den Dorfschweineschneider von Warzen. Einer kahlköpfigen Frau machte er das Haar wieder wachsen, das ihr bei einer Typhuskrankheit ausgefallen war. Stanislaus massierte den kahlen Frauenschädel. »Dem lieben Gott meine Lieder. Haare, kommt wieder! Gottvater gibt dir sein Haar, ist doch klar.«

Welch ein Glück für Gustav! Hier wuchs Brot für alle. Die Arbeitslosigkeit, sie schmerzte nicht mehr so. Mutter Lena ließ geschehen, was Gustav riet und tat. Sie lauschte auf das Klimpern in der Kasse. Ein klägliches Klimpern – aber immerhin.

Mutter Lena las jetzt wieder. Keine weltlichen Bücher mehr, bewahre. Sie hatte sich mit frommen Leuten angefreundet, die umherzogen. Sie nannten sich die HEILIGEN DER LETZTEN TAGE. Stanislaus' Wundertätigkeit war für die Mutter ein Zeichen, daß der Herr die Familie Büdner beim Weltuntergang nicht gerade auf den himmlischen Kehrichthaufen werfen würde.

Vater Gustav hatte andre Sorgen. »Es muß ein Stuhl her. Ein Lehnstuhl, wie der Arzt ihn hat! Salben müssen hier sein! Tee muß her, alle Sorten Tee! Tee tut nicht weh.« Er steckte heimlich Geld ein und rackste in die Stadt. Bei einem Altwarenhändler fand er einen geflickten Ledersessel. Der Lehnstuhl sollte fünfzig Mark kosten. »Und noch büß ich dabei ein«, versicherte der Altwarenhändler. Ohne Stuhl keine richtige Wundertäterei. Gustav war entschlossen. Er handelte um den Stuhl. »Zehn Mark und kein Papierchen mehr!«

Der Altwarenhändler wand sich. »Vierzig Mark, mein letztes Wort.«

Gustav schlug die Augen barmherzig auf. »Gott schütze Sie vor Krankheit, aber Sie werden freie Behandlung haben. Der Stuhl ist für einen Wundertäter.«

Der Händler stutzte. »Vertreibt der Wundermann das Hautjucken?«

Gustav überlegte nicht lange. »Er hat dich kaum betastet, da bist du alles Jucken los.«

Der Händler gab den Stuhl für zwanzig Mark her.

Büdners große Stube verwandelte sich in eine Wundertäterei. Die Sonne bestrahlte Döschen, die, mit grüner und gelber Salbe gefüllt, auf dem Fensterbrett standen. Gustav polierte den Lederstuhl. Prima Preußenputz! Er zimmerte ein Schränkchen für Medikamente, die er aus Baumrinden kochte. Mit einem roten Zimmermannsstift malte er einen Totenkopf auf die Tür des Schränkchens. Der Totenkopf glich einer Fastnachtslarve. Gab Gustav nun etwa Ruhe? Nein, er scheuerte alten Draht mit Sandpapier blank. Aus dem Blankdraht bog er geheimnisvolle Instrumente.

»Was soll das sein?« fragte Stanislaus, dem Vater Gustavs Treiben voller Rätsel steckte.

»Es muß ein bißchen blinken aus dem Schrank. Du wirst es schon noch lernen, wie man wundertätig ist.«

Gustav ließ sich keine Zeit. Er rutschte mit einem Körbchen auf den Wiesen umher, zupfte Blumenköpfe und trocknete sie. Da hatte er Tee. Er blätterte in einem alten Doktorbuch und sah nach, welche Blume den Harn treibt und welche Nierenkoliken wegspült. Schließlich fertigte er ein besonderes Schränkchen mit kleinen Fächern für die Teesorten an.

Der erste Kunde, der Büdners Behandlungszimmer betrat, war der Nachtwächter. Gustav holte Stanislaus aus dem Garten und wisperte: »Der Tutenkarle sitzt im Lederstuhl und wundert sich. Ich habe ihn ein bißchen ausgefragt. Er schläft am Tage schlecht. Du sagst ihm das ins Gesicht, wenn du reinkommst. Die Hände wäschst du dir zuvor, und einen Krach vollführst du. Der Krach aber soll heißen: Herrgott, man läßt dir keine Ruhe. Du sollst nur Wunder tun. Du kriegst davon ganz dünne Nerven, sagst du.«

Stanislaus streifte seine Holzpantoffeln im Hausflur ab. »Das sag ich nicht – von den Nerven.«

Gustav trippelte aufgeregt. »Dann sag ›Arterien‹! Es muß sich so anhörn, als ob sie dich zwingen und auf die Wundertaten hinstoßen. Du aber hast Erbarmen mit ihnen, und der Gendarm kann dir nichts wollen. Geld darfst du nicht annehmen. Wenn man dir eins anbietet, spuckst du drauf und wirfst es wütend auf die Dielen. Deine Kunst ist keine Geldkunst. Ein Befreier der Menschheit bist du!«

Stanislaus schlüpfte störrisch in die Stube. Der Nachtwächter war eingenickt. Gustav schlich zum Stuhl. Dem Nachtwächter war die Baumelpfeife in den Schoß gerutscht.

»Wie schläft sichs, Tutenkarl?«

Der Wächter der Nacht fuhr zusammen. »Ich bin ein bißchen eingenickt. Der Stuhl ist weicher als mein Bett.« Tutenkarl patschte mit seinen dicken Händen auf das Lederpolster.

»Der Junge hat dich angetippt, gleich bist du weggeschlafen«, eiferte Gustav.

»Nein«, sagte Stanislaus.

Tutenkarl starrte den Jungen an. »Wie kannst du wissen, sag mir, Junge, daß mir der Schlafsand in den Augen fehlt?«

Die Antwort kam von Gustav: »Der Junge spürt durch sieben Wände, was dir fehlt.« Der eifrige Gustav wühlte schon im Teeschrank. Er suchte dort den Baldriantee. »Von heut an trinkst du jeden Morgen, sobald du von der Wache kommst, hier diesen Tee. Er heißt, gelehrt gesagt: schlummari schlafi. Du schnarchst danach wie eine Ratz im Kellerloch!«

»Ich könnt gleich schlafen, wie ich hier so sitze.«

»Wo denkst du hin! Mach jetzt den Stuhl frei! Da sind noch andre mit Gebresten.«

Tutenkarl erhob sich ächzend. Er kramelte in seiner Westentasche und brachte einen rotgestempelten Hundertmarkschein zum Vorschein. Der Geldschein war verfallen. Tutenkarl befühlte und rieb ihn, bevor er ihn Stanislaus reichte. Gustav sprang dazwischen. »Ich werd dir, Tutenkarl! Wirst du die Guttat mit Geld ablohnen? Der Herr im Himmel würde sich vor Schmerzen wälzen.« Gustav spuckte auf den Geldschein, warf ihn auf den Fußboden und scharrte ihn mit bestrumpftem Bein unter den Familienkleiderschrank. Tutenkarle verneigte sich vor Schreck. »Ich hab euch nicht vergrämen wollen, allerliebste Leute, die ihr seid.«

Die Hudelei verfing bei Vater Gustav nicht. Er stellte sich vor Tutenkarl, er drohte: »Und nicht ein Wort zu Leuten von der Heilung!«

Tutenkarl hob beschwörend die Hände. »Geheimnisse verfauln mit mir im Grabe, Gustav!«

»So muß es sein. Wir können uns vor Zulauf nicht mehr retten. Man mag nicht alles heilen, was herzuläuft.«

Nun war also für Reklame gesorgt. Karle verlor seine Geheimnisse auf der Straße.

Als Tutenkarl gegangen war, scharrte Gustav den Geldschein unterm Schrank hervor. Er betrachtete ihn und verzog das Gesicht. »Nicht viel mehr wert als Spinnenspucke, aber sie wollen die Hunderter mit den roten Stempeln aufwerten, wie es heißt.«

Am nächsten Morgen wurden die Wundertäter schon um sechs Uhr aus den Betten getrommelt. Gustav schüttelte Stanislaus. »Für Wunder muß man immer wach sein!«

Vor der Tür stand der Gutsarbeiter Rinka. Er zwinkerte Gustav zu.

»Was zwinkerst du? Sag, was du willst!«

Rinka hatte mit Gustav in der gleichen Kompanie gedient. »Sei nicht herrisch, Kamerad Gustav!« Rinka schob Gustav beiseite. Im Vorbeigehen zwinkerte er wieder. Erst im Flur begann er seinen Sack Weh auszuschütten. »So gehts mir, Gustav – schon seit Ostern dieses Leiden. Ich saufe mir auf Ostern einen. Was hat der Mensch denn sonst vom Leben? Ich saufe mir ganz mächtig einen. Ich bin noch ganz gesund, wie ich so einen sauf. Ich leg mich schlafen und erwach mit Augenzwinkern. Das geht schon wieder weg, so denk ich. Als Kind, da hatte ich die Pocken und den Ausschlag, und alles ist von selber weggegangen. Soll ich das bißchen Augenmuckern nicht verlieren, denk ich. Es geht nicht weg, merk ich nach einer Woche. Ich leg mir eine Binde auf das Auge. Ich wärme es mit heißer Kleie. Das Muckern, es verliert sich nicht. Ich geh nun wieder ohne Augenbinde. Am Ende heilts die frische Luft, so denk ich; doch auch die Luft, sie heilt es nicht, Gott ist mein Zeuge! Das wär noch alles nicht so schlimm gewesen. Fünf Zentner Roggen sind verschwunden auf dem Gut. Inspektor Weißbier läßt uns allesamt vernehmen. Da steh ich nun. Der Vogt und der Inspektor starren. ›Weißt du, wohin der Roggen kam, du Tagdieb?‹ so fragt mich der Inspektor. Nein, sag ich. Mein Auge macht inzwischen, was es will. Es zwinkert auf den Vogt zu. Der Vogt nimmt sich das Zwinkern an. Er kommt und haut mir eine runter. Ich kleb ihm eine wieder. Der Inspektor geht dazwischen. Ich hätt den Vogt verdächtigt, heißt es. So gehts mir nun: Die Welt wird an mir irr. Ich werde an der Welt irr. Was soll werden? Dein Junge muß mir, ob er will, ob nicht, das Zwinkern aus dem Auge streichen!«

Gustav knöpfte sich die Weste zu. »Alles läuft hierher und will bestrichen sein. Der Junge hat die Kräfte auch nicht zentnerweis. Er zittert schon in den Arterien.«

Rinka gab nicht auf. Er süßte seine Stimme: »Es schläft wohl noch, euer heiliges Kind?«

Da sagte Gustav sehr gelehrt und weise: »Das Augenzwinkern kommt nicht so von mir nichts, dir nichts. Da hat der Deiwel seine Hand im Spiele. Der Deiwel, der im Schnaps sitzt, wirkt

74

da. Die Kur dagegen ist besonders schwer. – Jetzt muß ich nun zum Beispiel erst die Hühner füttern und hab kein Körnchen Hafer mehr im Sacke.«

Rinka versprach Gustav Hafer von seinem Deputat am Monatsende. Gustav drückte Rinka in den ledernen Behandlungssessel und nahm einen der vertrackt gebogenen Blankdrähte aus dem Schränkchen mit dem Totenkopf. Den Draht legte er vor Rinka auf das Fensterbrett. »Das Wunderkind muß sich erst klären, doch bis es kommt, läufst du mit den Augen diesen Draht ab. Du folgst dem Draht um jede Biegung und fitzelst deinen Blick durch jeden Knoten! Pack aber den Draht nicht an, sonst kannst du hin sein. Ich komm nicht für Begräbniskosten auf!«

Rinka blieb allein. Er schaute das Drahtstück an. Seine Blicke wanden sich um die Bögen und wirrten sich wie eingesperrte Mäuse durch das Geschlinge der Knoten. Der Draht hatte keinen Anfang und kein Ende.

Stanislaus aß in der Küche ein Quarkbrot. Es wurde sieben Uhr. Wieder pochte jemand bei der Haustür. Gustav wurde zappelig – neue Kundschaft? Er zog sich die schwarze Jacke seines Hochzeitsanzuges über und wartete ungeduldig auf das Sattsein seines Sohnes. »Wenn du jetzt noch ab und zu in den Schenken ein bißchen Glas vorfressen würdest, hätten wir mehr Kundschaft als der Krämer.«

Stanislaus sah den nestbauenden Schwalben auf dem Hofe zu.

Gustav rannte in den Flur und prallte dort auf den Gendarmen. »Wo ist dein Junge, Büdner?«

»Wo soll er sein, Herr Hornknopf? In der Küche sitzt er. Quarkbrot ißt er.«

»Hol ihn heran!« Der Gendarm sagte es nicht mehr ganz so herrisch. Er erinnerte sich wohl einer bestimmten Messergeschichte, bei deren Aufklärung Stanislaus, der Wundertäter, geholfen hatte. Der Gendarm war dafür Oberwachtmeister geworden. Der Herr Oberwachtmeister ging ohne Aufforderung in Büdners große Stube. Der Deiwel sollte ihn holen!

Stanislaus war verschwunden. Gustav fand ihn draußen vor der Tür beim Fahrrad des Gendarmen.

Der Gendarm sah Rinka im ledernen Sessel sitzen. Rinkas Blicke rannten immer noch am verbogenen Draht entlang.

»Aha!« Der Gendarm nahm die Salbendosen auf dem Fensterbrett in Augenschein. Rinka sah nicht auf.

»Was treibst du hier?«

Keine Antwort. Der Gendarm griff nach dem Drahtstück auf dem Fensterbrett. Rinka sprang auf und hielt den Gendarmen fest. Der Gendarm sah den heftigen Rinka an. Rinka zwinkerte. Der Gendarm glaubte zu verstehen. »Höllenapparat?«

Rinka zwinkerte. Der Gendarm getraute sich nicht mehr, mit der bloßen Hand nach dem Drahtstück zu greifen. Er tastete nach seinem Schleppsäbel. Der Schleppsäbel hing nicht an seinem Koppel. Der Schleppsäbel? Wo hatte er den Schleppsäbel? Am Fahrrad draußen wird er sein, am Fahrrad, von zwei Klemmen gehalten.

Gustav stieß Stanislaus in die Stube. Stanislaus war sommersprossig wie immer, Vater Gustav blaß. Nun hatte also der Gendarm die Wundertäterei in amtlichen Augenschein genommen. Rinka zwinkerte.

»Was soll ich, Herr Gendarm?« fragte Stanislaus.

»Ha, sieh den Wundertäter! Sagt weis und weiß nicht, was ich will.«

Schweigen. Stanislaus druckste. »Ich weiß.«

»Du weißt? Sags also! Los!«

»Ihr langer Säbel, Herr Gendarm, ist weg.«

»Ist weg, hähä? Am Fahrrad draußen klemmt er, weiser Wundertäter.«

»Dort ist kein Säbel, Herr Gendarm.«

Der Gendarm ging nach draußen. Der Schleppsäbel saß nicht in den Klemmen am Fahrrad. Der Herr Oberwachtmeister kam nachdenklich zurück. »Der Säbel steht daheim. Ich hab ihn gestern in den Schrank gestellt.« Er sah Gustav an. »So ist das mit dem Hellsehn, siehst du. Verboten ist es, wie du weißt. Ich komm die Tage wieder hier vorbei, dann ist der ganze Zauber fort, verschwunden, du verstehst!«

Gustav nickte stumm. Bei diesem Nicken fiel die Welt zusammen, die er sich in den letzten Wochen mühselig erbaut hatte. Er war wieder arbeitslos.

13
Stanislaus' Säbelprophezeiung trifft ein. Der Graf läßt ihn aus Waldwiesen vertreiben.

Die Gräfin hatte den Grafen überführt. Man fand ihn mit der Erzieherin in der Jagdhütte. Die Erzieherin wurde von der Gräfin entlassen.

Das Fräulein schrieb tränenreiche Briefe aus der Ferne. Der Graf erhielt sie nicht. Die Gräfin hatte eine gebefreudigere Hand als er. In dieser weißen Hand war auch der Briefträger. Den Grafen kränkte es nicht weiter. Er war mit einer gewissen Mademoiselle Annette nicht in den Wald gegangen, um seine Korrespondenzen zu vermehren. Den Grafen kränkte jedoch, daß seine Frau Gemahlin nun auf seine Söhne einwirkte und erreichte, daß diese beiden Gymnasiasten ihren Herrn Vater mit stiller Belustigung betrachteten. Ihr Vater, dieser Seitenspringer, hohoho!

Der Graf verlangte eine Aussprache mit der Gräfin. »Wie weit wollen Gnädigste noch im Aufbauschen dieses kleinen – ich kann noch nicht einmal sagen: Fehltritts – gehen?«

Die Gräfin antwortete aus knopflochschmalem Munde: »Die Treue ist verletzlicher als diese kleine diamantene Uhr an meinem Arm, wenn Sie es noch nicht wissen sollten, mein Herr.« Sie tippte mit dem dünnen weißen Zeigefinger auf das kleine Kunstwerk.

»Wenn mir recht ist, habe ich Ihnen dieses Ührchen einmal geschenkt!« sagte der Graf und starrte auf einen in Öl gemalten schnauzbärtigen Ahnen seiner Frau. »Und wenn ichs recht bedenke, habe ich überhaupt allerlei getan, um Sitz und Besitz Ihrer Väter, wenn ich mir erlauben darf, zu erhalten und zu sanieren. Ich bitte recht sehr.«

Die Augen der Gräfin wurden feucht. »Ich würde mich schämen, wie Sie, Erlaucht, das Geschäftliche mit der Liebe zu vermischen.«

Die Unterredung war beendet. Der Graf schämte sich nicht für seinen Schachzug. Er wurde wieder ein vollwertiges Familienmitglied im Schloß. Sein Diener Josef, dieses Schloßgespenst mit dem Knebelbart, hatte sogar in Erfahrung gebracht, wie die Gnädige seinem Herrn auf die Schliche gekommen war.

»Ein Junge?«

»Ein Junge, Erlaucht, ein richtiger Wundertäter.«

»In meinem Dorfe?«

»Eine richtige Praxis, Ledersessel, Bibliothek und Heilmittel aus aller Welt.«

Der Graf stand im Morgenrock vor dem Spiegel. Er riß die Bartbinde herunter, um seinem Befehl Härte zu verleihen. »Ausräuchern!«

Das Schloßgespenst duckte sich andeutungsweise. »Die gnädige Frau hält die Hand über diesen Jungen, Erlaucht, wenn ich so frei sein darf.«

»Die Gnädige soll ihre Hand über die kirchlichen Einrichtungen halten, über die weltlichen halt ich sie.«

»Verzeihung, Erlaucht, wenn ich mich beratend einmische: Dieses ist ein Zweifelsfall. Man sagt, dieser Junge wandle unter der Segenssonne Gottes, wenn ich so frei sein darf.«

Der Graf betrachtete seinen glatt angedrückten Bart im Spiegel. »Segenssonne Gottes? Dann solls der Gendarm in die Hand nehmen, fertig!«

Gustav räumte seine Wundertäterei aus. Er seufzte dabei. Das Regalchen mit den beiden Doktorbüchern und dem Geschenk von Lehrer Klügler, »Die Psychologie der Bettnässer«, und auch die Hausbibel blieben in der Stube. Man wird wohl noch zwei, drei Bücher haben dürfen! Für die Salben baute Gustav ein Konsolchen in der Abtrittgrube; nur für die Zeit der Haussuchung.

»Die Heiligen der letzten Tage werden heimgesucht werden, steht geschrieben«, sagte Lena in sich gekehrt.

Den Ledersessel brachte Gustav vorübergehend im Hühnerstall unter. Man wird doch wohl noch seine Hühner beim Eierlegen beobachten dürfen!

Stanislaus grub, harkte, säte im Garten, dachte dabei und dachte: Auch Jesus hatte mit seinem guten Blick Kranke geheilt, Lahme und Sündige. Er war gefangengesetzt worden, und man hatte ihn ans Kreuz geschlagen. Sollte jetzt Herr Stanislaus Büdner gefangen und ans Kreuz genagelt werden? Er sah auf den blühenden Mohn, und es war ein leises Angstzittern in ihm. Ein Zitronenfalter umtaumelte die kleine Blütensonne einer Mohnstaude.

»He, sag der Königin, es geht mir schlecht!«

Der Wind ging durch die Stauden. Die Mohnblüte mit dem Falter neigte sich: »Ich bring dir Botschaft, Büdnerjunge.«

»Wird mich der Hornknopf kreuzigen, du gelber Bote?«

»Gut oder schlecht – ihr bändigt keinen Blick. Stecht mir die Augen aus, dann seh ich mit den Händen!«

Der Zitronenfalter war längst über die Pflaumenbäume hinweg auf das Lupinenfeld der Bäuerin Schulte geflogen. Stanislaus aber sann noch über seiner Botschaft. Er sagte die Worte vor sich her, kratzte eine Weile in der Erde und sagte sie dann wieder. Vater Gustav kam leise. Als Stanislaus den Vater gewahrte, machte er aus der Botschaft ein Gesumm: »Stecht mir die Augen, summ, summ, aus, dann, summ, summ, seh ich mit den, summ, summ, Händen, summ!« Niemand sollte wissen, daß sich Stanislaus, der konfirmiert und aus der Schule war, mit Schmetterlingen unterhielt.

Wenige Tage, und Stanislaus hatte den Gendarmen und die Kreuzigungsangst vergessen. Er begann jetzt mit den Pflanzen zu spielen wie früher mit den Vögeln. Das Wachsen und Keimen im Garten erregte ihn. Er steckte je zwei Körner von Zuckerschoten neben eine Frühkartoffelstaude. Die Frühkartoffeln trieben ihr Kraut hoch, und die Zuckerschoten steckten ihre Grünnasen aus der dunklen Erde, reckten sich und schauten sich um wie junge Libellen, wenn sie aus ihren Puppenpanzern schlüpfen. Sie streckten geschmeidige Fädenärmchen aus, krümmten sie und winkten. Sie reckten und reckten sich, und das war in Stanislaus' Phantasie, als ob sie sich auf die Zehenspitzen stellten. Und siehe, jetzt begannen sie sich zu wenden und zu drehen. Für Stanislaus begann auf dem Schotenfeld ein großartiges Schauspiel: das Fest der mildgrünen Erbsentänzerinnen. Seine Augen rafften das langsame, suchende Drehen der Pflänzchen zu anmutigen, schnellen Tänzen zusammen. Er sah, wie die dünnen Fädenhände die wässerig-grünen Kartoffelstauden packten, wie sich die Frühlingstänzerinnen hochwanden und ihre Liebsten umschlangen. Oh, wo sollte er seine Freude lassen! Er sang und stammelte, pfiff und quiekte, und immer noch war Freude in ihm.

Vater Gustav besah sich die rankenden Zuckerschoten an den Kartoffelstauden: zwei Ernten auf einem Beet. Ein neues Wunder in Büdners Haus! Er kratzte sich den Kopf. »Ein Jammer, daß ein so gesegnetes Kind seine Wunder nun in die Erde stecken muß.«

Der Gendarm suchte seinen Schleppsäbel. Er fand ihn in seiner Wohnung nicht. Wo in aller Welt war sein Schleppsäbel geblieben? Das war... das konnte etwas kosten, womöglich den Beamtenposten. Am dritten Suchtage erwog er, ob er nicht Stanislaus zu Rate ziehen sollte. Es ging nicht an: Der Graf konnte erfahren, daß er sich des Jungen bediente, den er ausräuchern sollte! War der Graf seine vorgesetzte Dienststelle? Freilich nicht – aber sein Hauptmann war ständiger Jagdgast auf dem Schlosse. Ein Wörtchen des Grafen, und Hornknopfs Tschako fiel vom Kopf – wie eine reife Pflaume vom Baum.

Der Herr Oberwachtmeister hatte zwei unruhige, sehr unruhige Nächte. Er hatte aber auch eine Frau, die früher einmal Schankmädchen in verschiedenen Gastwirtschaften gewesen war. Sie wußte, an welchen Orten Gendarmen zuweilen ihre Dienstwaffen vergessen konnten, nahm ihr Fahrrad und fuhr los.

In der ersten Schenke: »Guten Tag, ich bin die Frau Oberwachtmeisterin. Sie werden mich kennen. Mein Mann hat nicht zufällig seine Dienstwaffe bei Ihnen hinterlegt?«

»Keine Spur, Frau Oberwachtmeisterin. Die Dienstwaffe wäre längst bei Ihnen, so befreundet wie wir mit Ihrem Herrn Gatten und Gendarmen sind.«

In der zweiten Kneipe: »Wir werden uns doch nicht an einer Waffe der Polizei die Finger beschmutzen!«

In der dritten Schenke: »Ja, ja, ganz richtig, der Schleppsäbel. Er hatte sich ein bißchen gelockert und blieb dort liegen, wo das Fahrrad des Herrn Wachtmeister lag. Er konnte nicht aufsteigen, weil er ... weil es zu dunkel war. Ja, ja, der Schleppsäbel, ganz recht, er lag hier umher. Die Kinder fingen an, damit zu spielen. Ein bißchen Rost ist schon dran. Ich nahm ihn in Verwahrung. Er ist wohlbehalten, nur ein wenig stumpf. Die Kinder hieben Brennesseln im Garten mit ihm.«

Der Wirt zog den Schleppsäbel aus dem Thekenschrank. Beim Herausziehen riß er eine Flasche »Bärentatze« herunter. Seine Ungeschicklichkeit war so offen – war so absichtlich. Klatschklirr, die Flasche »Bärentatze« zerschellte an der blechbeschlagenen Thekenkante. »Weiter nichts als Schaden hat man von dem verfluchten Sä ... Sängerfest vorige Woche.« Der Wirt beugte sich über die Theke und schlürfte den herausgelaufenen Schnaps.

Die Frau Gendarmin lächelte, klopfte dem Wirt auf die Schulter und sah ihn lieb an, wie sie in alten Zeiten alle Männer angesehen hatte. »Den Schaden wird mein Mann vergüten.«

»Der wird sich was... der wird sich was geängstigt haben um seinen Säbel«, knurrte der Wirt.

Die Frau Oberwachtmeisterin nickte. Sie packte den Säbel in Zeitungspapier und schließlich in ein mitgebrachtes Tischtuch. Nun sah das ganze Gewickel aus wie eine gut verpackte lange Schlackwurst.

Das ganze Wesen des Gendarmen war ein großes Aufseufzen, als der das zweitemal bei Büdners erschien, um die leidige Angelegenheit mit der Wundertäterei zu bereinigen. Die Irrfahrt seines Schleppsäbels erwähnte er nicht. Er ließ sich Büdners große Stube zeigen. Die Wundertäterei war verschwunden.

»Schön, schön, schön so, Büdner!« Er trat an das Bücherschränkchen. »Psy – Psycho – Psychologie«, buchstabierte er.

»Psychologie, Büdner? Das ist doch wohl kein verbotenes Buch? Steht etwas gegen die Regierung drin?«

»Nur über Bettnässer, Herr Gendarm.« Gustav sagte es traurig.

»Denken Sie nicht, Büdner, daß ich nun Tag und Nacht auf der Lauer liege, um Ihnen einen Strick zu drehn. Man ist ein Mensch. Man läßt Gnade vor Recht ergehn, aber man hat seine Dienstvorschriften, seine Obliegenheiten sozusagen.«

»Wir wissen, Herr Gendarm.«

»Richtig genommen steht Zuchthaus auf Kurpfuscherei.«

»Wir haben niemand verpfuscht, Herr Gendarm. Alle sind gesund geworden, die wir betan haben.«

»Sind sie?«

»Auf Ehre, Herr Gendarm.«

Der Gendarm betrachtete Stanislaus und kniff ein Auge zu. »Naaa?« Er strich über seinen Schleppsäbel und lächelte. »Da ist er.«

Stanislaus erschrak, als der Oberwachtmeister auf seinen Säbel klopfte. Sollte er doch noch abgeführt und gekreuzigt werden? »Gut oder schlecht – ihr bändigt keinen Blick!« stieß er hervor. »Stecht mir die Augen aus, dann seh ich mit den Händen!«

Der Gendarm sah Gustav an. Was für Töne waren das? Gustav wurde bleich. Er stellte sich schützend vor Stanislaus. »Der Junge ist schon ganz verzittert und verrückt, Herr Hornknopf.«

»Machts halb so dick! Bin ich ein Menschenfresser?« Der Gendarm setzte sich unaufgefordert. »Ich wüßt was für dein Kerlchen, Büdner.« Der Herr Oberwachtmeister legte ein bestiefeltes Bein über das andere und rekelte sich zurecht. Den Schleppsäbel zog er nach vorn und legte ihn wie eine Kostbarkeit auf den Schoß.

Stanislaus sollte in die Lehre, so wurde vereinbart. Der Gendarm hatte einen guten Bekannten, einen Halbverwandten, in der Stadt, einen Bäcker. Stanislaus roch schon frischen Kuchen.

Der Gendarm setzte den Tschako ab und pustete den Landstraßenstaub vom Deckel. »Ich persönlich weiß natürlich, daß es sozusagen geheime Kräfte gibt. Man kann sie nicht mit dem Gesetz erfassen und abstellen wie zum Beispiel Sittlichkeitsverbrechen. So denk ich, aber die Obrigkeit denkt anders, und am schlimmsten sind die Wissenschaftler, glaubt mir!«

Gustav machte ein vieldeutiges Gesicht. »Man kann nie wissen, was noch kommt. Die Wunder fürchten sich vor Obrigkeiten nicht.«

Der Gendarm tastete nach seinem Schleppsäbel. Es sah aus, als ob er ihn streichelte. Stanislaus aß in Gedanken Kuchen, immer mehr Kuchen. An Quark- und Pflaumenkuchen wollte er sich besonders halten. Der Gendarm erhob sich und kam auf ihn zu. Die Langstiefel des Oberwachtmeisters knarrten. Er fuhr dem Kuchenträumer mit der blauroten Hand über den Wirrschopf. »Ich mein es gut mit dir, Junge. Nicht ein Fünkchen von Feindschaft gegen mich sollte in deiner ... ääh, ääh ... gewissermaßen Seele glimmen.«

Stanislaus schüttelte sich unwillig. Das Streicheln der Gendarmerie war ihm lästig und nicht geheuer. Der Gendarm faßte das Abneigungsschütteln des Jungen als Zustimmung auf.

14

Stanislaus erlernt die Backkunst und den Zentralen Blick. Er zaubert Schaben auf den Buckel einer Magd.

Wenn Stanislaus daheim Kirschen oder Pflaumen gepflückt hatte, hatte er dabei gegessen, soviel er wollte. Niemand verwehrte ihm das. Jeder Ochse rupft bei der Ernte am Roggen. Sollte ein Bäckerlehrling dümmer als ein Ochse sein? Stanislaus riß zuweilen eine knusperbraune Schnecke vom heißen Backblech. Mußte er sich nicht für die Wundmale belohnen, die ihm die glühheißen Bleche trotz der Blechlappen in die blassen Unterarme brannten?

Auf dem rasierten Schädel des Meisters stand der Schweiß. Ächzend, fluchend und schnurchelnd riß dieser vertrocknete Kuchenkünstler die Bleche aus dem Ofenmaul. »Oh, oh, der Ofen ist giftig! Renne, renn schon, krummer Dorfköter, die Ware verbrennt!«

Stanislaus warf die mehlstaubigen Pantoffeln hinter sich, um besser springen zu können. Seine beschmierte Bäckerschürze wehte wie eine Zunftfahne. Im Schürzenlatz steckte die frische Schnecke. Er biß rasch ab, wenn der schwitzende Meister mit der Schosse im Ofen rumorte. Die Schweißperlen auf dem kahlen Hinterkopf des Meisters leuchteten wie kleine Augen. »Was schmatzt du und frißt? Laß dir nicht einfallen, einwandfreie Ware vom Blech zu schummeln!«

Stanislaus spuckte seinen Bissen vor Schreck in den Kanonenofen des Backhauses und wagte nicht mehr, von seiner Schnecke abzubeißen. Am Abend fielen ihm die zerdrückten Reste aus dem Schürzenlatz. Fritz, der Mitlehrling, sah die Krümel kullern. »Dir ist da etwas aus dem Latz gerutscht, wenn das man nicht dein Herz war. Lauter Krümel!«

Da war zunächst nichts mit Pflaumen- und Quarkkuchen. Jedes gesunde Blech hatte soundso viele Stücke herzugeben. Sie konnten berechnet werden. Sie waren gezählt, zum Donnerwetter! Fritz Latte sah sich den Kuchenhunger seines Kollegen eine Weile belustigt an. »Ich werde dir sagen, wie du zu Kuchen kommst. Meine Sonntagsschuhe wirst du dafür putzen, daß sie glänzen wie ein Affenhintern.« Weshalb sollte Stanislaus nicht Fritz Lattes Sonntagsschuhe putzen? An den Sonntagen nagte die Langeweile ihm die letzten Teigreste von den Fingernägelrändern. Es gab da in dem dunklen Hof der Bäckerei weder einen Fuchsbau noch einen Wiesenbach, in dem man krebsen gehen konnte. Der kleine Garten der Meisterin war dem gepflasterten Hof abgetrotzt. Kaum Platz für sieben Köpfe Salat, acht Kohlrabiknollen und fünf Kapuzinerkressen. Stanislaus spuckte vor lauter Jammer in diesen kleinen Garten.

»Was speist du in meinen Garten, Bauernknecht, du?« Die Meisterin krächzte. Die Flügel ihrer Hakennase bebten. »Gieß ihn lieber und scher dich in deine Kammer, Nichtsnutz!«

Fritz lag in der Kammer und schlief Vorrat für den Abend. Er stand im dritten Lehrjahr, hatte jeden Abend Ausgang und erzählte Geschichten von Mädchen, die er schockweis verführt haben wollte. »Da war die Anni. Ich hab sie als halbe Jungfer zurückgelassen.«

»Weshalb hast du sie zurückgelassen?« forschte Stanislaus.

»Ich fuhr mit ihr Karussell. Da sah ich sie lachen. Ich bekam Angst vor ihren Zähnen. Sie hatte vorn richtige Raffer. Es zerfranst dir die Lippen, wenn du so eine küßt.«

»Wieviel Mädchen hast du geküßt, Fritz?«

»Du denkst, ich schreib mir solche Kindereien auf? An siebenundachtzig waren es, ohne hinzugucken. Ich laß dir die Anni ab, wenn du mir den Nacken ausrasierst.«

Nein, Stanislaus wollte kein Mädchen. Es ging ihm mehr um Pflaumen- und Quarkkuchen. Fritz Latte zeigte ihm für das Schuhputzen, wie man schnell mit der Ofenschosse in den kochenden Kuchen fuhr, wenn der Meister sich vom Backofen entfernte, um sich eine Morgenzigarre anzubrennen.

»Wisch! — So macht man Ausschuß!« Fritz fuhr mit dem gekanteten Schieber in den kochenden Quark und hopste in die Backstube zurück. »Jetzt kannst du dir vom Quarkkuchen-Ausschuß einen Bauch anfressen, auf dem sich Flöhe knacken lassen!«

Für Kuchen war gesorgt. Stanislaus schwelgte, aber nach einigen Wochen erkannte er die Unzulänglichkeit des Paradieses. Nach Lehrer Gerbers Religionslehren sollten Leute, die sich auf Erden unanstößig verhielten, im ewigen Leben tagtäglich mit erlesenem Kuchen bewirtet werden. Hoffentlich gab es im Himmel nicht gerade Quarkkuchen!

Es währte kein halbes Jahr, bis Stanislaus alles wußte und konnte, was ein Bäckergeselle wissen und können muß. Aber was wollte er? Er stand im ersten Lehrjahr und war gewissermaßen der Fußabtreter für Meister und Meisterin, für Fritz Latte, und wenn er sich nicht wehrte, sogar für Sophie, das Hausmädchen. Sophie war rund, sehr rund und füllig. Die angeschobenen Brötchen, die in der Leuteküche gegessen werden mußten, schlugen bei ihr an. Von hinten gesehen, ähnelte sie der Meisterin, nur daß ihr Unterrock zuweilen vergrämt unter dem Rockrand hervorlugte.

»Zieh die Fahne ein, bevor du in den Laden und vor die Kundschaft trittst!« sagte der Meister und hieb Sophie mit der flachen Ofenschosse eins auf den gewölbten Teil des Rockes.

Das Abendbrot nahm das Personal in der Küche ein. Die Meistersleute aßen in der Wohnstube. Fritz drohte mit der Faust zur Stube hinüber. »Da säuft er nun Bier, und sie frißt Lachs. Unsereinem wird nichts gegönnt!«

In der Küche gab es billige Leberwurst und Malzkaffee. Fritz rümpfte die Nase. Stanislaus stopfte. Ihm war nichts zu gering. Wenn er an die mageren Margarinebrote von daheim dachte, so war das hier die Vorküche vom Himmel.

Fritz aß nicht alles, was auf den Lehrlingstisch kam. Wieso, als Mann im dritten Lehrjahr? Er erhielt Trinkgelder, wenn er den Frauen die Hausmannskuchen, die sie in der Bäckerei abbacken ließen, beflissen von den Blechen schob. Dabei tropften höfliche Worte aus seinem Frechmaul: »Soll ich Ihnen den Kuchen auf Ihr Handwägelchen tragen, Frau Pattina?«

»Zu nett von Ihnen, Herr Fritz.«

»Gehts dem Fräulein Tochter gut, oder hat es noch die Bleichsucht?«

»Danke, Herr Fritz, es geht Gott sei Dank besser.« Frau Pattina steckte Fritz dreißig Pfennig in die Hosentasche.

Auch Stanislaus schob Kuchen der Kundschaft von den Blechen. Er tat es stumm; nur seine Augen leuchteten freundlich dabei. Er erhielt nichts dafür. Die Kundschaft hatte sich an Fritz und seine plumpen Höflichkeiten gewöhnt. Sie übersah den stillen Stanislaus.

»Er schaut einen an. So durch und durch, sage ich Ihnen. Man muß überlegen, ob man saubere Unterwäsche anhat«, sagte Frau Pattina.

»Er kommt vom Dorf.«

»Ein richtiger Glotzer.«

Fritz Latte hatte noch andere Einnahmen. Er brachte Brötchen in die Fleischereien. Er gab die Ware hinten in den Schlachthäusern ab und tauschte mit den Lehrlingen angeschobene Schnecken gegen Platzwürste. In seinem Reisekorb neben dem Bett duftete stets ein kleiner Vorrat von Platzwürsten.

Auch Stanislaus mußte Brötchen austragen. Er lieferte sie brav im Fleischerladen ab und erhielt nichts als ein »Danke!«

»Du bist noch ein Grünhorn, wie man so sagt«, hänselte Fritz. »Gesetzt den Fall, du bürstest jeden Sonnabend meinen Anzug aus, damit nicht jede Dame auf zehn Meter sieht, daß sie es mit einem Bäcker zu tun hat, so verrat ich dir, wie man zu Platzwurst kommt.«

Stanislaus schüttelte kauend den Kopf. Er wollte sich nicht ganz und gar zum Bediensteten von Fritz machen. Lieber aß er billige Leberwurst!

Fritz wischte sich über die Stirn. »Du bist ein ganz schönes Kamel.«

»Aber kein Reitkamel«, sagte Stanislaus. »Eben ist der Reiter runtergefallen.«

Latte bekam erst auf der Straße heraus, daß er mit dem Kamelreiter gemeint war.

»Dieser feine Fritz wird so lange hinter den Mädchen herrennen, bis er einem ein Kind macht«, sagte Sophie und strich die Leberwurst, die Fritz Latte hätte essen sollen, noch auf Stanislaus' Brötchen. »Aus dir soll was werden, Junge, beiß zu!«

Im Backhaus sangen die Heimchen. Sophie räumte das Geschirr ab. Stanislaus war müde, sein Kopf sank auf den Küchentisch.

»Die Bäckervögel singen: Regnen wirds.« Sophie trank den Gerstenkaffee gleich aus der Kanne.

Stanislaus schreckte auf. »Wo? Waas?«

»Regnen wirds. Die Bäckerövgel singen und singen.«

»Sie singen Abend für Abend. Trotzdem regnets nicht Morgen für Morgen.«

»Aber mein Rücken juckt und kribbelt. Das geht auf Regen.« Sophie rieb und scheuerte sich den Rücken am Türpfosten. »Es ist, als ob mir Schaben unterm Hemd säßen. Du könntest wohl nicht einmal reinfühlen?«

Stanislaus erschauerte bei der Vorstellung, mit den Händen Sophies Speckrücken abtasten zu müssen. »Schaben unterm Hemd? Das gibt's nicht, Sophie.«

»Es juckt und juckt aber doch, Junge.«

»Es ist nichts als das Blut, Sophie. Dafür gab mein Vater Blutreinigungstee, als wir noch die Wundertäterei hatten.«

»Tee, Tee? Wie soll Tee den Rücken kratzen?« Sophie schabte ungläubig den Rücken weiter.

»Der Tee, der reinigt dich! Gute Nacht, Sophie.«

Stanislaus lag in seiner kahlen Lehrlingskammer. Die Sehnsucht nach daheim, nach den Wiesen vorm Haus, nach den Schmetterlingen auf dem Wiesenschaumkraut war wie eine feine Feile in seinem Herzen zugange. Als der Vater ihn in dieses Mehlnest gebracht hatte, war ausgemacht worden, daß Stanislaus ein Jahr um und um in der Stadt sein und sein Wiesendorf nicht sehen dürfe. Der Meister berief sich auf seine Erfahrungen: Erst müsse sich ein normaler Mensch, in dem kein Bäckerblut flösse, an Mehl, Teig und Hitze gewöhnen; der Mehlstaub müsse in sein Blut gestiegen sein.

Eines Sonntags kramte Stanislaus auf dem Mehlboden. Er suchte unter den Dachsparren nach Mäusenestern. Nun wollte er sich vor lauter Einsamkeit eine junge Maus zähmen. Sie sollte auf den Hinterbeinen hocken und ihm aus der Hand fressen. Es war nicht gesagt, vielleicht bekam er sie dazu, auf Kommando »Piep« zu machen. Schließlich konnte er sie fragen: »Was hat Fritz Latte im Kopfe, mein Mäuschen?«

»Piep!«

Stanislaus fand ein Mäusenest, aber die Jungen waren noch nackt. Er suchte weiter und fand unter einem Sparren eine verstaubte Bäckermütze neben zusammengerollten Backstubenschürzen. Gott weiß, welcher Bäckergeselle sich hier seine Habseligkeiten verstaut hatte. Vielleicht hatte ihn der Meister aus der Backstube gejagt, und das Zeug war auf dem Boden geblieben.

Hinter den Bäckerschürzen lagen einige Büchlein. Sie trugen auf den Titelseiten grellbunte Bilder. Auf einem Bilde waren ein Mann und ein Mädchen zu sehen. Das Mädchen trug einen offenen Hemdlatz. Ziegelrote Brüste strotzten aus dem Latz. Der Mann trug einen schwarzen Anzug und beugte sich über dieses Mädchen. »Wenn die Knospen schwellen« stand darunter. Stanislaus konnte auf dem Umschlagbild nicht eine Knospe entdecken. Es war kein Buch über den Gartenbau.

Eines der Hefte betrachtete Stanislaus lange. Die Umschlagseite zeigte einen Mann in weißer Toga. Auf dem Kopf trug er einen indischen Turban, und sein Gesicht war kaffeebraun. Aus den Augen des Mannes schossen Feuerstrahlen. Die Feuerstrahlen drangen in die halbgeöffneten Augen eines schönen Mädchens, das sehr schläfrig zu sein schien. »Die Kunst der Hypnose« stand darunter. Stanislaus blieb den ganzen Sonntagnachmittag auf einem Mehlsack sitzen und las in diesem Heftchen.

Mancher Tag verging: Mehl wurde herangebracht. Die Jungen schleppten es vom Mehlboden in die Backbeuten. Stanislaus ächzte unter den Zweizentnersäcken.

»Das vergeht. Bäckerbeine müssen sich zurechtbiegen!« Fritz Latte wies tröstend auf seine O-Beine. »Die meinen haben sich gewöhnt. Ich kann einen Sack durchschmeißen und muß sie nicht einmal spreizen.«

Stanislaus stöhnte trotzdem.

»Je platter die Sohlen, desto besser der Stand beim Brotwirken und am Ofen!« Der Meister tippte mit dem teigbeschmierten Zeigefinger auf seine Füße. Sie lagen wie zwei Butterpfunde auf dem Backstubenboden.

Mehl wurde Teig, Teig wurde Gebäck. Das Gebäck verschlangen die Menschen. Am Abend waren Backstube und Laden leer. Neues Mehl mußte zu Teig, neuer Teig zu Gebäck geformt werden. Die Freude des Gärtners über Blumen und Sträucher währt ein Jahr und länger; die Freude des Bäckers über das Gebackene währt einen Tag, nur Stunden. Die geritzten Knusperbrötchen, die gebräunten Schnecken, Semmeln und Hörnchen wandern vom Blech über den Ladentisch in die Einkaufstaschen, von dort auf die Frühstückstische der Menschen. Sie werden schließlich zerkaut und mit Kaffee als unansehnliche Klumpen in Menschenmägen gespült. Was für ein trockenes Leben für Stanislaus! Wie gut, daß er jetzt das Buch über »Die Kunst der Hypnose« hatte!

Er begann, dieses Büchlein zu schätzen wie einen Freund. Es hatte ihm erzählt, welche Kräfte manchen Menschen eingeboren sind. Er zweifelte keinen Augenblick, daß auch in ihm besondere Eigenschaften zugange waren. Hatte er nicht mit den Schmetterlingen geredet? Hatte er nicht von diesen buntzarten Wesen Botschaften erhalten, die außer ihm niemand erhielt?

Stanislaus saß im Bett und starrte in einen Taschenspiegel. Er übte den Zentralen Blick, wie es die Vorschrift in seinem Heftchen verlangte. Keinmal durfte er zwinkern. Die Augen brannten ihm, aber er durfte sie nicht bewegen. Stanislaus merkte nicht, wie er dabei in Schlaf fiel. Es sah aus, als wollte er sich noch im Schlaf spiegeln.

Fritz kam aus dem Kino und rüttelte Stanislaus wach. »Du kannst starren und starren, ein Schnurrbart wird dir trotzdem nicht wachsen. Erst mußt du Mann sein wie unsereiner.«

»Schnurrbart?« Stanislaus sagte es weinerlich und gähnte. Er versteckte den Taschenspiegel und sein Hypnoseheft unter dem Kopfkissen.

Die Tage vergingen mehlgrau und heiß. Ein träger Sommerabend lag über der Kleinstadt. Dunst vom Gossenwasser drang zum geöffneten Fenster herein. Über die Kopfsteinstraße klipperte ein spätes Fuhrwerk. Vom Rummelplatz flirrten Schlagerfetzen wie Bonbonpapierchen im lauen Wind durch die Straßen.

Der Meister und die Meisterin waren auf Bierreise: Wer meine Brötchen isset, dessen Bier ich trinke ...

Fritz Latte war Meister der Luftschaukel auf dem Rummelplatz. Sophie hatte ihm sein rotes Haar mit ihrer Brennschere kräuseln müssen. »Hast du Locken, schaun die Mädchen nicht auf deine Sommersprossen«, sagte er.

Stanislaus und Sophie waren nach dem Abendbrot. Die Weckeruhr tickte. Sophie hatte den Kopf auf den Arm gestützt und sann. »Hörst du es ticken, Junge?«

»Ich höre es, Sophie.«

»Bei jedem Ticker fällt eine Erbse in den Schoß der Ewigkeit. Viele kleine Erbsenticker – das ist dein Leben. Manchmal macht es ›tick‹ – deine letzte Erbse ist gefallen. Du bist auf der Stelle hin und tot.«

Sophies Erbsen interessierten Stanislaus nicht. »Du hast wohl jetzt nicht mehr soviel Schaben unter dem Hemd wie früher?« Stanislaus sah Sophie mit dem Zentralen Blick an. Er starrte mit aufgerissenen Augen auf Sophies Nasenwurzel. Dort stießen ihre Augenbrauen, die wie kleine Filzstreifen aussahen, zusammen. Sophie schüttelte sich. »Jetzt, wo du es sagst, geht es wieder los, Junge.« Sie sprang auf und ging an den Türpfosten, um sich zu scheuern. Ein freudiger Schreck durchfuhr Stanislaus. Jetzt fing es an: Seine gesammelten Kräfte begannen sichtbar zu werden. Er hatte Sophie Schaben auf den Buckel hypnotisiert.

»Denkst du auch, daß Schaben Schaben heißen, weil man sie wegschaben muß?« fragte Sophie.

»Ich weiß was gegen deine Schaben.«

»Wenn du das wüßtest, aber komm mir nicht wieder mit Tee!«

»Setz dich und schau mich an!« befahl Stanislaus. Sophie setzte sich gehorsam auf ihren Stuhl.

»Schau mich an, Sophie!«

Das alte Mädchen blickte gläubig in Stanislaus' Konfirmandenaugen. »Die Schaben preschen davon!« sagte Stanislaus mit dunkler Stimme. Sophie lauschte in sich hinein. »Wahrhaftig, ja, jetzt rutschen sie zum Rock, die Waden hinunter, in die Pantoffeln. Sie fliehen!« jauchzte Sophie.

Stanislaus trat auf sie zu und strich ihr über die Arme; er strich ihr auch in Jungenneugier über die Brust. »Es werden jetzt weniger Schaben, immer weniger. Sie sind ganz weg, und du wirst müde!«

»Wahrhaftig, ich werde müde!«

Stanislaus strich Sophie über die Stirn, über die Augenlider. Das dicke Mädchen schloß die Augen. Seine Augdeckel waren rot geädert und von kurzen Wimpern umrandet. Das Tränenwasser der Einsamkeit hatte Sophies Lidränder gerötet.

»Alles wird leicht, Sophie. Deine Arme werden schlaff und sinken herab. Du bist jetzt leicht wie Pappelsamen, fliegst, wie die Engel im Himmel einherfliegen. Du verheiratest dich mit...« Stanislaus zog sein Büchlein hinterm Schürzenlatz hervor. Er mußte nachsehen, wie der Satz richtig hieß. Es handelte sich um ein schwieriges Wort. Er blätterte hastig. Es durfte nichts ausgelassen werden. Die Hypnose mußte stimmen. »Du vermählst dich mit dem *Nirwana*!«

Sophie seufzte und begann zu lächeln. Endlich war sie mit irgendwem vermählt. »Setz den Zylinder gerade auf, Theodor, so geh ich nicht mit dir zur Trauung!« Sophie sagte es lallend wie ein Kleinkind.

Stanislaus eiferte: »Nirwana ist ein indischer Herr. Er trägt keinen Zylinder. Er trägt einen Turban, Sophie!«

»Jajaja«, murmelte Sophie. Ihr war es gleich, was ihr Bräutigam auf dem Kopfe trug; die Hauptsache: sie hatte einen.

»Deine Sprache versiegt, Sophie!«

Sophie nickte. Stanislaus' Wangen glühten. »Dein Stuhl wird heiß, Sophie.«

Sophie verzog das Gesicht.

»Der Stuhl wird heißer und heißer. Jetzt glüht er!«

Sophie sprang auf.

»Sprich, Sophie!« befahl Stanislaus.

»Au, au!« schrie Sophie. »Die heiße Kirchenbank hat mich verbrannt!«

»Es brennt weniger, immer weniger, es brennt fast gar nicht mehr. – Weg ist der Brennschmerz, Sophie!«

Sophie lächelte glücklich.

»Setz dich, Sophie!«

Sophie fand den Stuhl auch mit geschlossenen Augen.

Da stand nun Stanislaus, und ein Eiferfieber hatte ihn gepackt. Es hatte sich gezeigt: Seine gesammelten Kräfte wirkten großartig. Sophie schlief. Ihre Arme hingen schlaff herab. Stanislaus blätterte in seinem Buch. »Erzähl etwas aus deinem Leben, Sophie; die reine Wahrheit, Sophie!« Sophie seufzte und begann zu erzählen: »Das ist die reine Wahrheit: Ich hab ihn gern haben wollen, den Theodor. Ich hatte nur ihn. Er hatte noch andere. Er war ein Leibkutscher. Ein schöner Leibkutscher mit silbernen Tressen. Das Mützenschild aus Lackleder. Ich war so sündig. Ich nahm ihn in meine Kammer. In mein Bett hinein.«

Stanislaus hielt den Atem an.

»Es war schön. Er war ein Mann. Er war ein so süßer Mann. So muß es im Himmel sein. Dort werd ich ihn wiedersehn. – Er kam viele Nächte lang, und immer war es noch süßer. Dann blieb er aus.«

Stanislaus wollte mehr wissen. »Was war so süß?«

Sophie wollte die Arme ausbreiten. Sie gehorchten ihr nicht. »Wir haben uns geliebt und geliebt; das war so süß.«

»Weshalb blieb er aus?«

»Er blieb aus. Eine Nacht, zwei Nächte, drei Nächte. Ich verglühte fast in meinem einsamen Bette. Ich schlich mich durch das dunkle Schloß an seine Kutscherkammer. Jede Nacht schlich ich zu seiner Kammer. Ich kratzte ganz leis mit dem Fingernagel an der Tür. Er kam. ›Du bist wie eine läufige Hündin!‹ sagte er. Er hatte recht; ich schämte mich. Er kam nicht mehr, weil ich wie eine Hündin war. Gott strafe mich! Wer will so ein Weib? Ach, jaaa! Ich sollte ein Kind kriegen. Ein richtiges Kind mit Rosenhaut und Daunenhaar. Die Gnädige behielt keine Mädchen mit Kindern. Was sollte ich machen? Wo sollte ich hin? Ich wurde schlechter als eine Hündin: Ich ließ mir das Kind aus dem Leib morden. Die alte Grabeleit sagte: ›Ich helf dir, Sophie.‹ – Ich ließ mir helfen! Sie trat auf meinen Leib wie auf ein weiches Gartenbeet. Das Kindpflänzchen verkam. So eine schlechte Person war ich! Die alte Grabeleit aber war eine Hexe!«

Stanislaus weinte. Das fehlte gerade: Ein strammer Hypnotiseur, und hier heulen! »Schweig!« befahl er. »Alles ist ausgelöscht!« Er machte eine Handbewegung, als ob er alte Rechenaufgaben von einer Schultafel löschen würde. »Sing lieber ein Lied, damit es lustig wird!«

Sophie hüstelte dünn und begann mit brüchiger Stimme zu singen:

> Der Kirschbaum trägt rote Trauben.
> Der Apfelbaum lacht voller Frucht.
> Ich habe im schattigen Garten
> Nach meinem Kinde gesucht.

Bist du in dem dunkelen Garten?
Mein Kindlein, hast du gelacht?
Schau her, meine zitternden Hände:
Ich hab dir ein Küchlein gebracht.

O wei, o wei, Sophie kam nicht von ihrem Kinde los! »Ein lustiges Lied sollst du singen, Sophie!«

Sophie lauschte, lachte dann schrill und sang:

Der Truthahn sagt zur Truterbraut:
Wo hast du unser Kind?
Es sitzt im Hollerbusch, es lacht
Und spielt dort mit dem Wind.
Kullerrullerullerull.

Die Nase wächst am roten Kopf.
Der Truthahn bläht sich, schmatzt.
Die Federn fliegen hin im Wind.
Der Truthahn ist geplatzt.
Kullerrullerullerull ...

Sophie sprang auf und tanzte um den Küchentisch. Sie blähte sich, hob die Röcke und versuchte, zierliche Schritte zu machen. »Kullerrullerullerull!«

Die Tür ging auf. Der Meister stand in der Küche. Sein Gesicht war vom Biergenuß gerötet. Sein Stehkragen war durchgeschwitzt. Die Meisterin schob ihn zur Seite. Sie blickte unter ihrem Sonntagshut wie unter einem Stahlhelm hervor. Sie trug ein kurzes Kleid. Sie hatte dicke Knie – Walroßknie. Stanislaus schwitzte. »Setz dich, Sophie, setz dich sofort!«

Sophie ließ sich gehorsam auf den Küchenstuhl plumpsen. Die Meisterin zeterte: »Hast du keine Ehre im Leib, dummes Weib?«

Sophie nickte.

»Mit hochgehobenen Röcken vor dem Jungen da?«

Sophie schüttelte den Kopf. Der Meister hielt sich am Geschirrschrank fest. Er hatte wohl zu enge Schuhe angezogen und konnte nicht mehr recht stehn. »Ita-enische Nacht ... ita-enische Nacht machen sie.« Er rülpste und riß die Augen auf. »Ist das Hefestück gemacht? Ist der Sauerteig angefrischt, Bauernlümmel, du?«

»Es ist alles gemacht, Herr Meister.« Stanislaus war kein Hypnotiseur mehr. Er erreichte die bierstarren Augen des Meisters mit seinem Zentralen Blick nicht.

»Wohalb hockt ihr noch herum? Wofürzu verbrennt das teure Licht?«

Sophie hing auf ihrem Stuhl. Sie hielt die Augen geschlossen und lächelte. Die Meisterin rüttelte sie. Sophie wurde nicht wach. Stanislaus hatte sie eingeschläfert; er mußte sie wohl auch aus dem Schlaf erlösen. Er konnte jetzt sein Büchlein nicht hervorziehen. Hilflos sagte er zur Meisterin: »Sie ist abgemüdet, die Sophie. Sie schläft manchmal nach dem Abendbrot ein.«

Die Meisterin versuchte, Sophie den Stuhl wegzuziehen. Sophie saß schwer und reglos. Die Stuhllehne knackte, aber Sophie rührte sich nicht.

Stanislaus rannte zum Backhaus. Er holte zwei Kuchenbleche. Er schlug die Bleche aufeinander und schrie: »Erwache, Sophie, der Weg ist frei!«

Siehe da, Sophie rekelte sich! Sie rieb sich die Augen, streckte die Arme seitab und gähnte. »War das mal ein schöner Traum«, schwärmte sie. »Gehn wir zu Bett, Junge!« Sie blickte auf und sah die Meisterin im kniefreien Kleid. »Ists Zeit zum Aufstehn, Meisterin? Hab ichs verschlafen?«

»Dumme Person, schamlose!« Die Meisterin setzte ihren Hut ab. Ihr strähniger Bubikopf spreizte sich. Der Meister lachte und lachte. »Hast du gesehn, krach, krach, taramdada!« Er versuchte, Stanislaus' Ohr zwischen seine dicken Finger zu bekommen. Stanislaus entwich. »Hast du richtig Mehl über den Sauer gestreut, Zauberkerl?«

»Ganz viel Mehl, Herr Meister.«

In dieser Nacht konnte Stanislaus nicht schlafen. Er glühte. Seine Phantasie durchglühte ihn wie das Schmiedfeuer den Draht. Er hatte Sophie hypnotisiert!

Fritz kam in dieser Nacht nicht heim. Er schlief wohl jetzt gleich bei den Mädchen? Vielleicht war er ein süßer Mann für eine? Erst eine halbe Stunde vor dem Wecker sank Stanislaus in einen zerfransten Schlaf.

15
Stanislaus heilt einen Bäckerlehrling von der Rauchsucht und hext einem Meisterweibe die Geilheit an den Leib.

In der Backstube staubten die Mehltage dahin. Fritz Latte wurde von Tag zu Tag großmäuliger. »Die paar Monate, die ich noch zu machen hab, nutz ich! Gehn muß ich so und so. Der Alte hält keine Gesellen. Lehrlinge sind billiger. Jetzt tanz ich ihm noch ein Weilchen auf dem Kopf herum. Seine Glatze soll Schrammen kriegen.« So redete Fritz von seinem Meister. Er schlug Stanislaus auf die Schulter und sagte: »Du natürlich verkommst hier und dienerst vor dem Alten.«

»Ich hab mein Studium«, antwortete Stanislaus vieldeutig. Das Hypnotisierbuch knisterte hinter seinem Schürzenlatz.

»Du wirst was studieren. Komm mit auf den Rummel! Da siehst du was. Wenn der Alte dich auszankt, verdresch ich ihn dir.«

»Er hat dir gestern eine Tracht angedroht, und du hast ihn nicht verdroschen.«

»Gestern war gestern. Jetzt bin ich Mann«, sagte Fritz und fügte leise hinzu: »Ein Mann, der ein Weib beschlafen hat.« Er wurde wieder laut. »Außerdem sind wir zu zweit; wie der Alte auch kommt, wir packen ihn.«

Nein, Stanislaus wollte nichts von einer Backstubenschlägerei hören.

»Was hast du vom Karussellfahren, Fritz? Das Ding dreht sich: Zuletzt stehst du am gleichen Fleck, bist verwirrt und einen Groschen los.«

»Es ist auch einer mit einer Bude da, der hypnosiert.«

»Hypnotisiert«, verbesserte Stanislaus und horchte auf.

»So ein Apothekerwort wars, ja, jedenfalls läßt er dich einschlafen, wie du gehst und stehst. Du machst, was er will. Ich stand an einem gemalten Bühnenbaum und hob ein Bein. Der Lump soll einen Hund aus mir gemacht haben. Gebellt soll ich haben, und er hat mich erweckt, als ich ihn ins Bein beißen wollte.«.

Mit Stanislaus ging die jungenhafte Prahlsucht durch. »Das soll wohl große Kunst sein? Ich mach bis zum Frühstück dreimal einen Hund aus dir, sogar ein Pferd, und du frißt vor aller Augen ein Bund Heu.«

Stanislaus mußte beweisen. Die Spottstacheln von Fritz trieben ihn. Es war nichts leichter, als den staunenden Fritz einzuschläfern. Als er steif und wie leblos an der Wand stand, hielt sich Sophie die Schürze vor die Augen und rannte schreiend davon.

Stanislaus befahl Fritz, sich eine Zigarette anzuzünden. Fritz paffte.

»Die Zigarette stinkt«, sagte Stanislaus.

Fritz sog und verzog das Gesicht.

»Die Zigarette schmeckt nach Unrat!«

Fritz ließ die Zunge heraushängen.

»Drei Tage werden dir Zigaretten nichts als stinken und stinken!«

Fritz warf die Zigarette weg.

Es reizte Stanislaus nicht, weitere Experimente mit Latte anzustellen. Er mußte Fritz, diesem Zweifler, jedoch zu wissen geben, daß der seinen geheimen Kräften unterstand.

»Ich, dein Herr und Meister«, sagte Stanislaus mit dunkler Stimme, »befehle dir, morgen früh mit heraushängender Zunge in der Backstube zu erscheinen!«

Fritz nickte.

»Alles ist ausgelöscht! Kriech auf den Küchenherd und erwache!« Fritz kroch auf den Ofen, hockte sich neben die Wasserpfanne, erwachte und sah sich beschämt um. »Hattest du etwa einen Affen aus mir gemacht?«

»Nein, einen Kaffeewärmer.«

Da trollte sich Fritz grußlos und zitternd in seine Kammer.

Stanislaus aber stand allein in der stillen Bäckerküche. Es summte in seinem Kopf. Das waren wohl die magnetischen

Kräfte, die nicht zur Ruhe kommen konnten. Stanislaus – der Büdnerjunge – eine Elektrizitätszentrale, die tausend und mehr Volt in die Menschen hineinstrahlen konnte!

Der nächste Tag begann mit einem grauen Morgen. Auch die Laune des Meisters war grau. »Was für Moden sind das: mit baumelnder Zunge wie ein schwitzender Fleischerhund?«

Fritz rannte in die Spucknapfecke und machte Stanislaus Zeichen. »Es schmeckt alles nach Jauche und Jauche. Du hast mich behext.«

»Zieh die Zunge ein«, flüsterte Stanislaus. »Dein Unglaube ist dir vergeben!«

Der Bann war verflogen. Fritz sah dankbar zu Stanislaus auf. »Du könntest der berühmteste Mann in der Stadt werden. Die Mädchen würden auf dem Bauche zu dir gekrochen kommen.«

Stanislaus hatte mit Mädchen noch nichts im Sinn, aber sein Ruhm verbreitete sich in der Welt. Es war die Welt, in der Fritz Latte bisher eine außerordentliche Rolle gespielt hatte. Fritz vergaß nicht, mit großem Geprahl auf die Zauberkräfte seines Freundes hinzuweisen. »Ich spar jetzt ganze Haufen von Geld. Mein Freund hat mir die Rauchlust weghypnotisiert.«

»Kann er das?«

»Ihr solltet sehn, was er kann: Der Meister will ihm eine herunterhaun. Er starrt den Meister an. Zuck, ein Blitz schießt aus seinen Augen. Der Meister bleibt auf der Stelle am Fußboden kleben.«

Die jungen Leute brüllten begeistert: »Bring ihn mit! Was hält er sich versteckt?«

»Er geht nicht unter die Menschen. Er spart seine Kräfte und macht Blitze daraus.«

Die jungen Leute begannen zu zweifeln. »Ich würde was und in der Lehre bleiben, wenn ich so einer wäre.«

Fritz winkte lässig ab. »Dieser Mensch ist nicht der und jener. Er blättert in gelehrten Büchern und schläft fast keine Nacht. Eine Nacht wache ich auf, und es stehen mindestens sechs bis acht Neger an seinem Bett. Ich höre, wie er mit den Negern spricht. Sie stoßen miteinander an und haben keine Bierseidel.«

98

Fritz hatte nichts dagegen, daß auch er seiner Kumpanei durch den Umgang mit Stanislaus ein wenig unheimlich wurde. Aber nicht allen gruselte es. »Du lügst ganz schön für deine Länge!«

Von diesen Gesprächen ahnte Stanislaus nichts. Er trieb seine Versuche weiter. Eine seltsame Lust hatte ihn gepackt. In seinem Hypnosebüchlein war ausdrücklich vermerkt: »Verflucht aber sei der, der die geheimen Kräfte in sich entwickelt und sie zu eigennützigen Zwecken mißbraucht. Das Nirwana wird ihn schlagen. Seine Seele soll im Hades verröcheln.«

Stanislaus wußte weder, was Nirwana noch was Hades war; wußte nicht, daß der wirre Verfasser seines Hypnosebüchleins indische Weisheit und altgriechische Götterlehre mengte, um gelehrt zu erscheinen. Für Stanislaus war alles neu und alles wahr, was in Büchern gedruckt stand. Er schlürfte das Kauderwelsch der After-Wissenschaft wie Himbeerwasser.

In der Küche gab es billige Blutwurst. Für das Nachtmahl der Meistersleute siedeten rosarote Kochwürste im Topf. Fritz überprüfte die Leckerbissen der Meistersleute. »Hörst du die Bockwürste singen? Sie freun sich auf den Meisterbauch.« Er hob den Deckel vom Topf. »Wie vornehm sie daliegen. Einen Lehrling gucken die nicht an.« Sophie deckte den Topf wieder zu. Fritz flüsterte mit Stanislaus. Stanislaus sollte die Meisterin zwingen, die Bockwurst in der Küche auszuteilen. Nein, Stanislaus wollte das nicht. Fritz griff in den Wursttopf und schwenkte ein Würstchen vor Stanislaus' Sommersprossennase. »Hoi, hoi, schnupper, schnupper nur! Solltest du nicht Macht über ein so dünnes Ding haben, Zaubermeister?«

Stanislaus schluckte Appetitsspeichel herunter. Nebenan ging die Tür. Die Meisterin schlurfte in die Küche. Stanislaus empfing sie mit dem Zentralen Blick. Appetit und Eitelkeit hatten ihn zermürbt. »Hierher gehören die Würste, hierher!« Stanislaus sagte es in Gedanken vor sich hin. »Hierher gehören die Würste, hierher!«

Die Meisterin sah in den Wursttopf. Stanislaus setzte ihr seinen Starrblick in den Nacken. Das dicke Weib schien zu schwanken. Sie sah aus den Augenwinkeln auf die geringe

Blutwurst der Leute. Stanislaus fing den Blick der Meisterin ab. »Die Wurst hierher! Hierher die Wurst!«

Die Meistersfrau fuhr mit einer Gabel in den Topf, spießte eine Kochwurst auf und legte sie auf Sophies Teller.

»Die Wurst hierher! Hierher die Wurst!« Stanislaus trampelte unter dem Tisch und kam vor Anstrengung ins Schwitzen. Die Meisterin überlegte ein Weilchen, ehe sie eine Kochwurst für Fritz aus dem Topf fischte. Stanislaus ließ nicht nach, die Meisterin mit seinen Blicken anzubohren. Sollte er als Meister der geheimen Kräfte ohne Bockwurst zu Bett gehn? – Für Stanislaus schnitt die Meisterin eine Wurst durch. Er erhielt nur eine Wursthälfte. Die Meisterin legte das Stück auf seinen Teller, nahm die Gabel in die linke Hand und hieb Stanislaus mit der Rechten eine Ohrfeige. Der Knall stand wie ein Teschingschuß in der Küche.

»Hier, geiler Lümmel!« Die Meisterin strich über ihren Zauskopf. »Ich werde dich lehren, nach einer Meistersfrau zu glotzen wie nach einer von der Straße!« Sie strich sich über die Brüste und verschwand mit dem Wursttopf im Wohnzimmer. Schweigen. Aus den Backofenritzen rieselte das Gezwitscher der Heimchen. Fritz war blaß geworden. Stanislaus' Wange glühte. Das Nirwana hatte zurückgeschlagen. Er hatte selbstsüchtig gehandelt. Fritz rieb sich die Hände zwischen den Knien. In Stanislaus' linkem Ohr summte es wie in einer Telegrafenstange bei Wind.

»Laß«, tröstete Fritz. »Die Wurst haben wir.« Er biß in die Bockwurst, daß es knackte. Stanislaus kämpfte mit Tränen. »Sie wird es bereuen, wenn sie eines Tages krank liegt.«

Fritz Latte stieß an den Tisch. Die Wurst auf Sophies Teller drehte sich um. Sophie sprang auf und rannte mit runden Angstaugen davon. »Sie will keine hypnotisierte Wurst!« Fritz ließ Sophies Wurst auf seinen Teller rollen.

Die Würstchengeschichte geriet bei den anderen wieder in Vergessenheit, nicht aber bei Stanislaus. Er ging schweigsam umher. »Nun schleppst du an deiner Ohrfeige, wie?« fragte Fritz.

Stanislaus schwieg.

»Ich hätt mir keine löschen lassen. Die Hand hätt ich ihr steif gemacht für drei Tage.«

Stanislaus ließ nicht zu, daß sich Haß gegen die Meisterin in ihm ausbreitete. Sie war bei den Würstchen nicht die Meisterin, sondern ein ausführendes Werkzeug des Nirwana gewesen. Stanislaus' Seele mußte sich wieder reinigen; sie mußte wie weißes Seidenpapier werden.

Drei Tage vergingen. Der Meister ging zum Skatabend. Die Meisterin blieb daheim. Sie fühlte sich ein wenig einsam und aß mit den Leuten in der Küche. Stanislaus spürte, wie sich ihre Blicke an ihm festsogen. Er blickte verwirrt auf seine mehligen Backpantoffeln unter dem Tisch. Er wollte nicht wieder eine Ohrfeige ernten.

Die Meisterin verteilte gekochte Eier. Stanislaus erhielt zwei, Fritz nur eins. Fritz gab Stanislaus unter dem Tisch einen Schubs und flüsterte: »Du machst wohl wieder los? Mir auch noch eins!«

Stanislaus machte nicht los. Die Meisterin leistete mit dem zweiten Ei wohl Abbitte für die Ohrfeige. Er betrachtete verlegen den Wandkalender und nahm sich vor, dieses Ohrfeigen-Ei nicht zu essen. Er fühlte Fritzens Fuß aufdringlich auf seinem Pantoffel und drückte ihn zur Seite. Der fremde Fuß aber wurde immer aufdringlicher. Da sah Stanislaus, daß es sich um den Fuß der Meisterin handelte. Er schlüpfte aus dem Pantoffel. Die Meisterin betrachtete ihn liebevoll. Er errötete.

Tausend Gedanken summten in Stanislaus' Kopf, als er zur Kammer stieg. Im dunklen Treppengang stieß er an etwas Weiches, an einen warmen menschlichen Körper. Er wollte schrein.

»Pschscht!« Zwei Arme umfaßten ihn. Fleischige Lippen legten sich an seine Ohrmuschel. »Schrei nicht, mein Junge, ich bin es.«

Stanislaus spürte die Speichelfeuchte des geilen Meisterweibes an seinem Ohr. Er zitterte. Die Meisterin preßte ihn an sich. »Komm, komm!« flüsterte sie heiser. »Jetzt kannst du mich anschaun, alles anschaun!«

Ein Schrei! Ein Schubs! Stanislaus rannte die Treppe hinab und versteckte sich im dunklen Hof. Er verstand die Welt nicht mehr.

Am nächsten Tage blieb die Meisterin im Bett. Sie wäre krank, hieß es.

»Du hast sie krank hypnotisiert, wie?« flüsterte Fritz in der Backstube. »Es ist gerecht, was kleistert sie dir eine.«

Als Stanislaus zum Frühstück in die Küche kam, rannte Sophie zeternd hinaus. »Du Hexer, du! Die Frau hast du krank gehext.«

Der Meister kam aus dem Laden.

»Behext hat er sie, behext!«

Der Meister warf einen gewittrigen Seitenblick auf Stanislaus und rannte Sophie nach. »Bleib stehn und rede! Was hat er gemacht?«

Stanislaus stand in der Küche und sah, wie sich der Deckel eines Topfes auf dem Herd hob und senkte. Gehorchten nun sogar die Dinge seinem Blick? Nein, sie gehorchten ihm nicht. Es war kochende Vanillecreme, die den Deckel hob und senkte. Die Creme stieg aus dem Topf und ergoß sich plappernd auf die Herdplatte. Stanislaus war froh, daß er die gelbe Flüssigkeit nicht durch seine geheimen Kräfte in Bewegung gesetzt hatte. In seinem Kopfe kochte es wie in diesem Topf: Woher wußte er vor drei Tagen, daß die Meisterin krank werden würde? Waren seine Kräfte so weit gewachsen, daß er jetzt schon die Dinge sah, die kommen würden? Oder hatte er nur die blauen Lippen der Herzkranken, die er von der Frau des Gutsvogtes daheim, von der Tochter des Küsters und der Mamsell auf dem Schlosse kannte, bei der Meisterin wiedergefunden?

Die Meisterin war wirklich krank. Sie hatte sich aufgeregt und einen ihrer Herzanfälle bekommen. Sie sollte sich nicht aufregen. Worüber hatte sie sich aufgeregt? Über diesen Bauernlümmel natürlich. »Sophie kann es bezeugen und beschwören«, ächzte sie, und der zitternde Meister streichelte ihr Zaushaar. »Er hat mich angestarrt, als ob ich eine solche wäre. Der Himmel vergeb's mir, dieser Mensch muß aus dem Haus!«

Der Meister faßte sich an den Kopf. Die steife Konditormütze wurde platt wie ein Plinz. Die Meisterin fuhr fort, Stanislaus anzuklagen: »Er hat grüne Augen. Man macht, was er will.«

Und Sophie sagte: »Gott verzeih mir, ich ließ mich mit ihm ein!« Tränen rannen unter ihren roten Lidern hervor.

Und wieder klagte die Meisterin: »Wenn er man nicht so was wie ein Paganini, ein Teufelskerl, ist! Ich habe es im Film gesehn, und es ist schrecklich, wie die Frauen an so einem hinsiechen. Er hat mich so angesehn, daß ich Lust bekam, ihm im dunklen Flur aufzulauern ...«

»Wie?« fragte der Meister.

Die Meisterin stöhnte und sagte dann: »Ich lauerte auf ihn, um ihn zu verdreschen.«

Der Meister atmete hörbar auf.

Stanislaus war längst in seiner Kammer. Er packte seine Sachen. Es fehlte noch, daß er sich hier nachsagen ließ, er habe die Meisterin verführt und im Flur vergewaltigt. Er hatte von ähnlichen Dingen in den Gerichtsberichten der Kreiszeitung gelesen. Das Leben war für ihn ein schwerer Sack geworden. Er wog nicht nur zwei Zentner wie die Mehlsäcke. Sein Bündel mit den schmutzigen Bäckerschürzen, der mehligen Hose und dem Hemd war nichts dagegen. Er nahm den Sack des Lebens auf den Rücken, das Bündelchen an den Arm. Er fürchtete, daß die Stiegen ächzen würden, wenn er sie mit seiner Lebenslast betrat. Sie ächzten nicht. Es waren die Stiegen des Hinterausganges. Sie waren aus Zement.

16
Stanislaus begegnet einem weißen Fürsten, überwacht vergeblich die Polizei und erhält einen Brief der Großindischen Elefantenpost.

Stanislaus stand mit seinem Bündel in der Küche der Eltern. In Vater Gustav war nur ein Gedanke: Wundertäterei im großen Stil! »Die Wunder suchen ihren Weg trotz Teig und Kuchen«, sagte er.

»Die Heiligen der letzten Tage leiden und leiden, wie sie sich auch lagern«, sagte Mutter Lena, »aber am Ende wird ihnen

Lohn, denn sie werden beim Weltuntergang das weiße Schiff Jehovas besteigen dürfen.«

Der Gendarm war nicht dafür, daß Stanislaus daheim das weiße Schiff eines gewissen Herrn Jehova erwarten sollte. Er ließ dem Jungen kaum Zeit; sich in Hof und Garten umzusehn. Grün und nach Schuhcreme duftend stand er in Büdners Küche. Die Mildheit in seinem Gesicht war fast so groß wie an manchen Sonntagen, wenn er in der Kirche Psalmen sang. »Des Lebens Wiese hat ihre Sumpfgräben, Junge«, sagte er, und das hatte er am Sonntag vom Pastor gehört. »Blumen möcht man pflücken, und Disteln erntet man.«

Es stellte sich heraus, daß die behexte Bäckerin, seine Stiefschwester, nicht gerade sein Wohlwollen genoß. »Man kennt sie mit ihrem Leiden. Ihr Herz schwimmt hurtig im Fett und stößt hier und da an. Du bist nicht der erste Lehrling, an den es stieß, aber du brauchtest nicht gerade deine Wunder auf sie loszulassen, Junge.« Der Gendarm setzte sich zu Stanislaus auf die Ofenbank. »Was soll werden? Der Herr Graf haben schon Wind von dir.«

»Ich habe niemand krank gemacht«, sagte Stanislaus.

Der Gendarm nickte freundlich. »Das mag sein, aber du kennst die Menschen nicht.«

Der Gendarm hatte vorgesorgt und sich im Nachbardorf die Bäckerzeitung ausgeliehen. Er hatte einige Inserate mit Rotstiftstrichen eingerahmt. »Lehrling gesucht, Lehrling gesucht.« Lehrlinge waren die Ochsen des Handwerks. Sie fraßen keinen Hafer in Form von Wochenlöhnen.

Auf diese Weise erwachte Stanislaus selber wie aus der Hypnose. Er erwachte in der Backstube einer anderen Stadt. Auch hier waren die Fensterscheiben blind vom Mehlstaub, und die Düfte von Gebackenem wallten auf und ab. Auch hier wurden aus Mehl und Wasser mit etwas Salz und Sauerteig kleine und große, knusperige und blasse, gemehlte und ungemehlte Brote gebacken. Neu war für Stanislaus, daß man hier aus Mehl, Zucker, Butter, Marmelade, Farben, Früchten und Schokolade Dinge und Leckereien herstellte, die er nie in seinem Leben gesehen oder geschmeckt hatte: K-o-n-d-i-t-o-r-e-i!

Der Konditorgeselle war der Fürst der Backstube. Er benahm sich wie die Attraktionsnummer in einem Zirkus. Niemals erhob er sich am Morgen mit dem Meister und den drei Lehrlingen. Er betrat gegen zehn Uhr vormittags weiß und fürstlich die Backstube. Sodann befahl er den Lehrlingen, Schokolade ins Wasserbad zu stellen. Dieser Zuckerfürst nannte die Schokolade nicht bei ihrem gewöhnlichen Namen. Er nannte sie Couvertüre, bitte. Die Lehrlinge rissen sich um seine Aufträge. Es war ihnen gleich, ob die braunen Brocken, die in ihren Mündern verschwanden, nun Schokolade oder Couvertüre hießen.

Stanislaus richtete sich ein. Eine Woche lang sah er die Backstube am Morgen nicht. Er hatte Wache. Wache? Jawohl, Wache. Eine große Aufgabe. Er überwachte die Polizei. Zu diesem Zwecke stand er auf der gemauerten Aschgrube im Hofe und sah wie ein weißer Kreuzritter über die Hofmauer hinweg, die Straße hinunter.

Die Gewerbepolizei schrieb vor, daß die Bäckermeister Lehrlinge und Gesellen nicht überfordern durften. Die Arbeit in den Backstuben hatte um fünf Uhr des Morgens zu beginnen. Stanislaus' neuer Meister war nicht in der Lage, sich nach den Vorschriften einer irdischen Polizei zu richten. Er hatte seine Polizei im Himmel; denn er war fromm und dem Herrn ergeben. Der Himmelsherr regelte die Arbeitsvorhaben dieses Meisters. Vielleicht machte der himmlische Herr auch die Buchführung für diesen Mann und hielt seine Hand schützend zwischen ihn und das Finanzamt. »Der Herr liebt die, solche ihn mit ihrem Werke loben«, sagte der Meister. Er wollte nicht warten, bis die anderen Bäckermeister der Stadt den Herrn zu loben begannen. Er begann mit seinem Werklobe bereits um vier Uhr am Morgen. Alle Lehrlinge und das Hausmädchen lobten den Herrn mit. Stanislaus aber stand auf der Aschgrube und wachte. Die fleißigen Morgenandachten seines neuen Meisters sollten nicht von den groben Händen der städtischen Polizei behindert werden.

Stanislaus zog sich die Bäckermütze über die Ohren und vergrub die Unterarme im Schürzenlatz. Die Zähne klapperten ihm. Der erste Rauhreif war niedergegangen. Die feinen Eiskristalle, die Steine, Laternenpfähle, Reklamesäulen und Gossenränder ummantelten, waren für Stanislaus eitel Silber. Der Halbmond sah in die Weite wie ein vor sich hin denkender Gelehrter. Er erkannte den Büdnerjungen hinter der Mauer – mit einem Seitenblick gewissermaßen – und neigte sein spitzes Kinn. »Bewach mir die Silberstadt gut, Büdnerjunge! Es gehen Menschen umher, unter deren Blicken dieses federleichte, zerzupfte Silber aus dem Lande Hirawathau zu Eis und Frost wird. Du weißt!«

Stanislaus rieb sich die Hände warm und rief entzückt: »Ich weiß, gelehrter Herr Mond. Jetzt werde ich singen.« Stanislaus sang:

> Lobt Gott, ihr Bäcker allzugleich,
> auf seinem höchsten Thron.
> Ich stehe hier im Silberreich
> und bin des Mondes Sohn ...

Jemand tappte die Straße herauf. Stanislaus beugte sich singend über die Mauer. Gott sei Dank, kein Polizist! Stanislaus befleißigte sich jetzt, die Menschen zu erkennen. Der Mann, der da kam, steckte in einem grünen Lodenmantel und trug eine graue Schiebermütze. Er hielt an und fragte zur Mauer hinauf: »Schon so früh aus den Federn, mein Junge? Tüchtig, tüchtig!«

Stanislaus hatte nichts dagegen, für tüchtig zu gelten.

»Siehst du nach dem Wetter?«

»Ich seh alles glitzern und singe.«

»Der Meister schon bei der Arbeit?«

»Er lobt Gott.«

In der Backstube kratzte jemand mit der Scharre Teigreste aus dem Beutenbauch. Der Mann mit der Schiebermütze neigte lauschend den Kopf. »Da kann sich Gott aber freuen.«

»Das kann er«, erwiderte Stanislaus.

»Du kannst mir wohl nicht das Tor aufschließen, Junge? Ich hätt gern ein paar Worte mit dem Meister gewechselt.«

Weshalb sollte Stanislaus dem Manne das Tor nicht öffnen? Dieser Mensch trug weder Säbel noch Tschako. »Bitte!«

Der Mann ging in die Backstube. Unterwegs durchschnupperte er die Luft im Hofraum wie ein hungriger Hund. Stanislaus hielt Ausschau nach der feindlichen Polizei. Nach einer Weile erhob sich in der Backstube ein blecherner Lärm. Der Mann kam zurück. Er hatte seine Hände in die Seitentaschen des Lodenmantels gestopft und lächelte. »Schönen Dank, Junge! Leg dich noch eine halbe Stunde zu Bett!«

Hin und her: Stanislaus hatte die Polizeiwache nicht ordentlich versehen. Wieso durften Polizisten mit Schiebermützen über Ordnung und Gerechtigkeit wachen? Also kannte Stanislaus die Menschen immer noch nicht. Es war nicht gerade eine feine Visitenkarte, die er mit seiner Polizeiwache abgegeben hatte. Acht Tage lang begann die Arbeit in der Backstube um fünf Uhr. Otto, der nächstjüngste Lehrling, lobte Stanislaus: »Auch Dummheit kann Wunder wirken!«

Otto erwachte am neunten Tag gewohnheitsmäßig um vier Uhr, gähnte und rekelte sich im Bett. »Eine Stunde mach ich noch weg.«

Er hatte sich geirrt. Die Glocke schrillte. Der Meister betätigte sie aus seinem Schlafzimmer. Die Lehrlinge fuhren fluchend in die Hosen. Auf dem Hofe fing sie der Meister ab. Nun erhielt Otto den Auftrag, Polizeiwache zu stehn.

Der Winter verging. Stanislaus lernte, was noch zu lernen war, und es gelangen ihm schon leidliche Rosen aus Buttercreme für die Torten.

In diesem Hause wurde alles im ruhigen, gottgefälligen Tone vorgebracht. »Der Herr sieht in die dunkelsten Ecken«, sagte der Meister. Die Lehrlinge duckten sich und kehrten das Fußmehl aus den Backstubenwinkeln.

Die Menschen blieben für Stanislaus schwer zu erkennen. Er sammelte sein Taschengeld. In einer Buchhandlung hatte er im Schaufenster ein großes Schmetterlingsbuch entdeckt. Auf dem bunten Bild des Einbands saßen die zarten Buttervögel auf herrlichen Blumen. Stanislaus zweifelte nicht, daß er aus diesem Buche endlich etwas über die Schmetterlingskönigin erfahren würde. Das Buch aber sollte fünfzehn Mark kosten. Jeden Sonnabend zählte Stanislaus sein erspartes Taschengeld, und jedesmal waren nur drei Mark und ein paar kleine Trinkgelder von Hausbäckern dazugekommen. Aber da sollte ein neues Hemd her, eine neue weiße Schürze mußte sein, und die Backhauspantoffeln hielten auch nicht ewig. Immer wieder entstanden Löcher im Spargeld. Das Schmetterlingsbuch vertrug die feuchte Luft im Schaufenster nicht. Sein Deckel krümmte sich. Es wurde herausgenommen. Stanislaus fragte ängstlich im Laden nach: »Haben Sie das Schmetterlingsbuch noch?«

»Wir haben es noch. Es steht zu Diensten.«

»Es wird die Zeit kommen, und ich werde es kaufen.«

»Oh, bitte, sehr gern.«

Der Frühling kam. Die Finken hämmerten in den krüppligen Stadtlindenbäumen, als ob sie kleine Ambosse bei sich hätten: »Pink, pink, pinkpink!« Das feine Finkengehämmer durchdrang den Autolärm auf den Straßen und versah alle Geräusche der rauschenden Stadt mit einem feingetönten Goldrand. In der Backstube surrte die Teigmaschine, und der Fink streute auch dahinein seine goldenen Tonkörner. »Pink, pink, pinkpink, backt fröhliches Frühlingsbrot, ihr weißen Bäckergespenster!«

Zur frommen Bäckerei des neuen Meisters gehörte ein großer Garten. Stanislaus war der einzige Lehrling, der nicht murrte, wenn er in diesem Garten arbeiten sollte. Während die anderen Teigstücke bepatschten und die Glasuren des Konditorfürsten abschmeckten, hatte er nachmittags sein Getu mit der Erde. Wenn er von der Grabearbeit aufschaute, konnte er die Leute betrachten, die die Gartenstraße hinter den vornehmeren Stadthäusern entlangwandelten.

Da kam täglich eine Frau mit einem Hund. Der Hund hatte kurze Beine, die von langen schwarzen Haaren überwuchert waren. Es sah aus, als ob ein Kehrbesen, der den Stiel verloren hatte, von einem Uhrwerk getrieben, auf der Gasse dahinrutschte. Die Frau führte lange Gespräche mit diesem Hund. »Ei, ei, ei, mein Hundel, fein gassi, gassi gehn!« Der Kehrbesen-

hund kümmerte sich nicht um die Plaudereien der Frau. Er
schnüffelte die Zaunlatten ab und hob hier und da ein Hinterbein. »Ei, ei, ei, Hundel viele feine Spurchen suchen!«

Den Hund regte auch dieser Zuspruch nicht auf. Er entdeckte
den Gruß eines anderen Hundes – und tat seinen Gruß hinzu.
Stanislaus besah sich den putzigen Hund und fiepte wie eine
läufige Hündin. Der schwarze Handfegerhund lauschte. Er stellte sich auf die Hinterpfoten und versuchte, durch die Zaunlatten zu schlüpfen. »Was hat mein Duterle, was hat er?« fragte die
Frau.

Der Hund antwortete nicht, fiepte aber und kratzte an den
Zaunlatten. Die Frau trat an den Zaun. »Guten Tag.«

»Guten Tag!« Stanislaus griff sich an die Bäckermütze.

»Sie müssen ein guter Mensch sein.«

Das war Musik in Stanislaus' Ohren, trotzdem hob er zwei-
felnd die Schultern.

»Sie können es für wahr nehmen. Mein Hundel will nur zu
guten Menschen. Sie könnten ihm wohl nicht die Freude berei-
ten und seine Nase ein wenig kraulen?«

»Wie Sie wollen.« Stanislaus steckte seinen erdbekrusteten
Zeigefinger durch einen Zaunritz und kratzte dem Hund die
Nase. Der Hund schabte sich wollüstig mit dem Hinterbein den
Bauch.

»Schönen Dank und auf Wiedersehn!« Die Frau ging weiter.
Der Hund wackelte nach einer Weile hinterdrein.

Es gingen nicht nur verschrobene Menschen die Gartenstraße entlang. Eines Nachmittags kam ein dürres Mädchen den Weg herunter. Es war blaß und vornehm wie Mädchen, die Stanislaus abgemalt gefunden hatte. Wenn er es recht
betrachtete, hatte dieses Mädchen Ähnlichkeit mit der Dame,
die auf seinem Hypnosebuch von einem Inder und Meister der
geheimen Kräfte in den Schlaf versetzt wurde. Ganz besonders
gefiel Stanislaus an dem Mädchen ein schwarzes Samtband.
Dieses Band teilte das straff nach hinten gekämmte Haar des
blassen Kindes in zwei Teile. Es führte wie eine samtne Brücke
über den weißen Schneegraben des Haarscheitels. Das Mäd-

chen schien die Blumen hinter den Lattenzäunen zu betrachten. Den Bäckerlehrling Stanislaus sah es nicht. Er war wohl
in den taubenblauen Augen dieser Zarten ein grabender weißer Maulwurf und weiter nichts auf der Welt. Weiß der Teufel,
Stanislaus wünschte sich, von dem Mädchen ge- sehen zu
werden. Das Mädchen aber ging weiter, und Stanislaus blieb
zurück, ungesehen wie die Luft, die um die Kirschbäume
strich.

Schon am nächsten Nachmittag kam das Mädchen wieder.
Stanislaus schlug mit dem Spaten auf einen Stein. Das Samtbandmädchen sah nicht auf. Er räusperte sich. Das Mädchen sah
nicht auf. Zuletzt summte er ein Lied. Es fiel ihm nichts anderes
ein als ein Kirchenlied:

> Breit aus die Flügel beide,
> O Jesu, meine Freude,
> Und führ dein Küchlein aus ...

Das Mädchen nahm die Wimpern hoch, als wären sie seidene
Fransenröcke, aber es schickte seine Blicke in die Baumkronen.
So ging das schmale Kind vorüber. Es ließ Stanislaus mit ein
wenig Aufregung im Herzen zurück.

Der warme Frühlingstag hatte eine füllige Nacht zur Schwester.
Es knispelte in den Lindenkronen vor Stanislaus' Kammerfenster. Die sonst dunklen Laternenpfähle waren von mildem Licht
überrieselt. Sie sahen aus, als sollten sie jede Minute Knospen
treiben. Zwei Autos schienen sich zuzublinzeln. Die Katzen
mauzten ihre Grüße von Dach zu Dach und reckten die Schwän-
ze. Unten auf der Straße jauchzte ein Mädchen: »Juhuuu, juhuuu!«

Stanislaus zwängte seinen Struppkopf zum engen Kammerfenster hinaus. Durch die milde Nachtluft kam ein Neck geflogen. Er brachte Stanislaus dazu, auf diesen Lockruf zu antworten: »Juhuuu, gleich komm ich!«

Stanislaus konnte die Straße nicht sehn. Von unten kam der
Rückruf: »Ich wart schon so lange.«

Stanislaus zog verschreckt den Kopf zurück und quetschte

sich die Ohren. Er lauschte. Der Neck flüsterte: »Kann nicht jeder in die Nacht rufen, was er will? Der Himmel gehört allen, die Stille hat niemand für sich gekauft.«

Und wieder kam die Mädchenstimme von unten: »Juhuuu, juhuuu!«

»Das ist dein Samtbandmädchen«, flüsterte der Neck.

Auf der Straße stand ein Mädchen, bald eine Frau. Stanislaus schlurfte pantoffelt, wie er war, bis an die Straßenecke und machte sich am Briefkasten zu schaffen. Er gewahrte, daß das Mädchen ihn beobachtete. Da steckte er seine Bäckermütze durch den Briefkastenschlitz, um nicht umsonst wie ein Ungescheiter an diesen Kasten gegangen zu sein. Im zweiten Stock des Briefkastenhauses wurde ein Fenster aufgerissen. Die Stimme eines jungen Mannes fragte: »Ruft hier jemand?«

»Und wie lange schon.«

»Du riefst vor dem falschen Haus.«

Stanislaus schlich barhäuptig in seine Kammer. Er hatte dem Neck sein Ohr geliehn und andere Menschen gehänselt! Hatte er nicht selber genug Hänseleien erdulden müssen, als er noch der Wundertäter, der Hintergesichtige, in Waldwiesen gewesen war? Er wollte etwas Vernünftiges tun und den Neck endgültig vertreiben. Er flickte seine Backstubenhose, nähte eifrig, machte kleine, feine Stiche. Er stopfte seine Hose so, als ob ihm die Mutter Lena dabei über die Schulter sähe. Es war aber der Neck, der ihm zusah. »Bist du nicht Meister der geheimen Kräfte?«

»Ein Lehrling bin ich und ein Rüpel.«

»Hast du nicht Sophie gezwungen zu tun, was du wolltest? Sang sie nicht? Tanzte sie nicht?«

Stanislaus fuchtelte mit der Nadel. »Sei du jetzt still! Die Kräfte sind für Eigennutz nicht zugelassen.«

»Eigennutz?« Oh, wie schmeichlerisch konnte der Neck reden! »Brauchst du keine Schwester, einsam wie du bist?«

So rang Stanislaus mit dem Neck, stopfte seine Hose und unterlag.

Als das bleiche Mädchen zwei Tage später um die Wildfliederhecke bog, stand Stanislaus aufrecht wie ein Pfahl im Garten
und ließ die Ströme seiner geheimen Kräfte fließen. Er hatte
sich eine Formel ausgedacht. Er wollte dieses Wesen zwingen,
ihn zu sehn und anzuschaun. Er stand auf dem Grabeland,
stampfte vor Anstrengung und Aufregung die lockere Erde fest,
starrte auf das Mädchen und flüsterte: »Schau her, du samtner
Engel, ich bin kein Bäckerbengel!«

Das Mädchen erwartete wohl ein Räuspern oder ein from-
mes Lied. Der steif verharrende Stanislaus schien es zu beirren.
Es schlug die Augen auf und sah dem lauernden Jungen voll
ins Gesicht. Stanislaus genoß diesen kurzen, blauen Blick wie
ein Streicheln. Das Mädchen errötete und stolperte. Stanislaus barst fast vor Freude über die Macht seiner geheimen
Kräfte.

Es folgten drei Tage, an denen das Mädchen, ohne aufzu-
blicken, vorüberging. Stanislaus glaubte, gesehen zu haben,
daß das blasse Wesen trotzdem ertötete. Was hatte er davon?
Waren seine Geheimkräfte in der warmen Backstube vertrock-
net? Strafte ihn das Nirwana, weil er eigennützig gehandelt
hatte? Da warf Stanislaus seine weiße Bäckerschürze über den
Zaun auf die Gartenstraße. Sie lag dort wie ein davongeflat-
tertes Wäschestück. Konnte das Mädchen sie übersehen? —
Er wurde in die Backstube gerufen. Verflucht, jetzt würde
der oder jener seine Schürze finden, und er war sie los.

Nach einer Stunde kam er in den Garten zurück. Die Schürze
hing an einer Zaunlatte. Stanislaus schnupperte an der Schürze.
Es konnte sein, daß der Duft von zwei weißen Fingern daran zu
merken war. Die Schürze roch nach muffigem Mehl und Sauerteig.

Am Abend schrieb Stanislaus einen Brief. Den Brief adressier-
te er an sich selber. Der Absender war ein gewisser Herr Nirwana aus Indien. Stanislaus beklebte den Brief mit Rabattmarken
aus dem Laden, machte einige Tintenkleckse auf die Marken
und zerknitterte den Umschlag ein wenig.

Am nächsten Tage stand ein hilfloser Stanislaus am Lattenzaun, als das Mädchen um die Wildfliederhecke schwebte.

112

Dieser Stanislaus kraulte sich den Kopf und machte unzulängliche Versuche, über den Zaun zu steigen. Das Mädchen war heran.

»Könnten Sie vielleicht so gut sein, und könnten Sie mir diesen Brief da ... der Wind blies ihn mir aus dem Schürzenlatz.«

Kein Lüftchen rührte sich. Im gefüllten Blauflieder summten die Bienen. Das Mädchen bückte sich. Sein Gesicht war über und über rot, als es Stanislaus den Brief über den Lattenzaun reichte.

»Es ist sozusagen ein wertvoller und weitgereister Brief. Von Indien mit Schiff und Flugzeug, ein Brief der Großindischen Elefantenpost.«

»Bitte!« Das Mädcheh knickste leise.

Stanislaus sah mitten hinein in die taubenblauen Augen. Er war verwirrt, betrunken. Er schien zu schweben und zu unmöglichen Dingen fähig zu sein. Er trat zur Fliederhecke und brach dort einen Zweig ab, drei blaue Dolden. Er reichte sie dem verlegenen Mädchen. »Ich danke Ihnen unendlich. Dieser Brief ist von genormter Wichtigkeit für mein Leben. Sie haben sozusagen für Sekunden mein Glück in Ihren weißen Händen gehalten.«

Jetzt war es heraus. Das Mädchen nahm den Fliederzweig. »Danke!« Es rannte fast davon.

Stanislaus war so verwirrt, daß er den Brief öffnete und las, was er sich selber geschrieben hatte. Er hatte eine Stelle aus einem Zeitungsartikel abgeschrieben: »Man beläßt der Mutter in der Regel nicht mehr als sechs Junge. Weibliche Kaninchen haben nur sechs Zitzen. Die Jungen werden nackt geboren und liegen im weichen Gewölle, das das Muttertier sich von der Bauchseite rauft. Der Rammler muß dem Wurf unbedingt ferngehalten werden. Erstens, weil er das Muttertier sofort wieder belegen würde usw.«

Solch eine frohe Botschaft hatte Stanislaus nun aus Indien erhalten.

17
Stanislaus wird ein Bote des Himmels und kommt mit einer bleichen Heiligen ins Gespräch.

Trübe Tage. Stanislaus konnte im Garten schaufeln, schuften und graben – das Mädchen kam nicht mehr. Er hatte es mit seinem verfluchten indischen Brief vertrieben. Wie konnte er diese Botschaft auch gerade aus einem Zigeunerland, wie Indien, kommen lassen? Sicher fürchtete sich das Mädchen vor einem, der es mit Zigeunern zu tun hatte!

Ein Kriegsinvalide kam an den Gartenzaun. »Hast du deine Bäckerschürze gefunden? Ich hängte sie hier auf die Zaunlatten.«

Eine neue Enttäuschung!

Die Frau mit dem Besenhund kam wieder vorüber. Stanislaus fiepte nicht, er sah nicht auf. Er hatte keine Lust, diesen Schoßhund zu kraulen. Der Hund aber wollte und wollte in den Garten. Da trat auch die Frau an den Zaun. »Verzeihung, Sie könnten wohl nicht jeden Morgen fünf Brötchen zu uns bringen?«

»Das könnte ich.«

»Es handelt sich um das Pfarrhaus.«

Stanislaus verneigte sich.

»Fünf braune Brötchen, nicht allzu braun, aber immerhin etwas brauner als Durchschnittsbrötchen. Zwei davon für meinen Mann könnten vielleicht noch etwas schärfer sein als die etwas braunen. Sie wissen.«

Stanislaus wunderte sich nicht über den sonderbaren Auftrag. Er hatte mehr solcher Kunden, die den gebackenen Semmelteig mit den Augen aßen. Er gab die Bestellung im Laden auf. »Es handelt sich um den Pfarrer«, fügte er hinzu.

»Um den Pfarrer?« Die Meisterin machte demütige Augen. Da stand ein Lehrling, dieser hergelaufene Stanislaus, vor ihr und brachte frohe Botschaft, einen Wink des Himmels. »Hat es dir das Hausmädchen gesagt?«

»Die Frau. Ich bin mit ihr bekannt.«

Die Augen des Meisterweibes ruhten verzückt auf Stanislaus'

bemehlten Wimpern. Hier hatte der Wind einen Segen ins Haus geweht!

Am Abend erkundigte sich die Meisterin genauer: »Bist du schon lange mit der Frau Pfarrer bekannt, oder wie ist es?«

»Schon ganz schön lange.«

»Ist sie mit deinen Eltern bekannt oder was?«

»Nein, sie ist mit mir bekannt.«

Weiter war aus Stanislaus nichts herauszuholen. Er hatte an andere Dinge zu denken. Da war dieses Mädchen, das er mit einem Brief aus Indien auf Nimmerwiedersehen verscheucht hatte!

Neben Gottes Thron sitzt ein kleiner Teufel. Er ist der Hofnarr des heiligen Herrn in den Wolken. Es ist langweilig für den Erbauer und Erhalter der Welt, Jahrtausend um Jahrtausend zu sitzen und auf die Entwicklung der Menschen zu warten. »Treib ein wenig Unwesen«, sagte der Herr zum Teufelchen, »sonst frißt mich die Langeweile!«

Das Teufelchen kobolzt los. Es läßt eine Birke auf einem Weidenkopf wachsen oder fertigt Kälber mit zwei bis drei Köpfen an, damit die Schaubudenbesitzer ihr Auskommen haben. Gott, der Herr, sieht sich diese kleinen Teufeleien seines Hofnarren an und schmunzelt. Ihm selber mißlingt, wie allen Weisen und Besserwissern, jeder Scherz, aber schließlich will auch er nicht immer nur umhergehen und sich als großer Erfinder der Schneckenhäuser und Löschwiegen von der Engelschar gelobpreist sehen. Das Hofnarren-Teufelchen weiß, wie es Abwechslung in das starre Leben Gottvaters bringt. Es durchbricht die Gesetze, in die sich der alte Weise selber gesperrt hat. Die Menschen nennen die kleinen Teufeleien des göttlichen Hofnarren »Zufall«. Manch mal verfluchen sie diesen Zufall, manchmal loben sie ihn, wie Menschen so sind. – Stanislaus, den seine geheimen Kräfte verlassen zu haben schienen, empfing von dem kleinen Teufel Zufall Beglückung für einige Zeit:

Er brachte am nächsten Morgen die Brötchen ins Pfarrhaus. Langsam und kirchlich ging er durch die Diele des frommen

Hauses. Dort hingen Kreuze in verschiedener Größe. An die Kreuze waren Männer in verschiedener Länge genagelt. Der gekreuzigte Jesus daheim in der Dorfkirche hatte Stanislaus früher nachdenklich gestimmt. Hier traten die Jesusse nun in Massen auf und beeindruckten ihn weniger. Dazu winselte und bellte der Besenhund in der Pfarrküche. Er witterte wohl seinen Freund. Die Haushälterin stieß die Küchentür auf. Ihr Gesicht war rot und glänzte wie ein gespecktes Osterei. Der Hund sprang an Stanislaus hoch. Aus einer Seitentür kam die Frau Pfarrer im Morgenrock. »Guten Morgen.« Sie nahm die Brötchen einzeln aus der Tüte, untersuchte sie auf ihre Beschaffenheit und prüfte ihre Knusprigkeit mit Daumen und Zeigefinger. Zwei der Brötchen schienen ihr zu mißfallen. Es waren die Brötchen, die dem Herrn Pfarrer zugedacht waren. »Wenn Sie sie morgen noch ein wenig brauner bringen könnten!«

»Das kann ich.« Stanislaus tätschelte den Hund. Eine andere Tür tat sich auf. Der Herr Pfarrer steckte den Kopf durch den Spalt. Er sah den fremden Bäcker in der Diele, neigte den kahlen Kopf, hob ihn wieder, sah seine Frau vorwurfsvoll an und sagte: »Ich bin bei der Predigt.«

Der Pfarrkopf verschwand. Die Tür klappte. Eine andere Tür tat sich auf. Diese Diele mit den vielen Gekreuzigten war wie ein kleiner Familienmarktplatz. Stanislaus begann zu zittern. Aus dem Türspalt kam ein Kopf, der mit einem schwarzen Samtband umwunden war. Mit einem Band, das wie eine samtne Brücke über einen weißen Scheitelgraben gelegt war. »Was ist los, Mama?«

Eine Antwort war nicht mehr nötig. Das Mädchen sah Stanislaus, errötete und verschwand in den heiligen Räumen.

Das war für Stanislaus nun schwerer als zwei Pfund. Eine Weile kam er sich vor wie ein Sünder. Er hatte sich gewissermaßen mit einer Tochter Gottes geneckt, und die Strafe konnte nach den Lehrer-Gerberschen Religionslehren nicht ausbleiben. Er hatte sich gegen eine Heilige vergangen.

Als Stanislaus bis zum Abend nichts geschehen war, als ihm weder ein Finger in der Teigpresse abgequetscht noch ein elektrischer Blitz aus der Knetmaschine strafend in den Körper gefahren war, wurde er wieder sicherer. »Weshalb soll sie eine Heilige sein?« fragte er. »Hat die Frau Pfarrer sie von Gott oder von ihrem Manne empfangen?« Da war also wieder der Neck.

»Laß mich sein!« antwortete Stanislaus. »Der Pfarrer geht in Gottes Häusern ein und aus!«

»Kommst du aus der Hölle?« fragte der Neck.

»Nein, aber du vielleicht«, schrie Stanislaus.

Da lachte der Neck, und sein Lachen war wie der brausende Frühlingswind.

> Bin dies nicht, bin das nicht;
> Nicht Himmel, nicht Hölle.
> Bin Kind und bin Jugend;
> Bin Unschuld der Quelle.

Dieses Liedchen verließ Stanislaus nicht. Er sprang aus dem Bett und tanzte sogar danach. Sein ausgewachsenes Hemd bedeckte ihn kaum. Oh, wie zierlich verstand Stanislaus seine dürren, etwas angekrümmten Bäckerbeine zu setzen und sie im Takte seines eigenen Gesanges zu schwingen!

Als Stanislaus am nächsten Morgen seine Brötchen in die Pfarrhausdiele brachte, kniete das bleiche Mädchen auf einem Stuhl. Es sah starr zum Fenster hinaus. Stanislaus ging auf Zehenspitzen, um es nicht beim Beten zu stören. Das Mädchen betete nicht. Es fuhr herum und nickte Stanislaus zu. Freudiger Schreck! Das Mädchen lächelte. Stanislaus sah, daß es einen schönen Mund hatte; breite glänzende Lippen, weich und gewölbt, rot wie die Farbe eines Inletts, eines Dauneninletts.

»Mama, da ist jemand!« sagte das Mädchen.

Die Frau des Pfarrers erschien. »Unser Freund«, sagte sie und nickte vornehm zur Tochter hinüber. »Ein Freund von Elias, Marlen. Ein guter Mensch. Elias weiß das.«

Das Mädchen nickte. Es errötete. Die Frau Pfarrer prüfte die Brötchen. Bis auf eines waren sie zur Zufriedenheit ausgefallen. Das Mädchen packte jetzt Bücher aus einem Regal auf das Fensterbrett. Stanislaus sah die weißen, kleinen Hände. Diese

Engelshände! Das Mädchen schien sein Starren zu fühlen. Es errötete wieder und packte die Bücher vom Fensterbrett in das Regal zurück.

Den ganzen weiteren Semmelweg hüpfte Stanislaus über das grobe Kleinstadtpflaster und summte kleine Liedchen. Die Brötchen in seinem Armkorb hüpften mit und hatten eine lustige Stunde, bevor sie gegessen wurden. Das Samtbandmädchen hatte ihn begrüßt. Das große Gespräch hatte begonnen!

Jeden Morgen, wenn Stanislaus vom Geräusch der dürren Weckerschelle wach wurde, tastete er den kommenden Tag sogleich nach kleinen Freuden ab. Die kleinen Tagesfreuden erleichterten ihm das Aufstehen und waren wie kleine Speckstücke in einem Haufen mageren Kartoffelbreis. Sie hatten für Stanislaus mehr Kraft als Pflichten, Befehle oder Beschimpfungen. Von jenem Morgen an, da ihn die Pfarrerstochter begrüßt hatte, war für Stanislaus' kleine Tagesfreuden gesorgt.

Vierzehn Tage traf er sich mit seinem Mädchen in der Diele der Gekreuzigten. Vierzehn Tage kam das Mädchen nachmittags durch die Gartenstraße und brachte sein Lehrlingsherz zum Hüpfen. Die leise Liebe wuchs, aber außer der scheuen Begrüßung am Morgen wechselten sie nicht ein Wort; nur Blicke – wie honigbeladene Bienen so schwer – summten zwischen ihnen hin und her.

Der Meister und die Meisterin behandelten Stanislaus sanft wie einen Hausengel. Jeder Bäckermeister hatte seinen Kundenkreis: Einer hielt es mit den Gastwirten. Als Gegenleistung mußte er mehr Bier trinken, als ihm lieb war. Ein anderer hielt es mit den Fleischern. Er mußte seinen Lehrlingen mehr Wurst vorsetzen, als ihm recht war. Stanislaus' Meister hielt es mit den Frommen ... Die Meisterin verfehlte nicht, die Laufkunden darauf hinzuweisen, daß der Herr Pfarrer jetzt zu ihrer festen Kundschaft gehörte. Von Zeit zu Zeit rief sie aus dem Laden in die Backstube: »Sind die Brötchen für Pfarrers beiseite gelegt?«

Stanislaus war der gesegnete Junge, der diese Geschäftsverbindung zustande gebracht hatte.

»Bist du richtig satt, Junge, oder willst du noch ein Wurstbrot?«

»Ich bin satt.«

»Haben der Frau Pfarrer die heutigen Brötchen gefallen?«

»Sie haben ihr gefallen.«

»Ist die Frau Pfarrer schon wach, wenn du erscheinst, oder geruht sie, noch zu ruhen?«

»Sie geruht, wach zu sein, und drückt die Brötchen ab.«

»Ist es sehr heilig im Pfarrhause?«

»Ganz schön heilig.«

Die Augen der Meisterin ruhten mit Wohlgefallen auf Stanislaus' bemehlten Ohren. Solch ein Junge ging nun im Pfarrhause aus und ein. »Lasset uns beten!« befahl sie.

Die beiden Hausmädchen falteten die Hände. Die Meisterin wachte darüber, daß sich auch die drei Lehrlinge dazu bequemten. Alle schauten auf ihre Schöße. Die Meisterin murmelte ein Gebet. Das Abendbrot war beendet.

»Woran denkst du, wenn sie betet?« fragte August Balko, der älteste Lehrling, seinen Kollegen Otto Prape.

»Ich denke, wie sie es machen, wenn im Kino ein Zug entgleist, und ob sie wirklich dabei ein paar Kerle zerquetschen lassen.«

»Ich denke: Hat Gott eine Kontrollkasse, ein Büro, wo die Gebete notiert werden?«

Stanislaus wurde nicht befragt. Er galt für fromm. Er las in allerlei Büchern und war nicht ganz normal.

Wirklich, Stanislaus war um diese Zeit nicht ganz normal. In ihm brannte und brannte es. Wenn er schlief, war es vielleicht nur ein Kerzenstummel mit einer Flammennadel; fuhr jedoch der Windstoß eines Traumes in dieses Flämmlein, so entstand ein Großfeuer; und ein Feuer wie in einem Backofen blieb es den ganzen Tag.

Er hatte mehr als einmal versucht, seine bleiche Heilige an den Nachmittagen zum Reden zu veranlassen. »Sprich mich an, ich dürste nach dir, sprich mich an!«

Das Mädchen bog um die Wildfliederhecke. Es kam den Weg herunter. Stanislaus zog seine Bäckermütze vom Kopf und grüßte. »Sprich mich an, ich dürste nach dir, sprich mich an!«

Das Mädchen nickte stumm, schickte einen sanften taubenblauen Blick zu Stanislaus, und die große Begegnung war vorüber.

Im kleinen Hypnosebüchlein war zu lesen, wie man den Kontakt mit einem Menschen zu suchen hatte, den man für sich einzunehmen gedachte. Man mußte sich bei Sonnenschein auf eine Wiese legen, an nichts denken, sich mit der Unendlichkeit vermählen und seinen körperlichen Leib ausziehen wie einen alten Schuh. Der seelische Leib mußte ausfahren und auf dem Äther segeln; man mußte ihn zu dem Menschen schicken, den man zu gewinnen trachtete.

Stanislaus stand keine Wiese mit Sonnenschein für sein Vorhaben zur Verfügung. Er legte sich auf dem Mehlboden quer über die Mehlsäcke und achtete darauf, daß sie nicht gerade gewöhnliches Roggenmehl, sondern hochprozentig ausgemahlenes Weizenmehl, Marke »Blütenfein«, enthielten. Auf dieser Mehlwiese kämpfte Stanislaus um die Trennung seiner Leiber. Er bemühte sich, an nichts zu denken. Das hatte seine Schwierigkeit. Er konnte zum Beispiel den Gedanken nicht loswerden, daß er hier lag und die Asche noch nicht aus dem Feuerloch des Backofens gerafft hatte. Er ging, raffte die Asche aus, legte sich wieder und arbeitete an der Trennung seiner Leiber. Jetzt konnte er deutlich fühlen, wie sein Unterleib aus den Hosen zu rutschen begann. Nach einer Weile stellte er fest, daß sein Hosenträger gerissen war. Er flickte ihn mit einer Sackschnur. Dieser irdische Leib war ein zähes Anhängsel! Endlich, endlich brachte er ihn durch die strenge Sammlung seiner Kräfte dazu, auf den Mehlsäcken zurückzubleiben. Er fühlte, wie sein seelischer Leib über den Bäckereischornstein schwebte. Eine Lohe Ruß fuhr heraus und beschmutzte ihn. Da flog er zum Flusse und wusch sich. Leider fand er in den seelischen Gefilden keine Seife. Er peitschte seinen seelischen Leib halbgewaschen weiter und drängte ihn in das Pfarrhaus. Das Mädchen saß in der Diele und blätterte in einem Buch. Stanislaus sah eine Weile aus der Höhe der Gekreuzigten hinunter, fuhr dann hernieder und legte seine Hand auf die schmale Mädchen-schulter. Das Mädchen schaute ihn an.

»Tu deine Pflicht!« bat Stanislaus' seelischer Leib.

Das Mädchen verstand sofort. Es umarmte und küßte ihn. Stanislaus erinnerte sich der Küsse seiner Mutter. Er erinnerte sich sehr dünn auch der Küsse seiner Schwester. Die Küsse des bleichen Pfarrermädchens waren süßer, viel süßer.

Stanislaus erwachte von einem Gepolter in der Backstube. Auf dem Mehlboden war es dunkel geworden. Sein irdischer Leib hatte ihm einen neuen Streich gespielt: Ein ganz gewöhn-licher Lehrlings-Traum hatte ihn genarrt. Er rannte in die Back-stube und fuhr mit entblößten Armen in den Sauerteig. Der Konditor Fürst spritzte rote Buttercremerosen auf eine Hoch-zeitstorte und pfiff: »Ausgerechnet Bananen, Bananen verlangt sie von mir ...«

Stanislaus versuchte, sein Glück mit weltlichen Mitteln her-beizuzwingen: Er kam am nächsten Morgen in die Pfarrhausdie-le. Das Mädchen wartete. Sie tauschten ihren Gruß. Stanislaus war von seinen vielen Wünschen und Hoffnungen entkräftet. Seine Verzweiflung sah aus wie Mut. »Sie lesen nun und lesen jeden Tag. Am Ende werden Sie klüger und immer klüger; unsereiner aber wird dümmer, immer dümmer«, sagte er. Stille. Die Spatzen raschelten in den Weinreben vor dem Fenster. Eine kleine Kuckucksuhr neben einem Gekreuzigten tickte.

»Lesen Sie auch Bücher?« fragte das Mädchen. Die große Unterhaltung begann.

»Wenn ich Bücher finde, lese ich, ja«, antwortete er.

»Finden? Wo finden Sie Bücher?«

»Einmal fand ich eins unter einem Dach. Es war ein Geheim-buch, und es ist mir nicht erlaubt, darüber zu sprechen.«

Das Mädchen schüttelte sich. »Sind Sie auf das Dach geklet-tert, um das Geheimbuch zu finden?«

»Ich hatte dort oben zu tun.«

»War es ein hohes Dach? Das Dach eines Kirchturms?«

»Es war mehr das Dach eines Tempels.«

Das Mädchen schwieg. Es hatte wohl noch nie einen Tempel gesehn. Auch Stanislaus kannte keinen Tempel. Er mußte seine

121

eitle Lüge zuscharren wie die Katze den Unrat. »Jetzt habe ich schon lange kein Buch gefunden.«

Das Mädchen rutschte vom Fensterbrett. Es gab Stanislaus ein schwarz eingebundenes Buch. Die Hand der weißen Heiligen streifte Stanislaus' Daumen. Nun stand dieses verehrte Wesen ganz dicht bei ihm. Ein Duft von Wildrosen umgab es; ein Dufthauch, wie ihn der Sommerwind zuweilen über die Felder trägt. Stanislaus griff ungeschickt nach der Hand des Mädchens. »Danke!«

»Nichts zur Ursach!« Wieder dieser halbe Knicks.

Die Köchin kam. Sie überprüfte die Brötchen. Es war nichts zu beanstanden.

»Meine Mama ist ein wenig unpäßlich«, erklärte das Mädchen.

Stanislaus legte das Buch behutsam in den Semmelkorb und sagte mitfühlend: »Ja, ja, der Mensch ist anfällig. Die Masern gehen jetzt um.«

Das Mädchen lachte. Die Köchin lachte. Stanislaus konnte nicht mit steifem Gesicht dabeistehn. Auch er lachte. »Hahaa, ich sah aus wie ein geschecktes Pferd, als ich die Masern hatte.«

Draußen, vor der Kirche, dachte Stanislaus an die weiche Hand des Mädchens. Einmal hatte er daheim eine Jungschwalbe aus dem Nest genommen. Sie war so weich gewesen, so warm wie diese Mädchenhand. Nun duftete seine Hand, wie ihm schien, noch ein wenig nach Wildrosen. In seiner Handfläche fand er einen winzigen Dufthauch des verehrten Wesens aufgehoben.

Stanislaus war eine große Gnade widerfahren. Verzückt stieg er in die Fußgrube, um den Backofen zum Abbacken des Brotes einzufeuern. Er gewahrte nicht, daß der Meister in die Grube starrte. »Hast du deine rechte Hand auf Rente gesetzt? Gott der Herr sieht alles!«

Stanislaus erschrak. Er fuhr mit der rechten Hand, die nach Wildrosen duftete, in den Kohlenhaufen; mit der Linken fuhr er sich über die Augen, als ob er dort ein Spinnengeweb wegwischen müßte. In der Fußgrube stand ein schwarznasiger Stanislaus.

122

18

Die Wochen vergingen. Die Mühlkutscher fuderten Mehl auf den Bäckereihof. Fuhren von Wasser wurden in der Backstube unter das Mehl gemischt, Fuhren von Kohlen im Backofen verfeuert. Die Bäckerlehrlinge schleppten Fuhren von Gebäck in die Häuser der Kunden. Auch der neue Kunde, der Herr Pfarrer, hatte schon eine Handwagenladung röscher Brötchen in seinem heiligen Munde verschwinden lassen. Dafür hatte Stanislaus nicht gerade eine Fuhre, aber immerhin einen Armvoll Bücher aus dem Pfarrhause in sich hineingestopft. Es waren fromme Bücher. Man hörte die Engel mit den Flügeln rascheln, wenn man darin las. Da war ein Buch über die Kindheit des Knaben Jesu. Stanislaus las es mit Eifer. In der Schulbibel gabs dergleichen nicht. Dieser Jesus war schon in seiner Kindheit, wie man so sagt, nicht der Dümmste gewesen. Da war die Geschichte vom Garten des armen Weibes. Es war ein dürftiger, ein magerer Garten. Er trug wenig Frucht, und die Weinstöcke darin kamen nicht zum Blühen. Das änderte sich, als der junge Jesus eines Tages im Garten des armen Weibes spielte. Das Weib jagte ihn hinaus. Die Frau konnte nicht wissen, daß sie es mit dem Sohn des heiligen Gottes persönlich zu tun hatte, mit dem Messias und alles miteinander. Stanislaus' Phantasie fand Nahrung. »Scher dich aus dem Garten, du Lümmel, und zertrampel mir nicht die Radieschen!« So oder ähnlich mußte das alte Weib den kleinen Herrn Jesus aus seinen Kulturen getrieben haben. Der kleine Sohn Gottes aber hob seine Hand und ging segnend von dannen. Drei Tage – und im Garten des alten Weibes blühte und wuchs alles zum besten. Das Weib lobte Jahve und suchte nach dem gesegneten Knäblein.

Stanislaus las in diesem Buch wie früher in seinem Heftchen über »Die Kunst der Hypnose«. Es kam ihm darauf an, zu erfahren, wie solche Wunder zu vollbringen wären. Sollte sich der kleine Herr Jesus Kunstdünger in die Hosentaschen gestopft haben?

Das Mädchen Marlen erwartete Stanislaus nach wie vor jeden Morgen. Sie flüsterten miteinander, um die Köchin nicht sofort herbeizulocken.

»Hier ist nun das Buch vom Leben des kleinen Jesus zurück.«

»Hat es Ihnen gefallen?«

»Es steht nicht drin, wie man solche Wunder macht.«

»Oh, derlei Wunder dürften uns Irdischen kaum gelingen.«

Stanislaus war anderer Meinung, doch er wollte das gläubige Mädchen nicht betrüben.

»Hat Sie das Buch über die Rangordnung der Engel nicht interessiert?«

»Man kommt kaum mit Engeln zusammen.«

Das Mädchen hob die Hand. Die Hand war zart wie ein Kohlweißling. »Dieses Buch ist eine Vorbereitung für den Himmel. Man weiß sofort, welcher Engel für dies und das zuständig ist, wenn man dort oben ankommt.«

Stanislaus wiegte den Kopf. Er wurde mutig. »Ich für meinen Teil habe hierherum so gut wie nie einen Engel gesehn. Einen, ja, das will ich nicht verschweigen.«

»Sie sind gesegnet. Trug er lange oder kurze Flügel? Wie sah er aus?«

»Er sah fast so aus wie Sie.«

Die blasse Marlen errötete, so gut es gehen wollte, und Stanislaus wurde ganz und gar verwirrt. Er sagte sehr laut und schnell: »Dieser Engel sind Sie!« Er warf das Beutelchen mit den Pfarrersbrötchen aus dem Korb und rannte zur Tür.

Es zeigte sich, daß nichts verdorben war. Die Pastorentochter Marlen hatte nichts dagegen, der einzige Engel zu sein, den Stanislaus bis nun gesehen hatte. »Wir müssen hier flüstern und flüstern bei allen frommen Dingen, die wir uns zu sagen haben. Wie Diebe unterhalten wir uns, finden Sie nicht?« fragte sie am nächsten Morgen.

Stanislaus nickte.

»Welchen Gottesdienst besuchen Sie am Sonntag, den um neun oder den um elf Uhr?«

»Ich habe keine Zeit«, sagte Stanislaus. »Der Meister kocht die Eiscreme. Der Konditor schläft. Ich muß die Eismaschine drehn. Bis der Meister aus der Kirche kommt, muß das Eis fertig sein.«

»Das ist barbarisch. Sie werden vom Gottesdienst ausgeschlossen wie die Tiere.«

»Manchmal denke ich, die Eismaschine ist ein Leierkasten, ich dreh sie und singe fromme Lieder: Mach End, o Herr, mach Ende mit aller unser Not ...«

»Grausam!« Marlen wurde nachdenklich. Die Köchin erschien, die Brötchen abzuprüfen.

Der Sonntag kam. Stanislaus holte Roheis aus der Brauerei und klopfte es für die Eismaschine in kleine Stücke. Der Meister tappte zu ihm in den Keller. »Zieh dich an! Scher dich in die Kirche!«

Stanislaus nahm seinen Konfirmationsanzug aus dem Schrank. Er fand an diesem, seinem besten Anzug, mancherlei auszusetzen. Herr des Himmels! Die Ärmel zu kurz, die Hosenbeinlinge zu kurz. Er stellte die Hosenträger auf tief; trotzdem erreichten die Hosenbeinlinge den oberen Rand der hohen Schuhe nicht. Und die Jackenärmel so kurz und kümmerlich!

»Es wäre nicht nötig gewesen, den Pfarrersleuten zu erzählen, daß du während des Gottesdienstes die Eismaschine drehst!« Die Meisterin setzte ihren Kirchhut mit den schwarzen Kirschen auf. »Wir sind sozusagen deine Eltern. Du kannst uns bitten, wenn du das Bedürfnis hast, mit dem Herrn zu reden.«

Stanislaus zerrte an seinen Ärmeln.

»Was stehst du noch? Renn zu deinesgleichen. Marsch in die Kirche!« Der lange Meister kniete sich hin. Die dürrkleine Frau zog ihm den schwarzen Schnallenschlips fest. An diesem Sonntag mußte August Balko, der älteste Lehrling, die Eismaschine drehn. Er tat es nur den einen Sonntag, dann wurde auch er fromm und wollte in die Kirche. Der Meister geriet in Bedrängnis. Er beschloß, einen unfrommen Lehrling einzustellen. Die Menschheit mußte frisches Speiseeis haben, wenn sie aus der Kirche kam.

Stanislaus ging in die Kirche. Er stand eine Weile vor der Betbank und hielt seine blaue Schiffermütze vor den Mund.

Duft von Mottenpulver fuhr aus den Kleidern eines Weibleins vor ihm auf. Die Glocken hämmerten. Ihre Klöppel drehten sich in den metallenen Gelenken. Das Drehgeräusch der Klöppel mischte sich wie ein Stöhnen unter das Geläut.

Da war Marlen! Sie saß zu Füßen ihres Herrn Vaters unter der Kanzel. Sie hob ein weißes Tüchlein vom Gesangbuch. Sollte das ein Wink und ein Gruß für Stanislaus sein?

Der Pastor predigte von der Ausgießung des Heiligen Geistes, vom Pfingstwunder. Stanislaus mußte an die beiden knusprigen Brötchen denken, die dieser fromme Mann jeden Morgen aß. Es war vielleicht nicht schlecht, ein Bäcker zu sein, wenn sich die Brötchen in einem Menschen in so heilige Worte verwandelten. Das war nicht allenthalben der Fall: Der fromme Fleischer Heuchelmann aß sechs Brötchen, dick mit Butter bestrichen, und verdrosch gleich nach dem Frühstück seinen Lehrling als Morgengruß mit einem Kälberstrick. Der fromme Gastwirt Mischer aß drei Brötchen mit Leberwurst, damit ihm der Morgenschnaps nichts anhaben konnte. In solchen Menschen wurde die Kunst des Bäckers zu Böstaten umgewandelt.

Der Pastor streckte die Arme weit in das Kirchenschiff. Er streute den Segen wie aus einem Mehlsack über die Gläubigen. Die Sündigen aber saßen geduckt und ließen des Segens Mehl auf sich herniederstieben.

Stanislaus sah zu Marlen hinüber. Sie saß schön und blaß in der harten Kirchenbank. Ihr Mund leuchtete wie eine Mohnblume am Feldrain. Sie nahm sich schön und klug zwischen den Gläubigen aus und wußte es einzurichten, daß sie am Schluß des Gottesdienstes auf Stanislaus stieß. »Guten Morgen und Gottes Segen.«

»Morgen«, sagte Stanislaus.

Sie drückte rasch seine Hand. »Ich habe durchgesetzt, daß Sie sonntags vor dem Herrn erscheinen können.«

»Dank, vielen Dank!«

Niemand kümmerte sich um die jungen Leute. Jeder hatte mit sich zu tun. Stanislaus, Meister und Sattler Burte unterhielten sich über den schlechten Geschäftsgang. »Die Arbeiter werden von Tag zu Tag gottloser. Der Herr straft sie mit Arbeitslosigkeit.«

Fleischer Heuchelmann bestellte Böttcher Bulang zum Nachmittagsskat. »Bring Pinke mit! Wir spielen um die Ganzen!«

Stanislaus' Meisterin und die Frau des Gärtners ließen sich über die neuen Hutmoden aus. »Ich will niemand nennen, aber die Gewisse trägt einen Kochtopf von Hut.«

Stanislaus tat es wohl, sich im Gedränge an Marlen zu drücken. Auf diese Weise streichelten sie einander, ohne die Hände zu benutzen: Ich bin da, fühlst du es? Ich fühle es. Spür doch, wie ich dich mag! – Marlen sah sich um. »Ich hatte damit gerechnet, Sie bei mir sitzen zu sehn. Ich hielt einen Platz frei, bis Sie kamen.«

»Dank, vielen Dank«, stammelte Stanislaus.

Sie gingen langsam. Der kurze Weg von der Kirche zum Pfarrhaus mußte ausgenutzt und gut eingeteilt werden. Oh, Marlen war nicht umsonst die kluge Tochter eines Pfarrers!

Die Meisterin hatte Stanislaus während seines Dienstes am Herrn gut beobachtet. »Hat die Tochter des Herrn Pastors dich ins Gespräch gezogen, oder hast du sie belästigt, wie ist es?«

»Ich habe sie nicht belästigt.«

»Hat sie etwas über unsere Brötchen verlauten lassen? Wovon sprach sie?«

»Sie sprach von der Ausgießung des Heiligen Geistes.«

Die Meisterin musterte Stanislaus wie ein Papagei den Käfer in seinem Käfig. Sie faltete die Hände. »Lasset uns beten!«

Tage und Wochen vergingen. Stanislaus' Frömmigkeit nahm zu. Er und Marlen saßen in der Kirche jetzt nebeneinander. Wenn ihre Kirchbank gut besetzt war, konnten sie einander fühlen. Sie waren nur noch durch die dünne Schicht der Kleider voneinander getrennt, wie zwei Kastanien in der Fruchthülle durch die weiße Seidenhaut. Und die Worte des Pastors wiegten diese heranreifenden Menschenfrüchte wie der Wind. Nun hatte Marlen auch einen Bleistift mitgebracht und schrieb damit Anfragen für Stanislaus auf den Rand einer Spruchkarte. »Sah der Engel, den Sie sahen, wirklich und wahrhaftig so aus wie ich?«

»Wirklich und wahrhaftig«, schrieb Stanislaus. So füllte ihre Frömmigkeit sie aus, und sie verstanden es einzurichten, daß sie die Kirche erst mit den letzten Besuchern verließen, um die Zeit ihres Beisammenseins zu verlängern.

»Es ist vielleicht nicht ganz fromm, wenn wir nicht auf den Herrn Pastor hinhören«, sagte Stanislaus in einem Anflug von Bedenken.

Marlen sog an ihrer Unterlippe wie an einer süßen Frucht. »Sie müssen bedenken, daß es sich um meinen Vater handelt. Vielleicht sollt ichs nicht sagen, aber ich sah einmal, wie er in der Nase bohrte, als er seine Predigt vorbereitete. Er fühlte sich allein und unbeobachtet; mich schalt er, wenn ich meiner Nase nur nah kam. ›Gott sieht alles‹, sagt er.«

An solche Möglichkeiten hatte Stanislaus nie gedacht.

---

19 Der Engel führt Stanislaus in den Stadtwald und heißt ihn mehrere Wunder vollbringen.

Bald genügten Stanislaus und Marlen die Kirchgänge nicht mehr. Die Zeit der kurzen Heimgänge reichte nicht, um alles zu sagen, was zu sagen war.

»Sie gehn wohl nie in den Stadtwald?« fragte Marlen.

»Es ist kein richtiger Wald. Zeitungspapier, Büchsen und alte Kochtöpfe, keine Füchse, keine Hasen.«

»Wie verbringen Sie die Sonntagnachmittage?«

»Ich lese in den Büchern, die Sie mir geben, und denke nach.«

»Woran denken Sie?«

»Ich denke an den kleinen Jesus. Manchmal denke ich auch an Sie.«

»Manchmal?«

»Ich denke manchmal fast immer an Sie.«

Marlen zupfte eine Kartäusernelke, die zwischen den Latten des Pfarrgartens hervorlugte. »Es gibt im Stadtwald dunkle Stellen, Dickichte. Man möchte hinein, weil es so lauschig ist, aber man fürchtet sich«, sagte sie.

»Als ich noch ein Junge war, hat man bei uns den Förster in einem Dickicht gefunden — ermordet«, sagte Stanislaus.

Marlen schüttelte sich. »Die Menschen sind gottlos und roh.«

Stanislaus fand die sich schüttelnde Marlen noch schöner. »Einmal entdeckte ich zwei tote Hunde in einem Sack auf dem Wasser. Ich fischte sie aus dem Waldteich. Der Gastwirt hatte sie ertränkt. Sie hatten einen Säufer gebissen, der stets hohe Zeche bei ihm gemacht hatte.«

»Mit Ihnen würde ich mich auch im dicksten Dickicht nicht fürchten«, sagte Marlen, und sie hatte diesen Satz in einem Jungmädchenroman gelesen. So war sie nun: gebildet und belesen bis in die Haarspitzen hinein.

Stanislaus konnte nicht zulassen, daß die Pfarrerstochter Marlen allein in den Stadtwald ging und sich dort womöglich krank fürchtete. »Ich bin entschlossen«, sagte er, »ich werde weder Blechbüchsen noch Scherben im Stadtwald sehn. Die bunten Tassenscherben werden mir Blumen und die Blechbüchsen werden mir Briefkästen der Elfen sein.«

»Und was werde ich sein?« wollte Marlen wissen.

»Sie werden nicht mehr und nicht weniger als die Schmetterlingskönigin sein.«

Es war ein warmer Sonntagnachmittag. Gottlob, daß es so schwül war! Stanislaus konnte auf seine kurzärmelige Konfirmationsjacke verzichten. Außerdem war es unter den jungen Leuten Mode geworden, nur in Hose und Hemd einherzugehn. Stanislaus besah bekümmert seine verschwitzten Hosenträger. Er konnte sie unmöglich umtun. Er nahm den Riemen, der über Otto Prapes Bett hing, und schlang ihn um die Hosen. Diesen Riemen benutzte Otto, um sich am Abend, wenn er ins Bett stieg, die Beine zusammenzuschnallen. Er wollte kein krummbeiniger Bäcker werden. Mit dem Riemen sah Stanislaus fast modern aus, wenn er davon absah, daß die jungen Leute sonst Oberhemden mit angenähtem Kragen trugen. Ein solches Oberhemd hatte er freilich nicht. Ein sauberes Makohemd, die Halsecken nach innen geschlagen, war vielleicht kaum von einem Oberhemd zu unterscheiden.

Stanislaus ging in den Stadtwald. Am Rande begegnete er einer Schar junger Mädchen. Sie gingen eingehakt und sangen.

Als sie Stanislaus sahen, wurde ihr Gesang dünn und dünner, bis er in ein Kichern umschlug. Stanislaus ging würdig und weise vorüber. Die Mädchen sahen sich um, kicherten aufs neue und prusteten. Da bog Stanislaus in den Wald ab und mied die öffentlichen Wege. Er fand sich auch ohne diese Gänsewege durch das spärliche Gebüsch.

Er überraschte Marlen hinter einer kleinen Anhöhe. Sie hörte ihn in seinen weichen Turnschuhen nicht. Sie rieb sich die bleichen Wangen mit einem Tüchlein und betrachtete sie dann in einem Handspiegel. Als Stanislaus vor ihr stand, stopfte sie ihr Tuch in ein Täschchen. Sie erhob sich, ohne ihn anzusehn. »Ich hab hier ein wenig gesessen und über die Allmacht Gottes nachgedacht. Man spürt sie in jedem Grashalm. Das Gras wächst nach oben, alles wächst nach oben.«

»Nicht direkt alles«, sagte Stanislaus. »Wir hatten daheim Mohrrüben, bis zu drei Pfund schwer, und sie wuchsen nach unten.«

Da aber hätte jemand anders als der verliebte Stanislaus sehen können, was in Marlen, dieser zartblassen Hühnerfeder, steckte. Sie fand es ungehörig, wie dieser Bäckerjunge an der Allmacht Gottes zu zweifeln wagte, schaute ihn zornig an, und die feinen Blauäderchen an ihren Schläfen schwollen. »Ist Ihnen so warm, daß Sie sich erlauben dürfen, nur im Unterhemd spazierenzugehn?«

Stanislaus antwortete nicht sofort. Er zupfte an seinem Hosenbund, der immer wieder aus Otto Prapes Riemen zu rutschen drohte. »Ich habe kein andres Hemd, und ich kann auch gut so gehn, wohin ich will.« Er ging, ohne sich um Marlen zu kümmern, weiter in den Wald hinein. Marlen blieb stehen, bis er hinter einer Gebüschgruppe verschwand. Sie konnte nur noch ab und an dieses strittige Hemd durch die Zweige schimmern sehn. »Stanislaus, Stanislaus!« Das erstemal rief sie seinen Namen. »Warten Sie, um Gottes willen, Stanislaus!« Es lag ein Zittern in Marlens Stimme, und das rührte Stanislaus an. Er ging langsamer. Da rannte sie zu ihm. »Macht es Ihnen nichts aus, mich stehenzulassen wie eine Fremde?«

»Ich kann nicht verlangen, daß Sie mit einem Menschen, der nur ein Unterhemd hat, über Gott und hohe Dinge reden.«

Sie faßte ihn bei der Hand. »Es fiel mir ein, daß es sich vielleicht um das Hemd des Glücklichen handelt.«

Da sah er sie an und lachte.

Sie dachte nicht mehr daran, ihm ihre Hand zu entziehn. Der Wald wurde heimeliger. Sie mußten schon in der Nähe von Dörfern sein. Hahnenschreie und Eimergeklapper drangen zu ihnen. Sie sprachen nicht mehr. Stanislaus zog Marlen mit sich wie eine kleine Schwester. Sie stießen auf ein dichtes Erlengebüsch. Baumwipfel schlugen eine Luftbrücke über einen Bach. Stanislaus setzte sich an den Bachrand. Da setzte sich auch Marlen. »Oh, wohin Sie mich noch führen!« Und das war wieder aus einem Roman.

Schweigen. Die Meisen zirpten. Eine Wildente plärrte. Die goldgelben Augen eines Frosches starrten durch den grünen Schleier der Wasserpest. Wasserläufer schlitterten ruckweis über den glucksenden Bach. Marlen seufzte. Stanislaus sah sie von der Seite an. Sie war noch feiner und blasser als sonst. Da seufzte auch er. Mücken ließen sich auf seinem Handrücken nieder. In ihren Hinterleibern schimmerte ersogenes Blut. Marlen scheuchte die gefräßigen Insekten hinweg. Er winkte großmütig ab. »Lassen Sie das!«

»Sind Sie so stark?«

Stanislaus zog eine Stecknadel aus dem Hosensaum. Er trieb sich die Nadel in den Unterarm. Nur der Nadelkopf saß noch wie ein blinkendes Schweißtröpfchen über der Haut.

»Weshalb tun Sie das?« Marlen verzog ihr Gesicht vor Mitschmerz.

»Es gibt Menschen, die haben kein Hemd, wie es Mode ist, aber Kräfte, die mehr wert sind als alle Oberhemden der Welt.« Stanislaus zog die Nadel langsam aus dem Unterarm. Befriedigt stellte er fest, daß nicht ein Tröpfchen Blut aus der Einstichstelle quoll. Seine Übungen nach den Weisungen des Hypnosebüchleins zeitigten neue Erfolge.

»Verzeihen Sie das mit dem Hemd! Tausendmal Verzeihung! Ich bin so böse.« Marlen griff zärtlich nach Stanislaus' Arm. Sie gewahrte das rote Pünktchen der Einstichstelle und legte ihre Lippen wie zwei Mohnblumenblätter drauf. Stanislaus durchzitterte es. »Sie liebenswerter Mensch sitzen hier und wissen nicht, wie böse ich sein kann«, barmte Marlen. »Mein Vater sagt: ›Marlen, weshalb ziehst du in letzter Zeit dein helles Kleid, dieses ausgeschnittene Kleid, an, wenn du unter der Kanzel sitzt? Bitte, zieh das dunkle, geschlossene Kleid an! Du bist die Tochter eines Pastors.‹ Das sagt mein Vater, und die Boshaftigkeit steht in mir auf. Sie übernetzt mein Herz. ›Gut‹, sage ich zu meinem Vater, ›dich stört mein helles Kleid, aber mich störte, als du einmal den Talar über das Nachthemd zogst. Du hattest es verschlafen. Die ganze Zeit saß ich da und hatte nichts von deiner Predigt, weil ich an das Nachthemd unterm Talar denken mußte.‹ Sehen Sie, so beleidigte ich meinen Vater. Ich bat ihn noch den gleichen Tag, mir zu verzeihen. Er verzieh mir. So bin ich. Ich bete zu Gott, er möge mich nicht fallenlassen. Er erhört mich nicht. Nun ließ er zu, daß ich Sie beleidigte. Ich bin vom Bössein durchwuchert.«

Stanislaus hielt einen Binsenhalm in das rinnende Bachwasser. »Des Menschen Wege sind in Dunkelheit gehüllt. Vielleicht hat ein Mann wie Gott nicht Zeit, sich alle Tage um kleine Sachen zu kümmern. Er muß aufpassen und spekulieren, daß die Sterne nicht aufeinanderknallen. Er ist vielleicht darauf angewiesen, daß wir uns selber ein bißchen mit unseren Sünden herumplagen und ihm behilflich sind. Letzten Endes hat er uns Hände und Beine angefertigt. Rennt doch und tut doch! Schafft den Unrat eurer Sünde selber weg!« Weiter kam Stanislaus mit seinen großartigen Gedanken über Gott und seine Einrichtungen nicht. Sein Mund wurde ihm zugedrückt, nicht von Gott – von Marlen. Sie tat es mit ihren Daunenlippen. Der Wildrosenduft umfächelte Stanislaus, und er hatte nichts dagegen. Er wurde gewahr, daß man seine Sünden nicht nur mit Händen und Füßen gutmachen konnte. Auch er nutzte die Gelegenheit, seine Schroffheit zur zarten Marlen zu glätten. Er holte sich ihren Mund wieder, als der sich anschickte, schmetterlingsleise von seinen Lippen zu flattern.

Es dämmerte schon, als sie sich erhoben. Marlen begann zu frösteln. »Duuu!« sagte sie, und ihre kleinen Zähne schepperten. »Eigentlich wollte ich nur Gott helfen, meine Bosheit auszutreiben.«

»Sie ist, glaube ich, gestrichen«, sagte Stanislaus und starrte ins Wasser.

Sie gingen, einander wärmend, zum Waldrand. Marlen wurde still und stiller. Stanislaus wollte sie aufmuntern und sagte: »Die Sünde ist gelöscht. Deine und meine.« Er war froh, seine Stimme unversehrt im dämmrigen Walde zu hören.

»Gelöscht, aber eine neue, große ist hinzugekommen. Eine Sünde zeugt die andre. Wir sind wohl auf ewig verdammt«, sagte Marlen zitternd.

»Was hast du, Marlen?«

»Das Kind. Es wird ein Kind kommen. Ich werde alle Welt anlügen müssen, daß ich kein Kind bekomme, aber dann wird es eintreffen und wird meine Lüge vor aller Welt aufdecken.«

»Wie, welches Kind?«

»Wir haben uns geküßt. Wir lieben uns. Immer wenn Menschen sich küssen und lieben, kommt ein Kind. Ich weiß es: Wir hatten zwei Köchinnen. Wir stellten extra fromme ein, aber als die Liebe über sie kam, waren sie verloren. Meine Mama entließ sie.«

Daran hatte nun freilich auch Stanislaus nicht gedacht. Es konnte nett werden, wenn Marlen eines Tages mit ihrem Kind in der Backstube erschien: Er schlägt vielleicht gerade Sahne, und das Kind will von der Sahne lecken. »Dich kann deine Mama nicht entlassen. Du hast keinen Lehrvertrag wie ich«, sagte er.

»Aber mein Vater wird das Kind nicht taufen. Er ist der Großvater. Ich habe nie gehört, daß ein Großvater seinen Enkel taufte.«

Sie schwiegen wieder, gingen, frösteln und zitterten.

»Es ist nicht bewiesen, daß du ein Kind bekommst«, sagte Stanislaus vor der Stadt.

»Nein?« Marlen strich sich über den Leib. Sie glaubte nicht ohne weiteres an diesen Trost. Stanislaus mußte seine ganze

Weisheit zu Rate ziehen: »Ein Kind kommt, glaube ich, nur, wenn man sich nackend in einem Bett küßt.«

»Bist du sicher?«

»Ich weiß es fast ganz genau von meiner Schwester. Ein Brausefabrikant, Limonade sagt man auch dazu, der Sohn davon küßte sie im Bett. Ich hörte es, als meine Eltern über dieses Unglück sprachen.«

Marlen bekam ein kinderkleines, ein sehr, sehr einfältiges Gesicht. »Wir werden uns erst im Bett küssen, wenn wir verheiratet sind, versprichst du mir das?«

»Das wollen wir.« Stanislaus sagte es wie ein Mann.

Marlen kuschelte sich an diesen Mann. Sie hatte nichts mehr gegen sein Makohemd.

---

20 Stanislaus wird von der Menschheit verkannt und bereitet sich auf das Kreuzopfer vor.

In Stanislaus war die Hachel einer kleinen Unruhe hängengeblieben. Allzu genau wußte er nicht, wie Kinder entstanden. Am Ende war doch nicht immer ein Bett dazu nötig; zudem war es vorgekommen, daß Frauen Kinder vom Heiligen Geist erhielten. Sogar ein heiliges Buch wie die Bibel berichtete darüber. Marlen war fromm, die Tochter eines Pastors und, wenn man von ihren kleinen Sünden absah, beim Heiligen Geist vielleicht nicht schlecht angeschrieben. Stanislaus konnte, ohne es zu wollen, ein heiliger Josef werden. Der heilige Stanislaus! Das klang fast biblisch und war nicht von der Hand zu weisen.

Stanislaus ging große Umwege, um am späten Abend in der Lehrlingskammer das Gespräch auf die Entstehung von Kindern zu lenken. Er übte, angefeuert vom Erfolg bei Marlen, ein wenig mit der Stecknadel am Unterarm.

»Sieh, er zerspießt sich und jammert nicht!« Otto Prape sprang vor Neugier nackt, wie er drin lag, aus dem Bett.

»Das ist eine meiner geringsten Künste«, sagte Stanislaus.

Seine Mitlehrlinge bekamen staunrunde Augen. »Wie bekommst du das zuwege?«

»Sagt mir, wann Mädchen Kinder kriegen, und ich will es euch erklären.«

»Hast du mit der frommen Ziege ein Kind angefertigt?«

»Ich werde euch die Stecknadelkunst nicht erklären.«

»Kriegst du ein Kind mit dieser frommen Turteltaube?« verbesserte August Balko.

Nichts leichter für Otto und August, als zu erklären, wie die kleinen Menschen in die Frauen hineinschlüpfen und später in die Welt fahren. Ihre Erklärungen wichen jedoch voneinander ab. Schließlich rühmte August sich, er habe schon zwei oder mehr Kinder gemacht, sie seien aber aus irgendeinem Grunde nicht angekommen. Stanislaus seufzte auf. An all diese verrückten Sachen hatte er nicht einmal gedacht, als er mit Marlen am verschwiegenen Wassergraben im Walde lag.

Marlen konnte also ruhig schlafen? Nein, sie konnte es nicht. Sie war allein in ihrer Mädchenkammer und hatte niemand, von dem sie sich hätte aufklären und trösten lassen können.

Als Otto und August schliefen, schrieb Stanislaus einen Brief: »Fürchte nichts, holde Geliebte. Ich habe in gelehrten Schriften geblättert. Kinder kommen nur, wenn ein Mädchen geil ist. Du aber bist fromm und liebst Gott, Deinen Herrn. Auch mich hat der Herr in seiner Hut. Er hat mich beschützt, und ich habe mir nicht die Hosen ausgezogen, wie es Vorschrift ist, wenn Kinder kommen sollen. Schlafe still, Du Gerechte in Gottes Namen, amen. Es schmeckt bei mir immer noch nach Deinen Küssen. Danke. Dein Stanislaus Büdner und Freund.«

Stanislaus ging am Morgen fröhlich pfeifend ins Pfarrhaus. Keine Marlen in der Diele. Die Köchin nahm ihm die Brötchen ab. Er durchwühlte seinen Brötchenkorb und packte die Säckchen um. Er wollte Zeit gewinnen. »Prüfen Sie die Ware ordentlich!« ermunterte er die Köchin.

Die Köchin hatte keine Zeit. Sie eilte in die Küche. »Schon gut, Herr Bäcker.«

Auch am nächsten Tag keine Spur von Marlen. Saß sie in ihrer Kammer und grämte sich? Stanislaus legte seinen Brief in ein Buch. »Vielleicht könnten Sie dieses Buch ... ich habe es gelesen ... und bitte an das Fräulein zurück. Es hat mir sehr gut gefallen und danke.« Stanislaus stotterte.

Die Pfarrköchin legte das Buch auf das Fensterbrett. »Das gnädige Fräulein ist krank. Es ist zart und anfällig.«

»Dank, schönen Dank«, sagte Stanislaus und war froh, daß nichts Schlimmeres vorlag.

Am anderen Morgen fand er das Pfarrhaus verschlossen. Er ging in den Hof und klopfte ans Küchenfenster. Niemand öffnete. Betrübt legte er das Beutelchen mit den Pfarrbrötchen in seinen Korb zurück.

»Hast du vergessen, die Brötchen bei Pfarrers abzuliefern, oder sind Pfarrers verreist?« fragte die Meisterin lauernd.

»Sie sind krank und alle miteinander angesteckt.«

Im Pfarrhaus war alles wohlauf. Sogar Marlen fühlte sich wieder besser. Sie hatte mit der Köchin über ihr Sonntagserlebnis gesprochen und summte leise Liedchen. Hatte sie Stanislaus' Brief gelesen? Nein. Der Herr Pfarrer hatte ihn gelesen. Er summte nicht.

Der halbe Vormittag verging, da kam die Frau Pfarrer höchsteigen in den Laden. Sie und die Meisterin zogen sich ins Wohnzimmer zurück. Die Meisterin war stolz auf den hohen Besuch. Das Mädchen brachte Torte und Schlagsahne. Die Torte wurde nicht gegessen, die Schlagsahne nicht angerührt. Die Pastorsfrau bebte vor Empörung! Das Bäckerhaus beherbergte einen Verführer, jawohl! Der Verführer war Stanislaus. Ein minderwertiger Mensch, der unzüchtige Briefe an eine Pfarrerstochter schrieb. Stanislaus' Brief wanderte aus der Handtasche der Frau Pfarrer in die zitternde Hand der Frau Meisterin. Der Meister wurde vom Backofen geholt; auch er las den berühmten Brief von Stanislaus. Die falschen Zähne der Pfarrersfrau klapperten ein wenig, als sie sagte: »Wir, ich und mein Mann, wünschen natürlich nicht, weiterhin mit Brötchen aus unkeuscher Hand bedacht zu werden.«

»Es wird verhindert werden, liebste, beste Frau Pfarter. Es stehen uns auch anständige Lehrlinge zur Verfügung. Das übrige müssen wir Gott dem Herrn überlassen.« Die Meisterin sah mit Heuchelaugen auf das große Gemälde im Wohnzimmer. Es

136

stellte die Flucht der Heiligen Familie nach Ägypten dar. Josef, der Zimmermann, leuchtete ihr mit seinem Heiligenschein voran und bahnte ihr den Weg. Josefs Krummstab zeigte auf ein Kärtchen, das der Meister in den Bildrahmen gesteckt hatte: »Heinrich Meyer und Söhne. Sanitäre und Klosettanlagen in allen Teilen Deutschlands.« Die Meisterin sah dankbar auf dieses Bild. Es hätte schlimmer kommen können. Die Pfarrersfamilie hatte die Brötchen nicht ganz und gar abbestellt.

Die Frau Pfarrer erhob sich. Sie reichte niemand die Hand. Sie ging mit einem Seitenblick auf Torte und Schlagsahne.

Stanislaus wurde ins Wohnzimmer gerufen. Meister und Meisterin schrien auf ihn ein: »Bauernlümmel! Hurer! Verführer! Nicht einen Tag länger! Das ist der Dank. Hungern, bis dir die Geilheit aus dem Blute schwindet!« Ein Gewitter von Schimpfreden. Der Meister brüllte das Schlußwort: »Wenn wir nicht fromm und heilig wären, sollte dein Ursch nicht mehr in die Hose passen, so wollt ich dich gerben. Aus! Raus!«

Stanislaus wurde in den Kohlenkeller geschickt. Ein Mensch seiner Art gehörte in die Unterwelt. Drei Jahre hatte sich niemand gefunden, der die Brikettkrümel aus dem Schutt sammeln und schließlich den Schutt an das Tageslicht schaffen wollte. Für Stanislaus, diesen sündigen Menschen, war das die rechte Arbeit, um ein wenig von seiner schweren Sündenschuld vor Gott und den Menschen abzutragen.

Otto und August hatten hin und her einen Fetzen des großen Kraches vernommen. Sie kamen abwechselnd in den Keller. Einer brachte ein Stück Couvertüre, der andere einen Schürzenlatz voll Pfirsiche.

»Hast du sie richtig vergewaltigt, oder hat sie mitgemacht?« August sah nur das Weiße der Augäpfel in Stanislaus' Rußgesicht. »Konnte sie schon küssen, oder kannte sie nur das Vaterunser?«

»Ich antworte dir kein bißchen«, sagte Stanislaus.

»Es muß langweilig sein mit so einer Frommen. Sie betet am Ende vor jedem Kuß. Nun hast du dich mit ihr abgegeben und hast die Scherereien.«

Stanislaus kratzte im Kohlenschutt. Die schwarzen Wolken vertrieben August und Otto.

Stanislaus aß Pfirsiche und Schokolade. Er war schwarz vom Kohlenruß wie ein Kaminfeger. Eine süße Traurigkeit breitete sich in seinem Herzen aus. Er hätte diesen Brief nicht schreiben sollen. Der Herr Pfarrer war also neugierig wie seine Kirchenweiber. Er hatte den Brief gelesen. Zum Schluß würde er am kommenden Sonntag noch über einen gewissen Bäckerlehrling predigen und ihn den Bruder des Teufels nennen. Stanislaus spiegelte sich im blinden Fenster des Kohlenkellers. Er sah wahrhaftig aus wie ein Bruder des Teufels. Traurig setzte er sich auf den Kohlenhaufen. Er mußte schwere Sünden und Verfehlungen auf sich geladen haben! Wenn er an den Inhalt der Bücher dachte, die er sich von Marlen ausgeliehen hatte, so gab es für Sünder nur einen Weg: den Weg der Reue und Buße. Er hatte von Heiligen gelesen, die vor ihrer Bekehrung ein liederliches Leben geführt hatten. Sie büßten, bereuten und wurden später Heilige, vor denen alle Welt den Hut zog.

Er beschloß, ein Heiliger zu werden. Ein Heiliger begnügte sich nicht mit einer Stecknadel im Unterarm. Er mußte gewaltigere Dinge an sich geschehen lassen. Stanislaus suchte sich Nägel und scheuerte sie mit Sandpapier blank. In Marlens Büchern war nicht verzeichnet gewesen, ob die Nägel, mit denen man Heilige an ein Kreuz schlug, rostig sein durften oder nicht. Stanislaus wollte es zunächst der Sicherheit halber mit blanken Nägeln versuchen. Otto und August konnten ihn an einem der nächsten Tage nachts auf dem Kirchplatz an ein Kreuz nageln. Er wurde seine Sünde auf sich nehmen.

»Herr Pfarrer, vor Ihrem Fenster hängt ein Gekreuzigter!« würde die Pfarrmagd am nächsten Morgen schrein. Der Pfarrer würde auf den Kirchplatz eilen. Ein Gekreuzigter in seinem Kirchspiel! Die Frau Pfarrer und Marlen würden kommen.

»Um Gottes willen, Marlen, hängt dort nicht der Freund von Elias? Und was trägt er auf dem Kopf? Eine Krone aus Dornen?«

»Es ist so, Mama«, würde Marlen sagen, weinen, niederknien und ihm die Füße küssen. Stanislaus wusch sich die Füße unter der Pumpe.

138

»Ja, ja, er ist es, Mama«, würde Marlen beteuern, »und ich liebe ihn, Mama, du hast wohl nichts dagegen, wenn ich ihm seine Wunden ein wenig mit Nivea-Creme bestreiche.«

Otto und August nagelten zwei Backbretter übereinander. Sie konnten den Abend und die Generalprobe für die Kreuzigung kaum erwarten. Diesem Stanislaus, der Stecknadeln ohne Zögern in seinen Armen verschwinden ließ, war alles zuzutraun.

Es war mitten in der Nacht, als Stanislaus Otto und August weckte. Sie brummten verschlafen und wälzten sich. War die Nacht schon herum? Sie maulten. Sollten sie sich schon wieder in den Teig stürzen? Stanislaus gab das Stichwort: »Kreuzigung!« Da sprangen sie hurtig aus den Betten. Stanislaus hatte sich sein Bäckerhemd um die Lenden geschlungen, um wie ein Heiliger auszusehen. Die Dornenkrone stammte von einem Brombeerstrauch aus dem Stadtwald. August schüttelte sich. Die Flamme der Kerze warf die Umrisse des Dulders Stanislaus vergrößert gegen die gekalkte Wand.

Stanislaus war bleich. Sein Gesicht schien mit Kaiser-Auszugsmehl gepudert zu sein. Er wies stumm auf den Hammer und die polierten Nägel. Dann stellte er sich vor das Backbrettkreuz, breitete die Arme aus und sagte leise: »Bitte!«

Es zeigte sich, daß weder Otto noch August roh genug waren, einen Übeltäter oder Heiligen ohne Bedenken an ein Kreuz zu nageln. Otto stieß August, und August stieß Otto. Beiden gebrach es an Mut. »Wenn du wenigstens eine Zange mitgebracht hättest! Am Ende schreist und jammerst du, wir aber stehen machtlos da und sind die Dummen.«

»Ich werde nicht einmal zirpen.«

Otto und August konnten sich trotzdem nicht entschließen. Die Mitternachtsstunde hatte ihren Lehrlingsmut zerfressen. Stanislaus war gezwungen, sich zum Anreiz selber einen der Nägel durch den Unterarm zu bohren. Siehe da, er schrie nicht, und es floß kein Blut. Stanislaus hatte es in der Kunst der Autosuggestion zu etwas gebracht! Die beiden Helden der Backstube aber versagten. August fürchtete Krawall und Krach. Er riß Otto mit in die Brachen seiner Bedenken. »Es kann uns wie Mord ausgelegt werden. Wir stehen vor Gericht und werden unschuldig zum Tode verurteilt.« August zwinkerte in die Kerzenflamme. Otto starrte auf den Nagel in Stanislaus' Unterarm, und da entsetzte er sich so, daß er ein gurgelndes Geräusch ausstieß. Er fuhr mit dem Kopf unter sein Deckbett, wie es ängstliche Menschen bei Gewitter tun.

Wehe, o wehe, Stanislaus stand bereit, zu beweisen, daß er die Liebe einer Pfarrerstochter verdiente, und die Welt nahm sein Opfer nicht an. Ein gewisser Herr Jesus schien es immerhin mit Menschen zu tun gehabt zu haben, die Wort hielten. Enttäuscht zog Stanislaus den Nagel aus dem Unterarm, löschte das Licht und legte sich.

Er erwachte gegen Morgen. Ihn fröstelte, und er zog sich das Hemd an, wie es sich gehörte. Er fühlte Stiche im Kopf und gewahrte, daß er mit dem Brombeerdornenkranz geschlafen hatte. Er setzte ihn ab, und sogleich fiel ihm ein, daß die Welt ihm keine Gelegenheit bot, sein Kreuzopfer darzubringen.

---

21 Stanislaus wird verschachert. Der Heilige Geist der Dichtkunst beginnt aus ihm zu sprechen, und seine Leidenszeit beginnt.

Stanislaus wurde von seinem frommen Meister in der Innung ausgeboten: »Wer übernimmt einen schwererziehbaren Lehrling zum Auslernen?«

Es gab einen Meister in der Stadt, der es mit jedem Lehrling aufnahm. Er hatte die Eigenschaften eines Pferdekauplers, der jeden Schläger und Aufsetzer marktfähig macht und mit Gewinn verkauft. »Welche Mucken hat dieser Krüppel von Lehrling?«

»Er starrt die Töchter deiner vornehmsten Kundschaft an, bis sie ihm zu Willen sind.«

»Bei mir wird ihm das Starren vergehen.«

»Er ist mit dem Teufel im Bunde und ein Schüler der Schwarzen Kunst.«

»Wir wollen ihm den Teufel austreiben und ihm die weiße Kunst des Sackausstäubens beibringen!«

Der Hochsommer hatte sich unbemerkt in die Stadt geschlichen. Straßenstaub lagerte auf den Lindenblättern und machte diese kleinen Lungen der Bäume matt. Die Dünste der Kleinstadt mischten sich. Nur nach großem Regen wars, als sei das Land ein Weilchen mit seinen guten Gerüchen hereingekommen.

Stanislaus trauerte. Viel war ihm fehlgegangen. Die Zeit, da er bei den frommen Bäckersleuten wie ein segenbringender Hausengel ein und aus gegangen war, schien ihm wie ein Märchen. Er träumte davon. Was half es? Der Engel war gefallen, war ein Luzifer geworden. Er überdachte den Inhalt der Bücher, die er von Marlen erhalten hatte. Nirgendwo stand, daß Küsse, genommen von einem Mädchen, verschenkt an eine Schöne, in den Abgrund führten. Es war dort nur von Hurerei die Rede. War es Hurerei, was er mit Marlen am kleinen Bach im Stadtwald getrieben hatte?

Und Marlen? Schickte sie Stanislaus den geringsten Trost? Nein, von Marlen war weit und breit nichts zu hören. Saß auch sie vereinsamt in ihrem Zimmer, bereute und büßte sie alles, was geschehen war? Er lauerte der Pfarrköchin auf, aber auch sie schien wie vom Erdboden verschwunden zu sein.

Stanislaus ging zerknirscht in seiner neuen Lehrstelle umher und versuchte, durch allerlei kleine Guttaten an anderen Menschen seine Lebenslokomotive wieder auf ein blankeres Gleis zu bringen: Er schlüpfte morgens als erster in die Backstube. Von den anderen Lehrlingen erntete er dafür nur Hohn: »Neue Ruten pfeifen gut. Seht diesen Urschlecker!«

Er nahm die Brotscheiben mit der geringsten Wurst vom Lehrlingsteller, und die anderen sagten unter sich: »So dumm möcht ich sein!« Er schleppte für die Haustochter Ludmilla Wasser in die Küche, und die anderen sagten: »Er ist verknallt in diese Brillenschlange.«

Der Bauch des neuen Meisters quoll über den Bund der karierten Bäckerhose. Er hing dort wie ein Stück Semmelteig, das von der Beute zu fallen drohte. Sein Gesicht war blaurot, der geschorene Kopf mit Furchen durchzogen. Es waren Säbelfurchen. Der Meister war ein alter Soldat, ein Vizefeldwebel. Er wäre glatt Hauptmann geworden, so behauptete er, leider habe der Krieg nicht lange genug gedauert. Irgendwelche feigen Matrosen hätten ihn abgebrochen. Matrosen waren ihm seitdem ein Greuel. Er hielt sogar Kinder, die Matrosenkragen trugen, auf der Straße an und beschimpfte ihre Väter.

Vier Lehrlinge huschten morgens in die Backstube. Hermann, der älteste Lehrling, ließ sie vor der Beute antreten und stellte sich selber, Hände an der Hosennaht, etwas abseits. Der Meister kam verschlafen in die Backstube. Hermann meldete: »Vier Lehrlinge zur Arbeit angetreten, keine Krankheitsfälle, sämtliche Nähte gebürstet!«

»Rührt euch!« kommandierte der Meister. Er kniff ein Auge zu. »Weshalb hat der Neue den Scheitel rechts?«

»Ich hab einen Wirbel, einen Wirbel links.«

»Nimm die Knochen zusammen, wenn du mit mir sprichst!«

»Ja«, sagte Stanislaus leise.

» ›Zu Befehl, Meister!‹ heißt das. Glotz nicht! Stillgestanden! Wegtreten, marsch, marsch!«

Die Lehrlinge stürzten sich in die verschiedenen Teige. Stanislaus ließ sich bis zu den Oberarmmuskeln in den Vollsauer für das Brot fallen. Der Meister ging von Beute zu Beute und kommandierte das Teigmachen. »Tiefer, du Holzkopf! Mehr Mehl, Hundesohn! Mischen, mischen, schneller, du Hurenbastard. Wie stehst du da, Lausigel? Ist das die Grundstellung beim Sauermachen?«

Die Meisterin war weder fromm noch militärisch. Der Meister hatte sie, seinen Stahlhelm, seinen Tornister, seinen Soldatenmantel und ein altes kurzschwänziges Offizierspferd aus dem Kriege mitgebracht. Sie war Aufseherin einer Damenkneipe in Danzig gewesen und rauchte Zigaretten aus einer langen Bernsteinspitze. Sie trug Ohrgehänge, die sie von Zeit zu Zeit auswechselte, und es gab solche, die ihr bis auf die Schultern reichten. Frau Kluntsch hatte einen anschmiegsamen Charakter und war gut zu allen Männern, die ihr gefielen. Die meisten gefielen ihr. Der Meister hatte nach dem Kriege ein Café eröffnet. Frau Kluntsch war die Meisterin dieses Cafés und zeigte sich dort in großer Abendtoilette. Sie setzte sich an die Tische der Herren und trank mit ihnen ein wenig. Wenn die Herren gut verzehrten, trank sie mit ihnen um die Wette. »Eine Flasche spendierst du doch noch, Dickerchen, wie?«

Der liebe Gast wollte sichergehn. Er griff unter dem Tischchen nach den strammen Schenkeln der Meisterin. Die Meisterin rührte sich nicht. Er bestellte die gewünschte Flasche. Der Meister brachte sie persönlich. »Ich glaube, Sie gehen ein wenig zu weit, lieber Herr. Wenn sich das wiederholt, müßte ich Sie auf Infanteriesäbel fordern. Sie sollten wissen, daß es sich bei dieser Dame um meine Frau handelt, bitte sehr!«

Dem Gast, einem Reisenden in Schuhwichse, traten die Augen aus dem Kopf. Er war nicht in das Café gegangen, um sich mit Säbeln zerhacken zu lassen. Er wollte sich seinen Abend ein wenig verspaßen. Nun sah der Meister so drohend drein, und die Säbelfurchen auf seinem Kahlkopfe begannen zu glühen. Der Gast lud ihn flugs zu einem Versöhnungsschnaps ein. Die Welt wurde wieder in ihre Fugen gehoben.

Die Geschäfte gingen gut. »Gott schütze das ehrbare Handwerk!« Mit einem Ausrufezeichen, gewissermaßen als Befehl an den lieben Gott, hing ein Spruch in Brandmalerei im Laden neben dem eingerahmten Meisterbrief des ehemaligen Vizefeldwebels. Daneben hingen andere Dokumente und heilige Schriften unter Glas. Da war zum Beispiel das Dankschreiben eines Generalfeldmarschalls von Mackensen für eine Sendung Speckkuchen. Der Meister hatte seinem General, dem er nicht mehr als Vizefeldwebel dienen konnte, einen Beweis seiner untertänigen Treue geschickt. Und der Generalfeldmarschall hatte geantwortet. Jeder Kunde, der ein Auge für die nationale Sache mit sich herumtrug, konnte es sehen und bewundern. Es war mit der eigenen Hand des Generalfeldmarschalls geschrieben, und der Namenszug trug den gleichen Schnörkel wie einst auf den Armeebefehlen. Hier war es nun nicht die Aufforderung zur Vernichtung von Feinden aller Art, sondern der Dank für einen verzehrten Speckkuchen. Der Meister hatte soeben einen Bittbrief an den Generalfeldmarschall abgesandt, denn er trug sich mit dem hohen Gedanken, seinen Speckkuchen zu

einer Spezialität zu machen: »Generalfeldmarschall-von-Mak-
kensen-Speckkuchen«.

Meister Kluntsch sah in schlaflosen Nächten bereits ein langes Firmenschild an der Front seines vergrößerten Hauses:
»Spezialfabrik für original Generalfeldmarschall-vonMacken-
sen-Speckkuchen mit elektrischem Antrieb. Einziger vom Generalfeldmarschall von Mackensen persönlich privilegierter
Betrieb der Welt.« Und nahbei sollte eine hohe Esse rauchen
und den leckeren Speckdunst in der Gegend verbreiten.

Obwohl der Meister in seinem Bittbrief dem General eine
wöchentliche Sendung Speckkuchen für das Überlassen seines
ehrenwerten Namens in Aussicht gestellt hatte, war die Antwort noch nicht eingetroffen. Vielleicht ließ sich der General
erst die Militärstammrolle eines gewissen Vizefeldwebels
Kluntsch kommen. Er konnte schließlich seinen Namen nicht
für jeden schlappen Zivilisten hergeben. Vielleicht war der
General auch zur Zeit unabkömmlich und arbeitete einen Ge-
neralstabsplan für die endgültige Vernichtung der Franzosen
aus.

Stanislaus fiel es schwer, sich an die militärische Ordnung in
der neuen Backstube zu gewöhnen. Der Meister nannte ihn
Schütze Kaczmarek, auch Mündungsschoner. Die anderen
Lehrlinge riefen Stanislaus ebenso. Nur Karl machte eine Aus-
nahme. Er gehörte einem Wanderverein an und knirschte ab
und zu: »Die sozialdemokratische Jugend wird diesen Kriegs-
hengsten noch zeigen, wo der Hafer blüht!«

Damit war Stanislaus in seinem Kummer nicht geholfen.

Es kam ein Brief für Stanislaus, und es war der erste Brief, den
er in seinem Leben erhielt, wenn er davon absah, daß er sich
einmal selber einen geschrieben hatte. Die Haustochter, die im
Laden bediente, zog diesen Brief aus dem Latz ihrer gestärkten
Schürze und übergab ihn Stanislaus heimlich. »Da hat wohl
deine Liebste geschrieben?«

»Ich habe keine Liebste mehr. Sie ist mir verboten worden.«

»So etwas läßt sich nicht verbieten. Ich könnt fast wetten, daß
der Brief aus dieser Richtung kommt. Laß dich nicht vom

Meister erwischen in drei Engels Namen, sonst macht er Straf-exerzieren mit dir.«

Der Brief wanderte von einem Schürzenlatz in den anderen. Stanislaus rannte mit ihm auf den einzigen Ort, der in diesem Hause Ruhe versprach. Der Brief trug keinen Absender. Stanislaus zitterte, als er ihn aufriß. Hier schrieb nun wirklich Marlen mit blasser Tinte und dünnen, ach, so lieben Schriftzeichen: »Fürchte nichts, Stanislaus und Geliebter! Gott der Herr macht die Liebe drückend und schwer für solche, die er liebt. Ich war ein bißchen krank. Es war kühl am Bach. Ich hatte Mandelentzündung. Wäre ich doch nie krank geworden, dann hätte mein Vater nie und nimmer Deinen Brief lesen können! Nun weiß ich nicht, was Du mir Liebes geschrieben hast.

Wie Du ersiehst, bin ich nicht mehr daheim. Man hat mich in ein Heim getan. Pensionat – sagt man. Ich soll die Liebe vergessen und es streng haben. Ich habe es streng. Diesen Brief schreibe ich an einem Ort, den ich nicht nennen mag. Das bringt die Liebe zuwege.

Sei getrost und schreibe mir, aber ohne Absender. Meine kleinen Augen laufen mir über. Ich kann nicht mehr. Gott wird uns schützen. Vielleicht bekomme ich doch ein Kind, dann müssen sie mich hier herauslassen, weil es hier kein Kinderheim gibt. Dann eile ich zu Dir. Du bist meine erste richtige Liebe. Gott ist weise, er wird es richten.

Schreib den Absender von unserer Köchin hinten drauf. Es ist keine Sünde.

Ich küsse Dich unendlich viele tausend Male und bin Deine Dich immerwährend liebende, bis in den Tod liebende Marlen!«

Es folgten viele kleine Tintenkreise. Darunter stand: »Überall da habe ich drauf geküßt. Küsse auch Du darauf!«

Stanislaus hatte während des Lesens den Atem angehalten. Aus dem Brief stieg leiser Wildrosenduft. Dicke Schmeißfliegen summten am kleinen Fenster des Abtritts. Ein Bummern an der Tür ließ Stanislaus erschreckt auffahren. »Mach dich raus, Lümmel! Schläfst überm eigenen Dreck?«

Stanislaus duckte sich wie vor der Stimme des Jüngsten Gerichts. Zum Herzloch des Häuschens kam ein Schuß Wasser herein. »Da hast du zum Nachspüln!«

So saß nun Stanislaus, naß wie ein neugebornes Kalb, und Marlens Brief in seiner Hand war welk wie ein altes Rosenblatt. Die dünnen Schriftzüge verschwammen wie die Schrift des Engels in den Wolken.

Am Abend dieses Tages erlebte Stanislaus etwas Sonderbares. Er lag auf seinem harten Bett in der Dachkammer. Diese Kammer wurde von den Lehrlingen der Sonderstall genannt. Hier hatten die neuangekommenen Lehrlinge zu liegen, bis sie sich an die Zucht des Meisters Kluntsch gewöhnten. Die vier Pfosten des Bettes waren mit rohen Dachlatten verlängert und reichten fast bis an die Decke der niedrigen Kammer. Zwischen den Pfosten war Packpapier gespannt. Das hatte Stanislaus' Vorgänger der Wanzen wegen getan. Diese Blutsauger ließen sich von der Decke herabfallen. Sie fielen auf das Packpapier: Penk, penk! Man war gewarnt und konnte ihnen zu Leibe rücken, solange man noch wach lag.

Draußen regnete es leise, und der Wind zerrte an den Dachziegeln. Stanislaus lag unruhig unter dem Wanzenbaldachin. Ihn kümmerten die stinkenden Insekten nicht. Er hatte den Wildrosenduft aus Marlens Brief. Viele, viele Male hatte er den Brief gelesen. Nun suchte er nach einer würdigen Antwort. Er war unzufrieden mit sich, denn es wollte ihm nicht gelingen, die Worte so zierlich und geschickt zu setzen wie dieses von Gott bevorzugte Wesen Marlen.

Er schloß die Augen, lauschte auf den Regenfall, und da wars ihm, als vernähme er leise Musik: Süssisingdudu, süssisingdödö. Er wollte aufstehn, ans Fenster gehn und nach der Musik schaun. Als er sich erhob, war die Musik verschwunden. Er legte sich wieder zurück und lauschte. Die Musik kam wieder: Süssisingdudu. Nun erhob er sich nicht wieder. Es war keine Musik, die von draußen kam; sie kam aus tief innen. Ein Quell schien in ihm aufgebrochen zu sein. Mit der Musik kamen Worte. Die Worte, nach denen er zuvor gesucht hatte, waren da. Er schlug die Augen auf und suchte in der Kammer nach einem Boten der

Schmetterlingskönigin. Es war kein Bote da. Er lächelte, lächelte seiner Kindheit nach.

Zwei Türen weiter saß Ludmilla, die Haustochter, in ihrer Dachbodenmansarde. Sie hatte alle Briefe von daheim und dazu die Briefe von ihren Schulfreundinnen durchgelesen. Nun schüttelte sie sich vor Sehnsucht und schloß das Fenster, schloß das feine wehmütige Geräusch des Regens aus und setzte sich zum Schreiben.

Ludmilla war auf ein Inserat in den Haushalt der Meistersleute Kluntsch gerutscht: »Haustochter für einwandfrei nationalen Bäckereihaushalt mit Café gesucht. Gründliche Ausbildung in allen vorkommenden Hausarbeiten. Familienanschluß. Deckbett ist mitzubringen!« Sie lernte also die Haushaltsführung bei Frau Kluntsch, und ihr Herr Vater, ein treudeutscher Postsekretär, bezahlte allmonatlich fünfzig Mark für ihre tiefgreifende Ausbildung. Sie wurde zum Beispiel von Frau Kluntsch darin unterwiesen, wie man sich Schönheitspflästerchen, einen Leberfleck, dort anklebt, wo man will, daß die Männer hinschaun. Die Männer schauten trotzdem nicht zu Ludmilla hin, und sie klebte sich immer mehr Leberflecke auf. Schuld am Mißlingen von Ludmillas Verschönerung war wohl ihre Brille mit den dicken Gläsern. Gott hatte sie nicht gerade aus dem Kasten genommen, an dem geschrieben stand: »Abteilung Verführerinnen.« Jetzt hatte sie sich sogar Nagellack nach dem Muster der Meisterin angeschafft. Mit einem kleinen Lederhobel glättete und polierte sie ihre Fingernägel und züchtete sich nach und nach einwandfreie, rosarote Krallen an. Trotzdem wurde Ludmilla keine Entlastung für die Meisterin. Kein Mann und Reisender bestellte eine Flasche Wein nach, wenn er im Café neben sie zu sitzen kam. Niemand konnte von den durchreisenden Herrn verlangen, daß sie sich mit ihren verliebten Blicken erst durch dickes Brillenglas arbeiteten. Der Meister schrieb deshalb an Ludmillas Vater, den deutschnationalen Postsekretär, er müsse leider das Ausbildungsgeld für seine Tochter um zehn Mark erhöhen.

147

Es war kein Glückslos, das Ludmilla gezogen hatte. Deshalb suchte sie bei den Lehrlingen ein wenig brüderliches Verstehen. Als der traurige Stanislaus ankam, schüttelte sie sich vor Mitleid und versuchte, ihn schwesterlich auszuforschen: »Hast du die Tochter des Pfarrers genotzüchtigt?«

»Nein, ich hatte keine Not mit ihr, nur Freude.«

»Hast du sie niedergerungen und geliebt?«

»Nein, sie ist nicht niedergekommen. Es ist alles Schwindel.«

Stanislaus wußte nicht, was Ludmilla von ihm wollte. Ludmilla strich sich über ihr weißes Schürzchen. »Mit mir würdest du in dieser Hinsicht nichts erreichen. Niederringen könntest du mich nicht.«

»Ja, ja«, sagte Stanislaus, »die Menschen sind verschieden.«

Ja, so war es zu Anfang, und Stanislaus war verschüchtert gewesen wie ein fremder Vogel. Nun war dieser liebe Brief von Marlen gekommen. Süssisingdudu! Stanislaus schrieb, strich durch und schrieb wieder. Das war ja wohl wahrhaftig ein Lied oder ein Gedicht, was da aus ihm hervorquoll. Süssisingdödö! Er sprang aus dem Bett, hüpfte in der Kammer umher und las, was er geschrieben hatte:

> Regen rasselt, rauscht und rinnt.
> Mann in seiner Kammer sinnt;
> Denkt an seines Mädchens Hand.
> Seines Mädchens weiße Hand ...

Ein unbekanntes Vergnügen bemächtigte sich seiner. Sein Briefpapier ging zu Ende, aber da war das braune Packpapier des Baldachins. Er kritzelte auch darauf seine wirren, süßen Worte. Er fiel in einen Rausch, schrieb und schrieb. Die ganze Welt wurde für ihn zu Musik und reimte sich. Es war ein Wunder: Kammer reimte sich auf Jammer. Bettdecke schien sich auf Tränenflecke zu reimen, Mauer auf Trauer, Treue auf Reue. Stanislaus beschrieb fast die Hälfte des Baldachinpapiers und schlief zufrieden und getröstet ein.

Der Meister sah den Neuen auf seine Weise. Stanislaus war für ihn der Typ eines Kompanieschreibers. So etwas Still-Gelehrtes würde nie und nimmer einen vernünftigen Soldaten abgeben. Das konnte in der Schreibstube sitzen und Listen anfertigen, aber es war weit davon entfernt, ein normaler Mensch zu sein. »Man sagt, du kannst ein bißchen hexen und zaubern, stimmt das?«

»Nein, Herr Meister.«

»Du kannst nicht hexen, daß ich drei Zwölfen hintereinander schieße?«

»Nein!«

Der Meister wurde heißspornig. »Ich bring dir Bildung bei!«

Stanislaus klappte mit den Pantoffeln, daß der Mehlstaub flog. Die Stimme des Meisters wurde drohend: »Du wirst hexen, daß ich drei Zwölfen schieße, sonst frißt dich die Sau von hinten!«

Stanislaus klappte nur noch mit den Pantoffeln.

Der Meister war nicht nur in einem Verein, den man »STAHL-HELM« nannte, sondern er war auch in einem Verein, der Kriegerverein hieß. Man kriegte nichts im Kriegerverein, sondern mußte dort etwas geben und mitbringen. Eine vaterländische Gesinnung zum Beispiel. Man mußte auch Treue zum Kaiser mitbringen, zum Kaiser, der in Holland wartete, bis ihn der Kriegerverein mit Marschmusik nach Hause in sein Deutsches Reich holen würde. Man mußte einen gewissen Herrn Hindenburg mehr verehren als Gott, weil die Deutschen den Krieg gewonnen hätten, wenn es nach ihm gegangen wäre. Man mußte sein Bild in der Wohnstube hängen haben und es an Geburtstagen des Generalfeldmarschalls mit Eichenlaub umwickeln. Man mußte alle Menschen verachten, die etwas gegen Hindenburg oder den Kaiser hatten. Solche Menschen waren deutschfremd und minderrassig. Selbst Gott wollte von solchem Menschheitsausschuß nichts wissen und strafte ihn mit Arbeitslosigkeit und Krisenunterstützung. Als guter Deutscher mußte man auch ein guter Schießer sein, damit man Hindenburgs und des Kaisers Leben schützen konnte. Ein Mensch, der beim Schießen immerfort nur den Scheibenrand traf, war eine Niete und ein schlechtes Mitglied des Kriegervereins. Er mußte Hindenburg und den Kaiser mit zwanzig Mark schützen, die er in die Vereinskasse zahlte.

Meister Kluntsch war ein berühmtes Mitglied des Kriegervereins, denn er schrieb sich mit Generalfeldmarschall Makkensen und war in der Lage, Speckkuchen zu backen, die ein so hoher Kriegsherr nicht verschmähte. Leider war Meister Kluntsch kein guter Schütze, aber er hatte vier Lehrlinge, die er dem Kriegerverein abwechselnd als Scheibenanweiser zur Verfügung stellte. Der Meister hatte seine Lehrlinge so gut einexerziert, daß er glatt in die Luft schießen konnte, und es wurde doch eine Elf, bitte!

Was für ein stümperhafter Scheibenanweiser war Stanislaus! Meister Kluntsch hatte geschossen. Stanislaus kam aus der Dekkung und konnte auf der Schießscheibe keine Einschußstelle auftreiben. Er nahm seine blaue Schiffermütze vom Kopf und schwenkte sie. Das Gejohle war fertig. Meister Kluntsch hatte danebengeschossen. Seit wann war das Mode? Gleich darauf schoß er einen Scheibenrand und eine Drei. Der Schießgott hatte Meister Kluntsch verlassen. Der Meister wurde fahl vor Zorn, trank zwei Biere hintereinander und entschuldigte sich mit geschäftlichen Aufregungen. Er verschwand hintenherum zur Deckung und fand dort Stanislaus beim Dichten.

>   ... flog die Liebe vom Himmel?
>   Ritt sie auf schneeweißem Schimmel?

»Habe ich dir nicht gesagt, du sollst drei Zwölfen hexen, Kaczmarek?«

»Zu Befehl, Herr Meister, ich kann nicht hexen.«

Meister Kluntsch hieb Stanislaus zwölf Ohrfeigen. Stanislaus taumelte in der Deckung umher, bekam Nasenbluten, aber weinte keine Träne. Ein zerrender Zorn stieg in ihm auf.

Es zeigte sich, daß Meister Kluntschs Hände auch nach einem kleinen Spaziergang nicht ruhiger geworden waren. Er schoß mit Mühe und Not bei drei Schüssen fünf Ringe zusammen.

Bäckermeister Rösch war die Konkurrenz von Meister Kluntsch. Auch er versuchte, Speckkuchen zu backen, aber es wurde nach Meister Kluntschs Meinung weiter nichts als eine traurige Masse, die nach Kümmelkörnern schmeckte. Eigentlich hätte ein so armseliger Pfuscher wie Rösch gar nicht im

Kriegerverein sein dürfen, weil er einen Altgesellen hielt, der der Sozialdemokratischen Partei angehörte. Meister Rösch prostete Meister Kluntsch zu. »Heute nicht den richtigen Lehrling mitgebracht, wie?«

Meister Kluntsch kochte unsichtbar wie Krapfenfett. Auch Stanislaus' Zorn war noch nicht abgeklungen. Er wünschte sich sehr, Meister Kluntschs Gewehr möge nach hinten losgehen. Das Gewehr ging nicht nach hinten los, aber Meister Kluntsch ging ein zweites Mal auf die Deckung los. Stanislaus rannte durch den Gasthausgarten, kletterte über den Zaun und lief durch enge Holpergassen in seine Kammer. Er riegelte die Kammer ab. Sein Herz klopfte wild: Rache, Rache! Er nahm ein Stück vom Wanzenpapier und ließ seine Rache Schrift und Gedicht werden:

> ... stehen auch Feinde Mann für Mann vor der Tür.
> Niemals fürchte ich mir.
> Jeder Schlag soll vergolten werden,
> Das ist meine Rache hier auf Erden.
> Glaubt es oder glaubt es nicht,
> Ich spuck meinen Feinden flott ins Gesicht ...

Je länger Stanislaus schrieb, desto ruhiger wurde er.

Am anderen Morgen meldete der Lehrling Hermann: »Vier Lehrlinge zur Arbeit angetreten, keine Krankheitsfälle, sämtliche Nähte gebürstet!«

Der Meister stand vor der Lehrlingsfront und hatte Augen wie der Bernhardiner vom Fleischer Heuchelmann. »Der Neue drei Schritte vortreten! Marsch, marsch!«

Stanislaus trat drei Schritte vor.

»Marsch, marsch, habe ich gesagt. Zurück, marsch, marsch!« Stanislaus trat in die Reihe der Lehrlinge zurück.

»Drei Schritte vortreten, marsch, marsch!«

Stanislaus trat schneller vor. Für den Meister war es nicht schnell genug. Er jagte ihn wieder zurück. Stanislaus mußte sich hinlegen. Stanislaus mußte wieder aufspringen.

»Auf! Hinlegen! Auf! Hinlegen!« Meister Kluntsch vergaß die Backstube. Er hatte jetzt keinen Lehrling mehr vor sich, sondern einen Rekruten. Er stand auch nicht mehr in Backpantoffeln, weiß beschürzt und bemützt, zwischen Teig und Mehlsäkken, sondern auf dem geschotterten Kasernenhof in Danzig. Verflucht und zugenäht! Er faßte sogar nach dem Schlitz zwischen dem zweiten und dritten Knopf seines Bäckerhemdenwaffenrockes und versuchte, dort sein Notizbuch, das Spießbuch, zu packen. Natürlich war kein Spießbuch dort, nur seine borstigen Brusthaare. »Links um! Rechts um! Kehrt! Hinlegen! Auf! Hinlegen! Willst du runter, Sohn einer Hündin!«

Die anderen Lehrlinge standen im Glied und gähnten. Nichts Aufregendes unter der Sonne! Da war ein Neuer, der sich scheuchen ließ. Sie hatten das hinter sich. Kein Grund zu Besorgnissen. Karl knurrte versteckt: »Wehe, es kommt der Tag! Die sozialdemokratische Jugend wird das nicht ewig dulden!«

Meister Kluntsch war in seinem Strafexerzierpensum jetzt bei Kniebeugen angelangt. Stanislaus hockte wie ein Mardermännchen, schnellte hoch und mußte sich wieder hinhocken. Schweiß rann über seine Wangen. Er hatte keine Zeit, seine geheimen Kräfte anzurufen. Man brauchte Ruhe, viel Ruhe, um sich ihrer zu bedienen. Also griff er zu weltlichen Mitteln: Meister Kluntsch verlangte Liegestütze von ihm. Stanislaus richtete es so ein, daß er mit den ausgestreckten Beinen einen Stoß gefetteter Kuchenbleche ins Wanken brachte. Er zog die Beine an, wie ein Heuhüpfer so rasch. Pradatsch! Der Stapel Kuchenbleche stürzte hernieder. Die Bleche nahmen keine Rücksicht auf den Vizefeldwebel. Kluntsch begann, auf einem Bein umherzuhüpfen, bis auch das von der Kante eines Bleches außer Betrieb gesetzt wurde. Da schlug der Vizefeldwebel lang in die Backstube. Ein weiteres Blech klatschte auf seinen Teigbauch. Kluntsch bekam die Atempein und kein Kommando mehr über seine Lippen. Vielleicht hielt er sich im Unterstand für verschüttet.

An diesem Tage wurden die Brötchen um eine Stunde verspätet fertig. Die Ladenkunden gingen zur Konkurrenz. Der Meister hinkte und erbrach sich von Zeit zu Zeit. Ströme von Bier und Schnaps flossen aus seinem Maul.

Niemand bedauerte den Meister, auch die Meisterin nicht. Stanislaus dagegen wurde bewundert.

»Das hat er geschickt gefädelt«, sagten die Lehrlinge. »Mag sich der Alte krank schmeißen, und wir machen Lebeschön!«

Auch Ludmilla bewunderte Stanislaus. »Ich glaube, du hast die Tochter des Pfarrers stark genotzüchtigt.«

»Hör auf, Ludmilla!«

»Liebst du sie nicht mehr?«

»Ich liebe sie Tag und Nacht.«

»Ich dachte, wenn du sie nicht mehr lieben würdest, dann wäre ich imstande ... Sie hat übrigens nicht auf deinen Brief geantwortet, oder doch?«

»Sie hat mir mehr als zwei dicke Briefe geschrieben, vollgestopft mit Küssen und Locken. In einem Brief lag eine Wimper von ihr. An der Wimper hing eine Träne«, log Stanislaus.

»Eine Träne?«

»Nicht gerade eine Träne, aber der Fleck von einer Träne -- im Brief.«

»Da hast du keine Not.«

»Ich kann nicht klagen, Ludmilla.«

»Sonst könntest du ihre Briefe an meine Adresse gehen lassen.«

Stanislaus hatte einen Einfall. »Ich werde deinen Namen auf die Absenderseite schreiben. Sie prüfen im Gefängnis, wo Marlen ist, die Briefe auf Liebe ab. Niemand wird an Liebe denken, wenn dein Name auf dem Brief steht.«

Ja, Ludmilla wollte so gut sein. Sie erfuhr keine eigene Liebe, so wollte sie wenigstens einer anderen Liebe dienen.

---

22 Der Geist der Dichtkunst fährt fort, aus Stanislaus zu sprechen , und eine Versucherin sucht ihn in seiner Kammer zu versuchen.

Meister Kluntsch rächte sich für das mißlungene Strafexerzieren. Sollte er diesen widerspenstigen Lehrling nicht zahm kriegen? Stanislaus erhielt Strafdienst. Jetzt sollte er abends, wenn auf den Caféhaustischchen die kleinen Lampen brannten und das Café mit Gästen gefüllt war, Ludmilla an der Theke zur Hand gehn. Ein jaches Pferd muß müde gemacht werden! Stanislaus sollte die Gläser spülen, Bier anstecken, Eis auflegen und das gebrauchte Kaffeegeschirr zum Spülen in die Küche bringen.

Nun war Stanislaus von morgens fünf Uhr bis nachts zwölf und ein Uhr auf den Beinen, und diese Beine schmerzten. Sie bogen sich langsam und wurden krumm – da war wohl nichts zu machen. Sehnsüchtig warteten er und Ludmilla auf den Sonntag. Am Sonntag, der mit sechs langen, langen Wochentagen erkauft werden mußte, wurde Ludmilla von einem Küchenmädchen und Stanislaus von einem anderen Lehrling vertreten.

»Wieviel Stunden eine Nacht hat, Ludmilla!«

»Wohl dem, der da schläft und sie nicht zählen muß!«

Stanislaus setzte sich rasch auf eine Stuhlkante hinter der Theke, nur um ein Weilchen den Schmerz in seinen Beinen nicht zu spüren. Das Café war blaudunstig von Tabakqualm. Der Ventilator, diese kleine Lunge des Caféhauses, pustete den Qualm auf die Straße, in die Kronen der verkrüppelten Straßenlinden hinein, doch die Gäste fertigten neuen Qualm an, hüllten ihre Worte darin ein und stießen alles zusammen aus ihren Mündern. Raunen und Klirren stieg aus dem Caféraum. So rauscht das Meer von Brasilien! Stanislaus fuhr hoch. Er war auf der Stuhlkante eingenickt. Gottlob, niemand hatte es wahrgenommen, nicht einmal Ludmilla. Aus dem Bierhahn knallte Schaum. Stanislaus mußte in den Keller, um ein neues Faß anzustecken. Er kühlte sich im Keller die Stirn mit Eis, steckte einen Eisklumpen in den Mund, hastete nach oben und räumte die Tassen, die an ihren Rändern erstarrte Trinktröpfchen trugen, in die Küche.

Und es gab großzügige Herren, die das CAFÉ CLUNTSCH besuchten. Sie tranken eine Weile allein, bis sie lustig wurden, dann aber luden sie eine Dame ein, baten die Dame, mit ihnen zu trinken. Es gab Damen, die lehnten das ab. »Sie sind aus guter Familie«, sagte Ludmilla.

Es gab auch Damen, die lehnten es nicht ab. »Die sind aus schlechter Familie«, sagte Ludmilla.

So konnte es kommen, daß ein Herr, der ohne Dame das Caféhaus betreten hatte, mit einer solchen davonging. Er war lustig und trällerte und gab sowohl Ludmilla als auch Stanislaus im Vorbeigehen einen Fünfziger oder eine Mark. Ludmilla gab ihre Mark Stanislaus. »Es fällt mir nicht ein, von einem Lebemann Trinkgeld zu nehmen. Was sollt ich von mir denken«, sagte Ludmilla.

Stanislaus nahm die Mark von Ludmilla und bedankte sich. Ihm war es gleich, ob das Trinkgeld von einem Lebe- oder einem Todesmann kam. Er hatte in der Zeitung von einem Mittel gegen krumme Beine gelesen. Das wollte er sich jetzt schicken lassen. Außerdem hatte er das Schmetterlingsbuch keineswegs vergessen.

Im Café des Meisters Kluntsch verkehrten nicht nur reisende Kaufleute, sondern auch feinere Kundschaft. Da waren die Mitglieder des STAHLHELMS. Der STAHLHELM war ein vornehmerer Verein als der Kriegerverein. Im Kriegerverein waren Leute, die nur aus Erinnerung an die tapferen Kriegszeiten schießen und trinken gingen, im STAHLHELM hatten so flaue Erinnerungsbrüder keinen Platz. Der STAHLHELM und seine Führer Duesterberg und Seldte hatten die Zukunft im Auge. Die Erinnerung an einen Krieg ist ein feuchter Schmutz. Die Mitglieder des STAHLHELMS waren willens, jeden Tag mit einem neuen Krieg zu beginnen und die Kolonien und den Kaiser zurückzuerobern. Im STAHLHELM waren auch solche Wörter wie Serviette, Etage, Debatte und Toilette unerwünscht. Alle diese Wörter waren französisch, feindlich und artfremd. Es hieß dort: Mundtuch, Stockwerk, Rededuell und Scheißhaus. Die Mitglieder des STAHLHELM waren nicht welsch, sie waren deutsch, jawohl! Es gab dort einen Studienrat und Geschichtslehrer, der behauptete, auch das Wort Duell sei ein französisches. Er ließ nur das Wort Aussprache für Debatte zu und sagte selber nicht einmal Elektrizität, sondern Neukraft.

Es war Bäckermeister Kluntsch — wie gesagt — nicht vergönnt gewesen, im Kriege Hauptmann zu werden. Hier im STAHLHELM aber wurde ihm nun ermöglicht, mit den aktiven Offizieren der Stadt umzugehen wie mit seinesgleichen. Die vornehmen Mitglieder des STAHLHELMS waren keine gewöhnlichen Biertrinker. Sie tranken Kognak und in vorgerückter Stunde Wein. Meister Kluntsch ließ es sich angelegen sein, für den Wein zu sorgen. Es konnte vorkommen, daß einige Herren Offiziere in später Nachtstunde sofort mit dem neuen Krieg begannen. Sie führten diesen Probekrieg mit Weingläsern und Flaschen um gewisse Damen, die nach Schluß der Sitzungen Zutritt zum Café erhielten. Meister Kluntsch mußte sogar erleben, daß ein Major Krieg mit einem Hauptmann um seine Frau führte. Der Frau Meisterin Kluntsch waren die Herren des STAHLHELMS besonders zugetan. Der Meister pries sich glücklich, ein Weib zu besitzen, nach dem sich sogar ein Major die Finger beleckte. Es herrschte eine Atmosphäre – Entschuldigung –, ein Dunst von Großzügigkeit bei den STAHLHELM-Leuten. Sollte da Meister Kluntsch kleinzügig sein und etwa murren und ungehalten werden, wenn bei den Probekriegen ein paar Weingläser in Scherben gingen? Die Herren waren auf jede Weise großzügig. Sie bezahlten entweder mit großen Scheinen, ohne einen Pfennig zurück haben zu wollen, oder sie bezahlten gar nicht und bezeichneten ihre Zechen als Lappalien. Menschen, die um Kolonien kämpften, Kolonien, die zehnmal größer waren als dieses geschundene Deutschland, konnten sich nicht bei ein paar Flaschen Wein aufhalten.

Der STAHLHELM unterschied sich auch durch ein eigenes Lied, eine Vereinsweise, vom stumpfsinnigen Kriegerverein. »Hakenkreuz am Stahlhelm, schwarz-weiß-rotes Band ...«, sangen die Herren. Außerdem sangen sie, ohne sich an irgendwelche Verbote zu kehren: »Heil dir, im Siegerkranz, heil, König, dir ...« Die Herren sangen laut und bardisch. Der Studienrat meisterte das Caféklavier ausgezeichnet. Er spielte harte Lieder und, wenn es hoch kam, sogar deutsche Tanzmusik: »Siehst du nicht, da kimmt er, lange Schritte nimmt er...«, oder »Lützows wilde, verwegene Jagd« als Schieber, o ja!

Der ersehnte Sonntag war da. Stanislaus hauste immer noch in seiner Sonderkammer. Meister Kluntsch konnte nicht verantworten, einen so schlechten Patrioten und Scheibenanweiser aus dem Arrest zu lassen. Ein schlapper Soldat gehörte ewig in den Kasten, damit er die anderen mit seinen weichen Manieren nicht ansteckte. Stanislaus hatte keine Sehnsucht nach der Gemeinschaftsstube der Lehrlinge. Er lag hier und mußte Zwiesprache mit den neuen Kräften halten, die über ihn gekommen waren. Sie rumorten in ihm und gaben nur Ruhe, wenn er sie in Gedichten aus sich herausstieß.

Wieder schrieb er einen langen Brief für Marlen. Stanislaus hatte Plunderhörnchen in den Laden geschafft und sich von Ludmilla etwas weißes Einwickelpapier für seinen Brief erbeten. Ludmilla hatte sich nicht kleinlich gezeigt. Mit einer kleinen Rolle unterm Schürzenlatz war Stanislaus davongegangen. Er fühlte sich imstande, die ganze Rolle Einwickelpapier für Marlen zu bedichten.

Die Herren vom STAHLHELM sangen und musizierten. Im ganzen Hause zitterten die Fensterscheiben. »O Deutschland hoch in Ehren ...« Die Bässe brummten sich an wie gereizte Bären. Dazwischen tirilierten die Grashüpferstimmen der Damen: »Haltet aus im Sturmgebraus!«

Stanislaus hatte sich die Bäckermütze über die Ohren gezogen. Aus diesem Grunde überhörte er ein sanftes Klopfen an seiner Kammertür. Ludmilla stand im Nachthemd auf dem Gang. »Hast du den Brief fertig, Stanislaus?«

»Nein, ich bin nicht fertig.«

Ludmilla trat ein wenig ein. »Es ist vielleicht besser, wenn ich den Absender auch in meiner Schrift auf den Umschlag schreibe. Man kann nie wissen.«

Stanislaus war gerührt von Ludmillas Freundlichkeit. Er hatte nichts dagegen, daß sie sich ein wenig auf seinen Bettrand setzte und zusah, wie er schrieb und schrieb. Ludmilla störte ihn nicht.

»Von mir aus könntest du schreiben, bis das Papier aufgebraucht ist«, sagte Ludmilla und zitterte. »Ich steck nur die Beine ein wenig ins Warme. Es ist eine kühle Nacht, und ich bin so ... Schau her, wie bloß ich bin.«

Stanislaus konnte wirklich sehen, wie bloß Ludmilla war. Die kühle Luft konnte beim Hemdlatz hinein und hinaus wehn. »Gehst du ohne Brille ins Bett, Ludmilla?«

»Wozu brauche ich sie in der Nacht?« Ludmillas Augen waren groß und starr, ein wenig tot wie kleine Teiche, in denen nicht ein Kräutlein wächst.

Aber siehe, das Dichten ging nicht mehr so flott von der Hand, als sich Ludmilla neben Stanislaus erwärmte. Jetzt war sie wohl gar eingeschlafen und ließ ihre patschige Hand hingehen, wohin sie wollte. Stanislaus schob die Hand sanft von seiner Brust. Ein Weilchen, und Ludmillas Hand lag auf Stanislaus' Kopf. Stanislaus' Dichtungen glucksten nur noch in sanften Tropfen auf das Einwickelpapier. Es war nicht unangenehm, wie ein kleines Kind am Kopf gestreichelt zu werden bei all dem Liebesschmerz, der verdaut werden mußte. Zufrieden wie ein Kleinkind schlief er über seiner großen Dichtung für Marlen ein.

Die Herren vom STAHLHELM brachten unten im Café die Nacht auf ihre Weise hin. Der Studienrat hämmerte immer noch deutsche Tänze aus dem Klavier: »Eins, zwei, drei, vier – Jule, mach das Fenster auf, der Leiermann ist hier.«

Nicht alle Herren waren für den Tanz. Sie überschrien die Tanzlieder: »Es braust ein Ruf wie Donnerhall ...«, und es schloß sich wirklich ein Donner an: Tischgepolter, Glasgeklirr. Dazwischen die schrille Stimme der Meisterin: »Man hat den Major verletzt, den Herrn Major!«

»Rache!« schrie der Meister. Das Gepolter begann von neuem.

Stanislaus fuhr aus unruhigem Schlaf. Das fehlte noch: Hier lag Ludmilla in seinem Bett, und ihr Hemd war verrutscht. Er spürte ihre warme Haut. Wie leicht konnte es der Haustochter im Halbschlaf einfallen, ihn zu küssen, und sie bekamen ein Kind. Er noch ein Kind!

Stanislaus sprang aus dem Bett, breitete seine Bäckerschürze aus und legte sich auf den Fußboden. Es konnte nicht so weitergehn: Marlen womöglich ein Kind und Ludmilla ein Kind. Wo sollte er das Geld für zwei Brautschleier, für drei Verlobungsringe und zwei Kinderwagen... Er schlief schon wieder.

»Herr Schmidt, Herr Schmidt, was bringt das Julchen mit?« sang man unten im Café.

23
Stanislaus weint über seine Unwissenheit und leistet einem Meisterweibe Liebesdienste.

Es kam die Blaubeerkuchenzeit, die Zeit der Pflaumenkuchen. Ganze Fruchtgärten wanderten auf Kuchenunterlagen durch die Backstube. Eine Antwort von Marlen kam nicht. Das Baumlaub begann sich zu lichten. Hatte Marlen Stanislaus vergessen? Hatte sie keinen seiner mit Herzblut geschriebenen Briefe, keine seiner großen Dichtungen erhalten?

Nun war Stanislaus nicht nur Besitzer von geheimen Kräften, die unzuverlässig wirkten und am wenigsten zur Hand waren, wenn er sie benötigte, sondern er war auch Besitzer einer zuverlässigen, kleinen Barschaft. Welcher Mitlehrling konnte wie er in eine Buchhandlung gehn und sagen: »Die Zeit ist gekommen: Ich möchte das Schmetterlingsbuch für fünfzehn Mark.«

Der Buchverkäufer verneigte sich, verneigte sich vor dem wohlhabenden Manne Stanislaus. »Sehr wohl!« Er packte das Buch in Seidenpapier, wickelte steifes Packpapier um das Seidenpapier, schlang einen Bindfaden um das Päckchen und versah den Bindfaden mit einer Schlaufe zum Tragen. Alle diese Arbeiten veranlaßte Stanislaus. Er ging steif im Laden umher, hüstelte ein wenig und las die Titel aller Bücher und Herrlichkeiten, die seine Augen erreichen konnten. Gar zu gern hätte er dieses oder jenes Buch in die Hand genommen, aber er dachte an das Schild im Laden von Meister Kluntsch: »Das Berühren der Waren ist pol. verboten.«

Nun war die Zeit bis zum Sonntag ohne einen Brief von Marlen nicht mehr so schwer zu ertragen. Ein Buch war da. Er durchblätterte es hastig, schaute sich einige bunte Schmetterlingsbilder an und mußte dann zu Ludmilla und den Gästen ins Café hinunter. Sonntag also würde der Tag sein, an dem er aus dem Buche etwas über die Schmetterlingskönigin und ihr Reich erfahren würde!

Seine Enttäuschung war groß. Er war an ein Buch geraten, das zum Ziele hatte, die Schmetterlinge zu entzaubern. Für Stanislaus waren Schmetterlinge mit ihren bunten Schwingen und dem zarten Leib bisher ein Sinnbild der Freude und des Fliegens gewesen. Der Leib dieser Buttervögel schien nur ein Ziel zu kennen: Schwingen auszubilden, leicht und zart zu sein, um sich in die Lüfte erheben zu können. Was aber schrieb man in dem Fünfzehn-Mark-Buch darüber? »Unterfamilie Ritter (papilioninae) vorwiegend in heißen Ländern. Papiliomachaon, schwefelgelbe Flügel, sechs Zentimeter, von schwarzen Adern und Flecken durchsetzt. Die Hinterflügel mit einer blauen Binde und einem rostfarbenen Fleck besetzt, hinten in ein kurzes Schwänzchen ausgezogen ...« In dieser Beschreibung sollte es sich um den Schwalbenschwanz handeln, jenen schnellen Boten der Königin, der Stanislaus manche Nachricht und manches kleine Lied überbracht hatte. Das sollte der Begaukler der gefiederten Möhrenblätter sein, der sich steil emporschnellen und dem Blick des Menschen in einer Sekunde entschwinden konnte? Oh, da war keine Aussicht, etwas über die Schmetterlingskönigin zu erfahren. Dieses Buch war wohl für Lehrer und Leute geschrieben, die Schmetterlinge mit Stecknadeln auf Holzbretter hefteten. Eine große Traurigkeit befiel Stanislaus: Fünfzehn Mark – und nicht ein Wort von der Schmetterlingskönigin. Vielleicht aber versteckte sich das große Geheimnis der Schmetterlinge hinter den fremdländischen Worten: papilioninae. Das war sicher hebräisch, und nur studierte Leute konnten es entziffern. Er weinte, weinte über seine Unwissenheit, bis er einschlief.

Er schlief den ganzen Sonntag und erwachte erst am Abend vor Hunger.

Ludmilla begegnete Stanislaus sanft und traurig. Sie verrichtete die Arbeit eines Hausmädchens, und es war bei ihr keine Rede mehr von Familienanschluß mit gediegenem Bekanntenkreis. Sie war unfähig, mit zwei, drei Blicken das Blut eines reisenden Kaufmanns zum Kochen zu bringen.

»Wie Waldwind im Sommer – leise und traurig ist eine unerwiderte Liebe«, seufzte sie.

»Nein, sie ist eine kleine Mühle im Herzen, Ludmilla«, erwiderte Stanislaus.

Jedes meinte seine unerwiderte Liebe. Stanislaus hatte mit sich zu tun. Er konnte nicht Nacht für Nacht Ludmilla wärmen und verriegelte seine Kammertür.

»Hörtest du nicht? Ich pochte gestern leise an deine Tür. Ich fühlte mich so allein. Ich blicke manchmal in den Spiegel, nur um etwas Bekanntes von daheim zu sehn.«

»Ich hörte es, Ludmilla, doch ich glaubte, es sei der Wind!«

»Es war nicht der Wind, Stanislaus.«

So verging der Herbst. So verging der Winter, und ein neuer Frühling kam. Stanislaus konnte nicht immer in seiner Kammer sitzen und die Welt in Reime pressen. Er hatte Trinkgelder von schwatzenden Hausfrauen erhalten. Die unnütz verausgabten fünfzehn Mark für das große Schmetterlingsbuch waren wieder herein. Jetzt konnte er sich eine neue Jacke und ein weißes Hemd mit angenähtem Kragen kaufen. Das Trinkgeld reichte nicht, um die Konfirmationshosen von den Beinen zu bekommen, aber immerhin: er hatte jetzt eine Jacke. Die Blicke der Menschen würden nicht gerade auf seine zu kurzen Hosenbeinlinge fallen, wenn sie an seiner schönen karierten Jacke und dem mehlweißen Hemd zu tun hatten. Jetzt konnte Marlen kommen, und er würde sie in den Stadtwald führen. Die Leute würden sich umdrehen. »Ist es ein junger Pfarrer, mit dem die Tochter des Pastors dort zu sehen ist?«

»Nein, es ist ein junger Bäcker, ein Dichter und alles miteinander.«

»Man sollte es nicht meinen. Er sieht so theologisch aus, Frau Heuchelmann.«

Noch war an nichts dergleichen zu denken, aber Stanislaus ging am Sonntag, angetan mit seiner neuen Jacke, gescheckt wie ein Apfelschimmel, in die Kirche.

Der Herr Pastor sah den Verführer seiner einzigen Tochter zu seinen Füßen zwischen der Kundschaft sitzen. Er wurde verwirrt, als er den gescheckten Stanislaus erkannte, und wiederholte sich: »Es war ein Esel, ein geduldiges Tier, das den Herrn nach Jerusalem trug. Ein geduldiges Tier also, ein Esel ...«

Stanislaus kümmerte sich wenig um die Predigt. Hier in dieser Bank hatte er in seinen glücklichen Tagen mit Marlen gesessen. Die Liebe war knisternd zwischen ihnen hin- und hergesprungen: aufreizender Wildrosenduft – und Blicke, in denen man fast ertrank.

In der Bank vor Stanislaus saß die Pfarrköchin. Auch sie war nicht überaus gespannt auf das, was der Herr Pfarrer zu sagen hatte. Vielleicht hatte sie die Predigt schon gelesen, als sie den Schreibtisch des frommen Mannes abstaubte. Ihre Blicke mieden das sanfte Gesicht des Pfarrers und weilten lieber auf dem wilden Gesicht eines Schiffers. Der Schiffer hatte seine blaue Schirmmütze vor sich auf den Knien liegen und strich mit dicken Fingern über den Messinganker an dieser Mütze. Der Mann mit dem wilden Wettergesicht gehörte nicht zu den Menschen, für die Gott der einzige Anker ihres Lebens ist, Gott und sonst nichts auf Erden.

Stanislaus stieß nach dem Gottesdienst auf die Pfarrköchin. »Sie wissen wohl nichts von Marlen?« fragte er flüsternd.

»Es ist mir untersagt, mit Ihnen zu sprechen.«

Große Betrübtheit in Stanislaus' Gesicht. Das Mitleid fuhr in die Pfarrköchin. »Ich hätt ein wenig Hoffnung für Sie.« Die Pfarrköchin zupfte ihn am Ärmel. »Sie kommt ... kommt in vierzehn Tagen das erstemal in Urlaub.«

Der Schiffer zwängte sich durch die Menge der Kirchgänger. Er sah Stanislaus herausfordernd an und drängte ihn von der Pfarrköchin ab. Stanislaus blieb höflich zurück. Er schleppte an seinem Glück.

Im Hause des forschen Meisters Kluntsch herrschte um diese Zeit nicht die gewohnte straffe Ordnung. Der Meister ging mit gesenktem Blick umher und schien nachzudenken.

»Der Alte ist krank«, sagte der Lehrling Paul.

»Er ist krank?«

»Er hat die Syphilis.«

»Dann wird er hoffentlich bald im Bett bleiben und schwitzen.«

»Das Schwitzen wird ihn nicht kurieren. Es ist eine Krankheit der verfaulten Seele. Seine Seele stinkt. Er wird die Backstube verpesten.«

Stanislaus erschrak. Sollte das Böse, das er dem Meister damals in der Schießdeckung gewünscht hatte, jetzt eingetroffen sein? Ja, dann war es zu spät, viel zu spät gekommen; denn Stanislaus gehörte nicht zu den Menschen, die Haß im Herzen speichern. Er bemühte sich, trotz seines Kummers um Marlen, freundlich zu jedermann zu sein. So wurde er, ohne daß ers gewahrte, der Günstling der Meisterin. Sie kam erheitert aus dem Café. Er lief ihr über den Weg.

»Hör, Kleiner, bist du der Willi?«

»Zu Befehl, Frau Meisterin, ich bin der Stanislaus.«

»Du hast übrigens schöne Augen.« Die Meisterin verließ die Küche, und ein Duft von tausend Veilchen breitete sich aus.

»Sie wird dich verführen«, warnte Ludmilla. »Sie hat auch den achtzehnjährigen Sohn eines Kaufmanns verführt, hör ich.«

»Ich bin erst sechzehneinhalb«, sagte Stanislaus.

»Hör auf mich, sie hat das Zeug, einen Erzengel zu verführen.« Ludmilla putzte ihre Brillengläser.

Am Abend besah sich Stanislaus in der einsamen Kammer seine Augen im Taschenspiegel. Er hatte nichts dagegen, schöne Augen zu haben. Sie sollten blau und blank sein für Marlen.

Ein anderes Mal kam die Meisterin zu Stanislaus in die Kohlenkammer und sah sich mit halb zugekniffenen Augen an, wie Stanislaus Brennholz spaltete. »Hör ein wenig auf und sprich mit mir, Stanislaus!« Das Meisterweib zog eine halbe Tafel Schokolade aus der Tasche seines weißen Ladenkittels. Stanislaus errötete und stopfte die Schokolade in den Latz seiner Bäckerschürze. Jetzt ging es wohl los mit der Verführung?

»Laß mich deine Muskeln befühlen«, bat die Meisterin, und dabei funkelten ihre Augen wie die einer spielenden Katze. Stanislaus spannte seine Armmuskeln. Es sollte ihm niemand nachsagen, daß unter seinen Hemdärmeln weiche Wollbällchen zugange waren.

»Oh!« sagte die Meisterin und betippte Stanislaus' Oberarm mit dem bekrallten Zeigefinger. »Traust du dir zu, einen Kahn über den Fluß zu rudern?«

Stanislaus nickte. Sollte er auf dem Flusse verführt werden?

»Zu jeder Stunde?« fragte die Bäckerin.

»Wie?«

»Ich meine, könntest du auch nachts rudern?«

»Zu Befehl, Frau Meisterin.«

»Es soll dein Schade nicht sein.« Die Meisterin nickte. Ihre Augen blitzten. Sie ging.

In Stanislaus kroch jungenhafte Neugier hoch. Er wollte sehn, wie eine Verführung gemacht wird. Wenn es schlimm kommen sollte, konnte er um Hilfe rufen oder einfach das Boot umkippen, bitte.

Keine Rede von der Syphilis bei Meister Kluntsch, aber seine Seele hatte wohl doch da und da eine Stichstelle erhalten: Es war so gut wie erwiesen, daß sich die Meisterin mit dem Herrn Major nicht nur an den Kampfabenden des STAHLHELMS im Café traf. Es kam ein Abend, an dem sie nach einem häuslichen Zank mit glitzerndem Geschmeide zum Fährhaus ging. Der Meister ging voll Vorahnung an den Familiensekretär und überprüfte die Summe der Tageskasse. Der Betrag stimmte nicht. Meister Kluntsch ließ sich von Ludmilla seinen Sonntagsanzug bringen und folgte seiner Frau. Er fand sie in der Veranda des Fährhauses. Bei ihr saß der Major. Der Major mit all seinen Narben, die er im Dienste für das Vaterland davongetragen hatte. Die Meisterin und der Major tranken Sekt. Meister Kluntsch konnte nichts dagegen haben. Schließlich war es eine Ehre, eine Auszeichnung für ihn, wenn ein Major seine Frau und Gattin zu einem Glase Sekt einlud. Meister Kluntsch stand hinter einem Fliederbusch, auf dem blaßblaue Blütendolden hingen, und zwängte seinen Kopf durch eine Astgabel. Fahles Licht aus der Veranda fiel auf sein Gesicht. Es sah aus wie das Gesicht eines hängenden Toten. Aufgeregt klaubte Meister Kluntsch Teigreste von den Rändern seiner Fingernägel. Er hatte sich nach der alten Soldatenregel in den Fliederbusch genistet: Viel sehen

und nicht gesehen werden. Er konnte sozusagen die Getränke-
karte auf dem Tisch des merkwürdigen Paares lesen. Er sah die
Hand des Majors auf dem Schoße seiner Frau. Sicher ein Versehen, beruhigte er sich. Außerdem war es die Hand eines Vorgesetzten, und so, wie die Dinge bis jetzt standen, nahm ihm diese
Hand noch nichts. Nach einer Weile aber mußte er sehen, wie
seine Frau das Geld zum Bezahlen vor den Augen des Majors
aus dem Brustlatz zog. Jetzt wurde ihm also etwas genommen:
Das Geld gehörte ihm ganz und gar persönlich.

Was tun? – Meister Kluntsch hatte als Rekrut im Offizierskasino bedient. Er wußte, daß die Herren Offiziere ungehalten
werden konnten, wenn man sie in Gegenwart von Damen auf
kleine Fehler aufmerksam machte.

Der Major und das Bäckerweib brachen auf. Schon auf der
Ufertreppe legte der Major seinen Arm um die Hüften der
Meistersfrau. Wasserdunst wehte vom Fluß herauf. Das Paar
ging den Elbdamm hinunter. Meister Kluntsch folgte in schick-
lichem Abstand. Auch das hatte er schon früher einmal als
Bursche eines Hauptmanns getan. Damals war er als Warner
und Zeichengeber hinter seinem Vorgesetzten hergestiegen,
und der Hauptmann hatte die Tochter eines radikalen Sei-
fenhändlers verführt. Aber seinerzeit hatte er den dienstlichen
Befehl dazu gehabt, jetzt tat er es privat, und die Dame, die
verführt werden sollte, war seine Frau. Nie im Leben, auch
nach keinem noch so langen Saufabend, hatte Meister
Kluntsch mit so großem Unbehagen zu kämpfen gehabt wie
in dieser Stunde auf dem Flußdamm. Der helle Fleck, der
vor ihm herschwankte und seine Frau bezeichnete, und der
dunkle Fleck, der einen Major in sich barg, bogen vom Elbdamm ab. Das Paar gab sich keine große Mühe, ein Versteck
zu finden. Sollte es sich der Grashüpfer wegen in acht nehmen? Diese beiden Buhler! Vor einem Erlengebüsch brach
der geschbeckte Fleck, der sie waren, gewissermaßen in sich
zusammen. Meister Kluntsch besaß wenig Phantasie, dennoch
reichte sie, ihm auszumalen, was jetzt geschehen würde. Er
trappte hörbar über den Damm. Das Paar ließ sich nicht stören. Er stampfte zurück und hustete laut in der Höhe der

Verliebten. Gewisper, Getuschel und Laubrascheln. Meister Kluntsch hustete stärker.

»Mann Gottes!« Die Stimme des Majors. »Machen Sie sich dünn, Keuchhustenfritze! Bißchen plötzlich, marsch, marsch!«

Meister Kluntsch stand aus alter Gewohnheit stramm. Diesen Ton kannte er vom Kasernenhof. Er saß ihm in Haut und Seele. Gleich darauf hörte er seine Frau juchzen. Seine Haltung fiel zusammen. Er wurde ein weicher Zivilist und rief in die Nacht: »Lissy! Lissy!«

Es raschelte im Ufergebüsch. Ein dunkler Fleck kam auf den zitternden Kluntsch zu, ein heller Fleck verschwand hinter den Büschen. Das Schlimmste war verhindert. Meister Kluntsch bekam ein durch und durch ziviles Augenflimmern. Da kam nun ein Major, ein ehemaliger Vorgesetzter und alles miteinander, auf ihn zu. Meister Kluntsch machte sich auf ein Duell gefaßt. Er verfluchte sein Geschick, das ihn nicht hatte Offizier werden lassen. Er hatte sich nicht benommen, wie es dieser Art von Menschen angemessen war. Es konnte nur einem Vizefeldwebel einfallen, seiner Frau und einem Major nachzulaufen, einer Frau gewissermaßen nachzuheulen. Wo blieben Zucht und Männlichkeit? Ganz gewiß würde der Major ihn nicht auf Infanteriesäbel fordern. Gab es das überhaupt? Nein, damit hatte er nur die Handlungsreisenden in seinem Café aus der Fassung und zum Bezahlen der Zeche gebracht. Bei diesem Major würde es unter Pistolen nicht abgehen.

Der Major kam näher und duckte sich. Er sah Meister Kluntsch ins Gesicht. »Sie sind es also«, sagte er.

»Ich bin es leider«, antwortete Meister Kluntsch. Seine Stimme klang erregt und völlig zerfranst.

Der Major legte dem Bäcker die Hand auf die Schulter. »Kamerad Kluntsch!«

»Hier!« Meister Kluntsch riß die Hacken zusammen. Er mußte sich endlich zusammennehmen, sich bewegen wie einer, der täglich und stündlich hätte in die Offizierslaufbahn aufrücken können.

»Kamerad Kluntsch, Sie werden nicht mit meiner Frau darüber sprechen, verstanden?«

»Worüber, wenn ich bitten darf, Herr Major?«

»Nicht darüber sprechen, daß Sie mich hier mit einem jungen Ding in den Büschen betrafen. Sie sind Kamerad und Mann. Sie kennen das: Jeder anständige Soldat will mal was Junges unterm Sattel haben, eine Remonte, hähä!«

Meister Kluntsch raffte sich zu der mutigsten Rede seines Lebens auf: »Herr Major verletzen, mit Verlaub zu sagen, die Offiziersehre. Herr Major beschmutzen sie. Herr Major lügen. Es war meine Frau, mit der es Herr Major da unten hatten. Meine Frau, meine persönliche Frau, Herr Major, gestatten, ich als gewöhnlicher Vizefeldwebel hab mir die Ehre genommen, Herrn Major auf die Verletzung der Offiziersehre aufmerksam zu machen. So stehen die Würfel. Machen Herr Major, was Herr Major wollen!«

Der Major wurde dienstlich. »Kluntsch!‹ Vizefeldwebel Kluntsch! Was erlauben ... Das wäre zu beweisen!«

Meister Kluntsch geriet in leise Rage. Er packte den Major beim Ärmel und zog ihn vom Damm in die Elbwiesen hinunter. Der Major sträubte sich. »Unterdrücken Sie diese plebejischen Manieren, Kluntsch! Sie haben es mit einem STAHLHELM-Kameraden, mit einem Major zu tun. Ich werde das nicht hingehen lassen.«

Kluntsch ließ nicht ab. »Beweisen!« keuchte er.

Der Major stemmte sich. »Danken Sie Gott, daß wir zur Zeit waffenlos über diese jammervolle Erde marschieren, Vizefeldwebel Kluntsch!«

»Beweisen! Ich werde beweisen!« Meister Kluntsch drang, den Major nach sich ziehend, in das Erlengebüsch ein. Er trampelte mit seinen krummen Bäckerbeinen das Gesträuch nieder. Nichts von einer Frau. Nichts von seiner Frau.

»Uuund?« Der Major war wieder sicher geworden.

Meister Kluntsch starrte ihn an und wischte sich mit dem Handrücken den Schweiß von der Stirn. Der Major griff an die Stelle seiner Hüfte, an der früher sein Schleppsäbel gehangen haben mochte. Seine Hand glitt ab. Er versuchte, eine Erlenrute abzubrechen. Es gelang ihm nicht. Kluntsch starrte und starrte. Der Flußnebel lagerte sich aus. Vom Wasser her kam das Plätschern einsamer Ruder. Eine Wildente plärrte im Flußschilf. In Kluntschs Gesicht begann es zu zucken wie vor einem großen Weinen. War seine Frau am Ende in den Fluß gesprungen? »Wenn sie sich ... wenn sie sich ertränkt hat ... dann, aber dann ...«, stammelte er. Der Major ließ die Erlenrute fahren. »Betrachten Sie sich als durchgepeitscht, mit dieser Rute durchgepeitscht, Vizefeldwebel Kluntsch. Für Pack kenne ich kein anderes Mittel als die Rute. Kehrt! Weggetreten!«

Meister Kluntsch marschierte wie im Traum durch die Wiese zum Elbdamm zurück ...

Daheim in der Bäckerei hatte Meister Kluntsch einen Leidensgenossen. Vielleicht wäre es bei ihm nicht zum Letzten gekommen, wenn er gewußt hätte, daß ihm einer den Teig zureiche, dessen Seele genauso verwundet war wie die seine. Aber die Seele von Bäckermeister Kluntsch war vielleicht schon gichtig, ausgetrocknet, spröde und kraftlos. Ihr gebrach es einfach an Saft, Verwundungen zu verschorfen.

Stanislaus hatte die Meisterin in jener Nacht über den Fluß gerudert. Es war zu keiner Verführung gekommen. Sie wollte nichts von ihm als eine kleine Gefälligkeit. »Sind auf meinem Kleidrücken irgendwelche Grashalme, oder denke ich das nur die ganze Zeit, kleiner Salomo? Ach nein, Stanislaus heißt du wohl.«

»Zu Befehl, Frau Meisterin, es sind zwei Marienkäfer. Sie sind tot.«

»Da siehst du es«, sagte das Meisterweib. »Du klopfst sie mir wohl ab.«

Sie hatten am anderen Ufer angelegt. Nun hatte Stanislaus weiter nichts zu tun, als mit der Meisterin in die Stadt hineinzugehen. Sie mischten sich dort unter die Menschen, die aus dem Kino kamen, und alle, die Meister Kluntsch kannten, nickten: »Es ist nicht mehr als richtig, daß er seine Frau von einem Lehrling abholen läßt, wenn er keine Zeit hat.«

Danach aber wurde Stanislaus nicht nur mit lieben Worten entlohnt. Für den Fährmannslohn kaufte er sich ein grünes, ein wirkliches Oberhemd und einen knallroten Schlips. Alle Blicke sollten daran hängenbleiben wie an einer Klatschmohnblüte.

Kein Blick sollte Zelt haben, sich mit Stanislaus' zu kurzen Hosenbeinlingen zu beschäftigen. Im Bett liegend, den kleinen Taschenspiegel vor sich, band Stanislaus den Schlips. Er band ihn immer wieder. Zuerst waren es erbärmliche Schlipsknoten, die er zuwege brachte. Später wurden sie ansehnlicher und fast weltmännisch. Der Schlips allerdings litt dabei. Seine Kunstseide nahm die vielen Berührungen mit den Lehrlingsfingern nicht gerade günstig auf.

24

Stanislaus wird eines theologischen Kamels ansichtig. Seine Dichtkunst wird von der bleichen Heiligen verschmäht, und er wünscht sich den Tod.

Stanislaus ging schon eine halbe Stunde vor dem Gottesdienst mit steifem Hals und bauschigem Schlips am Pfarrhaus vorüber. Nlcht eine Duftspur von Marlen. Er verweilte am Pfarrgarten. Gestern also mußte Marlen hier hindurch und in ihr Elternhaus gegangen sein. Die kleinen Kieselsteine auf dem Gartenweg blitzten vor Wonne. Marlens Füße hatten sie berührt. Stanislaus wurde von der Stimme des Pfarrers verjagt. Der heilige Mann war an sein Stubenfenster getreten und sang: »Geh aus, mein Herz, und suche Freud …«. Der Pfarrer schien sich zu freuen, daß seine Tochter Marlen für ein Weilchen aus dem Gefängnis gekommen war, in das er sie selber gesteckt hatte.

Niemand konnte sagen, daß die Kirche überfüllt war. Die Kundschaft des Pfarrers erfreute sich des schönen Tages lieber draußen im Freien. Stanislaus saß zwischen den unentwegtesten Kirchgängern. Da war das fromme Meisterpaar, das ihn beschimpft und auf die Straße gesetzt hatte. Da war die Pfarrköchin, und da waren ältere Weiblein, denen es weniger auf äußeren als auf inneren Sonnenschein ankam. Endlich schwebte Marlen weiß und rein durch das Kirchenportal. Stanislaus hatte sich so gesetzt, daß sie ihn sehen und sich über ihn freuen mußte. Marlen ging vorüber. Stanislaus spürte den Wildrosenduft. Die Rüschen ihres Kleides streiften seine zerschabte Hose, aber die schöne Marlen sah ihn nicht sitzen. Sie schritt wie eine Heilige dahin. Ihr Blick war auf den Altar gerichtet. Sie ging wie früher auf ihre Bank unter der Kanzel zu und machte es sich dort bequem. Aber was war das? Ein junger Mann, der eine mattblaue Studentenmütze in der Hand trug, setzte sich zu ihr. Stanislaus konnte sehen, wie er mit ihr flüsterte.

Oh, du Stunde der Enttäuschung! Es handelte sich übrigens um einen häßlichen Menschen, um einen total grauen jungen Mann. Stanislaus konnte es an den abstehenden Ohren erkennen, hinter denen zwei Brillenbügel wie auf freiem Felde lagen, und er konnte es an dem kleinen Kopf und dem langen Hals dieses Burschen sehen – wie häßlich! Der runde Rücken des Kerls zog den Jackenkragen nach unten. Nicht nur der hintere Kragenknopf, nein, auch der erste Rückenwirbel ragte aus dem Jackenkragen dieses Menschen. Stanislaus hustete in seiner Verzweiflung. (Er tat es nicht viel anders, als es vor einigen Tagen sein Herr und Meister Kluntsch getan hatte.) Einige Kirchenbesucher sahen sich nach ihm um. Marlen gehörte nicht zu ihnen. Sie sah angestrengt demütig auf ihren Schoß hernieder. Wenn sie sich zur Seite wandte, um diesem Kamel von Studenten etwas zuzuflüstern, konnte Stanislaus ihren Mund sehn. Das war nun der Mund, der ihm einmal in Wonne zur Verfügung gestanden hatte! Seine Küsse hatten sich wie bunte Schwalbenschwanzfalter daraufgesetzt. Nicht nur das: Dieser Mund war selbst auf den seinen geflogen und hatte es sich dort gut sein lassen. Dieser Mund war überhaupt zuerst gekommen, gepeitscht von der Liebe und von süßen Dingen. O Stanislaus, o Stanislaus!

Das war ein Gottesdienst! Konnte es einem Toten schlechter ergehen? Wehmuts- und Rachewürmer fraßen an Stanislaus. Sie krochen in seinem Herzen umher und bohrten sogar Höhlen und Gänge durch seine Brust. Wie gut, daß die Orgel mit ihren vollen Tönen eingriff. Wie gut, daß die Gemeinde mit ihrem Gesang zu Hilfe kam. Stanislaus konnte Schmerz und Verwünschungen zum Kirchengewölbe hinaufschrein. Er sang, was er wollte. Diese schlappen Gotteslieder waren keine Kost für seine Seele. Er war ein gequälter, geschundener Mensch. Wie konnten Gott und seine sanfte Engelschar mit ansehn, was ein Stanislaus erlitt? Bitte, sollte Gott einen anständigen

Blitz schicken und ihn in diesen langen Studentenhals fahren lassen!

Nach einer Weile des Haderns und Härmens fuhr ein Trost-gedanke in Stanislaus ein. Hatte ihn Gott am Ende erhört? Vielleicht erkannte Marlen ihn nur nicht, weil er in der ge-scheckten Jacke, mit diesem roten Schlips und allen Moderni-täten nicht mehr ihr alter Stanislaus war? Das war es. Das war es ganz sicher. Stanislaus erhob sich zwischen Liturgie und Kan-zelrede. Er achtete nicht auf die Blicke der Frommen, die ihn ungnädig verfolgten. Seine innere Not überflutete ihn. Er ging in die Vorhalle. Dort hing die Ehrentafel für die im Kriege gefallenen Männer der kleinen Stadt. Eine Menge Namen. Ver-welkte Kränze vom vergangenen Totentag darunter. »Auf dem Felde der Ehre gefallen«, jawohl. Stanislaus stand auf dem stacheligen Felde des Kummers und suchte sich aufrecht zu halten. Er riß sich seine Jacke herunter. Er zog den roten Schlips wie einen Pferdehalfter über den Kopf. In einer Nische hinter der Turmtreppe stand die Skulptur eines Propheten; vielleicht war es gar der Judas; er trug einen steinernen Geldbeutel in der Faust. Man hatte ihn ausrangieren müssen. Der Arm mit dem Geldbeutel hatte Gott wohl mißfallen, und er hatte ihn durch die Ungeschicklichkeit des Küsters zur Hälfte von seinem Stein-fleisch entblößen lassen. Es handelte sich nur noch um einen verrosteten Eisendraht. Mußte es nicht eine Wohltat für diesen Unheiligen sein, seinen zersplitterten Arm unter Stanislaus' scheckiger Jacke zu verbergen, aus deren Seitentasche das breite Ende des roten Schlipses baumelte? Es ging nicht an, daß sich Stanislaus auch noch das grüne Hemd auszog. Marlen mußte ihn jetzt so oder so erkennen. Er war der Stanislaus, mit dem sie an einem Bache Küsse und alles mögliche gewechselt hatte.

Gott sei gedankt, daß die Kanzelrede kurz war. Gott sei ge-dankt, daß dieser Gottesdienst ein Ende nahm. Vielleicht wären schreckliche Dinge in der Kirche geschehen.

Stanislaus unterdrückte nur noch mühselig sündige Gelüste. Er trug sich mit dem Gedanken, auf das Pult einer Betbank und von dort auf den goldenen Kronleuchter zu springen. Der

lauschenden Kirchgemeinde sollte der Atem stocken. Marlen
sollte keine Möglichkeit mehr haben, ihn zu übersehn.

Die Glocken dröhnten, aber lauter dröhnte es in Stanislaus'
Kopf. Er stellte sich am Kircheneingang auf! Grünes Hemd und
kurze Konfirmationshose – unübersehbar.

Marlen und der lange Student gingen auf den Altar zu und
verschwanden dann in der kleinen Tür zur Sakristei. Sie besuchten den Herrn Pfarrer. Weshalb sollten sie das nicht? War Marlen vielleicht nicht die rechtmäßige Tochter dieses Herrn?

Die Pfarrköchin hatte es eilig. Eben war der Schiffer mit der
blauen Mütze und dem Blechanker in die sündige, sonnige Welt
hinausgetreten. Stanislaus stellte sich der Köchin in den Weg.

»Ich bin nicht befugt, mit Ihnen zu sprechen, wie Sie wissen«,
flüsterte die Köchin. »Ich würde es auch nie im Leben tun,
wenn ich nicht wüßte, wie die Liebe einen Menschen zu quälen
vermag.«

»Dank, vielen Dank!« flüsterte Stanislaus. »Der Herr wird
Ihnen diesen Schiffer und ein seliges Leben geben.«

Die Köchin bedankte sich mit leisem Knicks: »Man wird
Marlen verheiraten, bevor sie in Sünde fällt. Solche Menschen
haben Möglichkeiten. Unsereins dagegen ...« Die Köchin brach
ab. Der Schiffer zeigte sich mit wildem Blick vor dem Kirchenportal. Stanislaus wurde hastig. »Zwingt man Marlen, dieses
Gerippe zu heiraten?«

»Ooh!« Die Köchin starrte auf ihre blanken Kirchschuhe. »Er
ist Student der Theologie und kurz vor dem Examen.«

»Zwingt man sie?«

»Ich weiß nicht. Sie ist wohl reif wie eine Blüte vor dem
Käferkuß. Wer fragt da, ob Mist- oder Maikäfer?«

Der Schiffer scharrte mit einem Fuß im Kies. Die Köchin raffte
sich. »Leben Sie wohl! Erzählen Sie es niemand. Die Liebenden
wissen, wie schwer sie es haben.«

»Danke, Dank! Sie sind eine gute Person. Sie sind eine beste
Person, wenn Sie ... Sagen Sie Marlen: Heute nachmittag im
Stadtpark und einen Gruß von einem, der Stanislaus heißt.«

»Ich kann nicht beschwören, ob ich das ausrichte. Der Schiffer war näher gekommen. Die Köchin drängte ihn zurück. »Es

172

ist nichts. Rein gar nichts«, summte sie ihm zu. Der Schiffer blieb mißtrauisch und ging mit der Köchin zum Pfarrgarten hinunter.

Der Nachmittag war schwül. Kein Vogelruf im Stadtpark. Die Baumblätter hingen staubig und welk. Stanislaus ging die Wege hinauf und hinunter. Er schwitzte. Die dicke lästige Jacke, ja! Aber konnte er sie entbehren? Seine Konfirmationshose saß weit unter dem Nabel wie eine Badehose. Freilich waren seine Schritte ein wenig gehemmt, aber er mußte hier nicht springen. Es kam nicht auf die Sekunde an wie vor dem Backofen.

Menschen mit und ohne Hüte. Menschen mit Spazierstöcken und Sonntüchern. Rote, erhitzte Stirnen. Feuchte Taschentücher auf Glatzköpfen. Frauenkleider ohne Ärmel. Durchschwitzte Blusen, schweißdurchtränkt bei den Achselhöhlen. Duftstoffe, herb und süß. Geschwätz, Radau und Hallo. Stöcke, Ruten, ausgeraufte Blumen. Die Menschen der Stadt stürzten sich auf den Frühling. Für Stanislaus hätten all die Menschen ebensogut auf den Händen laufen können. Er hatte sein Aufmerken nur auf ein bestimmtes Rüschenkleid gestellt, auf einen schmalen Kopf mit schwarzem Samtband, auf ein blasses Gesicht und scheuen Wildrosenduft.

Er ging um eine Wegbiegung. Da kam Marlen; jedoch seine Freude, die auffliegen wollte wie ein junger Pirol, blieb jäh im Herzen hocken. Neben Marlen stakte jener Student, jener Sägebügel von einem werdenden Pastor. Dieses Fragezeichen von einem Menschen trug zu allem Überfluß einen gelben Spazierstock, ein Gehholz. Er drehte es spielerisch in der rechten Hand und ließ die Stockspitze gegen die matten Baumblätter fetzen. Das sollte eine Heldentat sein! Da ging sie nun, der er seine Gedicht e geschickt und zugedacht hatte. Da war sie nun, der er all seine Werke, geschrieben auf Wanzen- und Einwickelpapier, überreichen wollte. Auf seiner Brust unter dem grünen Hemd lag ein Paket davon – schweißfeuchte Gedichte.

Marlen war schöner geworden. Stanislaus sah sie nicht nur von der Seite wie in der Kirche, er sah ihr voll ins Angesicht. Eine aufgeblühte weiße Dahlie. Jawohl, das war Marlen. Sah sie Stanislaus an? Keineswegs. Sie erzählte so eifrig, und sie hatte sich ein Thema gewählt, das sie zwang, zu Boden, immer nur zu Boden zu schaun: »Sehn Sie, Ingo, sehen Sie nur diese Steinchen dort! Wie sie glitzern! Sind es Feuerkiesel? Wenn es keine Feuerkiesel sind, dann sind es vielleicht Quarzsteinchen? Nein, Ingo, ich meine nicht diese Schotterstückchen, ich meine ganz einfach diese Feuersteine ...«

Unter solchem Wortgeprassel ging Marlen an Stanislaus vorüber. Sah sie ihn wirklich nicht? War sie nicht auf seinen Wunsch in den Stadtwald gekommen? Hatte sie ihn nicht trotz aller Feuerkiesel von der Seite her angeschaut?

Das Paar ging schwatzend seines Weges. Sollte Stanislaus unter der Last seines Kummers in die Knie sinken und eine Fuhre Gebete an Gott, jenen unsichtbaren Herrn, zum Himmel senden; oder sollte er seine Sache lieber selber in die Hand nehmen? Hatte der hinterlistige Pastor seiner Tochter diesen krummen Theologen als Aufpasser beigegeben? Vielleicht hatte Marlen nicht gewagt, unter den Augen dieses himmlischen Polizisten ihrem geliebten Stanislaus ein Lächeln über den Weg zu senden? Hatte sie ihm nicht dereinst einen Brief geschrieben, in dem von ewiger Liebe und großen Dingen die Rede war?

Stanislaus umging das Paar auf einem Seitenweg, gelangte wieder auf den Hauptweg und ging Marlen und ihrem kleinköpfigen Begleiter nochmals gradewegs entgegen.

Marlen sprach jetzt über Blumen: »Sehen Sie diese winzige Blüte dort drüben, Ingo? Fs ist die Blüte der Vogelmiere. Sie kann rot sein, sie kann weiß sein. Diese ist weiß, wie Sie sehen. Ihre Blätter sind weich wie Kinderhaut ...« Sie bückte sich und zog den schlaksigen Theologen beim Ärmel an den Wegrand. Die Augen des Studenten waren wohl auf größere Dinge, auf Gott und ganze Himmel eingestellt, nicht auf die kleinen Blüten der Vogelmiere. Stanislaus war heran. Guten Tag, da bist du ja wieder ... aus dem Gefängnis ... ja, guten Tag, Marlen«, sagte er einfach.

Der Student fuhr herum, ohne die Vogelmieren entdeckt zu haben. Marlen ging auf Stanislaus zu, aber mitten auf dem Wege hielt sie inne. Stille, peinliche Stille. Der Student rückte an seiner Brille. »Jaja, so ist das Leben«, seufzte Stanislaus, nur um etwas zu sagen, nur um Marlen eine Brücke zu bauen. »Ich habe dir mehr als einen Brief geschrieben ...«

Marlen schnitt Stanislaus das Wort ab. »Sehen Sie, Ingo, ein Bekannter. Der junge Bäcker, der uns früher die Brötchen brachte. Eine Freundschaft von Elias, den Sie nicht mögen.«

Der Student schüttelte sich, nickte dann und murmelte höflich: »Hundefreundschaft, unglaublich!«

Die Bäume begannen um Stanislaus zu kreisen. Er hielt sich an einem Strauchzweig fest. Der Zweig bog sich nieder und streifte Marlens weißes Rüschenkleid. Marlen trat zurück. Sie rückte von Stanislaus ab. »Ich hätte Sie kaum erkannt. Sie haben sich verändert. Ein Glück, daß ich Ihre Hosen kannte! Ja, so ist das.«

Schweigen.

Stanislaus hatte sich in vergangenen Zeiten Nägel, dreizöllige Nägel in die Arme gebohrt. Er hatte den Schmerz ertragen. Aber hier handelte es sich um gröbere Dinge, um Eggenzinken mit Widerhaken, und die wurden in sein Herz gebohrt. Da stand dieses himmlische Mädchen Marlen und machte sich lustig über ihn. Da stand sie und veranlaßte dieses Pferd von einem Studenten, leise zu wiehern. Wie schwärmende Bienen flogen Stanislaus' stichlige Worte über den Weg: »Ja, ja, so ist es. Ganz wie Sie sagen, Marlen. Die Menschen verändern sich, werden unkenntlich. Sie schleppen nun ein Kamel durch den Stadtwald, ein Kamel mit Brille. Sie gehen im Schatten dieses Kamels und reden von Feuersteinen und Vogelmieren. Kein Mensch kann mehr erkennen, daß Sie es sind, Sie, die Sie einmal von Liebe und süßen Dingen geredet haben.«

Marlen begann sich vor diesem bleichen Stanislaus zu fürchten. Der Student trat vor und erhob seinen Gehstock. Stanislaus fackelte nicht. Er riß dem werdenden Gottesmann sein Gehholz aus den Händen. Marlen konnte ruhig sehen, mit was für einem schlappen Beschützer sie es zu tun hatte. Er schlug dem Studenten mit der Krücke des Stockes über die mageren Hände. »Weiche, du Dromedar! Ich klopf dich wie eine Karbonade!«

Der Student hopste auf mageren Beinen zurück, schüttelte die geschlagenen Hände und stöhnte. Marlen stellte sich schützend vor ihn. Ihre Lippen zitterten. »Stanislaus!«

Stanislaus war nicht aufzuhalten. »Ganz recht, gnädiges Pfarrfräulein, Stanislaus, so hieß ich einmal für Sie. Und das hier habe ich für Sie, einzig und allein für Sie geschrieben. Alle Liebe der Welt, für Sie auf Papier geschrieben.« Stanislaus griff in seinen Hemdausschnitt. Er zog ein Papierpaket hervor und legte es in Marlens zitternde Hände. »Bitte, und wenn darin von Feuersteinen und Vogelmieren die Rede sein sollte, will ich verflucht sein bis an mein Ende!«

Ein Schwarm Stadtmenschen, eine zausende Familie mit einem Kinderwagen, kam um die Wegbiegung. Sie schwemmte über die Streitenden hin. Sie schwemmte zwei, die sich einmal geliebt hatten, auseinander. Der Student benutzte die Gelegenheit, sich davonzumachen. Marlen trippelte hinterdrein. Sie hielt ein Päckchen Papier in den Händen und trug es wie ein Taufbündel. Stanislaus sprang ins Gebüsch und rannte über eine Parkwiese.

»Verboten!« schrie ein dicker Bürger aus der Familiengruppe.

Stanislaus hob den gelben Gehstock des Studenten. Er war bereit, den Dicken zu erschlagen.

In dieser Nacht dachte Stanislaus bald an erhabene Rache, bald an den Tod. Er wünschte sich den Tod jetzt und diese Minute. Vielleicht würde Marlen, vor seiner Leiche stehend, erkennen, wie sie es mit ihm getrieben hatte. Vielleicht würde der Herr Pfarrer selbst ratlos vor Stanislaus' Sarg stehn. »War es dieser Brötchenbäcker?«

»Derselbe war es, Herr Vater. Er wollte mich übrigens nicht verführen. Er küßte mich, ich küßte ihn. Es waren himmlische Küsse. Er war ein Dichter.« Marlen würde dem Pastor Stanislaus' Gedichte reichen. Der Herr Pfarrer würde sie gerührt lesen. Er würde sich das Barett vom Kopf reißen und seinen Talar zerfetzen. »Weh mir, ich habe einen jungen Dichter in das Grab gebracht, ich Unseliger!«

»Ich werde die Sündenschuld übernehmen, Herr Vater«, würde Marlen sagen. »Kein Mann wird je wieder diesen Mund küssen, bitte, niemand.«

25

Stanislaus wird einer Gasleiche ansichtig, wird von seiner Todessehnsucht geheilt und kann den Sinn von Gespenstern nicht begreifen.

Stanislaus' Todeswünsche zerstoben am kommenden Morgen. Beim ersten Grauschimmer des Montags kroch er aus seiner Kammer. Er hatte zu Abend nichts gegessen. Jetzt bohrte der Hunger ärger in ihm als die Kränkung. Er stieg in die Küche. Geruch von Leuchtgas strömte ihm entgegen. Stanislaus wich zurück. Es war nicht nur des Gasgeruchs wegen. Auf dem Küchentisch lag die Leiche seines Meisters, lag da mit geballten Fäusten. Auf dem Kopf trug Kluntsch den Stahlhelm, den er aus dem Kriege mitgebracht hatte. Er war bekleidet mit seiner STAHLHELM-Jacke, trug die Schulterstücke eines Leutnants, weiße Handschuhe und einen Infanteriesäbel. Vizefeldwebel Kluntsch hatte sich selber befördert, und das in jeder Hinsicht. Eines seiner krummen Beine hing vom Tisch herab. Um den Tisch herum waren Blumen und Tannenzweige gestreut. Dazu zischte der Gashahn, zischte und zischte, als ob er Gas für die ganze Welt auszuströmen hätte.

So also sah der Tod aus. Stanislaus schüttelte sich. Er dachte nicht mehr daran, ihn sich selber zu wünschen. Hier war nun alles aus und vorüber. Das bleiche Gesicht des Meisters und die weiße Decke der Küche lagen sich stumm und tot gegenüber.

Stanislaus pochte an die Tür der Meisterin. Niemand rührte sich. Er rannte zu Ludmilla. Sie lag noch und schlief. Er rüttelte sie.

»Daß du kommst!« sagte sie im Halbschlaf.

Stanislaus kämpfte mit Tränen des Selbstmitleids. So verschmäht war er also nicht von aller Welt. Hier lag ein Menschenkind und wartete auf ihn. »Ludmilla, der Meister ...«

»Was will er?«

»Ist tot.«

Ludmilla richtete sich auf. »Bist du es wirklich, Stanislaus?«

»Ob ich es bin oder nicht: Der Meister ist tot, und der Meisterin geht es wohl nicht viel besser.«

Ludmilla sprang aus dem Bett. Sie war nackt. Keine Scham vor Stanislaus. Sie suchte nach ihrer Brille. »Sieh, daß ich nicht überall so häßlich bin wie im Gesicht.«

Stanislaus sah es, aber war jetzt Zeit dazu? Stanislaus rannte und weckte die anderen Lehrlinge.

Keine Totenklage im Hause Kluntsch. Wer sollte sie veranstalten? Die Lehrlinge, diese Backstubenrekruten?

»Soll er sich freuen«, sagte der von der sozialdemokratischen Jugend. »Eines Tages wären wir aufmarschiert. Ich steh nicht dafür ein, daß es dann gnädig mit ihm hergegangen wäre!«

Auch Ludmilla wußte nicht, ob sie klagen und zagen sollte. Hier im Haus war für sie nie die Heimat gewesen. Hatte ihr der Meister nicht selber gesagt, daß er sie sich schöner vorgestellt hatte? Und die Meisterin? Sie war nicht aufzufinden.

An diesem Tage kehrten die Kunden der Bäckerei Kluntsch vor der verschlossenen Ladentür um. Der Sauerteig in den Beuten übergärte und wurde essigsauer. Das Hefestück für die Brötchen fiel zusammen. Die Lehrlinge saßen auf dem Backofenrand und ratschlagten über Leben und Tod:

»Man muß das Fenster öffnen, wenn einer stirbt. Jetzt wird selbst seine Seele im Gas erstickt sein.«

»Der hatte keine Seele.«

»Eine Seele hat jeder Hering.«

»Aber der hatte nicht eine Spur davon.«

»Versündige dich nicht!«

»Mit eurer Sünde. Du kannst machen, was du willst, stets fällst du rein.«

»Man muß ein reines Leben führen.«

»Ein reines Leben führen, glaub ich, nur die Schmetterlinge; oder hast du je einen auf Pferdemist sitzen sehn?«

»Ach ja, nun ist der Meister in den Himmel marschiert. Vielleicht muß er dort zur Strafe und Sündenschuld exerzieren.«

Stanislaus hielt sich abseits.

»Du sollst, hör ich, gestern im Stadtwald einen verdroschen haben, einen Doktor oder Tierarzt?«

»Ein Kamel«, antwortete Stanislaus.

»Er will dich gerichtlich belangen, wie man hört.«

Stanislaus antwortete nicht.

»Du mußt dich bei ihm entschuldigen, wie man sagt.«

Stanislaus schwieg.

Gepolter an der verschlossenen Ladentür. Die Kriminalpolizei war eingetroffen. Nun zeigte sich, was in Ludmilla steckte. Sie ordnete die Dinge, so schlimm sie auch kamen.

Die Untersuchungen ergaben, daß die Meisterin geraubt worden war. Irgendein Major hatte sie gestohlen. Und die Meisterin ihrerseits hatte alles verfügbare Bargeld des Meisters mitgenommen. Es soll der Rede nach nicht viel gewesen sein: Was so ein Meister und fünf Lehrlinge in zwei, drei Tagen erbäckern können!

Es gab einen Abschiedsbrief des Meisters, und der war an den Vorsitzenden des STAHLHELMS gerichtet. Schlimme Dinge! Der Meister hatte am Geist des STAHLHELMS zu zweifeln begonnen. Die Offiziersehre dieses Verbandes sei brüchig gewesen, bitte. Es habe da Mitglieder gegeben, die die Ehre des Vaterlandes niemals hätten hochhalten und verteidigen können. »Reserve-Leutnant Kluntsch feldmarschmäßig abgetreten. Helm ab zum Gebet!« So endete dieser Brief. In einem Nachsatz hatte sich Meister Kluntsch noch einige Lieder für sein Begräbnis gewünscht: »Der Gott, der Eisen wachsen ließ ...« und: »Gott der Herr, straf unsre Feinde ...« Kein Wort für die Lehrlinge, kein Wort für Ludmilla, die nun rannte und rannte, um den gasgefüllten Meister unter die Erde zu bringen.

Drei gute Tage für die Lehrlinge. Sie feierten, tranken sogar am Begräbnistage eine Flasche Schnaps und holten sich Brot und Brötchen aus Nachbarbäckereien. Was sollte werden? Waren sie nun arbeitslos? Nichts dergleichen. Jeder Mensch konnte arbeitslos werden, aber ein Lehrling nicht. Lehrlinge arbeiteten billig.

Die Innung schickte einen Treuhänder. Der Treuhänder war ein Altgeselle. Das Geschäft wurde weitergeführt. In den ersten

Tagen stieg sogar der Umsatz. Alle Hausmädchen und Hausfrauen wollten einen Blick in die Bäckereiküche tun, in der Meister Kluntsch zu Grabe marschiert war.

Bald darauf sollte Stanislaus Geselle werden. Das war sein geringster Kummer. Er hatte einige Fachbücher gelesen und war über die Spaltung der Hefebakterien im Bilde. Nichts Aufregendes, nichts Befriedigendes. Mutter- und Tochterzelle trennten sich, wenn es sie drängte und an der Zeit war. Keine Spur von Liebe und Schmerz.

Anders bei den Menschen. Stanislaus hatte Marlen keinesfalls in eine Ecke seines Herzens gestellt. Die Erinnerung durchstreichelte seine Nachtträume und stach am Tage mit hundert Nadeln in die Seele des Verschmähten. Stanislaus wußte nicht, wie es zuging, aber er mußte jetzt auch des öfteren an den Pfarrer denken. Ein eigenartiger Mann! Wie kam er darauf, zu sagen, Stanislaus habe seine Tochter verführen wollen? Hatte diese Tochter Stanislaus nicht in den Stadtwald bestellt? Hatte sie ihn nicht mehr oder weniger in ein Erlengebüsch gezogen, um dort mit ihm allein zu sein? Hatte er ihr vielleicht den ersten Kuß aufgenötigt? Begreife einer die Welt: Stanislaus hatte den Beweis in der Hand, daß Marlen mit diesem werdenden Pfaffen nicht nur Vogelmieren betrachtet hatte. Er war an jenem Sonntag Marlen und diesem Buckeltier nachgegangen. Schlimmer konnte es in der Hölle nicht zugehn, als es in seinem Herzen zugegangen war. Er hatte den Spazierstock dieses Brillenaffen in die Lauberde am Rande des Erlengebüschs gesteckt. Den Spazierstock und einen Zettel daran: »Ich weiß alles. Die Rache wird vom Himmel herabprasseln!«.

Weshalb wurde dieser Pfaffenlehrling nicht der Verführung bezichtigt? Konnte der Pfarrer nicht zweimal das gleiche erkennen?

Stanislaus traf die Köchin des Pfarrers. Sie kam aus dem Kolonialwarenladen Knappwieger und nestelte das Deckchen ihres Einkaufskorbes über einige Weinflaschen. Stanislaus bot ihr höflich die Tageszeit. Sie blickte auf. »Sie sind es, ach, ich dachte darüber nach, was ich der Frau Pfarrer sage. Ich hab versäumt, rechtzeitig neuen Abendmahlswein einzukaufen. Nun ist das billigere Blut Christi ausverkauft. Die Frau Pfarrer wird mit mir zanken.«

»Es ist heutzutage nicht so einfach«, bemerkte Stanislaus in seiner Höflichkeit und nur, um etwas zu sagen. Die Köchin sah sich nach allen Seiten um. »Ihr Meister hat, wie man so sagt, Gas geschluckt?«

Stanislaus dachte an andere Dinge. »Das auch.«

»War er grün angelaufen?«

»Man sah es nicht. Er hatte sich mit Blumen bestreut. — Sie beobachteten wohl nicht, ob dieser Pastorenstift jenen Sonntag seinen Stock, seine gelbe Krücke, mit in das Pfarrhaus brachte?«

Die Köchin überlegte. »Ich fragte nur, weil man sagt, Gasleichen würden grün anlaufen. — Seinen Stock, ja. Natürlich seinen Stock und Marlen.«

»Und sie waren in guter Stimmung, Marlen und der Pastorenlehrling?«

»Ach, doch. Das heißt, nein, soviel ich weiß, waren sie nicht in guter Stimmung. Der Student klagte über Schmerzen in den Fingern. Marlen lachte herzlos. Die gnädige Frau selbst machte dem jungen Mann Umschläge mit essigsaurer Tonerde. Trotzdem war es recht lustig. Der Herr Pfarrer erzählte nach dem Abendbrot aus seiner Studentenzeit. Putzige Geschichten. Er erzählte von seinem ersten Kuß.«

»Was sagte der Student dazu?«

»Er sagte, soviel ich hörte, gar nichts. Er starrte den Herrn Pfarrer an und wieherte leise. Ich dürfte hier nicht so zu Ihnen reden, aber dieser junge Mann hat ein bißchen etwas von einem Pferd — ein Pferdewesen.«

»Und Marlen?«

»Marlen war unzufrieden. Sie blieb es den ganzen Abend lang. Kein Lächeln, nicht der Spritzer eines Lächelns. Es wird, wie ich höre, übrigens zu einer Verlobung kommen. Oh, was ist Ihnen?«

»Nichts. Ich kam auf einen Stein zu stehen und taumelte ein wenig. Es ist noch weniger als nichts.«

»Jaja, so ist die Welt. Ich für meine Person werde wohl am längsten im Pfarrhause gewesen sein.«

»Sehen Sie den Schiffer noch zuweilen in der Kirche? Wünschen Sie ihm in meinem Namen viel Glück!«

»Der Schiffer, ja. Um diesen Mann handelt es sich. Ich will es unter keinen Umständen dazu kommen lassen, daß mich der Herr Pfarrer der Sünde zeiht.« Die Pfarrköchin strich sich über den Leib. »Sie sind so unbeständig, diese Schiffer. Heute hier und morgen allüberall.«

»Verlobung?« begann Stanislaus wieder. »Hat es Ihnen Marlen gesagt?«

»Jetzt werden es übrigens drei Wochen, daß der Schiffer, den Sie kennen, nicht zur Kirche kam. In drei Wochen wird man allerlei gewahr. Was sagten Sie? Marlen? Nein, sie hat nicht von der Verlobung gesprochen. Die gnädige Frau sprach davon. ›Es ist nun so, daß mein Mann diesen ausgesucht hat, diesen jungen Kollegen für Marlen.‹ Ja, das sagte die gnädige Frau. Aber ich schwätz hier und schwätz mit Ihnen. Leben Sie wohl. Es trägt jeder sein Bündel.«

Der Treuhänder, ein Altgeselle, war gut zu den Lehrlingen. Keine Rede von Exerzieren. Der Altgeselle hatte selber die drückende Hand eines Meisters über sich gefühlt und wollte nicht sofort die seine auf seinesgleichen niederdrücken. Es war noch nicht gewiß und sicher, für wen er hier den Meister spielte, das Geschäft leitete und alles zum besten kehrte.

Da stand nun der frischgebackene Geselle Stanislaus. Der Obermeister reichte ihm die Hand. In diese Hand hatte Stanislaus die ersparten Lehrlingsgroschen der letzten Monate zu legen.

»Dank den erprobten Meistern der Innung, und gut bekomme ihnen der Neugesellenschnaps!«

Stanislaus mußte sich Geld von den Mitlehrlingen borgen, um auch für sie ein kleines Trinkfest veranstalten zu können. Ludmilla gab etwas aus der Ladenkasse dazu. Es zeigte sich, daß sie nicht knauserte, wenn es sich um einen Menschen wie Stanislaus handelte.

182

Am Küchentisch, auf dem die Gasleiche des Meisters Kluntsch gelegen hatte, kreisten Bierseidel und Schnapsgläschen.

»Ein Hoch unserm Stanislaus, dem edlen Spender!«

Stanislaus verneigte sich. »Ein Hoch den geschundenen Lehrlingen in aller Welt!« Dieser blasse Stanislaus entpuppte sich hier als ein Redner durch und durch.

»Bravo!« schrie einer der Lehrlinge. »Du solltest den Jungsozialdemokraten beitreten!«

Stanislaus überhörte es. Er war in großer Fahrt. Bier und Schnaps gaben seinen Worten Flügel. Er sprach davon, daß Kamele mehr wert und beliebter seien als Bäckerlehrlinge. Lauter dunkle Dinge. Die Mitlehrlinge ließen ihn reden. Dieser Stanislaus war schwer zu ergründen. Er hatte nicht nur die Tochter des Pfarrers genotzüchtigt, sondern man ertappte ihn zuweilen beim Bücherlesen. Er unterzog sich dieser Qual freiwillig, ohne von einem Lehrer dazu genötigt zu sein. Und Stanislaus steigerte sich. Er zog sogar etwas Aufgeschriebenes aus dem Hemdlatz. Alle Lehrlinge konnten hören, daß es sich um ein Gedicht handelte, ein Ding wie aus dem Schullesebuch. Es war ein langes Gedicht. So lang wie das Lied von einem Glockenguß, das im Lesebuch kein Ende nehmen wollte und Prügel einbrachte. Stanislaus las und glühte, und zum Schluß hob er beschwörend die Hände. Das Packpapier, auf dem das Gedicht stand, fiel zur Erde wie ein welkes Baumblatt.

> ... Die werden sich wundern und glotzen,
> Die jetzt als Studierte protzen.
> Auch Jesus verfluchte die Schriftgelehrten
> Allesamt hier auf der harten Erden!

»Amen«, sagte einer der Lehrlinge, als Stanislaus sich setzte. Der Altgeselle sagte bewundernd: »Du könntest ein Gedicht für das Schaufenster schreiben. Wir backen jetzt Graham-Brot für Zuckerkranke. Man müßte es der Kundschaft anpreisen.«

Stanislaus wollte zusehen. »Zuckerkranke, fürchtet keine Not — bei Kluntsch gibt es jetzt Graham-Brot« — oder so ähnlich.

Der Altgeselle war nicht zufrieden. »Es ist nun so, daß Kluntsch tot ist. Es wird hier mehr in meinem Namen gewirtschaftet«, sagte er.

Das Gelage endete mit Liedern und einem Tanz. Mundmusik in allen Tonarten. Die Lehrlinge packten und drehten sich. Die Bäckerschürzen flogen im Tanzwind. »Mein Papagei frißt keine harten Eier« und »O Donna Clara ...«. Gezappel und Gekreisch, Saxophon und Stopftrompete. Jeder tat sein Bestes.

Ludmilla brachte den taumelnden Stanislaus zu Bett. Sie zeigte sich besorgt wie eine Mutter. Stanislaus kreiste stark um sich selber. Mit Schnaps und Bier wäre es noch hingegangen, aber der Tanz!

Auch Ludmilla hatte nicht mehr alle Gedanken beieinander, denn sie schleppte Stanislaus nicht in seine Kammer, sondern in ihr Stübchen.

Stanislaus setzte sich auf Ludmillas Reisekorb. Der Korb knisterte.

»Hier ist nicht meine Kammer, wie ich sehe.«

»Nein«, sagte Ludmilla, »aber du solltest mich ein wenig beschützen. Jetzt ist mir zwei Nächte die Leiche des Meisters erschienen. Es ist fast, als ob ich beim Begräbnis was versehen hätte.«

Gut, Stanislaus wollte auf dem Reisekorb sitzen bleiben. Die Leiche sollte nur erscheinen. Er suchte nach einem Knüppel. Er fand keinen und nahm Ludmillas Regenschirm. »Her mit der Leiche!« Stanislaus hatte ganz andere Leichen mit Hieben bedacht.

Noch ehe Ludmilla ins Bett schlüpfte, war Stanislaus auf dem Reisekorb eingeschlafen.

»Stanislaus! Stanislaus!«

Er schreckte auf. »Ist die Leiche hier?«

»Du wirst sie nie und nimmer zu packen kriegen, wenn du dort sitzen bleibst. Im meinem Bett war der Ort, wo sie erschien.«

»Hast du dich mit dem Meister eingelassen, Ludmilla?«

»Ein ganz klein wenig. Ich fand ihn so traurig. Es war die

Nacht vor seinem Tode. Er lag hier und weinte. Ich streichelte ihn. Er war dankbar. Was sollte ich anfangen?«

»Ja, ja, du bist gut gegen jedermann, Ludmilla.«

»Meine Mutter sagte, an mir sei eine Barmherzige Schwester verlorengegangen.«

»Bist du einmal in der Stube eines Pfarrers gewesen, Ludmilla?«

»Wie sollte ich?«

»Man geht hinein und sagt: ›Ich bitte um eine Unterredung!‹«

Die Nacht verging mit Hinundhergeschwätz. Gegen Morgen wurde Ludmilla ungeduldig. »Kurz und gut, ich habe jetzt ein Angebot bekommen. Es will mich einer heiraten. Er ist schon älter.«

»Hast du dich in der Zeitung ausgeboten?«

»Nein, so etwas geht nicht gut an. Meine Tante tat es. Sie erhielt einen Menschen zugeschickt, der war nur von außen ein Mann.«

»Dann war er wohl ein Zwitter?«

»Er sang schön und hoch wie eine Frau.«

Leeres Geschwätz, aber Ludmilla kam doch wieder auf ihr Anliegen. »Ich werde ihn vielleicht doch nehmen, den älteren. Die Jungen wissen nichts zu schätzen.«

»Da hast du recht. Du kannst den Alten am Ende die Treppen hinauf- und hinunterführen und tust ein gutes Werk nach dem anderen.«

Dieser Stanislaus war wirklich unbrauchbar für die Liebe. Es war sicher die reine Lüge, daß er eine Pfarrerstochter in Unehre gestürzt haben sollte.

Ludmilla schlief ein. Es ging auch ohne Leichenbeschützer. Stanislaus schlief ein und hielt fort und fort Ludmillas Schirm auf dem Schoß.

Der Altgeselle weckte die Lehrlinge. Er pochte auch an Stanislaus' Sonderkammer. Keine Antwort. Der Altgeselle besah sich die Kammer. Stanislaus war nicht im Bett. Weiß der Himmel, wo dieser Mensch und Dichter im Trunke eingeschlafen war!

Der Altgeselle klopfte auch an Ludmillas Tür; zunächst zart, dann etwas gröber. Zwei Stimmen riefen: »Ja!« Einmal Stanislaus, einmal Ludmilla. Der Altgeselle öffnete die Tür, nur einen Spalt breit. War er berechtigt dazu? Handelte es sich bei Stanislaus nicht um einen Gesellen, der tun und lassen konnte, was er wollte? Der Altgeselle sah Stanislaus mit Ludmillas Schirm auf dem Reisekorb sitzen. Er schloß die Tür wieder.

26 Stanislaus spricht mit einem Agenten Gottes und übt sich in Ergebenheit.

Stanislaus kaufte sich für seinen ersten Gesellenlohn eine neue Hose, zitronengelb mit Aufschlägen und modern in allen Stükken. Die neue Hose war nötig.

Am Sonntagnachmittag klingelte er im Pfarrhause. Die Köchin öffnete und prallte zurück. »Sie?«

»Ich bitte den Herrn Pfarrer um eine Unterredung.«

»Um Gottes willen, Sie sind hier angesehn wie die wilde Dogge vom Fleischer Heuchelmann«, flüsterte die Köchin.

Stanislaus blieb beharrlich bei seinem Vorhaben. »Ich brauche eine Auskunft.«

»Kommen Sie in einer Stunde! Der Herr Pfarrer erholt sich von seiner Predigt.«

»Danke.« Stanislaus verneigte sich.

»Gott mit Ihnen und Ihrem Vorhaben. Ich bin die letzten Tage hier«, sagte die Köchin.

»Haben Sie den Schiffer nicht wiedergesehn?«

»Ich habe ihn nicht gesehn.«

»Ja, Gott mit Ihnen.«

Stanislaus ging nach einer Stunde wieder zum Pfarrhaus. Die Frau Pfarrer öffnete. Der Hund Elias begrüßte ihn winselnd. Auf dem Gesicht der Pfarrersfrau mischten sich Ernst und Erstaunen. »Handelt es sich um eine kirchliche Angelegenheit?«

»Um eine sehr kirchliche Angelegenheit.«

»Kommen Sie in der Angelegenheit Ihres toten Meisters?«

»Nein, ich komme so mehr in einer toten Angelegenheit von mir.«

186

Stanislaus saß in der Diele der Gekreuzigten und wartete. Hier also hatte er mehr als einmal sein hüpfendes Herz gespürt. Einige von den Büchern auf dem Konsol hatte er gelesen. – Wildrosenduft zwischen den Buchblättern.

Er wurde in die Studierstube des Pfarrers gebeten. Der Pfarrer nestelte an seinem gestärkten Kragen und kam ihm schwarz und würdig entgegen. Er übersah Stanislaus' ausgestreckte Grußhand und verneigte sich nur ein wenig. Da verneigte sich auch Stanislaus.

Im Pfarrzimmer roch es nach alten Büchern und Heiligkeit. Der Pfarrer setzte sich in einen Lehnstuhl. Stanislaus ließ er stehen. Auch Jesus hatte auf dem Berg gesessen, und die da zu ihm kamen, standen umher.

»Es freut mich, Sie zu sehen, junger Freund.«

»Mich auch«, sagte Stanislaus.

Der Pfarrer bekam eine Stirnfalte. »Sie sind, wenn sich mein väterliches Herz nicht täuscht, gekommen, um Vergebung für Ihre Mißtat zu erlangen. Da aber reicht meine Hand nicht hin, junger Freund. Ich kann verzeihen als Vater einer geschändeten Tochter, aber die Sünde ... die Sünde ...« Der Pfarrer erhob sich und wurde rot im Gesicht. »Die Sünde kann nur Gott, der Herr, vergeben, sofern es ihm gefallen sollte.«

Stanislaus' frischer Mut trocknete unter dem heftigen Wind dieser Rede ein. Er druckste.

»Bitte?« sagte der Pfarrer fordernd.

»Ich habe nicht geschändet.«

»Was also?«

»Sie küßte mich, ich küßte sie.«

»Und sonst?«

»Nichts.«

»Sie haben nichts versucht ... ich meine, in einem Brief ist von einem Kinde die Rede, junger Freund.«

»Das war ... wir waren uns nicht einig ... ob man nach Küssen Kinder kriegt.«

Der Pfarrer drehte sich jäh um. Seine Schultern zuckten. Die schwarzen Knöpfe über den Rockschößen hüpften hin und her. Lachte oder weinte er? Er weinte wohl über die sündige Welt, denn als er sich umwandte, hielt er sich sein Taschentuch vor das hochrote Gesicht und streckte Stanislaus die Hand hin. »Machen wir es kurz, herzlieber Freund. Ich als Vater will Ihnen verzeihen. Was Gott, der Herr, tun wird, müssen wir leider seiner Gnade überlassen.«

Er nickte leise. Stanislaus sollte entlassen sein. Stanislaus blieb stehn.

»Noch etwas?«

Stanislaus zupfte an seiner neuen Hose. »Ich habe Nachrichten: Ich bin verboten für Marlen.«

Da war nun der Pfarrer schön in die Enge getrieben. Er haschte nach Eingebungen. »Die Freundschaft ... die Freundschaft ist geradezu wie ein Schmetterling, zumal bei jungen Mädchen. Sie sucht sich die anziehendsten Blumen.«

Stanislaus gab nicht nach. Ein kleiner Satan stand hier vor dem Pfarrer. »Ich war die Blume. Sie haben den Schmetterling heruntergescheucht.«

Der Pfarrer zerrupfte ein Zimmerlindenblatt. »Wenn es Gott gefällt, Freundschaft und Liebe meiner Tochter durch meine Hand zu leiten, wird er seine Gründe haben. Was wissen wir? Wir sind Werkzeuge.«

Stanislaus kletterte im Gezweig seiner Gedanken umher. Es trug ihn nicht mehr. Der Pfarrer kannte die Sekunden der Stummheit vor dem Zusammenbruch eines Ungläubigen. Ein Dank den himmlischen Wahrheiten! Sie wogen schwer. Er legte noch ein kleines Pfund drauf. »Ergebung ... Ergebung, junger Freund. Wer kann sich den Ratschlüssen des Herrn widersetzen, ohne Schaden an seiner Seele zu nehmen?«

So endete Stanislaus' Unterredung mit dem Vater seiner ersten Geliebten. Ergebung also!

Der Altgeselle sprach mit ihm: »Wie du weißt, bin ich hier der Treuhänder und verantwortlich für Einnahmen und Ausgaben. Ich muß die Ausgaben so klein halten, wie ich kann. Du bist Geselle, hast deinen Gesellenlohn zu fordern, wie es sich schickt. Du siehst: Feuer und Wasser.«

»Ich bin also übrig?« Stanislaus sagte es, so gottergeben er konnte.

»Zu meiner Zeit war jeder Ausgelernte froh, wenn er in die Welt gehen konnte. Überall bäckt man Brot, doch nicht auf die gleiche Weise.«

Gottergebenes Schweigen. Sollte Stanislaus aus dieser Stadt gehn, in die Marlen eines Tages zurückkehren würde? »Ich könnt noch ein Weilchen für Lehrlingsgeld arbeiten.«

Der Altgeselle wurde deutlicher: »Ich bin nicht nur für Einnahmen und Ausgaben in diesem Hause verantwortlich und treuhändig. Du, der du nun in deine wilderen Jahre eintrittst, ahnst nichts von der Verantwortung, die unsereinen trifft. Saßest du nicht eine Nacht lang bei Ludmilla und machtest ihr womöglich unzüchtige Anträge, heiße Angebote?«

»Es war wegen der Leiche«, sagte Stanislaus.

Der Altgeselle pustete den Mehlstaub aus seinen Armhaaren. »Kurz und gut, erst sind es Leichen und Nachtwachen, Dienste im Sinne der Nächstenliebe, auf einmal ist es ein Kind, und die Verantwortung fällt mit Riesenwucht auf meine Schultern.«

Schon wieder ein Kind? Stanislaus wurde es müde, dazustehn und sich für billige Wochenlöhne anzupreisen. Gott mußte ja wissen ... Bitte schön, sollte er als Herr im Himmel auch die Verantwortung übernehmen.

Nun zeigte der Altgeselle, daß er nicht der Schlechteste war. »Du kannst jederzeit noch das Gedicht über das Graham-Brot anfertigen. Es steht dir frei. Ich will auch nichts sagen, wenn es mehr als eine Woche dauert, denn es kann lang und soll ein Trost für alle Zuckerkranken sein. Man kann es von einem Maler mit Schlämmkreide ins Schaufenster schreiben lassen.«

Nein, Stanislaus wollte das Graham-Brot nicht bedichten. Er stieg zu seiner Kammer und packte seine Sachen in einen Malzkaffeekarton. Bevor er ging, schrieb er noch einen langen Brief an Marlen. Er ließ Marlen sein zerschrundenes Herz sehn und erinnerte sie an schöne Stunden und Versprechen. Ob sie ihn denn vernichten oder ins Ausland treiben wolle? »Ich warte ein Vierteljahr auf Antwort, dann aber werde ich für nichts einstehen!«

Auf dem Gang kam ihm Ludmilla entgegen. Sie preßte die linke Hand an die Stirn.

»Hast du Kopfweh, Ludmilla?«

»Kein Kopfweh, nein. Hat der Herr Treuhänder mit dir gesprochen?«

»Er hat mit mir gesprochen. Ich steh hier gottergeben, wie du mich siehst.«

Ludmilla preßte sich die Schläfe. »Es ist so, daß ich mich mit ihm verlobt habe. Wir werden hier wirtschaften und das Geschäft wieder zu Ehren und Ansehn bringen.«

Das war es also, und deshalb kam Ludmillas linke Hand nicht aus dem Gesicht: Ein Verlobungsring schimmerte daran. Stanislaus nahm auch das gottergeben zur Kenntnis. »Nun wirst du hier die Meisterin sein, und die Lehrlinge müssen dir die Waschmaschine drehn und die Schuhe putzen. Von mir hättest du das nicht erwarten können.«

»Jetzt kommst du mit deiner Eifersucht zu spät«, sagte Ludmilla traurig. »Es ist gut, daß du gehst. Ich könnte nicht für mich selber garantieren. Du hast mich zweimal gesehn, wie ich geboren und geschaffen bin. So etwas bleibt nicht ohne Wirkung. Nein, ich bin wirklich nicht sicher, ob ich dich nicht mehr liebe als ihn.«

Fort war Ludmilla. Stanislaus hörte nur noch das Klappern ihrer neuen Lackschuhe auf der Treppe.

---

27   Stanislaus geht auf Wanderschaft, wird auf Leberflecke abgeprüft und trifft einen verliebten Heiligen.

»Ein wandernder Bäckergeselle fragt um Arbeit.«

»Woher?«

»Von der Lehrstelle.«

»Wie lange ausgelernt?«

»Sechs Monate.«

»Soso. Hier drei Semmeln als Wegzehrung, Handwerksgruß!«

»Handwerksdank!«

Amen!

Die Nacht in einer Feldscheune. Muffiges Stroh und einen schmatzenden Igel als Nachtgefährten. Auch hier ließ es sich an Marlen denken. Wenn sie nur des Wegs kommen wollte! Diesmal würde von Stanislaus' Seite für den ersten Kuß gesorgt sein.

»Ergebenheit – Ergebenheit.« Die Stimme des Pfarrers und das Hinübersinken in einen dumpfen Schlaf.

Sieh da, der Löwenzahn blühte schon, und die Wiesen staunten mit tausend Augen in den Himmel. Stanislaus lag auf dem Rücken und starrte in die Wolken. Wohin wandern die Himmelsschafe? Zu Marlen. Dachtest du, zu Ludmilla?

Das Land wurde öder. Die Bäche versiegten. Nur noch dürres Gras an den Wegrändern. Die Baumblätter müde und staubig; am Horizont kein blauer Waldsaum, Fabrikschornsteine, entästeten Bäumen gleich. Schwarze Wolken – von Menschen gemacht – schwebten drüber.

Stanislaus fitzte sich durch ein Gedränge von Fabrikhallen und Häusern. Sausen in der Luft, Schachtsignale klirrten. Das Rattern von Baggern und das Kreischen der Grubenbahnen.

Ein langes Haus mit vielen Fenstern. Eine Bienenwabe aus Stein. Fünf Türen. Im Hauseingang Namen von Familien, auf Tafeln gedruckt. Die Menschen der Stadt wehrten sich gegen Verwechslungen.

Stanislaus las: »Koller, Sawatzki, Merla, Pöpelmann, Sauer, Wemmer, Leipe, Steil.« – Steil? Ja, Steil. So hieß wohl der Mann, den sich Schwester Elsbeth genommen hatte. Drei Treppen. Stanislaus pochte an eine Wohnungstür. Eine Frau öffnete. »Die Klingel ist in Ordnung, was läuten Sie nicht?«

Die Frau war blaß und hatte harte, dürre Hände. Am krummen Kleinfinger und am dünnen Spottlächeln erkannte Stanislaus seine Schwester Elsbeth. »Arbeitslos?« fragte sie.

»Ich ...«

»Versichert sind wir schon, wenn Sie deswegen kommen sollten.«

»Ich bin Ihr Bruder«, sagte Stanislaus.

Die Frau trat näher. Sie sah ihn an wie einen Gegenstand, der gekauft werden sollte. »Bruder? Welcher Bruder? Himmel, Gottchen!«

»Der Stanislaus.«

Die Frau breitete die Arme aus, doch sie fuhr gleich zurück. »Der Stanislaus?«

»Ja.«

»Zieh einen Strumpf aus!«

»Mein Fuß wird schmutzig sein.« Stanislaus zog gehorsam Schuh und Strumpf aus. Spöttisches Lächeln lichterte um Elsbeths Mund. »Es wird jetzt so viel Schwindel getrieben. Im Nachbarhaus ernährte man einen drei Wochen. Er gab sich für den Onkel aus. Er war arbeitslos, ausgehungert, kein Onkel.« Elsbeth griff nach Stanislaus' Fuß. »Ein Leberfleck mit drei Silberhaaren muß da sein. Am Knöchel. Hier sitzt keiner, aber du hast noch einen Fuß.«

Stanislaus mußte auch den anderen Schuh ausziehen.

Ein Mann stampfte die Treppe herauf. Stanislaus schämte sich. »Es ist mein Mann«, sagte Elsbeth. Sie besah Stanislaus' linken Fuß. »Da!«

Stanislaus hatte selber nichts von diesem Leberfleck gewußt. Die Schwester umarmte ihn. »Unser Stani!«

Der Mann lächelte fein. »Du ziehst hier Männer aus, wie?«

Bei den Steils brach ein großes Fest aus. Ein Bruder der Frau war gekommen, ein Abgesandter der Heimat. Vier Flaschen Bier wurden geholt. Zum Abendbrot wurden zwei Pfund Kartoffeln mehr gekocht und die Kinder noch einmal gescheitelt. Es gab einen siebenjährigen Neffen, und der nannte den achtzehnjährigen Stanislaus — Onkel. Zwei kleine Mädchen hüpften umher: Zwillinge — zwei kleine Elsbeths. »Zeig uns den Leberfleck mit den drei Silberhaaren, Onkel Stani!«

»Ja, der Onkel will sich nun die Füße waschen. Er ist weit gegangen. Wohnen die Schwalben noch im Ziegenstall? Hat der Artur geheiratet und Lehrer Klügler schon Kinder?« Fragen umflirrten den reisenden Bäckergesellen Stanislaus wie Fliegen.

192

Drei Tage blieb er bei den Steils. Die Kinder zerrten ihn hierhin und dahin. Er mußte mit ihnen an die Grubenteiche. Traurige Teiche ohne Baum, ohne Gras. Das dunkle Kohlenwasser schimmerte ölig. Sie warfen Steine in das träge Wasser. Wasserringe schwangen sich über den dunklen Spiegel und zerschellten am Kiesrand der ausgebeuteten Tagebaue.

An den Nachmittagen saß Stanislaus bei Elsbeth in der Küche. Elsbeth nähte und flickte. Es gab immer noch zu fragen. »Hast du schon eine, die du gern hast?«

Stanislaus kratzte sich vor Verlegenheit die Waden.

»Ich bin still und verlässig. Ich hab auch einen gehabt, wo ich noch keinen hab haben solln.«

»Ja, ja«, sagte Stanislaus und wußte nicht, wo beginnen.

»Ist sie eine Schöne oder eine solche, die kein anderer will?«

»Bald wie eine weiße Dahlie – so ist sie.«

»Ich habs mir gedacht. Verdient sie gut?«

»Sie ist mehr eine Gelehrte und fromm. Sie hat mich geküßt, und das sage ich nur dir.«

»Wenn sie eine Lehrerin ist, verdient sie gut. Du solltest sie nehmen. Du kommst nicht in Not, wenn du arbeitslos bist.«

»Nein, nein, es ist Liebe, mehr so richtige Liebe. Ich habe auch ein Gedicht für sie geschrieben, mehrere Gedichte eigentlich.«

Die Schwester legte ihr Flickzeug in den Schoß und stemmte die Hände in die Seiten. »Aber Glas frißt du nicht?«

In Stanislaus brachen alle Dämme. Er erzählte; erzählte von der Hypnose und seiner mißglückten Kreuzigung. Schwester Elsbeth konnte so schön staunen. »Um Gotts willn!«

Stanislaus erzählte von Marlen. Er berichtete, wie er sie das erstemal gesehen hatte und wie alles ausgegangen war. Er vergaß nicht, einen gewissen krummen Studenten zu erwähnen. »Du kannst mir glauben, daß ich ihn verprügeln werde, wenn ich ihn noch einmal treffe.« War das Gottergebenheit? Von seiner Abmachung mit Gott erzählte er übrigens seiner Schwester nichts.

Elsbeth wischte die bleiche Pfarrerstochter Marlen nicht mit abfälligen Worten aus Stanislaus' Herz. Sie hatte Verständnis. »Ich habe auch zuerst einen von der anderen Sorte geliebt. Ob er sich etwas aus mir machte, möcht ich bezweifeln. Gottlob, daß ich Reinhold fand!«

Stanislaus hatte Beweise, daß sich Marlen einmal etwas aus ihm gemacht hatte. »Sie schrieb mir aus dem Gefängnis.«

Aber die tüchtige Elsbeth hatte sich vorgenommen, diesem kleinen Bruder ein wenig die Augen zu öffnen. »Reinhold sagt, die Klassen sind es.«

»Wie?«

»Sie passen nicht immer zusammen. Bei meiner ersten Liebe wars so, und bei dir wirds nicht viel anders gewesen sein. Jeder Mensch ist eine Klasse. Der Reinhold könnt dir das besser sagen.«

Nein, Stanislaus konnte nicht finden, daß Rassen und Klassen an seinem Mißgeschick in der Liebe schuld waren. Ein Pfarrer und ein dumm-krummer Student hatten sich zwischen ihn und Marlen geschoben. Nach den Worten des Pfarrers aber hatte Gott, dieser unsichtbare Mensch im Himmel, alles zuschanden werden lassen.

Stanislaus sah, daß Reinhold ein umgänglicher Mensch und Schwager war.

»Elsbeth wäre froh und lustig, wenn du bei uns bliebst. Platz hätten wir. Ich schlaf auf dem Lumpensack so fein wie im Bett. Aber was hilfts?«

Reinhold war bei den Bäckern der Stadt umhergegangen, um Stanislaus anzubringen. Vergeblich. Ja, da sollte Stanislaus nach Reinholds Meinung lieber ein wenig wandern und sich etwas ansehen. Reinhold schlug mit der Faust gegen das Vertiko. »Ich sollt kein walzender Bäckergeselle sein. Einen Streik würd ich unter Lehrlingen und Gesellen organisieren! Eisernen Streik! Auf Knien sollten die Meister um Hilfskräfte betteln. Und meine Forderung? Gesellen in die Betriebe! Schluß mit der Lehrlings-ausbeutung!«

Merkwürdige Dinge, die Stanislaus von seinem Schwager zu hören bekam! Reinhold rechnete wahrhaftig aus, was ein Meister an einem Lehrling verdiente. Bisher hatte Stanislaus nur vernommen, daß Lehrlinge den Meistern nichts als Schaden und Unkosten bereiteten. – Aber was sollte er mit derlei Weisheiten? Kam er durch sie Marlen ein Stückchen näher? Nicht einmal denken.

Eines Morgens sah Stanislaus Elsbeth die Familiengeldtasche umstülpen. Ein wenig Kleingeld rollte heraus. Ein Seufzer flog hinterher: »Zeit, daß Freitag wird, und erst Mittwoch heut!« Es war kein Bleiben mehr. Stanislaus mußte weiter.

Die kleinen Mädchen brachten den Onkel ein paar Straßenzüge weit. Sie hatten sich von der Mutter saubere Taschentücher zum Winken geben lassen. Die Mutter winkte müdhändig aus dem Fenster. Stanislaus sah noch einmal den einen der kleinen Krummfinger, jenes Zeichen, an dem er seine Schwester Elsbeth wiedererkannt hatte. »Und wenn du wiederkommst, Onkel Stani, bringst du uns eine Ziege aus der Welt mit, eine ganz kleine Ziege. Sie kann leicht in der Speisekammer schlafen.«

»Ach, ihr putzwunderlichen Mädchen, ihr!« Stanislaus nahm sie nacheinander auf den Arm und küßte sie scheu. Sicher war er sich nicht, ob er damit Marlen nicht untreu wurde.

Stadt und Kohlengebiet blieben zurück. Der Himmel wurde wieder hoch und blau. Und hinter dieser blauen Himmelshaut saß Gott und trieb es nicht gerade sehr vernünftig mit den Menschen.

Gott saß vielleicht auf einer blauen Wiese und spielte mit den Menschen wie Kinder mit Marienkäfern. Er läßt einen Marienkäfer an einem ausgerauften Grashalm emporklimmen. Wenn der Käfer die Halmspitze erreicht hat, dreht Gott den Grashalm um. Dem Käfer wird unten, was ihm zuvor oben war. Er kriecht aufs neue hoch, um dort seine Flügel zu breiten und abzufliegen. Wieder dreht Gott den Halm um, und er tut es so lange, bis der Käfer müde wird und auf halbem Halme sitzen bleibt. Gott wirft den Käfer fort. Er nimmt sich einen neuen und setzt den in einen Tautropfen. Stanislaus hätte gern gewußt, ob er der Mensch war, der an einem Grashalm kletterte, oder ob er der war, der durch die Höhlung von Gottes geschlossener Hand kroch.

Stanislaus hatte Zeit. Er konnte gut ein Gedicht über Gott und die Marienkäfer machen. Er schrieb mit einem Bleistiftstummel auf das Papier, in das Elsbeth seine Wanderbrote gepackt hatte.

> Ich wandre durch die Höhle,
> Und sie ist Gottes Hand.
> Der Schmutz an seiner großen Hand
> ist für mich kleinen Käfer Land.
>
> Die Finsternis in seiner Faust
> ist meine tiefe Dunkelheit.
> Ich muß heraus auf seinen Daumen gehn,
> Da sitzt vielleicht Marlen ...

Stanislaus öffnete die Türen vieler Bäckerläden. Ladenglocken zeigten an, daß er gekommen war. Eine machte »bimm«, die andere »bimm-bamm«, wieder eine andere spielte fast einen Choral: »ging-gong, gung-gang«, und es gab solche, die schrillten wie Weckerglocken oder tönten wie Kuhschellen. All diese Glocken riefen weißbeschürzte Verkäufer und Verkäuferinnen aus Backstuben oder Küchen. »Kundschaft im Laden!«

Stanislaus fragte nicht mehr um Arbeit. Er war noch nicht nah genug an der Stadt, in der er Marlen im Gefängnis wußte.

»Handwerksgruß!«

»Und?«

»Ein wandernder Bäckergeselle bittet um Unterstützung.«

»Unterstützung? Nein. Arbeit ja.«

Stanislaus wurde überrumpelt. Er vergaß Marlen und sagte ja. Er wurde in die Backstube geführt. Ein kleiner glatzköpfiger Meister mit einem Mund voll Goldzähne empfing ihn. »Denn man ran! Hände waschen! Schürze um! Brotteig abwiegen!« Der Meister tappelte davon. In der Tür drehte er sich um. Seine Goldzähne funkelten. »Papiere erst in drei Tagen. Du läufst am Ende heute abend weg. Ich hab nur Schreibereien. Man kennt die Kunden. Über Lohn am Sonnabend!«

Stanislaus wog Brotteig ab. Aus der Mehlkammer kam ein Geselle. Dem Gesellen quoll schwarzes Lockenhaar aus der weißen Kappe. Sein Gesicht war braun, nicht bäckerbleich. Er trug ein ausrasiertes Bärtchen. Seine Augen funkelten. Er musterte Stanislaus, kniff ein Auge zu und nickte. »Wie hast du dich hierher verlaufen, hübsches Bürschchen?«

Stanislaus gab spärliche Auskunft.

Die Tage vergingen. Stanislaus hockte wieder in einer Dachkammer.

»Fürs erste«, sagte der Meister, und seine Goldzähne blitzten. »Erst feststelln, ob du Läuse mitgebracht hast. Man kennt die Kunden!«

Es regnete. Trübes Regenwasser tropfte durch die Dachziegelspalten. Die Kerze verlöschte zischend. Stanislaus hatte zwei Abende zu tun, das undichte Dach mit Teigresten auszubessern. Danach war die Dachkammer schon nicht mehr eine so elende Behausung. Stanislaus hatte daran gearbeitet, sie trug Spuren seiner Hände. »Jetzt kannst du nicht rein, wie?« sagte er zum Regen, der aufs Dach tropfte. Eine Windbö antwortete: »Juu, juu!« Der Regen tropfte eifriger. Stanislaus kuschelte sich wie ein Vogel im Nest.

Er konnte sich nicht immer mit dem Regen unterhalten. Es kamen Tage ohne Regen, und er zimmerte sich im Hof ein kleines Brettchen für seine drei Bücher. Das Brettchen geriet ihm sehr breit. Die drei Bücher nahmen sich einsam darauf aus.

Als auch das getan war, schrieb er einen Brief an Ludmilla: »Ich, Stanislaus Büdner, gedenke in der Ferne Deiner. Nicht zuviel, aber ab und zu, weil Du freundlich gegen mich warst. Es ist kein Groll gegen Dich in meinem Herzen, auch wenn Du jetzt ein Meisterweib bist. Die Wege der Menschen sind unerforschlich.

Sollte ein Brief dort für mich ankommen, so weißt Du wenigstens, wo ich jetzt wohne, und kannst es dem Postboten sagen ...«

Er wartete und maß die Zeit an seinen ersparten Zehn-Mark-Wochenlöhnen.

Der schwarze Geselle war ein guter Mensch. Er schenkte Stanislaus leichte Schuhe für die Backstube. »Du sollst nicht mit groben Schuhen hier einhertrampeln, entschuldige.« Er zog

197

Stanislaus die geschenkten Schuhe eigenhändig an. Sie paßten. »Ich wußte, daß sie passen würden, ich wußte es!« Der schwarze Geselle streichelte Stanislaus liebevoll die nackten Waden.

In der vierten Woche teilte der Meister mit, daß Stanislaus für sieben Mark und fünfzig die Woche arbeiten müsse. »Erstens bist du Anfänger, zweitens Kost, drittens Logis, viertens Wäsche – alles teuer heutzutage.« Goldenes Lächeln.

Stanislaus dachte an seinen Schwager. Der Reinhold hätte jetzt losgestreikt. Stanislaus aber wollte ein bißchen bleiben, auf einen Brief warten und dann weiter zu Marlen wandern, oder dachtest du, zu irgendeiner?

Es ließ sich aushalten. Der schwarze Geselle war lieb wie ein Bruder. Sie aßen zusammen in der Backstube. Das Mädchen brachte ihnen die Mahlzeiten. Sie fegten einen Teil der Beute ab. Stanislaus schaute auf die mageren Hühner im lichtlosen Bäckerhof und warf ihnen ab und an Brotbrocken durch das geöffnete Fenster. Guido trieb wohltätige Zaubereien. Es wanderte ein Zipfel Wurst von seinem auf Stanislaus' Teller. Guidos Augen glänzten. Er streichelte Stanislaus mit warmer Hand. »Iß du nur, deine Schenkel sind, seh ich, so mager!«

Guido und Stanislaus spazierten durch die Straßen und redeten von Gott. Es war Stanislaus, der die Rede auf den Himmelskönig gebracht hatte.

»Wirst du lange hierbleiben?« fragte Guido.

»Wie Gott will.«

Guido lächelte fein und abwartend. »Gott will vielleicht, daß du hierbleibst.«

»Man muß sich ihm ergeben, und alles wird, wie er will.«

Guidos Lächeln bekam einen Zug von List. »Da magst du recht haben. Er weiß am besten, was er von uns will.« Guidos Augen funkelten. »Er will, daß man die Menschen liebt, jawohl. Man muß für Liebe ins Gefängnis gehn!«

Stanislaus lief schneller. Die warme Sanftheit seines Freundes war ihm unangenehm. Er schob Guidos Arm von sich. »Man kann, glaube ich, nicht alle Menschen lieben«, sagte er. »Ich hätte zum Beispiel einen gewissen Studenten mit einem Spazierstock nie im Leben lieben können.«

Stanislaus saß in seiner Kammer und schrieb einen Brief. An Marlen natürlich, oder dachtest du, an Sophie, die er einmal hypnotisiert hatte? Zerrissene Briefblätter lagen auf den Dielen. Die Holzwürmer tickten im Gebälk. Ein lauer Wind strich um die Dachluke. Stanislaus' Feder ritzelte, und er ächzte beim Formen der Buchstaben und Sätze. Da war eine Briefstelle, an der er sich mit dem krummen Studenten – Marlens neuem Geliebten – verglich. Er pfiff durch die Zähne, hob den Kopf und starrte auf einen Wandbalken. War er nun wirklich so gelehrt in allen Stücken wie dieser Spazierstockaffe? Er hatte einige Schriften von Marlen geliehen und gelesen, aber es gab sicher mehr Bücher, die zu lesen waren; es gab ganze Läden voll davon. So wie er jetzt gestellt war, mlt dreißig Mark gespartem Wochenlohn, konnte er vielleicht einfach einen Viertelzentner Bücher kaufen und verarbeiten.

Guido hielt sich lieb. Jetzt hatte er ein buntes Oberhemd besorgt. Er überfiel Stanislaus damit. Ein Überfall voll Menschenliebe! Er zog Stanislaus das verschwitzte Bäckerhemd aus. Er betastete Stanislaus' Hals, strich über seine Hüften und murmelte zitternd: »Es wird passen! Es wird passen!« Er zog Stanislaus das neue Hemd über, stopfte es ihm in die Hosen, und seine Augen weiteten sich vor Verzückung. »Ich könnt dich küssen!« Er küßte Stanislaus auf die Wange. Stanislaus empfand den Kuß wie einen Biß. Guido fiel auf die Knie, faltete die Hände und sah zur abgeblätterten Backstubendecke auf. »Vater, ach Vater, verschon mich mit der Unbändigkeit der Liebe! Prüf mich, doch laß mich nicht stürzen und straucheln!«

Stanislaus betrachtete den ringenden Guido, dieses Schoßkind Gottes.

Guido sprang auf, riß sich die Bäckermütze vom Kopf, schüttelte sich und schrie: »Er hört mich nicht! Ich fühl ihn nicht!« Nun riß er sich auch noch die Jacke vom Leib. Seine behaarte Brust ging wie ein Blasebalg auf und nieder, er rannte zur Tür, breitete die Arme aus, verdrehte die Augen, ächzte: »Ich liebe!«

Dann rannte er auf den Hof und benetzte sich die Brust unter der Hofpumpe.

Stanislaus machte sich nachdenklich daran, den Sauerteig vorzubereiten. Es war ihm, als müßte er aus dem Hemd von Guido herausplatzen.

28

Stanislaus schreibt letztmals an die bleiche Heilige. Er studiert die Liebe, aber das Leben spottet seiner Bücherweisheit.

Der Buchhändler schaute sich den zögernden Kunden an. »Für wieviel?«

»Für fünfundzwanzig Mark Bücher.«

»Und woran hatten Sie gedacht? Welche Bücher sollen es sein?«

»Gelehrte.«

»Naturwissenschaft?«

»Für fünfundzwanzig Mark im ganzen.«

»Haben Sie Vorkenntnisse auf einem bestimmten Gebiet?«

»Fünf Mark habe ich behalten für Porto und so. Sonst hätte ich glatt für dreißig Mark Bücher kaufen können.«

Der Buchhändler schob sich den Kneifer zurecht. »Vielleicht wollen Sie sich mit der Grundlage einiger Wissenszweige vertraut machen?«

»Ich habe schon Bücher über Engel und die Macht des Bösen gelesen und bin durch die Gemächer des Himmels gegangen.«

»Soso! Und die Erde? Jetzt werden Sie sich vielleicht auf der Erde umsehn?«

»Das will ich«, sagte Stanislaus. »Haben Sie ein Hypnosebuch für Fortgeschrittene?«

Der Buchhändler verkniff den Husch eines Lächelns. Er griff unter den Ladentisch. »Ich habe hier eine ausgezeichnete Einführung in die Liebeskunst, ein Werk für den Selbstunterricht, und würde es Ihnen für zwölf Mark und fünfzig ablassen. Es ist ein wenig angeschmutzt. Ich hatte es in der Auslage.«

»Mein Bücherbrett muß voll werden. Es soll gelehrt bei mir aussehn.«

»Natürlich. Für den Rest von zwölf Mark und fünfzig nehmen Sie selbstverständlich billigere Bücher. Etwa Romane über die moderne Liebe?«

Liebe? Stanislaus hatte es in diesem Wissenszweig noch nicht allzuweit gebracht. Der Buchhändler lachte jetzt unverschämt. »Hier! ›Die Kunst der glücklichen Liebe‹, von einem amerikanischen Fachmann und Professor geschrieben. Das Beste in dieser Richtung im Augenblick auf dem Markt.«

»Bitte«, sagte Stanislaus und machte eine kleine Verbeugung vor dem Buch. Ein buntes Liebespaar lächelte ihn vom Buchdeckel an.

Stanislaus ging mit seinem Bücherpaket durch die Küche. Der Meister stocherte mit einem angespitzten Streichholz in seinen Goldzähnen. »Was bringst du da geschleppt?«

»Einige gelehrte Bücher.«

»Ist ein Buch über billige Rezepte und butterlosen Kuchen dabei? Über künstliches Eigelb?«

»Nein, es handelt sich um höhere Gelehrtheit für Studenten.«

Der Meister warf den Zahnstocher weg. Er betrachtete das Bücherpaket und beklopfte es mit der flachen Hand. »Das heißt, ich muß dir jetzt mehr für Licht abziehn. Du wirst am Ende eine Menge Licht vermanschen ...«

Guido war in letzter Zeit ruhig und in sich gekehrt. Es schien, als hätte sich der Herr in seiner Seele ausgebreitet und niedergelassen.

Das Hausmädchen brachte den Gesellen das Abendbrot. Es war rotwangig, lustig, hatte versteckte Liebaugen und versuchte dies und das, um mit den Burschen ins Plaudern zu kommen. »Hier ist nun wieder Brathering und extra feine Sachen für euch, ihr verschimmelten Mehlhasen!«

Guido knurrte und spuckte verächtlich gegen das Kanonenöfchen. Stanislaus schwieg. Das Mädchen stieß ihn leise mit der Hüfte. »Hast wohl ein Schloß an deinem Semmelmund? Schreib auch mir einen Brief, nicht immer dieser Marlen. Ich würde dir schon antworten.« – Stanislaus fuhr auf: »Du hast in meinem Karton gekramt.«

»Hab ich nötig!« Das Mädchen wiegte und drehte sich tänzelnd. »Läßt den Brief im Bett liegen, daß ich denken muß, für mich ist er. Schreibst ihr Gedichte auf, geht wohl noch in die Schule, das Ding?«

Stanislaus fuchtelte mit dem Brotmesser. »Ich erstech dich, wie du gehst und stehst!«

»Du nicht, Bäckerzwerg!« Hinaus war das Mädchen.

Guido tadelte Stanislaus. »Das will Gott nicht!«

»Einen Spaß wird er wohl wollen. Ich hätte sie vielleicht nur ein wenig gekitzelt.«

Guido spuckte wieder aus. »Sie stinkt!«

»Stinkt sie?«

»Alle Frauen stinken. Sie haben gewisse Öffnungen.«

»Nein, ich kannte eine, die roch nach wilden Rosen, immerzu nach wilden Rosen. Alles, was sie anfaßte, sogar ihre Bücher, dufteten danach«, sagte Stanislaus.

»Sie duften oben, jawohl, aber komm ihnen näher, brrr!« Guido schüttelte sich.

Stanislaus antwortete nicht mehr. Er hatte Ludmilla nackt und blank gesehen wie eine junge Kastanienfrucht ... War das nicht nahe genug? Nun, er würde es bald erfahren! Er hatte jetzt gelehrte Bücher über die Liebe und war auf dem besten Wege, in alles einzudringen.

Wie lange mußte man Gott ergeben und zu Willen sein, bis man bekam, was man wollte? Stanislaus vermochte sich diese Frage nicht zu beantworten. Wieviel Zentner Mehl mußten demütig verbacken werden? Er fragte Guido. Guido runzelte die Stirn und zupfte an seinem Bärtchen. »Du mußt Gott immer ergeben sein, ob du an dein Ziel kommst oder nicht. Kommst du nicht an, so war dein Ziel eben dein Ziel, nicht sein Ziel.«

»Du lieber Himmel!«

»Es ist schwer! Es ist sehr schwer! Die meisten brechen zusammen.«

»Und du?«

202

»Ich warte. – Übrigens – hat sie dich wieder belästigt und berührt?«

»Wer?«

»Diese stinkende Alma?«

»Sie kneift manchmal ein Auge zu, wenn sie mir begegnet.«

»Ich werde ihr dieses Auge ausstechen. Sie hat dich nicht so anzusehn.«

»Wirst du es ihr auf Gottes Geheiß ausstechen?«

Das also war Stanislaus' letzter Brief an Marlen: Es war ein dicker Brief, und kein Briefträger würde sich mit ihm befaßt haben, wenn Stanislaus nicht Doppelporto geklebt hätte. Ein fordernder, ein energischer Brief und eine große Versuchung Gottes. Alle Tage konnte die große Strafe über Stanislaus hereinbrechen. Er vermied, dem Riemen der Teigmaschine zu nahe zu kommen. Den zerbrochenen Lichtschalter im Kohlenkeller bediente er nur, wenn er die Bäckermütze über seine Hand gehüllt hatte. So einfach sollte Gott es nicht haben, ihn zu bestrafen. Mal sehn, was der Herr sich ausdachte!

»Jetzt bin auch ich unter die Studenten gegangen. Keine Angst, ich werde die Gelehrtheit nicht wie in einem Rucksack auf dem Buckel schleppen und krumm sein!« Solche Hoffärtigkeiten trug Stanislaus' Brief zu Marlen. Aber er barg auch Gedichte für diese weiße Dahlie. Zärtliche und müde Gedichte. Wer Augen hat zu lesen, der lese! In dem Brief war außerdem die große Unterredung erwähnt, die zwischen ihm und Marlens Vater stattgefunden hatte. »Ich habe um Deine Hand angehalten. Er hat sie mir nicht gegeben, aber ich werde sie mir nehmen, wenn sie in meine Nähe kommt. Das hängt nun ganz von Dir ab, bitte.« Der Brief verriet übrigens, daß Stanislaus einige alte Rechnungen und Mahnschreiben aus den Geschäftspapieren des Meisters nicht ohne Gewinn studiert hatte. »Sollte ich binnen acht Tagen ...« Stanislaus strich die Acht durch und schrieb eine Vierzehn hin. »Sollte ich binnen vierzehn Tagen noch ohne eine entsprechende Antwort von Ihnen ...« Stanislaus strich das »Ihnen« durch und schrieb ein »Dir« hin. »Sollte ich binnen vierzehn Tagen noch ohne Antwort von Dir sein, sehe ich mich leider gezwungen, zu Maßnahmen zu greifen, die im Interesse des beiderseitigen Geschäftsverkehrs nicht wünschenswert erscheinen. Hochachtungsvolle Küsse und tausend Grüße, Dein ergebenster Stanislaus Büdner, Student der höheren Wissenschaften.«

Nun war alles gesagt und eingeleitet. Stanislaus stürzte sich auf die Wissenschaft. Er wollte Marlens Antwort nicht ohne eine entsprechende Aussteuer an Gelehrtheit empfangen.

Sein Studium begann er in einem Buche, das ihn besonders anzog: »Auf den verschlungenen Pfaden der Liebe.« Es handelte sich um ein Romanbuch, und der untere Teil des Schutzumschlages zeigte zwei Männerköpfe. Über den Köpfen der Männer schwebte zwischen Wolken und Sternen ein Mädchenkopf. Der eine Mann rauchte übrigens eine Pfeife, und der andere trug einen Kneifer. Als Stanislaus eine Weile in dem Buche gelesen hatte, wunderte er sich: Merkwürdige Verhältnisse! Alfons, der Mann mit der Tabakspfeife, war ein echter Baron mit Rennpferden. Jon aber, der eigentlich Johann hieß, war Geschäftsführer in einem Blumenladen. Tilda, mit Taufnamen Mathilde, war Verkäuferin in diesem Blumenladen und war das hübscheste Mädchen, das die Sonne jemals beschienen hatte. Das erklärte ihr Alfons, der Baron. – Und wie stands mit der Gottergebenheit in diesem Buche? Der Baron Alfons pfiff auf Gott. Obwohl er sah, daß dieses Blumenmädchen Tilda mit Jon, dem Geschäftsführer, verlobt war, überschüttete er sie mit verfänglichen Anträgen. »Hier verkaufen Sie nun Rosen, Veilchen und alle Unkräuter der Welt, zerstechen sich die schönen Hände und altern vorzeitig. Bei Ihrer Schönheit dürften Sie verlangen, daß man Ihnen Rosen in den Schoß legt.« Die Worte des Barons Alfons schmeckten Tilda süß wie himmlischer Honig. Der wortkarge Jon mit dem Kneifer gefiel ihr bald nicht mehr. Sie begann, sich dem Baron zuzuneigen.

Hier konnte Stanislaus also lernen, wie alles gemacht und betrieben werden mußte, und er kaufte sich am nächsten Sonnabend eine Tabakspfeife. Er nahm nicht die erste beste, sondern eine mit langem Stiel, die man zwischen zwei Fingern wie in einer Gabel halten mußte. In der Backstube probierte er

204

sie aus. Zunächst versuchte er, den blauen Rauch gelassen und überlegen in kleinen Wölkchen durch die Lippen zu pressen. Immer wieder einmal schaute er sich dabei das Bild vom Baron Alfons an.

Die halbe Schlacht war schier gewonnen. Stanislaus benötigte eigentlich nur noch ein Bärtchen. Er starrte in seinen Taschenspiegel wie früher, als er den Zentralen Blick erlernt hatte. Der Zuwachs auf seiner Oberlippe war nicht sehr ermunternd. Er zupfte mit Daumen und Zeigefinger an den einsamen Haaren. Sie waren schweinsblond und flaumig ...

Guido kam in die Backstube. Seine Nase wurde faltig. »Rauchst du jetzt?«

Stanislaus entließ gerade mächtige Wolken aus seinem Munde und hüstelte vornehm.

»Du solltest deinen jungen Mund nicht mit häßlichen Räuchereien traktieren. Dein Atem muß rein sein!«

Stanislaus sog und paffte vorschriftsmäßig weiter. Guido wurde eindringlicher: »Gott haßt alle Wolken zwischen sich und seinen Jüngern.«

Es blieb Stanislaus nicht mehr viel Zeit zu prüfen, ob Guido damit recht hatte. Er fühlte den Drang, kräftig auszuspucken, und besorgte das in einer Ecke des Hofes. Das aber mußte wohl ertragen werden, oder hatte er zu schlechten Tabak gekauft? Hatte Gott nun endlich einen Weg gefunden, ihn für gewisse Hoffärtigkeiten zu bestrafen? Er legte sich. Die Kammer kreiste um sein Bett. Gott brachte alle Dinge ins Wanken. Stanislaus steckte die Pfeife in seinen Karton, denn ihr Anblick lockte neue Übelkeit aus ihm hervor.

Die Wartezeit schlich dahin, und wieder sollte Stanislaus ein gutes Werk Guidos zu spüren bekommen. Der Meister sagte: »Dieser Guido liegt mir in den Ohren; du sollst dein Bett nun in seiner Stube aufschlagen. Läuse hast du wohl keine, wie?«

»Nicht einen Floh.«

»Die Sache ist die: Du hast dort elektrisches Licht. Ich muß dir einen Fünfziger mehr pro Woche abziehn, aber dein Vorteil wird sein, daß du jeden Tag gelehrter wirst.« Die Goldzähne des Meisters blinkten.

Stanislaus' Studium blieb in der Tat nicht ohne Einfluß auf seinen weiteren Weg. Er kam zu der Einsicht, daß er unmöglich hier bei diesem geizgebeizten Meister herumhocken und warten konnte, bis es irgendeinem Briefträger einfallen würde, ihm Nachricht von Marlen zu bringen. Er mußte in die Schlacht der Liebe marschieren und seinen Teil an Abenteuern bestehn. Das ging schlankweg aus allen Büchern hervor, die er bis nun studiert hatte. Es waren ausschließlich Bücher über die moderne Liebe und mindestens fünf Stück ...

Als er den ersten Abend in Guidos Stube lag, wälzte sich Stanislaus' Gefährte unruhig auf seinem Lager. Er seufzte, griff nach Stanislaus' Büchern und schaute sich die Titel an. Seine Stimme wurde vorwurfsvoll. »Du befindest dich auf Unkrautpfaden.«

Stanislaus hatte die Augen geschlossen, dachte nach und antwortete nicht. Es stand für ihn fest, daß man die Liebe keineswegs erwarten konnte wie ein Baum am Wege den Wind. Man mußte ihr entgegengehn.

Guido fand keine Ruhe. »Habe ich mich damals verhört, oder ist es wirklich so, daß du einem Mädchen schreibst?«

»Ich schreibe.«

»Und du weißt kein bißchen, daß Briefe an Weiber eigenwillige Erzeugnisse sind? Wie willst du mit Gott darüber ins reine kommen?«

Stanislaus fühlte sich stark. Das Buch auf seiner Bettdecke gab ihm Kraft. »Wir werden schwer handelseins, Gott, der Herr, und ich.«

Guidos Augen wurden sehr, sehr traurig. Ein verirrter Nachtfalter flatterte um die elektrische Glühbirne. Guido warf seine Bäckermütze nach ihm und sagte: »Ich habe einen Sünder in meine Stube gebeten. Fraglich, ob Gott mir das verzeiht.«

Stanislaus antwortete stark und männlich: »Man muß mit Gott kämpfen, wenn man zu seinem Recht kommen will.«

Guido sprang aus dem Bett. »Das ertrag ich nicht. Das fährt mir wie Rheuma in die Seele!« Er riß sich das Hemd herunter, kniete nieder und begann, inbrünstig zu beten: »Vater im Himmel, du prüfst mich. Gib, daß ich nicht schwach werde und fehle, denn siehe, die Liebe zu den Menschen droht mich zu übermannen.«

Stanislaus verstand nicht alles, was Guido murmelte. Was sollte diese übertriebene Nacktheit? Sollte Gott nicht imstande sein, Sünder durch ein gewöhnliches Barchenthemd zu erkennen? Guido sah zur Decke und schielte zu Stanislaus hinüber. Ein Meister des Doppelblicks, dieser Mensch! Siehe, jetzt sprang er auf und stürzte sich auf seinen Mitgesellen. Er riß Stanislaus' Bettdecke herunter. »Bete, bete mit mir, ich schaffs nicht allein! Die Verführung ist groß, der Mensch ist klein!«

Noch ehe Stanislaus sein Buch aus der Hand legen konnte, riß ihm Guido das Hemd herunter. Der so überrumpelte Student der Liebe sprang wahrhaftig aus dem Bett und kniete nieder.

»Flehe!« befahl Guido. »Flehe ihn an, denn du bist es, der mich zu dieser zausenden Liebe verführt!« Er rückte, auf den Knien rutschend, dichter zu Stanislaus. »Nein, nein, nein! Du mußt dich ihm flehender nähern. Unsere Rufe erreichen ihn noch getrennt!«

Ekel kroch in Stanislaus hoch. Er spürte Guidos haarige Brust an seinem Rücken. Scheußlich, dieser rasende Knecht Gottes!

»Wir müssen vereinigt sein. Wir müssen! Wir müssen!« War Guido verrückt geworden? Stanislaos sprang auf, stieß das ächzende Untier zurück und prellte zur Tür. Sie war verschlossen. Den Schlüssel hatte Guido. Was fiel diesem Heuchler ein? Stanislaus rannte zum Fenster, Guido kam ihm zuvor. Das also war die Strafe, die Gott sich für Stanislaus ausgedacht hatte! Er mußte den Kampf mit Guido und Gott zugleich aufnehmen. Er warf sich gegen die Tür, trat mit dem bloßen Fuß in die Füllung. Gepolter, Gesplitter und ein Loch! Stanislaus entschlüpfte.

Da hatte Stanislaus nun seine gelehrten Bücher über die Liebe! Kein Wort stand darin von der Abscheulichkeit, mit der ihm Guido gekommen war. Dieser Guido! Er blieb am anderen Morgen im Bett liegen und gab dem Meister Bescheid, er sei krank. Stanislaus kaufte sich einen Rucksack für seine Wäsche, ein Köfferchen für seine Bücher.

»Du hast nicht gekündigt. Du gehst ohne Sang und Dank. Ich bin gezwungen, deinen fälligen Wochenlohn als Schadenersatz einzubehalten«, sagte der Meister.

»Behalten Sie ein!« — Oh, du blitzendes Goldmaul!

»Wollt dir der Guido was?«

»Er ist ein Vieh!«

»Ich hätt dir das sagen solln: Er war im Gefängnis. Hast du das Heißblut versohlt? Ist er davon krank?«

»Er ist ein Schwein!« Stanislaus wischte sich die Augen mit dem Jackenzipfel.

»Ein armes Schwein, ja, aber beständig und billig.«

Stanislaus packte, so schnell er konnte. Das geschenkte Hemd und die Schuhe von Guido ließ er auf seiner Bettstatt liegen. Guido tat, als ob er schliefe. Er hatte sich zur Wand gedreht. Sein Hinterteil ragte abgedeckt aus dem Bett.

Unten fing der Meister Stanislaus ab. »Mit Wegzehr ist nichts. Fragst du, was aus mir wird?«

Stanislaus vermied, dem goldenen Lächler die Hand zu reichen. Er stellte sich vor, wie sich Baron Alfons in seiner Lage benommen hätte: Verbeugung, verbindliches Lächeln, laßts euch gut gehn auf allen Wegen!

»Hör, Freund!« Der Meister packte Stanislaus. »Du hast, wenn mir recht ist, in deiner Wut eine Tür zertrümmert. Drei Mark für die Reparatur, sonst hetz ich dir die Polizei auf die Hacken!« Stanislaus ließ sich sein Reisegeld rupfen.

---

29 Stanislaus wird eines menschlichen Schmetterlings ansichtig und tritt den Geist der Ergebung mit Füßen.

Das Glück ist wie der Vogel Pirol. Der Mensch lauscht seinem süßen Flötenton, aber dann will er den Sänger sehn. Er geht auf Zehenspitzen, hält den Atem an und späht – doch sein Auge findet den lieblichen Vogel nicht im Gewirr des Gezweiges.

Einen anderen Tag geht der Mensch ohne Neugier und Wunsch dahin, und vor ihm auf dem untersten Zweig eines Baumes putzt der Vogel Pirol sein Gefieder. Ist er es, dieser süße Flöter? Er sitzt dort und tut wie andere Vögel.

Stanislaus hatte keine Eile. Eine Antwort von Marlen war nicht eingetroffen. In seinen letzten Brief, in diesen Boten der Sehnsucht, hatte er auch seine letzten Grüße gelegt. Er hatte nicht einmal mehr schmerzvoll und ernst auf eine Antwort gewartet. Jetzt stieg leichter Stolz in ihm auf. Hat ein Mensch, wie beispielsweise Baron Alfons, je einer Liebe wegen den Schlaf eingebüßt und seine Tage von Flöhen der Unruhe zerbeißen lassen?

Der junge Wanderer holte seine Tabakspfeife aus der Rucksacktasche und steckte sie an. Mit dem Rauchen ging es jetzt einigermaßen. Man mußte den Pfeifenkopf nicht bis obenhin vollstopfen. Die Tabakwölkchen flogen durchs Gras des Straßengrabens. Sie verfitzten sich dort und zerhechelten sich in den Rispen. Es wehte ein kleiner Wind.

Stanislaus hatte die Backstubendumpfheit hinter sich gelassen. Der Ekel schwand. Die Lerchen stiegen und sangen. In den Baumkronen war sanftes Rauschen. Die große Weltmusik erreichte den Wanderer:

Jetzt bist du wieder in mir, großes Rauschen.
Und ich will stille sein und lauschen ...

Er schrieb Reime auf die Rückseite des Büchleins: »Die Kunst der glücklichen Liebe.«

Oben in seinen Wolkenreichen schien Gott auf Socken einherzugehen. Der Wanderer hatte den Respekt vor diesem Mann im Himmel verloren. Der Herr dort oben hatte für ihn ein Quentchen Lächerlichkeit bekommen, besonders, wenn Stanislaus an jene Meisterin dachte, die ihre spitze Zunge in Scheinfrömmigkeit gehüllt hatte. Er dachte aber auch an Marlens Vater, den Pfarrer, der seine Familiensorgen Gott in die Schuhe schob, dachte an den Meister, der Gott als dünne Geschäftshaut trug, und mußte an Guido denken, der seine Begierden in Gottes Mantel eingewickelt hatte. — Was für ein Gott, der so mit sich umgehen ließ? Was für ein Gott, der der Heuchelei gelassen zusah und die wahrlich Liebenden weit auseinanderwarf?

Und die Sonne stieg. Die Schatten wurden satt. Stanislaus wanderte. Er wollte ein paar Tage so fröhlich dahinleben wie in der Kindheit, zwischen Bäumen und Blumen, zwischen Grashüpfern und Schmetterlingen, zwischen völligem Wachsein und Müdsein.

Von weitem sah er etwas Buntes im Straßengraben liegen. Als er näher kam, wars ein geblümtes Mädchenkleid und ein blaues Kopftuch. Unter das Kopftuch hatte sich ein keckes Mädchengesicht verkrochen. Mutwillige Braunlocken kicherten am Tuchrand hervor und verrieten manches. Das Mädchen peitschte lästige Weidefliegen von seinen nackten Beinen. In seinem sommersprossengesprenkelten Gesicht waren weder Scheu noch Neugier.

Stanislaus schob die Alfons-Pfeife in den rechten Mundwinkel und versuchte zu lächeln. Seitab grasten Ziegen, deren dürres Gemecker herüberklang. Der Wanderer bedachte sich allerlei Anreden für das Mädchen; je näher er aber der Liegenden kam, desto mehr verschlugs ihm den Mut. Er biß auf den Pfeifenstiel, daß der Pfeifenkopf vor sein rechtes Auge zu stehn kam; damit aber war er schon fast am Mädchen vorüber. Die Hirtin richtete sich auf. »Wie spät?«

Er fuhr zusammen wie ein scheuer Junghase. Er wollte schon zugeben, daß er keine Uhr bei sich trüge, da entsann er sich der Manieren des Barons Alfons. Er zog an seiner Konfirmationsuhrkette, verdeckte die glatt polierte Eisenmutter mit der Hand, starrte in ihr Gewindeloch und sagte: »Es geht auf sieben!«

Das Mädchen lachte. Die Sommersprossen auf seiner Nase hüpften. »Es kann auch sechs sein«, sagte Stanislaus, »man geht so hin, zieht seine Uhr nicht auf.«

Das Mädchen lachte und lachte. »Man geht so hin und spielt mit einer Schraube.«

Der ertappte Stanislaus wurde großmächtig und übertraf darin sein Muster, den Baron Alfons. »Sie liegen hier, geblümt wie der Sommer selbst, und lachen wie die Sonne persönlich.«

Das Mädchen strampelte vor Vergnügen. »Igittigitt!«

Stanislaus stampfte in den Wegstaub. »Ich schließ Ihren Mund mit einem sanften Kuß!« Er wurde rot, als er das gesagt hatte. Nun konnte sich ja zeigen, was die Wissenschaft wert war. Er hatte einen auswendig gelernten Satz aus seinem Buche hergesagt. Die Wissenschaft war etwas wert: Das Mädchen kullerte sich einmal herum, sprang auf, rannte davon und rief: »Wers schafft, soll nicht mit Geiz belohnt werden!«

Stanislaus' erste wissenschaftliche Liebesfahrt schickte sich an, recht aufregend zu werden. Ein Koffer wurde ins Gras geworfen. Ein Rucksack plumpste nicht weitab zur Erde. Erhobene Hände wie bei einer Schmetterlingsjagd. Das Mädchen rannte. Sein Verfolger rannte. Nackte Füße sprangen über Grasbüschel und Gräben. Derbe Gesellenschuhe trampelten und drückten Blumen nieder.

Als Stanislaus bereits aus allen Bäckerlungen keuchte, besann er sich auf Baron Alfons. Nie und nimmer wäre diesem erfahrenen Manne und Liebhaber eingefallen, bis auf den Schweiß hinter einem Kuß herzurennen. Stanislaus fiel zudem ein Lehrsatz aus der »Kunst der glücklichen Liebe« ein: »Der Methoden gibt es viele ...«, so hieß dieser Satz. »Lust und Neigung, Temperament und finanzielle Lage bestimmen sie. Wenn eine Liebe gut vorbereitet ist, mag man sich Zeit nehmen. Sie kommt heran wie das schöne Wetter. Die Liebessonne kommt, und man lustwandelt in ihrem Scheine dahin.« Weshalb sollte er diesen Hinweis nicht erproben? Er stellte die Verfolgung ein, band sich die Schuhriemen fester, sah scheinbar gelangweilt auf die ziehenden Wolken und schickte sich an, zu seinem Gepäck zurückzugehen. Siehe da, die Liebe schlich sich sanftsohlig an ihn heran. Ein Lob der Wissenschaft!

Er spürte einen sanften Schlag auf seinem Rücken. »Wie ists? Der Preis ist nicht vergeben!« Die Ziegenhirtin zupfte ihr Kleid zurecht, schlenderte zu einem Gesträuch und setzte sich dort nieder. Stanislaus trug seinen Kuß gemessen hinterher. Sie saßen sich eine Weile gegenüber und schauten aneinander vorbei. Dieser sanfte Kuß eines Reisigen schien das Mädchen nicht besonders erregt zu haben. Stanislaus seufzte. Baron Alfons und alle guten Liebesgeister hatten ihn verlassen ...

Er dachte an Marlen. Das Mädchen zerfranste einen Grashalm. »Nun willst du deinen Lohn, wie?«

Stanislaus nickte.

»Du hast dich nicht gerade beeilt«, sagte das Mädchen.

Er küßte hastig zu, tat es wie ein Hündchen, das nach einem entschwindenden Wurstzipfel beißt. Da wurde sie von Erbarmen gepackt, und sie küßte ihn lange und groß. Das war nun freilich ein Wunderkuß, den Stanislaus da andächtig über sich ergehen ließ. Ein Kuß wie eine vollmundige Erdbeere! Sie saßen wieder eine Weile, und das Mädchen summte. Die Wiese kreiste um Stanislaus. Sie nahm seine Hand und legte sie auf ihren sonnendurchwärmten Schenkel. Sie hatte ihn erkannt. »Hier darf sie liegen, aber mehr dulde ich nicht.«

Stanislaus gehorchte. Seine Hand war schüchtern und sanft wie eine Taube vor dem neuen Schlag. Er küßte sie wieder. Sie fand Gefallen an seiner Gelehrsamkeit. »Wenn du deine Hand nun nicht liegenlassen würdest, wo sie liegt?«

»Was dann?« fragte er.

»Prob es aus!«

»Du beißt mich am Ende.«

»So sollst du nicht von mir denken.«

Er probte es aus, und sie deckte ihn dafür mit einem Zipfel des Himmels zu.

Der ganze Stanislaus war ein Zittern, als er am späten Abend über ein Stadtpflaster trappte. Seht, ihr Leute, hier kommt nun Stanislaus! Ein großmächtiger Eroberer im Lande der Liebe. Ein Blick von ihm, und die Mädchen erschauern wie Blumen im Sommerwind. Er sah die Gräue der Herberge zur Heimat nicht.

»Du bist der verrückteste Kerl, der je vorbeikam«, sagte der Herbergsvater. Er fand Stanislaus auf der Bank im Vorgärtchen schlafen. »Hast wohl edele Läuse? Zahlen wirst du trotzdem.«

Stanislaus strich sich den Tausamt von den Kleidern, wusch sich und schenkte seine Morgensuppe einem bärtigen Stromer.

Das Glück flog, versteckt wie der Vogel Pirol, vor ihm her: Schon im dritten Bäckerladen erhielt er Arbeit. »Der Altgeselle wurde uns krank.« Stanislaus wünschte dem Altgesellen eine leichte, lange Krankhelt.

Bis ins Dorf seines Mädchens waren es vier Stunden Fußweg. Vier Stunden hin, vier Stunden zurück, gibt acht; zwei Stunden Liebe – gibt zehn; zehn Stunden Marsch und Liebe waren nicht während einer Nacht zu bewältigen. Stanislaus hätte nicht ungeschlafen und abgerannt vor dem Backofen stehn können. Also sollte der Sonntag ein Liebesfest werden.

Er schrieb einen Brief: An Mia Klaus in Wilhelmsthal. Seine Worte waren wie brausender Frühlingswind: »Du warst eine Blume im Gras; ich war der Schmetterling. Ein gesegneter Schmetterling, dem die Sonne nicht untergeht.« Ein Gedicht zierte die Rückseite des Briefblattes.

> Spielte der Wind im Gras,
> Ging ich die Straße fürbaß.
> Fand ich ein Blümelein.
> Oh, war das fein!
>
> Lachte mir lockend zu.
> Nahm meines Herzens Ruh.
> Küßte ihr Mündlein klein.
> Oh, war das fein!
>
> Führt meine zögernde Hand
> Bis an des Glückes Rand.
> Sah in den Himmel hinein. –
> Oh, war das fein!

»Dies schreibt Dir zur Freude Dein Geliebter Stanislaus Büdner.«

Der Meister war nicht der Freundlichste. Sein Mund sah aus, als hätte er lebenslang Klarinette geblasen. Seine Worte waren wie Salzkörner auf Stanislaus' schneckenweicher Verliebtenseele: »Wissen möcht ich doch, woran so ein Hergereister ständig zu denken hat. Morgen find ich vielleicht seine Pantoffel im Brot.«

Stanislaus schwitzte, zog Semmeln aus dem Ofen, netzte sie mit Wasser und warf sie in die bereitstehenden Flechtkörbe.

Seine Arme wirbelten umher. Er rannte mit dem Backofen um die Wette, allein der Ofen blieb viele Tage Sieger. Er spuckte braune, viel zu braune Brötchen aus. Nicht einmal der Pfarrer in einer gewissen Stadt, in der die Mädchen nach Wildrosen dufteten, hätte solche überröschen Brötchen gemocht. – Es wurde Sonnabend, ehe Stanislaus das Wettrennen mit dem Ofen gewann.

Auf Sonntagmittag machte er sich marschfertig. Der Meister beobachtete seine Zurüstungen mit Unruhe. »Nicht, daß du denkst, der Altgeselle sei schon wieder gesund?« Er zahlte Stanislaus glatte fünfzehn Mark Wochenlohn. – Der Glücksvogel Pirol ließ nicht ab, auf Stanislaus' Wegen zu singen. »Hast wohl ein Weibstück hier wo?« Der Meister fragte schon wieder giftig.

»Ich habe hier eine Geliebte, eine Verlobte.« Stanislaus blies stolz eine Wolke Tabaksqualm aus.

»Na, dann hats keine Not. Sie wird dir die fünf Taler schon kleinmachen helfen.« Im sackgrauen Gesicht des Meisters zuckte es abfällig.

Stanislaus hatte nicht wenig Lust, diesen Giftspeier zu verprügeln; aber jetzt war wirklich Ergebenheit am Platze. Konnte er sich leisten, seine Arbeit schon wieder zu verlieren? Seine Ergebenheit diente der Liebe. Die Liebe – das war vielleicht kein schlechter Gott.

Träger Sonntagnachmittag. Stanislaus stampfte suchend durch das Dorf. Kein Mensch auf der Straße. Hühner rekelten sich im Strauchschatten. Am Teich standen Kinder und hieben mit Ruten ins schlammgrüne Wasser. Auf dem Kirchturmdach flimmerte die Hitze. Um die Grabkreuze spielten Schmetterlinge. Alles war ruhig und alltäglich, nur in Stanislaus sprang die Vorfreude wie ein Heuhüpfer aus einer Herzkammer in die andere. Er entsann sich seiner Tabakspfeife. Die blauen Wölkchen quirlten in die Sommerstille. Vor dem Gasthaus stand eine Krippe für die Pferde vorüberfahrender Fuhrwerke. An der Pferdekrippe lümmelten junge Männer, hemdsärmelig, braun, rotbäckig, durcheinanderredend und johlend. Auf der Krippe saß ein Mädchen und pendelte mit Barfußbeinen. Stanislaus sah nur die Beine, und es ging ein Ruck durch sein Herz. Die Burschen wandten sich dem sonntäglichen Wanderer zu. Zwischen ihnen saß Mia. Stanislaus' Knie knickten ein.

»Geh. Mia, hilf ihm seine Pfeife schleppen«, grölte ein Bursche. »Hähä, eine lange Pfeife, daß der Kirchturmhahn hineinscheißen möchte!« Mia sah zu den Gasthausfenstern hinauf und schien Stanislaus nicht zu kennen.

»Das da ist der Graf von Popelstein!« schrie ein Bursche und wies auf Stanislaus. Die Gesellschaft lachte.

Stanislaus warf sich in ein Gebüsch am Dorfausgang. Seine Alfons-Pfeife war erloschen. Dicke Tränen tropften auf den Pfeifenstiel. Hat der Mensch so etwas gesehn!

Kein Kummer ist so groß, daß der Schlaf ihn nicht besänftigen könnte. Stanislaus war unter knispelndem Gezweig eingeschlafen wie ein trotziges Kind. Auf seinem spärlichen Bartflaum putzte sich eine Sommerfliege Kleinstaub von den Flügeln. Aus der Tasche der scheckigen Jacke des großen Jungen lugte neben einer weich gewordenen Tafel Schokolade das braune Gesicht des Barons Alfons mit dem ausrasierten Bärtchen.

Diese hartnäckige Fliege! Stanislaus griff sich unter die Nase. Er bekam die aufdringliche Sumserin zu packen und zerrieb sie, noch im Halbschlaf, zwischen Daumen und Zeigefinger. Wieviel Flügel diese Bremse hatte, harte Flügel wie Grasrispen! Er wurde wach und wollte dieses Wunder von einer Fliege näher betrachten. Es war keine Fliege; es war ein Halm Rispengras. Den Grashalm hielt Mia in der Hand. Die Sonne blitzte durch das Gesträuch. Die Liebeswelt lag im vollen Glanze vor Stanislaus.

Sie saßen auf einer Waldlichtung. Mia tilgte seinen Kummer mit großen roten Küssen aus. »Ich könnte dir viel erzählen. Mein ganzes Leben. Du würdest staunen oder weinen.« Sie legte ihre braunen Beine auf seinen Schoß.

»Erzähl!«

»Ist das nun Schokolade dort in deiner Jackentasche, oder denke ich das nur?«

Er gab ihr die Schokolade. Mia schleckte das weich gewordene Naschwerk mit dem Finger aus dem Papier. »Es ist sonst zu traurig«, sagte sie und schmatzte. »Das Komischste war: ich hatte zwei Väter. Sie waren Freunde und beide in einer Nacht zu meiner Mutter gegangen. Das hast du auch noch nicht erlebt?«

»Nein.« Er streichelte sie.

»Sie blieben auch Freunde und waren zwei hochgestellte Herren im Finanzamt. Der eine wie der andere holte mich wöchentlich einmal zum Spazieren ab. Sie kauften mir Haarschleifen, und was ich wollte. Manchmal zankten sie sich. Dann war der Monat zu Ende, und einer sagte zum anderen: ›Was? Habe ich nicht den vorigen Monat bezahlt?‹ Und der andere sagte: ›Nein, hier sieh: die Quittung!‹

Meine Mutter war schön, mußt du wissen. Sie verwirrte diese Männer so, daß sie manchen Monat beide bezahlten, und der dritte Mann, den ich Papa nannte, sagte: ›Das hätten wir wieder geschafft.‹«

Stanislaus sog an der kalten Tabakspfeife. »Und welcher war dein Vater?«

»Wer kann das wissen? – Später wurden die beiden versetzt. Das Geld brachte die Post, und die Spaziergänge hörten auf. Als ich älter wurde, kamen keine Postanweisungen mehr. Es hieß, meine Väter hätten sich verheiratet, außerdem sei die Frist abgelaufen. Da konnte mich mein dritter Vater nicht mehr leiden und sagte: ›Sitz nicht herum, tu was! Soll dein Nest verfaulen?‹ Er sagte es, wenn meine Mutter es nicht hören konnte. Meine Mutter brachte mich in ein Blumengeschäft. Ich sollt nicht in einer Schenke arbeiten wie sie. Ich sollte anständiges Brot essen. Der Alte vom Blumenladen ging mit mir abends in die Gastwirtschaften. Später schickte er mich allein. ›Schöne zarte Rosen für Ihre Gattin, Herr Geheimrat. Ein Veilchensträußchen für Frau Gemahlin, Herr Doktor?‹ Es gab sehr nette Herren in den Schenken. Einmal steckte mir einer einen Brief in den Blumenkorb. Es war ein kurzer Brief. Seitdem kann ich Briefe nicht leiden. Du sollst mir keine Briefe schreiben. Und Gedichte – stinken mir.«

Stanislaus sprang auf. »Ich habe es für dich gedichtet!«

»Was Männer so schreiben! Ewige Liebe. Betten aus Rosenblättern und Küssen. Goldene Berge. Nichts hat er gehalten. Drei Monate blieb ich bei ihm.«

»Hast du ihm die Wirtschaft geführt?«

»Jungchen!«

»Sag so ein Wort nicht. Ich hab einen mit dem Spazierstock zerschlagen. Er war nicht gerade ein kleiner Gelehrter. Ich bin kein Täufling, der gestern erst aus dem Steckkissen sprang.«

Sie wußte ihn zu besänftigen. »Dann ging ich so herum. Mit Blumen wollt ich nichts mehr zu schaffen haben. Ich fand einen Ballettmeister vom Theater. Er sagte: ›Deine Beine sind nicht danach, aber ich kann dich vielleicht doch den Steptanz lehren.‹ Ich lernte. Er war zufrieden. Einige Monate, dann brachte er sich eine andere Schülerin mit. Ich war überflüssig. — Jetzt ist sie alle.« Mia warf das Schokoladenpapier ins Gras. Stanislaus wollte mehr wissen. »Wie ging es weiter?«

»Du hast nicht etwa in der anderen Tasche noch Schokolade? Es ist nur, damit sie nicht zerschmilzt. Ich weiß fast nicht mehr, wie es weiterging. Jedenfalls tanzte ich nicht schlecht. Ich steppte nicht nur auf einem Tisch, sogar auf einem Tablett. Drei Kellner trugen dieses Tablett im Saale umher. Ich stand als Weinflasche drauf. Die Herren rasten und riefen: ›Hierher mit dem Sekt!‹ Und die Kellner setzten mich ab, wo ich verlangt wurde.«

»Wo war das?«

»Du sollst mich nicht fragen wie ein Untersuchungsrichter. Alles so was stinkt mir.« Mia begann zu weinen. Stanislaus wurde böse auf sich selber. Er streichelte sie wieder, doch sie biß vor lauter Kummer und Trauer in ein Büschel Sauerampfer. Er wurde ratlos und legte seine Hand dorthin, wo sie es ihm vor Tagen erlaubt hatte. Da weinte sie noch heftiger.

Es dunkelte. Mia war eingeschlafen. Die Mücken umschwärmten den jungen Liebhaber. Er saß reglos und ließ sich zerstechen.

Sie fuhr aus dem Schlaf. »Ich bin nicht zu retten«, schrie sie. Der Mond zauste sich aus einem Wolkenschleier. »Alle wollen mich lieben, aber retten will mich keiner!«

Stanislaus bebte. »Ich werde dich retten!«

»Duuu?«

» Sag, was ich tun soll!«

»Es ist zu schwer. Du bist noch jung. Solche fertigte der Portier bei uns auf der Schwelle ab.«

»Ich bin nicht zu jung. Ich hatte Mädchen über Mädchen. Eine tanzte nackend für mich im Mondschein. Ich nahm sie nicht. Sie war nicht so schön wie du.« Er wurde wild und eifrig. Sie wurde still und beobachtete ihn. Er hob sie auf und trug sie ein Stück. Sie biß ihn, aber er hielt es aus. Er legte sie behutsam nieder.

»Ein Paar Tanzschuhe sollte ich haben«, sagte sie, als er sie niedersetzte. »Sie kosten bei vierzehn Mark.«

Mit der linken Hand sollte sie die vierzehn Mark für ein Paar Tanzschuhe haben.

»Ich werde tanzen, und nur du sollst es sehn.« Sie schloß die Augen. Es war ihr gleich, was er mit ihr tat. —

In der Nacht brachte er sie vor das Haus ihres Onkels. Unterwegs erzählte sie den Rest ihrer Geschichte, und er wärmte sie. Sie wurde damals krank. Hatte sie sich beim Tanzen erkältet? Sicher, sehr erkältet. Ihre Mutter brachte sie zum Onkel aufs Land. Nein, Stanislaus brauche sich nicht zu fürchten. Jetzt sei sie wieder gesund. Er müsse doch gefühlt haben, daß sie gesund sei. — Nun säße sie also hier in dem Lausedorf. Onkel und Tante wären strenger zu ihr als der Dorfgendarm. Mit dem Onkel spräche sie sich dann und wann aus. Er sei sanfter als die Tante, aber eifersüchtig. Ziegenhüten, Kartoffelnschälen, überflüssiger Krimskrams — das sei ihr Leben. Nicht einmal auf Zehenspitzen dürfe sie über den Hof tänzeln. Für den Onkel allerdings tanze sie ab und zu heimlich im Ziegenstall.

Sie hatte sich an ihn gekuschelt. Nun blieb sie stehen und sah zu ihm auf. »Du mußt jetzt gehn. Der Onkel steht vielleicht mit der Sense hinter dem Torweg.«

»Laß ihn mit zwei Sensen und einem Messer dort stehn«, sagte Stanislaus.

Nein, sie hätte am Nachmittag Zigaretten für den Onkel holen sollen. Die Burschen hätten ihr die Zigaretten vor der Schenke weggenommen und verraucht. Wenn sie wenigstens noch das Geld für die Zigaretten aufweisen könnte!

Auch daran war kein Mangel. Stanislaus gab ihr fünf Mark. Sie gab ihm Küsse, die ihm wie Rotwein ins Blut stiegen.

Sie riß sich los. Er wollte warten und suchte sich einen Knittel. Der Onkel sollte wagen, sie anzurühren. Es fiel ihr ein, daß sie am Nachmittag, ehe sie ging, die Sense versteckt hatte. Nein, es war nicht allzuviel zu fürchten.

Stanislaus stand lange: Nicht ein Schrei, der seine Hilfe aufrief. Die Fledermäuse huschten. Die Dorfhunde bellten. Erst als er auf der Landstraße war, fühlte er seine große Müdigkeit.

---

30 Stanislaus kleidet eine Sünderin. Gott läßt ihn züchtigen und lähmt ihn.

Die Woche war lang. Der Meister zischte: »Fünfzehn Mark für eine so unzuverlässige Aushilfe!« Und das war richtig, denn Stanislaus ging wie im Taumel umher. »Du darfst mir nicht schreiben. Es ist langweilig«, hatte Mia gesagt. Wo sollte er hin mit seiner zausenden Liebe? Er versuchte, seine Bücher zu Rate zu ziehen. Sie verhielten sich wie Freunde, die keine Zeit haben, wenn man sie braucht. Er starrte in sie hinein und fand nur Mia und sich in seinem berauschten Zustande darin. Die Bücher blieben schwarzer Buchstabengrieß auf Papier. Aus den weißen Zeilenzwischenräumen sprangen ihm seine eigenen Gedanken entgegen.

Er wurde kindisch und sprach mit dem Lehrling über dies und das. »Du hast wohl nie eine echte Tänzerin gesehen?«

»In einer Rummelbude. Sie hatte fast nichts an.«

»Das ist natürlich Schweinerei, aber sahst du je ein Mädchen auf einem Tablett tanzen?«

»Das gibts nicht.«

»Meine Verlobte, um nicht zu sagen meine Frau, bringt das zuwege. Jetzt habe ich ihr neue Tanzschuhe gekauft. Vielleicht tanzt sie darin sogar auf einem Frühstücksbrett.«

Der Lehrling schwieg. Alle Durchreisenden logen sehr dick und wurden wild, wenn man ihnen nicht glaubte. Stanislaus floß über: »Du hast noch nie mit einem Mädchen zu tun gehabt, wie ich denke.«

»Aber sehr. Ich bin mit meiner Base baden gewesen. Sie ist auf dem Lyzeum und hat schon Knospen.«

Oh, Stanislaus! Oh, Stanislaus! Niemand interessierte sich für seine Mia.

Der Sonntag kam. Der Meister warf ihm zischelnd fünfzehn Mark auf die Beute. »Unsereiner ist mildherzig wie ein Samariter.« Stanislaus fühlte sich schuldbewußt.

Auf der Landstraße umfing ihn Birkenduft, und die Bienen spielten in den Blumen am Straßenrand ihre große Orgel. Der Kuckuck läutete seine helle Glocke, und die Drosseln bauten ohne Unterlaß an ihren weichen Strophen. Wie konnte der liebeskranke Stanislaus durch all das Getön gehen und wandern, ohne in diesen Sommergesang einzustimmen? Er sang:

> Tänzerin, arme Kleine.
> Schwingst deine nackten Beine.
> Niemand versteht dich,
> Aber du drehst dich
> Immer im Kreise
> Leise.
>
> Tänzerin auf dem Tablette.
> Jeder dich gerne hätte.
> Doch Du weißt einen.
> Mußt um ihn weinen
> Leise.

Siehe da, die Liebesglut hatte noch nicht alles Große in ihm ausgebrannt!

Summend – mit sich und der Welt zufrieden, gelangte er ins Dorf. Diesmal tummelten sich die Dorfkinder vor der Schenke.

Sie sprangen auf den schmalen Sockelsims unter den Fenstern, klebten dort ein Weilchen wie Mauersegler, fielen ab und purzelten herunter, nachdem sie einen Huschblick in die Schenkstube getan hatten. Aus der Schenke drang Gelärm und Ziehharmonikaspiel, Händeklatschen und Juchzen. Stanislaus beeilte sich, an dieser Kirche des Teufels vorbeizukommen. Seine Tabakspfeife trug er diesmal in der Hosentasche. Er erwartete Mia in einem Heckenversteck. Das war abgemacht und mit mehr als einem Kuß besiegelt worden.

Er wartete, wartete, legte die Schokoladentafeln in den Strauchschatten und zog die Jacke aus. Er legte sich auf den Bauch, wippte mit den Beinen im Takt und summte: »Tänzerin, arme Kleine ...« Darüber schlief er ein.

Als er erwachte, dunkelte es schon. Da lag die Schokolade, ja. Er raffte sie und seine Jacke und preschte ins Dorf. Vielleicht hatte Mia wieder Zigaretten für diesen Onkel und Sensenmann holen müssen, und die grobklotzigen Dorfburschen belästigten sie. Er brach sich einen Haselstock und ließ ihn durch die Luft pfeifen.

Das abendliche Dorf mutete fiebrig an. Die Hunde kläfften, kleine Kinder schrien. Aus einer Scheune drang Katzengekreisch, und zu allem krähten die Hähne. Die Hähne um diese Zeit? Jawohl, die Hähne schrien, und ein Hengst wieherte unausgesetzt.

Aus der Schenke drang das Gelärm bis auf den Dorfplatz. Vor der Schenkentür standen jetzt rumorende Frauen. Sie waren aufgebracht und stemmten die Hände in die Hüften. Eine spuckte aus. Eine andere schüttelte den Kopf. »So was, nein, so was aber auch!«

Stanislaus stand abseits und lauschte. Hatte da nicht jemand Mias Namen gerufen: »Mia, ein Solo. Ein Solo, Mia!«

Eine Macht, die er bis da nur leise gespürt hatte, nahm von ihm Besitz – die Eifersucht –, Mutter von Streit und Wunden. Er stapfte die Gasthaustreppe hoch. Eine Frau vertrat ihm den Weg. »Junger Mensch und Mann, jag meinen Alten heraus! Er hat auf der rechten Seite nur ein halbes Ohr. Du wirst ihn leicht erkennen. Brenn ihm eins über!«

Tabaksqualm wälzte sich in Schwaden nach außen. Raunen und Lachen. Die Bässe der Ziehharmonika brüllten, und eine dünne Melodie klingelte darunter wie Wasser, das über Steine springt. Niemand gewahrte Stanislaus. Alle Männer starrten auf einen Tisch. Auf dem Tisch tanzte Mia. Stanislaus schluchzte auf. Es war ein gewaltiges Schluchzen, ein Dammbruch.

Stanislaus sah die braunen Beine hüpfen, die noch vor Tagen zahm auf seinem Schoße geruht und geschlafen hatten. »Tappterapptapptapp!« Ein Geklecker von kleinen Schritten. »Teraptaptaptaptapp!« Das Haar hing Mia ins Gesicht. Ihre Augen funkelten irr. Sie war verzückt und berauscht vom anfeuernden Beifall. Und jetzt ... und jetzt – Stanislaus bekam eine Stuhllehne zu packen. Mia raufte sich ihr Kleid vom Leibe und zog es sich über den Kopf. »Teraptaptaptaptapp!« Da sprang sie mit nackten Brüsten, und auch ihr Schoß war kaum vor den Geilblicken der Männer geschützt.

»Mia, hopp, Mia, hopp. Mia, hopphopphopphopphopp!« Die Burschen klatschten in die Hände. Einer winkte mit einem gefüllten Likörglas. Ein langer Mann drängte sich zum Tisch. Ein Mann mit einem kupierten Ohr. Er wurde zurückgedrängt, aber er warf sich wieder nach vorn. Er trug einen Kälberstrick. Er wollte ihn um Mias Beine schlingen. »Sie muß gefesselt sein, sie muß!« rief er.

Die Burschen rissen den Mann zurück. Der Ohrinvalide schlug um sich. Da stürzte sich auch Stanislaus in das Getümmel. Die Burschen warfen sich auf ihn. »Da ist der Kerl mit der langen Pfeife!«

Stanislaus hieb sich zum Manne mit dem Strick vor. Der Mann riß die Nüstern auf wie ein Hengst. »Willst wieder mit ihr in die Sträucher, was?«

Stanislaus sah nur das halbe Ohr des Mannes. »Deine Frau erwartet dich draußen. Sie wird dich bleuen!«

Der Mann knurrte wie ein Wuthund. Stanislaus erhielt einen Schlag gegen die Schulter. Er taumelte zur Seite und wurde von einem Fußtritt nach vorn geworfen. Er hielt sich am Schürzenträger der Wirtin fest. Die dralle Wirtin gab ihm eine Ohrfeige.

Der Mann mit dem halben Ohr begann zu rasen: »Weg hier! Weg hier! Gefesselt muß sie sein. Ich bin der Onkel!« Er schlang den Strick um Mias rechtes Bein. Mia stieß den Onkel mit ihren flinken Füßen vor die Brust. Der Onkel fiel. Die Männer an der Theke fingen ihn auf. Gekreisch! Gejohle!

»Mia!« Ein Schrei schlug wie eine spitze Flamme aus Stanislaus. Mia sah ihn mit Irraugen an, lächelte, warf ihm eine Kußhand zu.

»Geliebter!« Das Gewieher einer Stute. Mia hob ein Bein und streckte es über die Köpfe der Männer hinweg. Stanislaus sollte sein Geschenk, die Tanzschuhe, sehn. Der Mann mit dem halben Ohr warf sich über den Tanztisch. Er haschte nach den Beinen seiner Nichte. Mias Beine entzogen sich dem Zugriff wie Sonnenstrahlen.

Der Lärm wurde zum Brausen. Mia sprang unter die lärmenden Männer. Sie hing an Stanislaus' Hals. »Wirst du mich retten?«

Stanislaus war blaß und schluckte. Mia stieß ihn zurück. Sie warf sich dem Nächstbesten an den Hals. Der Mann mit dem halben Ohr riß Stanislaus den Haselstock aus der Hand. »Gebt ihm Gottes Lohn!« schrie er.

Stanislaus fiel nieder. Er lag zwischen einem Heer von Füßen, in einem Wald von Beinen. In der Nähe seines rechten Armes tänzelten Füße in schwarzen Samtschuhen. Die Füße standen auf ihren Spitzen, denn Mias Mund küßte den eines langen, sehr starken Mannes.

Stanislaus wußte nichts mehr.

Es kam ein Mann und sägte Stanislaus' rechten Arm an. Die Säge summte wie ein Auto. Mia stand auf dem Tisch, tanzte und sang dazu. Sie sang wie eine Autohupe. Man muß sie retten, dachte Stanislaus ...

Jemand faßte ihn bei der Schulter und rüttelte ihn. »Junger Mann, junger Mann!« Stanislaus stieß mit dem Fuß nach dem Rüttler.

Grelles Licht. Stanislaus schloß die Augen wieder. Er fühlte, daß sich jemand über ihn beugte. »Betrunken ist er nicht.« Wieder der Ton der Autohupe.

Stanislaus wurde angehoben. »Ihr brecht mir den Arm ab, seid ihr verrückt?« Klarheit: Man trug ihn aus einem Chausseegraben in ein Auto.

»Er hat sich im Kot gewälzt«, sagte eine Männerstimme.

»Nein, es ist Schokolade.«

Stanislaus versuchte, in seine Rocktasche zu greifen. Sein rechter Arm gehorchte ihm nicht.

31 Stanislaus studiert die Geschichten der Heiligen und wundert sich über die Gottesehe der Nonne Vineta.

Alle im Zimmer hatten ihre Krankheitsgeschichte erzählt. Stanislaus schwieg.

»Kamst du mit dem Arm in die Teigmaschine?«

»Nein.«

»Wie kann man sich im weichen Teig den Arm brechen?«

Stanislaus schwieg. Eine Nonne ging in weitem, langem Rock wie ein fußloses Wesen an seinem Bett vorüber und lächelte.

»Wenn ich etwas zu lesen hätte, Schwester?«

Die Nonne nickte. Sie brachte ihm Bücher. Es waren fromme Bücher mit Kreuzen auf den Deckeln und Goldschrift auf dem Rücken: Geschichten von katholischen Heiligen. Stanislaus blätterte mit der linken Hand darin und suchte nach Wildrosenduft.

Was war geschehen? Stanislaus hatte sich mit Gott veruneinigt, und dieser große Geist über den Wassern hatte bewiesen, wer der Stärkere von ihnen war. Gott hatte ihm, dem menschlichen Ringer, den Arm gebrochen. Bitte, was war so ein Kämpfer noch wert? »Ergebenheit – Ergebenheit!« Stanislaus erinnerte sich der Stimme des Pfarrers.

Stanislaus sah die Nonnen durch die Krankenzimmer schweben. Ihre Füße waren versteckt und hatten keine Möglichkeit, sich mit Sünden zu beladen. Ein Laut des Unbehagens, und ein schwarzer Nonnenengel mit weißer Haube stand vor dem Bett. »Ist Ihnen was?«

224

Stanislaus seufzte mehr als einmal aus Übermut. Wie schön diese junge Nonne Vineta zu ihm hinschwebte. »Vielleicht schlafen Sie ein wenig, Herr Büdner?« Sie fühlte ihm den Puls. Ihre Hand war wächsern und weiß. Es war eine unirdische Hand.

Aus der Bäckerei kam niemand, um nach Stanislaus zu sehn. Wer sollte kommen? Der Meister vielleicht, um ihm giftige Worte zuzuspritzen? Konnte man verlangen, daß er sich um eine durchreisende Aushilfe kümmerte?

Stanislaus verweilte manche Stunde in den Geschichten der Heiligen. Er fand, daß es bei diesen Leuten unterschiedlich zugegangen war: Manche waren heilig von Kind an. Stanislaus hätte vielleicht bei seiner Wundertäterei bleiben sollen, um es in dieser Richtung zu etwas zu bringen. In seinem jetzigen Berufe konnte er wenig für die Menschheit tun. Er stopfte sie mit Brot und Brötchen satt. Die Heiligen aber stopften den Menschen Edelmut in die Seelen. Die gläubige Welt lag ihnen dankbar zu Füßen und pries sie noch lange nach ihrem Tode.

Es gab auch andere Heilige, die sündigten unausgesetzt und nicht ohne Geschick. Sie taten es, bis die große Erleuchtung über sie kam. Da war die anziehende Geschichte des heiligen Konradus. Er war der Freund und Vertraute aller Huren der römischen Vorstadt und schämte sich nicht, mit seinen Freundinnen das erhurte Geld zu teilen. Dann erleuchtete ihn Gott. Konradus begann Teppiche zu weben; schöne kirchliche Teppiche zum Lobe des Herrn für die Altäre der vornehmsten Kirchen. Die Huren kamen, webten mit und sündigten fortan nimmermehr.

Das war ein Heiliger nach Stanislaus' Geschmack. Vielleicht sollte auch er sein Handwerk verfrommen und Oblaten bakken? Er konnte die kirchlichen Waren von einer bekehrten Mia verpacken lassen und an alle Kirchen der Welt schicken.

Nichts als Gedankenwust, Gedankenwolken. Auch die Heiligen kamen nicht ohne Taten aus. Stanislaus' eingegipster Arm aber lag da wie eine gestürzte weiße Säule.

Im Nebenbett lag ein Tischler mit einem zerquetschten Bein. Er pfiff, wenn ihm die Zeit lang wurde. Er kannte viele Lieder und Liedchen und hatte sich vorgenommen, auf seinem Krankenlager zweistimmig pfeifen zu lernen. Es wollte ihm aber nicht gelingen, den Mund links und rechts zu spitzen. »Der Mensch ist ein unvollkommenes Tier«, seufzte er. »Jede Orgel pfeift drei- und vierstimmig.«

Stanislaus tröstete ihn: »Aber du kannst wenigstens schreiben.«

»Sprichst du mit mir?«

»Ja.«

»Ich dacht schon, du wärst ein ganz Vornehmer, der seine Worte nicht an gewöhnlichem Pack abwetzt.«

»Das nicht«, sagte Stanislaus. »Weißt du, wie man erfährt, ob jemand noch wo wohnt?«

»Ich hab mir gleich gedacht, daß du ein Gelehrter bist, der hintenherum spricht!«

Stanislaus schwieg bis zum Abend. Er beschäftigte sich wieder mit den Heiligen und freute sich an Schwester Vineta. Trug sie nicht einen Ehering an der rechten Hand? Es wollte ihm nicht gefallen, daß dieses sanfte Wesen verheiratet sein sollte. Er wurde neidisch auf den Mann von Schwester Vineta.

»Ich werde dich doch Nachmittag nicht gerade beleidigt haben?« fragte der Tischler aus dem Nebenbett.

»Man muß vergeben«, sagte Stanislaus und blätterte in einem Heiligenbuch.

»Da bist du am Ende ein Frommer?«

»Ich bin in frommen Häusern ein und aus gegangen.«

»Du willst sozusagen eine Adresse feststellen?«

»Es handelt sich um einen Onkel. Er hat nur ein halbes Ohr.«

»Ob der noch dort wohnt, wo er gewohnt hat, willst du wissen?«

»Nein, ob er noch die Nichte hat, die er gehabt hat, hätt ich gern gewußt.«

»Dann frag doch gleich um die Nichte an.«

Der Tischler erklärte Stanislaus, er müsse an das Einwohner-meldeamt in Wilhelmsthal schreiben und dürfe Rückporto und eine Mark Verwaltungsgebühren nicht vergessen.

»Niemand wird lesen können, was ich mit der linken Hand schreibe.«

»Bitte die Schwester. Sie schreibt dir einen Brief mit Kran-kenhausstempel.«

»Schwester Vineta ist heilig, und dieser Brief soll an eine fast unheilige Nichte dieses Onkels geschrieben werden.«

»Heilig? Sie starrt ganz schön auf mein Gemächte, wenn sie mir das Bett richtet.«

»So sollst du nie und nimmer von dieser frommen Schwester reden.«

»Ich sehe, was ich seh!«

Sie schwiegen wieder lange nebeneinanderher. Erst am Abend des nächsten Tages setzte der Tischler das Gespräch fort: »Am Ende habe ich gestern deine heiligen Gefühle ver-letzt.«

»Man muß vergeben«, seufzte Stanislaus.

Der Tischler drückte auf den Knopf der Nachtglocke. Die Schwester erschien. »Der Büdner muß einen dringenden Brief schreiben. Man hat seinem Onkel das halbe Ohr wegge- hackt.«

Schwester Vineta holte ihr Schreibzeug. Ihre wächserne Hand warf schöne Schriftzeichen auf das Krankenhauspapier. Es wäre Stanislaus nicht unlieb gewesen, einen so schön ge-schriebenen Brief von Schwester Vineta zu erhalten. Ein alter Bekannter, der Neck, kroch unter der Bettdecke hervor. »Da kann sich Ihr Mann freuen«, sagte Stanislaus.

Schwester Vinetas Augenbrauen zuckten. Stanislaus war ganz unter die Fuchtel des Necks geraten. »Ihr Mann kann zufrieden und glücklich sein. Ein Weib mit so schöner Schrift!«

Schwester Vinetas Mund wurde schmaler. Sie legte den Brief auf Stanislaus' Bettdecke und entschwebte. Der Tischler unter-brach sein leises Pfeifkonzert. »Du bist noch schön grün. Sie ist sowenig verheiratet wie ein Gespenst.«

»Und der Ring?«

»Weißt du nicht, daß sie mit dem Herrn Jesus ein Verhältnis hat? Er ist der Herr und Bräutigam aller Nonnen. Habt ihr das in der Schule nicht durchgenommen?«

Stanislaus schämte sich. »Jetzt hab ich die Schwester vertrieben.«

»Du hast sie hinter die Tür getrieben. Sie wird dort kichern.«

»Es ist nicht anzuhören, wie du von einer heiligen Frau sprichst, wie ich schon sagte.«

»Ich sehe, was ich sehe, wie ich schon sagte.«

Eine Woche später kam ein amtlicher Brief für Stanislaus aus Wilhelmsthal. Stanislaus rupfte ihn mit den Zähnen auf.

Kaum zwei Zeilen: »Die Benannte ist unbekannten Aufenthaltes verzogen.« Stempel und Unterschrift.

Stanislaus' Gedankenstürme legten sich für eine Weile. Die Windstille einer Enttäuschung breitete sich in ihm aus. Der Tischler sah es und bekam Mitleid. »Ganz gleich, wie es ist«, begann er, »ich bin dir vielleicht hier und da zu nahe getreten, aber hast du sie nun gefunden, deine Nichte?«

»Nein, sie hat sich – Gott gebs – auf den Weg gemacht, mich zu suchen.«

»Laß eine Zeitungsanzeige los, daß du hier bist.«

Langes Schweigen, aber am Nachmittag begann der Tischler wieder: »Wenn sie ein Kind von dir kriegt, kannst du übrigens das Geld für die Zeitungsanzeige sparen. Wer zahlen soll, wird immer gefunden.«

»Rede du nur Schlechtes und Schlechtes. Es ist deine Natur«, sagte Stanislaus.

Schweigen.

Die Tage tropften wie Sirup in das große Faß Vergangenheit. Stanislaus gab keine Zeitungsanzeige auf. Er hatte sich Gott ganz und gar ergeben. Vielleicht hatte der Herr Mia nur auf die Erde geschickt, um ihn für seinen Ungehorsam zu strafen. Die Heiligen in seinen Büchern waren auch nicht gerade geringen Versuchungen von dieser Seite her ausgesetzt gewesen.

228

Nun hatte Gott ihm vielleicht diese Schwester Vineta gesandt. Es glommen weder Funken noch Irrlichter in ihren Augen wie bei Marlen oder Mia, wenn er sie ansah. Auch in Ludmillas Augen war es hinter den dicken Brillengläsern nicht ganz ohne Funken abgegangen. Nein, Schwester Vineta erwiderte seine Blicke sanft. Stellte ihm Gott eine neue Falle? Gott war Schwester Vinetas Schwiegervater und konnte unmöglich wollen, daß sich die Frau seines Sohnes mit Stanislaus abgab.

An einem Sonnentag erschien diese Vineta mit einer Schere. Sie setzte sich auf Stanislaus' Bettrand und schlitzte seinen Gipsverband auf. Der Arm sollte heil sein. Stanislaus spürte die Sünde wie einen säuselnden Wind heranwehen. Er faßte nach Vinetas Hand. Sie sah ihn an. Er streichelte die wächserne Hand. Vineta erschauerte. Sie zog ihre Hand zurück. »Sie dürfen meine Hand nicht festhalten, wenngleich es schmerzen sollte!«

Der Tischler zwinkerte herüber. Stanislaus errötete. Fast hätte er sich an der Frau vom Herrn Jesus vergriffen. So weit war es schon mit ihm gekommen. Die Nonne ging. Sein Arm war frei. Der Tischler richtete sich auf. »Du gehst ganz schön ran, muß ich dir sagen, auch wenn ich dich wieder beleidigen sollte. Denkst du, sie läßt sich das gefallen, wenn einer zusieht? Da mußt du Einzelzimmer liegen und nicht auf Krankenkasse.«

Stanislaus drehte sich zur Wand. »Ich könnte mir denken, daß dir eines Tages das Bein abgenommen wird für soviel sündiges Reden.«

Zwei Tage später kam er in die Bäckerei. Der Meister wütete: »Deine Stelle ist besetzt, Raufbold!« Er drängte Stanislaus hinaus. Seine Giftworte flogen zischelnd wie ein Grünfliegenschwarm: »Ohrfeigen sollt man dich. Auf meine Kosten den Arm brechen! Soll man jeden Zugelaufenen bei der Krankenversicherung melden?«

Stanislaus sah die Straße hinauf. Sie war wohl jetzt seine Heimat.

32

Von da an trug er zwei Wanderbündel: eines mit Bäckersachen, eines mit Erlebnissen.

Mia hatte ihn beschenkt; aber dann hatte sie auch andere mit ihrem Körper freigehalten und mit flinken Füßen nach seiner Liebe gestoßen. Er beschloß, sie von ihren Ausschweifungen zu heilen. Er wollte sie suchen. Er traute seiner unverbrauchten Liebeskraft viel zu. Eine Zeitlang nahm er wieder Zuflucht zu seinen geheimen Kräften. Er dachte und dachte an Mia, bis er sie in einer Stadt vor einem Schaufenster stehn oder bäuchlings auf einem Wiesenrain an seinem Wanderwege liegen sah. Wenn er vor einer Fremden stand, die er angerufen hatte, entschuldigte er sich plump und wurde rot bis in die Ohrmuscheln hinein.

Er konnte nicht ewig auf der Landstraße bleiben. Er benötigte wenigstens eine Kammer. Er brauchte den Zuspruch von Büchern und, wenn es sein konnte, Wärme und Menschenliebe. Er war kein streunender Hund. Noch zog ein Wort als Beleidigung und Kummer mit ihm. Das Wort hieß: Raufbold.

Er langte bei einem Meister an, der aus der Enge seines Kleinkramgeschäftes hinauswollte. »Laß dich gut an, und du sollst aufsteigen«, sagte er.

Stanislaus wollte aufsteigen. Er war tief genug unten, ein Raufhold der Landstraße.

In der Backstube herrschte ein bitterlich-ranziger Geruch. Braun gebackene Röllchen – so groß wie Zigarren – strömten ihn aus: Salzstangen, mit Kümmelkörnern bestreut, Oblaten für Biergläubige.

Salzstangen waren das heilige Gebäck des Betriebes. Am Nachmittag sackten die Lehrlinge je drei dieser Stangen in eine blaubedruckte Pergamenttüte: »Pappke-Stangen mit erlesener Paste«. Wenn der Abend schroff in den verbauten Bäckereihof fiel, versammelte sich dort auf einer wackligen Bank eine Schar von Schulkindern. Kinder, denen daheim die Armut das Brot brach und die löcherigen Schuhe anzog. Es war, als sei ein durchziehender Schwalbenschwarm auf dem Hofe eingefallen. »Meister Pappke, Meister Pappke!« Nah bei der Wohnungstür stand ein rothaariger Knirps auf Auslug. »Er kommt!«

Keine Schreie mehr, kein Balgen, kein Plaudern; nur das Knistern der Körbe. Der Meister blieb in der Haustür stehn und genoß die Stille. Das war seine Stille, angefertigt kraft seiner Persönlichkeit. Er fuhr mit einem Taschenkamm durch sein englisches Bärtchen, musterte den Knirps und sagte: »Wieder diese Schuhe?«

Der Knirps trippelte und versuchte, die Löcher seiner Schuhe zu verbergen.

»Verdienst du nicht dein Bares jeden Tag?«

Der Knirps nickte traurig.

Pappke betrat die Backstube, mit geschwollner Seele. Er sah sich um, schnupperte, zog sein Kämmchen, harkte sich wieder den Bart und winkte Stanislaus heran. »Nun sollst du zeigen, ob du meinen Geschäftsführer abgeben kannst!« Stanislaus, der Raufbold der Landstraße, sollte Geschäftsführer sein? Er segnete die Stunde, die ihn dem Hause dieses Meisters zugeführt hatte. Er zählte Salzstangentüten in die Tragkörbe der Kinder.

Eine Viertelstunde, und der Herr Geschäftsführer hatte seine Amtshandlung vollbracht. Die Kinder schubsten sich durch den schmalen Hinterausgang. Jedes wollte mit seinem knisternden Korb und den raschelnden Tüten zuerst in den Straßen der Stadt sein. Meister Pappke wies auf den rothaarigen Knirps. »Denk nicht, daß er lahmt. Seine Schuhsohle hängt herunter wie eine Hundszunge. Ich habe das gesehn. Sieh auch du alles!«

Nachts kehrten die Kinder wieder im muffigen Hof ein. Der Geschäftsführer erwartete sie. Ihr Schwalbengeschwätz war verstummt. Sie waren matt und balgten nicht mehr. Der Knirps sortierte Zigarettenstummel.

Der Geschäftsführer rechnete ab: Für jede verkaufte Tüte Salzstangen – einen Pfennig, für zehn ein Brötchen als Prämie, für zwanzig – ein Stück Kuchen. Stanislaus nahm Lohnbrötchen aus dem Ladenkorb und schnitt vom besten Obstkuchen herunter. Er erinnerte sich seines eigenen Kuchenhungers und der Zeit, da er sich noch von Wundertaten nährte. In die Spalten einer Liste schrieb er die Pfennigbeträge und drückte karges Kleingeld in magere Kinderhände. Es war nicht leicht, ein Geschäftsführer zu sein.

Als die Kinder still und abgerackert wie kleine Hausgeister in die Nacht hinausgetrippelt waren, kam Meister Pappke und sah sich Stanislaus' Liste an. Er krauste die Stirn. Seine großen Ohren wackelten. »Es sind Kleinigkeiten, die ein Unternehmen groß machen: Du hast die frischen Brötchen aus dem Ladenkorb verausgabt, aber die altbackenen aus dem Ofensack hätten es sein sollen. Andererseits hast du, wie ich sehe, für neunzehn verkaufte Tüten ein Stück Obstkuchen verabreicht. Neunzehn sind nicht zwanzig. Du untergräbst den Sinn der Prämie.«

Meister Pappkes Salzstangen waren stadtbekannt. Ihr guter Ruf würde sich sicher über die ganze Erde ausbreiten. Pappke studierte schon Erdkundebücher. Der erlesene Geschmack der Pappke-Salzstangen aber war ein Geheimnis des Meisters. Er würzte den Teig morgens, ehe noch Lehrlinge und Geselle im Backhaus waren. Von Zeit zu Zeit schloß sich Pappke in den Keller ein, kochte und mischte dort. Widrige Dämpfe und ekle Gerüche durchzogen das Haus, und die Fensterscheiben bekamen eine Gänsehaut.

Noch oft dachte Stanislaus an Mia. Er zerdachte sie. Er saß in seiner Kammer, träumte sich über die Rücken der Dächer, über die Spitzen der Türme hinweg vor die Stadt ... Es war auf einer Ziegenwiese am Straßenrand. Die Liebe war süß. Ein Zittern stieg in ihm auf.

Er hatte fünfundzwanzig Mark Lohngeld in seinem Bündel und kaufte sich wieder ein Buch. Es sollte ihn über die Entstehung der Erde und des Menschenlebens aufklären. Er wußte vom Werden der Erde nur das, was ihm der Lehrer-Gerbersche Religionsunterricht vermittelt hatte: In sechs Tagen von Gott angefertigt, mit Gras, Bäumen, Tieren und Menschen besetzt. Der Mann aus Lehm, die Frau aus einer Mannsrippe. Es wurde Sonntag, der Herr feierte, fertig war die Welt!

Gott, der Weltschöpfer, hatte sich mehr und mehr in die Wolken zurückgezogen. Der Herr der Wirbelwinde und Kugelblitze machte sich nicht allzuviel aus diesem anfälligen Bäckerknecht Stanislaus, der losen Weibern nachrannte und jedwede Gelegenheit verpaßte, ein regulärer Heiliger zu werden.

Andererseits erhoffte auch Stanislaus nicht allzu große Geschenke von seinem Herrn. Er wünschte sich einen Menschen, mit dem er bereden konnte, wie es um ihn stand, wie seine Gedanken ihn plagten, aber auch hin und her beglückten. Dieser winzige Wunsch des Brötchenbäckers war nicht der Rede wert und kam wohl gar nicht erst beim Allmächtigen an, zerflatterte in den tieferen Regionen des Himmels, Abteilung Regenwolken. Wie kann ein Schaf seinen Schäfer verstehn? Das Schaf geht vorn, der Schäfer hinten. Das Schaf sieht den prallgrünen Roggenschlag neben der mageren Weidebrache. In den Roggen möchte es, fressen und glücklich sein. Der Schäfer sieht weiter, sieht schon das vom Fressenüberglück gedunsene Tier und hetzt ihm seine Hunde nach.

Stanislaus und Gott unterhielten sich nur noch selten miteinander.

Stanislaus hatte nun dieses Buch über die Entstehung des Lebens. Es kostete dreizehn Mark und war eine Innungslade, angefüllt mit Wissensschätzen. Stanislaus las es in vier Nächten durch. In der Backstube gähnte er. Beim Semmelwirken fielen ihm die Augen zu, und die Knie knickten ihm ein.

»Hoppla!« — Ein feiner Geschäftsführer. Die Lehrlinge lachten. Es schliefen nicht nur Pferde im Stehen.

Stanislaus schlief vom Sonnabendmittag bis zum Sonntagabend. Er erwachte hungrig, aber von der Wissenschaft durchglüht. Das Leben war nicht mehr mit Fragezeichen gespickt. Alles schien beantwortet und in großer Klarheit vor ihm zu liegen: Der Mensch hatte, verflucht und zugenäht, ein geistiges Wesen zu werden, das die Erde beherrscht und bezwingt. Das wollte auch Stanislaus. Der Verfasser des Buches, ein gewisser Professor Obenhin, bestärkte, was Stanislaus schon ahnte.

Es kamen Nächte, da verließ er seine kleine Kammer, stampfte aus der Stadt und ging unter Baumalleen aufs Land hinaus. Er begrüßte den Wind und nannte ihn eine segnende Strömung der Luft. Er nickte den Bäumen zu und sagte: »Was ihr seid, das hat der Mensch aus euch gemacht, beachtet das, bitte!«

Die Bäume nickten zurück, und er fühlte sich verstanden. Er sah zu den Sternen hinauf und rief: »Versteckt euch, wie Ihr wollt, ich kenn euch!« Und da gab es Sterne, die zwinkerten vor lauter Ferne, und wiederum fühlte er sich verstanden.

Und wieder kamen Abende, da er sich in das dicke Buch rüsselte. Er bekam glühende Ohren und vergaß das Abendbrot in der Meisterküche, aber die Abrechnung mit den Kindern, den kleinen Salzstangentrabern, vergaß er nie. Er steckte ihnen kleine Vergünstigungen zu und dachte nicht daran, ein tüchtiger, berechnender Geschäftsführer zu sein. Der Meister wurde durch ihn nicht ärmer, doch die Kinder wurden fröhlicher. Er hatte gute Worte für sie: »Guckt nach den Sternen, wenn ihr schon nicht in den Betten seid, ihr kleinen Händler.« Die Kinder versprachen es und drückten ihre Prämienbrötchen unterm verschlissenen Rock an die mageren Leiber.

Seine Gelehrtenkammer, drei Schritt lang, zwei gute Schritte breit, war der Raum, in dem er alle Geheimnisse des Weltenraums zu ergründen trachtete. Er fuhr mit einer Schöpfkelle in die sämige Suppe menschlichen Wissens, schlürfte aus dieser Kelle, schluckte große Quanten und verdaute sie schlecht. Er drang in die Gesetze der Urnebel und verglich sie mit dem Mehlstaub, der sich beim Säckeausstäuben in der Backstube als grauweiße Schicht auf alle Handwerkszeuge und Geräte setzte. Es war großartig, als Wissender umherzugehen und alle Dinge, vor allem die Menschen, von einer unbekannten Seite zu betrachten. Er wurde von erhabener Freude durchwogt, doch die Freudenwogen warfen ihn zuweilen an einen Strand, auf dem er sich einsam fühlte und erschauerte. Noch immer hatte er keinen Menschen, mit dem er über seine großen Erlebnisse sprechen konnte …

Die Lehrlinge, diese armen Geister der Backstube, gingen umher und glaubten, auf einer festen Erde zu stehn. Er saß auf der schmalen Holzstiege vor dem Backofen und beschrieb mit bemehlten Händen die Bewegungen der Sterne und brachte alle Dinge der Erde zum Kreisen. Er klopfte an den Streicheimer und sagte: »Was ihr auf dieser Erde anfaßt, Wasser ist drin.«

Die Lehrlinge stöhnten leise wie beim Rätselraten, und der jüngste fragte: »Auch im Kartoffelmehl?«

»Preß es aus, ein Quentchen Wasser wird herausfließen!«

Die Jungen zwinkerten sich zu. Sollten sie widersprechen und sichs mit dem Gesellen verderben? Es war besser, Rätsel zu raten als zu arbeiten und zu schwitzen.

»Ist auch Wasser im Menschen?«

Stanislaus war diese Frage nicht zu gering. Er glühte vor Lehreifer. »Das Wasser, das du trinkst, verläßt dich teils als Dampf, teils anderswie. Du transpirierst, gelehrt gesagt, wenn dich das Wasser durch die Haut verläßt.«

Die Lehrlinge purrten auseinander wie aufgescheuchte Rebhühnchen. Einer griff nach einem Teigstück, ein anderer packte die Scharre, und der dritte streute Holzmehl in die Brotmulden. In der Backstubentür stand der Meister. Stanislaus rutschte verlegen von der Holzstiege. Er war kein Gelehrter mehr, sondern ein gewöhnlicher Backofenarbeiter, der ein Geschäftsführer sein sollte. Die Lehrlinge kicherten.

Aber den ältesten Lehrling zogs doch zuweilen in Stanislaus' Gelehrtenkammer. Er hatte dies und das zu fragen. Stanislaus ließ sich nicht bitten. Die Luft in der kleinen Kammer erwärmte sich an seiner Beredsamkeit. Er holte feurigflüssige Himmelskörper in den kleinen Raum. »Auch die Erde war feuerflüssig«, schrie er wie der Prophet aus dem Himmelswagen. Albin staunte. »Wer da gelebt hat, hat was mitgemacht.« Er knabberte sich nachdenklich Teigreste von den Fingern. »Mir genügt die Glut vom Backofen.«

»Sei ohne Sorge: damals gabs den Menschen nicht. Das hält die Wissenschaft für außerstande.«

»Es hat eben alles seine Eier«, sagte Albin, tat tiefgründig und sah auf seine Taschenuhr. »Ich muß jetzt gehn.«

Stanislaus mochte seinen Zuhörer nicht missen. Er redete lauter und schneller, doch Albin unterbrach ihn wieder. »Ich treffe mich mit einer. Das muß sein.«

Stanislaus hatte lange nicht an Mädchen gedacht. »Es muß wohl sein«, sagte er. Er wollte seinen Schüler nicht verlieren. Er ging mit.

Sie gingen durch die ländlichen Straßen der kleinen Stadt. Am Straßenende spiegelten sich Felder im Schaufenster eines Kaufladens. Der Ernteduft wehte von den Äckern herein. Die Menschen schlenderten auf Steinstraßen und kümmerten sich nicht um Ernteduft und Felder. Sie hatten ihre Wassermühle, ihre Gasanstalt, ihr Sägewerk und zwei, drei kleine Abziehbilder-Fabriken; sie hatten ihre Industrie, und basta! Sie schlüpften in das kleine Kino und ernteten dort ihre dürren Fuhren, stiegen in die Kneipen und tranken ihre Angst vor der Wirtschaftskrise tot.

Der Brodem im Tanzsaal war dick. Zigarettenqualm, Pfeifenrauch, Bierdunst und aufdringlicher Geruch billiger Duftwässer mischten sich. Die Tanzenden hobelten und schliffen ihre Schuhsohlen dünner. Sie drehten sich im Walzer; manche langsam und innig, manche wie bei mechanischer Arbeit, und ganz forsche Tänzer rissen ihre Damen herum, als wollten sie ihnen ein für allemal das Geradeausgehen abgewöhnen. Niemand außer Stanislaus schien zu ahnen, daß sich die Erde mit diesen verrückten Drehern außerdem drehte. – Niemand?

»Wenn du denkst, die Sonne geht unter, der Mond geht unter, das scheint bloß so ...«, sangen die Musiker.

»Ja, jawohl!« Stanislaus trank einen mächtigen Hieb Bier auf seine Brüder im Geiste – die Musiker. Sie waren die reinen Zauberer, trieben die Luft ihrer Lungen durch Röhren, und die Luft stieß an Blech und geriet in Schwingungen. Das menschliche Ohr aber gierte nach diesen Luftschwingungen, lag auf der Lauer und lauschte; es besoff sich am Gezitter der Luft. Die Ohrenbesitzer wurden taumelig und unberechenbar, gingen hin, griffen sich einen anderen Menschen und stießen ihn durch den Raum. Die Wissenschaft hatte sich in Stanislaus breitgemacht und begann, sein Leben zu entzaubern. Die Blumen auf seiner Lebenswiese wurden mit einer Mähmaschine abgeschoren. Ihn fröstelte. Er gab dem kalten Bier die Schuld.

Albin hatte sich im Gewimmel der schabenden Parkettwürmer verloren. Sein Bierglas stand unangerührt. Mit wem sollte sich Stanislaus nun über die Entstehung der Erde und anderer Gestirne unterhalten? Er trank noch einen Hieb Bier und spürte, wie ihn nach einer Weile eine kleine Heiterkeit durchkicherte.

Die Musiker gaben Lungen und Fingern eine kleine Ruhepause, da krähte ein Zwerghahnstimmchen am Saalrand: »Pappke-Salzstangen mit erlesener Paste. Immer noch die guten Pappke-Stangen!« Es war der rothaarige Knirps. Salzstangenesser überfielen ihn. »Her mit den Bierzigarren, Kamrad!« rief ein langer Saufaus, der hellbraune Hosen und dunkelbraune Marschstiefel trug.

»Sie haben vorgestern nicht bezahlt, mein Herr!« sagte der Kleine, wich dem Schreihals aus und pries seine Waren weiter an: »Erlesene Paste aus fernen Ländern!«

»Ranzige Ziegenbutter!« blökte der mit den Marschstiefeln und grinste hämisch.

Im Gewimmel am Schenkstock rief eine andere Kinderstimme: »Pappke, Pappke, Pappke ...«

Es war ein Junge mit einem breiten Feuermal im Gesicht. Der Knirps rannte mit seinen raschelnden Tüten und stellte seine kleine Konkurrenz. »Sollst du hier verkaufen? Es ist mein Revier.«

»Tüchtigkeit kennt keine Grenzen!«

»Das sagt Meister Pappke, aber ich war zuerst hier!«

Die arbeitslosen Tänzer stellten sich um die Kampfhähne. Der lange Saufaus beugte sich zum Knirps. »Ists wahr, daß du mit trocknen Hundeknorpeln handelst?«

An der Schläfe des Knirpses traten Äderchen hervor. »Wer sagt es, Herr?«

Der Knirps erhielt einen Schubs. »Packt euch!«

Die kleinen Verkäufer prallten aufeinander. Das Rohrgeflecht der Körbe knackte. Der Knirps unterfuhr seine Konkurrenz und brachte sie zu Fall. Stanislaus rannte auf dürren Bäckerbeinen herzu. Seine Weltraumträume waren vergessen. Hier prallten nicht Sterne, sondern zwei kleine Menschen aufeinander, und in jedem konnte ein Sternenerkenner, ein künftiger Weiser, stecken. »He, du kleines Ungeheuer!« Stanislaus packte den Knirps von hinten. Der Kleine erkannte die Stimme des Geschäftsführers. »Er handelt in meinem Revier, Herr Stanislaus.«

Der Junge mit dem Feuermal hob den Arm vor die Augen und weinte still in den zerschlissenen Ärmel.

»Was mischst du dich ein?« polterte der braungestiefelte Saufaus und spuckte sich angriffslustig in die Hände. Da setzte die Musik ein. Der Raufbold wurde zur Seite getanzt und vertrollte sich krakeelend. Stanislaus hob die Körbe von der Tanzfläche, nahm die verwirrten Salzstangenhändler an seinen Tisch, kaufte ihnen den Rest ihrer Ware ab und versöhnte sie. Jeder mußte einen Schluck von seinem Bier nehmen. Einträchtig wie Brüder bahnten sich die Jungen den Heimweg durch die Tanzenden.

Stanislaus beschloß, seinem Meister zu sagen, daß er kein Geschäftsführer mehr sein wollte. Er versuchte sich zu entsinnen, wann er je so zufrieden gewesen war wie in diesem Augenblick. Nur, wenn er ein Gedicht geschrieben hatte.

Jetzt war ihm so, als müßte er tanzen. Nicht weit von ihm saß ein blasses Mädchen. Es war keines von den Begehrten, doch vielleicht war sein Inneres weich wie Waldmoos.

Er bestellte sich ein viertes Bier, gab dem Kellner ein Trinkgeld und bot ihm von seinen Salzstangenvorräten an. Der Kellner nahm eine Tüte und verbeugte sich. »Ich habe einen Professor gekannt, der war so wie Sie.«

»Wie unsereiner? Wie ich?«

»Dieser Mensch guckte und guckte nur, aber nachher schrieb er alles auf.«

Stanislaus fands nicht übel, mit einem Professor verglichen zu werden. Es mußte doch etwas von ihm ausgehn, daß alle Welt stutzte: Achtung, hier handelt es sich um einen besonderen Menschen! – Es war das Bier, das mit ihm durchging.

Er brauchte die Blasse nicht zum Tanz zu holen. Sie kam bei der Damenwahl auf ihn zugetrippelt. Sie trippelte wie eine Taube, eine Taube, die zum Futterplatz eilt. Sie blieb vor ihm stehn und knickste leise. Kein anderer Mensch auf der Welt konnte gemeint sein als er.

Es wurde ein durch und durch jämmerlicher Tanz, aber sie war bescheiden. »Sie tanzen so etwas wie einen Tango, aber ist es nicht vielleicht ein Foxtrott?«

Der Biergenuß hatte Stanislaus' Zunge behender gemacht. »Ich bin in der Welt herum, aber überall wurde dieses Stück als Tango getanzt, mein Fräulein.« Er versuchte sich zu drehen, wie er es bei anderen Tänzern sah. Das Mädchen ließ sich wenden, wie er wollte. »Sie sind schließlich gar im Ausland gewesen?«

»Die Welt ist groß«, antwortete Stanislaus. »Was ist schon unsere Erde!«

Das blasse Taubenmädchen wurde klein und verwirrt, wurde so leicht wie Pappelsamen, der sich auf seinem Ärmel niedergelassen hatte.

Später gings mit dem Tanzen besser. Es war keine große Kunst, zu hopsen, sich zu drehen und die Schuhsohlen zu schleifen, wie es der Musiktakt verlangte.

»Sie haben sich schnell an die hiesige Musik gewöhnt.«

»Sie ist etwas gröber als die Musik in fernen Welten«, sagte er und war wie von weit her.

Sie wurde gerührt und schmiegte sich vorsichtig an. Er lauschte. »Einmal mußte ich mich an junge Mädchen gewöhnen, die nackt auf einem Tisch tanzten. Da war mein Herz wie mit Nägeln gespickt, fast hätte ich Blut gespuckt.«

Da wußte sie, daß er nicht aus allzu fernen Welten hier hereingeweht war, und streichelte mit ihren Mückenbeinifngerchen sacht über seinen Handrücken.

33

Stanislaus erzürnt den Herrn der Salzstangen, begegnet einem Seidenbandgemüt und hält sich eine Meisterswitwe mit einem Hammer vom Leibe.

Es steckte Anhänglichkeit in diesem Taubenmädchen, und es war gut zu ihm, das war nicht zu leugnen; als jedoch die ersten kühlen Tage des Septembers über die Felder in die kleine Stadt wehten, erwachte in ihm wieder der Wunsch nach einem Zuhause. Bei ihr konnte sein Zuhause nicht sein. »Jetzt hast du dir Bücher gekauft und kommst nicht so oft«, sagte sie.

»Der Mensch muß sich erwärmen«, erwiderte er und tat sehr jenseitig.

»Da brauchst du mich also nicht mehr.« Um ihren Mund machte sichs weinerlich.

»Ich brauche dich noch wie verrückt«, sagte er eilig vor lauter Mitleid.

Es war schon so: Er brauchte sie weniger und weniger. Sie war nicht die, mit der er über kreisende Urnebel und die Bewohnbarkeit von Sternen reden konnte. Sie war nicht die, die seine Gedanken an ihr Herz nahm und wärmte, wenn sie nach ihren Reisen frierend aus dem Weltraum zurückkamen.

»Es macht mich schwindelig«, konnte sie sagen. »Ich kenne nichts als dieses Städtchen, und du bist auf den Sternen zu Hause und scheinst nicht daran zu denken, daß wir bald heiraten könnten.«

»Wie? – Die Sache ist: Ich weiß noch zuwenig.«

»Von mir?« fragte sie.

»Von der Welt«, antwortete er.

Der Herr der Salzstangen erkrankte. Er ließ Stanislaus rufen. Über dem Meisterbett hing ein großes Bild: Elfen, mit blaugrüner Nebelseide bekleidet, transportierten ungeheure Mengen Blumen auf einem zarten Kahn nach nirgendwohin.

Meister Pappke litt an Kreuzrheuma. Er hatte Salzstangen in die Körbe der kleinen Verkäufer gezählt und dabei geschwitzt. Es hatte ihn getroffen, als er sich wieder aufrichten wollte. Ein Pfeilschuß aus dem Jenseits. »Die Leute nennen es Hexenschuß«, sagte er, »aber wir Männer der Wissenschaft sagen Kreuzrheuma, einfach Kreuzrheuma.« Er stöhnte, versuchte sich im Bett aufzurichten und reichte Stanislaus die Hand. »Da, mein Händedruck ist mein Vertrauen. Du warst nicht der Geschäftsführer, an den ich dachte, vielleicht wirst du der Werkmeister, den ich mir ausmale. Ein Kreuzrheuma dauert seine acht Tage; das ist in Kreisen der Wissenschaft bekannt. Es trifft sowohl die südlichen als auch die nördlichen Menschen, wie ich las. Du sollst nun diese Woche drei Mark und fünfundsiebenzig Pfennig mehr haben. Dafür wird der ganze Betrieb auf dir lasten, und die Verantwortung wird nicht klein sein. Du wirst es mit der erlesenen Paste und dem Geschmack meiner Salzstangen zu tun kriegen.«

Nein, wo sollte das noch hinaus! Stanislaus kam von der Straße in dieses Meisterhaus und wurde ins Vertrauen gerissen, daß ihm schwindelig wurde.

Meister Pappke bat ihn, die Schlafzimmertür zu schließen. »Die Welt ist voll von Lauschern und Konkurrenz«, flüsterte er. »Was die erlesene Paste anbetrifft, so kommt sie sage und schreibe aus sehr fernen Ländern, selbst Indonesien ist zu einem Teil in ihr vertreten. Als solche ist also meine Paste ein Wunderwerk meisterlicher Mischkunst und von mir selber erfunden. Das sollst du dir merken, und mehr sage ich dir heute über ihre Zusammensetzung nicht.«

Stanislaus erfuhr Geheimnisvolles über eine Falltür im Keller. Der Meister überreichte ihm einen bettwarmen Schlüssel. »Du wirst eine Stunde früher aufstehn als die anderen, hörst du, Werkmeister?«

»Ich höre.«

»Du wirst mir den Schlüssel sofort wiederbringen, wenn du die erlesene Paste aus ihrem Verlies geholt hast!«

»Es soll nicht an meiner Sorge fehlen, Herr Meister.«

»Du wirst den Teig angerührt haben, ehe die anderen in der Backstube erscheinen.«

»Auch das, Herr Meister.«

»Es könnte sein, daß ich dir sogar vier Mark für diese Woche zulege.«

Es sah so aus, als sollte Stanislaus länger in dieser Stadt bleiben und seßhaft werden. Das große Zutraun seines Meisters verlangte es.

Morgens, als die Bäckereidüfte noch schliefen, stieg er bei Laternenschein in den Keller. Er fand die Falltür mit schweren Kisten versetzt. Es waren blechbeschlagene Kisten, die die Grundstoffe für die erlesene Paste aus fernen Ländern ins Meisterhaus getragen haben mochten.

Der Vertraute des Meisters kam ins Schwitzen, ehe die Arbeit in der Backstube begonnen hatte. Er hob die Falltür. Ein gemeiner Geruch sprang ihn an. Es wurde ihm unheimlich. Er spürte Lust, die Bohlentür zurückfallen zu lassen. Sollte er zum Mitwisser einer grauenvollen Angelegenheit gemacht werden?

Er zäumte seine Phantasie, hielt sich die Nase zu und stieg die schimmeligen Kellerstufen hinab.

Es war Käse, einfacher, alter Käse, Jahrzehnte alt. Dieser zehnmal verfaulte Quark stand in verstaubten Töpfen, die mit schönen Schimmelmustern verziert waren, und führte ein buntschillernd-flüssiges Dasein. Indien, Indonesien und womöglich Südaustralien! Na, Gott steh mir bei!

Er füllte das Maßgefäß bis über den Eichstrich und tat noch ein Quentchen hinzu. Er wollte ein Werkmeister sein, wie ihn sich der Meister »ausgemalt« hatte.

Die Salzstangen des Werkmeisters Stanislaus wurden so gut, daß die Backstubenspinnen in ihre gewebten Höhlen krochen und einen Fasttag einlegten. Alle Hunde, die an Pappkes Bäckerei vorüberschlenderten, schnüffelten gen Himmel, als sollte es Abdeckerfleisch regnen, dann aber hoben sie ein Hinterbein und benäßten den Gassenprellstein vor der Backstube. Die Leute auf der Straße durchschnupperten die Luft und fragten: »Es wird doch hoffentlich nicht zum Kriege kommen?«

Der Meister wand sich trotz seines Kreuzrheumas im Bett und ließ sich Gebäckproben kommen. Er biß hinein und spuckte den Probebissen sofort in den Nachttopf. Nur die Elfen auf dem Bild über seinem Bett verfrachteten ihre Blumen unangefochten von irdischen Düften nirgendwohin.

»Da kannst du sehn, daß ein Meister nicht zu ersetzen ist«, sagte Pappke zu Stanislaus. Im Meistergesicht feierte der Ekel Feste. »Ich hatte vor, dir mehr als zehn Mark Zulage für deine Sonderleistung und die verschwiegene Teilhaberschaft zu gratifizieren, nun müßte ich von Rechts wegen deinen Wochenlohn einbehalten. Für dich aber wird es besser sein, wenn du draußen wo lernst, wie man dem Vertrauen eines Meisters begegnet.«

Darauf wußte Stanislaus keine Antwort. Er verneigte sich jedoch nicht, als er ging.

Stanislaus kam zu einem anderen Meister, der war fahrig und haarig, ein bemehlter kleiner Affe. Er hockte auf einem Schemelchen in der Schaufensternische seines Ladens und sah mit neidgrauen Augen, wie die Kunden im Laden auf der anderen Straßenseite ein und aus gingen. Seine Zwinkeraugen huschten über Stanislaus hin. »Du kannst hier anfangen und nützlich sein! Mein Geschäft braucht Auftrieb.«

»Bitte!« sagte Stanislaus nur.

Der Meister rutschte von seinem Schemelchen. »Eine Bedingung!«

»Die Bedingung?«

»Keinen Lohn, aber alles in meinem Hause soll wie dein eigen sein!«

Stanislaus begriff nicht. Sollte er wieder an einem Aufstieg beteiligt werden, ein Schmetterling im Gewerbe sein und zuletzt als elende Raupe davonkriechen? Der Meister packte seine Hand. »Ehrlich gesprochen: Meine Tochter ist nicht die hübscheste, aber wer sie behandelt, wie sie es benötigt, wird ein Gemüt vorfinden – zart wie ein blaues Seidenband!«

Stanislaus war lange gegangen, ohne daß ihm aufgetan worden wäre. Seine Wangen waren eingefallen, der Bücherrucksack traktierte seinen fleischlosen Rücken, und sein Gedärm drängte ihn mit Kollern und Geknurr zu einem Entschluß.

Er erhielt seine Einstandsmahlzeit in der Küche. Der Meister bewirtete ihn eigenhändig, sparte nicht mit gepfefferter Wurst, stellte eine Flasche Starkbier neben die Buttersemmeln, zwinkerte vertraulich mit den Affenäuglein und verschwand.

Stanislaus hieb ein und ließ sichs gut sein. Als er einhielt und vom Bier trank, hörte er den Meister nebenan in der Stube rumoren. »Steh auf, sonst verschläfst du dein Glück!«

Dann wurde in der Stube geflüstert und bei Stanislaus in der Küche gegessen und gegessen. Oh, essen, wenn der Hunger es verlangt! Oh, essen, wenn der Magen jung und die Kost karg ist! Oh, essen, das nicht um seiner selbst willen geschieht!

Stanislaus erwachte aus seinem Essensrausch von einer Frauenstimme. Sie war für sein Ohr, was Igelborsten für die Hand sein können.

»Und wo ist mein Lippenstift?«

»Ich such schon, Kind.«

»Hat ihn Mama wieder genommen?«

»Mama hat ihn nicht genommen.«

»Dann hat ihn das Dienstmädchen, diese Erdkröte!«

War das noch eine Frauenstimme, oder wars ein schabendes Messer im Topf? Stanislaus spürte den Brennreiz der Pfefferwurst im Munde. Er duckte sich. Drinnen in der Stube traktierte das Seidenbandgemüt den kleinen Mehlaffen. »Soll er mich für einen Bauerntrampel halten?«

Stanislaus bekam inwendig eine Gänsehaut. Er vergaß das Bier und ließ eine ganze Buttersemmel liegen.

Er kam zu einer Meisterswitwe. Sie wischte sich Tränen mit teigverschmierter Hand. »Ich knete selber. Der Geselle rannte fort. Mein Mann war jung und feurig, aber er aß zuwenig.« Die Tränen versiegten. An den Witwenaugen blieb ein wenig Teig kleben. Es waren saugende graue Augen. »Er hatte Geschwüre im Magen, wollte sie mit Schnaps wegbeizen. Es gelang nicht. Und wie alt sind Sie?«

»Ich bin zweiundzwanzig.«

»Sehn Sie an! Ich kannte eine Fleischersfrau in meiner Lage. Der war dreiundzwanzig. Sie hat ihn geheiratet. Halten Sie das für möglich?«

»Ich halte alles für möglich.« Stanislaus wrang seine Mütze in den Händen.

Er blieb, denn es war Winter, und ein paar Tage Wärme waren ihm willkommen. Ihre saugenden Grauaugen verfolgten ihn bei allem, was er tat. Sie überwachte seine Mahlzeiten und sagte: »Essen Sie, essen Sie, denn es ist nichts so schlimm, als wenn ein Mann nicht ißt und am Ende von Kräften kommt!«

Er steckte bis zu den Ellenbogen im Brotteig. Sie fuhr in den Teig und zeigte ihm, wie sie den Kleister wünschte. »Glatt muß er sein, glatt! Stramm muß er sein, und was ist das hier?«

»Es ist meine Hand, Frau Meisterin.«

Sie antwortete nicht, aber es war, als bezögen sich ihre Dohlenaugen mit einer Nickhaut.

Er wusch sich in seiner Kammer. Es klopfte. Er verhielt sich still, aber die Tür wurde dennoch aufgetan. Sie brachte ihm ein Hemd. »Es liegen so viele Hemden in meinem Wäscheschrank, und die haben weiter nichts vor, als mich an meinen Mann zu erinnern. Nehmen Sie!« Er antwortete nicht. Sie ging nicht. »Die Fleischersfrau, von der ich erzählte, der trug sogar die Anzüge ihres Mannes, aber das wirkt anstößig. Bei Unterwäsche will man nichts sagen.«

Stanislaus nahm das Hemd ihres Mannes nicht. Er hatte vier Hemden, für jede Woche des Monats eines, und er beleidigte sie.

Sie wurde von Wünschen getrieben, die kein langes Beleidigtsein duldeten. Das Bild ihres Mannes sei von der Wand gefallen, glatt in ihr Bett hinein, sagte sie eines Tages beim Frühstück. »Man hört, daß es eine tiefe Bedeutung hat, wenn Bilder Verstorbener von den Wänden springen!«

Es war ihm unwillkommen, daß sie nicht mehr beleidigt war. Er hatte so ungestört über die Kanäle auf dem Mars nachgedacht. Seine Phantasie ließ sie zu technischen Werken menschlicher Wesen werden. Vielleicht gab es dort Menschen, die ihn verstanden.

»Sind Sie auch der Meinung?« fragte sie.

»Ja«, sagte er einfach und dachte immer noch an die Marskanäle. Als er aber in ihre Grauaugen sah, kam ihm zu Bewußtsein, daß sie von einem herabgesprungenen Bild gesprochen hatte. Er erbot sich, den Haken wieder einzuschlagen.

Sie sah ihm zu. Er stand auf ihrem Bett. Es war ein mächtiger Haken, denn es war ein mächtiges Männerbild, das er zu tragen hatte. Er konnte sich nicht erklären, wie dieser Riesenhaken aus der Wand gerutscht sein sollte.

Es war eine sehr weiche Matratze. Sie schwankte, als er heruntersteigen wollte. Er taumelte und fiel in ihr Bett. Sie erschrak so, daß sie dazufiel. Sie fiel so ungeschickt, daß auch er erschrak. Er sah ihre lüsternen Dohlenaugen über sich. Ihr Atem roch nach Rosinen. Er hob den Hammer. »Weg!«

Sie sprang auf, rannte ans Fenster und schrie auf die Straße hinaus: »Helft, helft, gleich schlägt er mit dem Hammer!«

Er wartete nicht, bis hilfreiche Nachbarn kamen.

---

34 Stanislaus trifft einen Schüttler, flieht vor seinem Mitleid und wird über den höheren Sinn der Dichtkunst belehrt.

Er trieb umher und wurde nirgendwo erwartet. Er war wie die Haubenlerchen, die winters fremd in die Steinstraßen der Städte einfallen, ihre Köpfchen zur Seite neigen und demütig auf etwas Abfall warten. Und scheint die Sonne nur eine Stunde, so entsinnen sie sich ihrer schwermütigen Frühlingsstrophe. Sie singen auf einem besonnten Prellstein. Sie füllen sich mit Steppensehnsucht, werden leicht und flügge wie die Sehnsucht selbst, erheben sich, fliegen davon, auch wenn der Winter sie drei Städte weiter wieder herniederdrückt. Und wieder suchen sie und warten, warten auf Botschaften aus der Luft.

So ging Stanislaus' vierundzwanzigster Winter vorüber. Um ihn her wurden Schlachten geschlagen, gewonnen und verloren.

Die die Schlachten mit Lügen und Hinterlist gewannen, waren die Herren aus dem Café Kluntsch. Stanislaus hatte sie nie gemocht, selbst wenn sie ihm morgens nach ihren Gelagen ein Trinkgeld zusteckten. Das waren Leute wie Graf Arnim, parfümierte Schießer, strenge Verfolger von Holzlesern und Blaubeerpflückern, aber es fehlte ihnen hinten ein Hosenknopf, wenn sie sich die Jacke auszogen.

Er suchte sich sein Wissen zusammen wie die Haubenlerchen ihr Winterfutter. Er träumte von der Wärme eines verstehenden Menschen wie die Haubenlerchen vom Steppensommer, und er wußte keinen Augenblick, daß er zu denen gehörte, die Ungeheuerlichkeiten zuließen.

Er hatte aus seinen Büchern erbüffelt, daß die geheimen Kräfte, auf die er sich in seiner Jünglingszeit nicht wenig eingebildet hatte, nichts waren als ein bißchen Betörung; Medizinmannzauber, bekannt seit Urzeiten und wirkend auf die, die da glaubten. – Aber was war nun das für eine Kraft, die ihn immer wieder stieß, kleine Gedichte aufzuschreiben und glücklich und befreit danach zu sein, als hätte er einen Baum wachsen, eine Blume erblühen lassen? Sollte auch das Medizinmannzauber und Trug sein? Wie sollte Klarheit in ihm sein, wenn das, was in ihm vorging, nicht erklärt war?

Durch das Dürrgras der Straßengräben bohrten sich die ersten Grünhalme ins Licht. Die Sonne wärmte, die Luft war mild und bunt, trug Vogelsang und erste Düfte. In Stanislaus war Fröhlichkeit ohne Grund. Er legte sein Ohr an einen Baumstamm und nickte, und er rief einem Vogel nach: »Gleich beginnt das Fest!«

Es saß ein Mann im Straßengraben, der schüttelte sich wie ein Sommerbaum im Nachtwind. Es war ein großes Schütteln, das diesen Mann in der Gewalt hatte. Konnte Stanislaus in üppiger Fröhlichkeit vorüberziehn? »Hast du giftiges Gras gegessen?«

Der Schüttler versuchte, ihn anzusehn, aber sein Blick wurde hin und her gerissen. Sein kleines dankbares Lächeln war wie hüpfender Sonnenschein auf welligem Wasser. Seine Hand flog zitternd auf wie ein verjagtes Schneehuhn und versuchte, auf Stanislaus' prallen Bücherrucksack zu deuten. Stanislaus suchte in seinem Handbündel nach etwas Zehrung. Der Mann seufzte, biß in den Brotranft und wurde ruhiger.

»Hast du stehendes Fieber?«

Der Schüttler lächelte. »Kunde?«

Stanislaus hob die Schultern. »Fast Kunde.«

Als er den Brotranft gegessen hatte, ließ der Schüttler sich hintüberfallen, schloß die Augen, schnüffelte und schnurchelte wie ein Hund, der die Schlafluft abwittert, und schnarchte bald.

Stanislaus lauschte auf das Gesumm der feisten Frühlingsfliegen und stopfte sich ein Pfeifchen. Die Hand des schnarchenden Schüttlers legte sich auf sein Knie. »Tabak!«

Stanislaus legte gehorsam eine Prise in die offene Hand. Der Schüttler schob sie sich in den Mund und schnarchte weiter.

Gegen Mittag brachen sie auf und gingen schweigend nebeneinanderher. Es war alles gesagt, was man sich auf der Landstraße zu sagen hat. Die Straße war lang und stieg bergan: Baumschatten, Sonnenflecke, Holpersteine und die gelben Kieshaufen am Rande. Wieviel Straßen hat die Erde? Wieviel Wiesenpfade und Feldwege an den Straßen? Wieviel Hofwege, die in ein Zuhause einmünden? Keiner für Stanislaus?

Abends, als sie in einer Vorgebirgsstadt nach Herberge suchten, fiel Stanislaus' Wanderkamerad auf das Straßenpflaster. Menschen eilten herzu.

»Er fiel wie ein Baum, der abgesägt wurde«, sagte ein Dicker zu seinem Weibe. Das Weib war lang und jämmerlich, putzte sich die Brille, betrachtete den Liegenden und sagte: »Gott, der Mann!«

Stanislaus und der dicke Mann trugen den Schüttler in eine Schenke und legten ihn dort auf eine Bank.

»Was soll er hier«, sagte die jämmerliche Frau. »Zum Arzt muß er!«

Der Fallsüchtige wies mit geballten Fäusten zum Tresen. Stanislaus bestellte ein Achtelliterchen und flößte es ihm ein. Der Kopf des Schüttlers hörte auf zu wackeln. Das zweite Achtelchen konnte ohne Schwierigkeiten in seinen Mund gegossen werden, und danach stellten die Arme das Schütteln ein.

»Sollten wir nicht auch seine Beine zur Ruhe bringen?« Nun bestellte der dicke Mann einen Schnaps. Der Schüttler ließ auch den in sich hineinschütten, dann wurde alles still an ihm.

»Ihr habt ihn mit Schnaps ertränkt«, barmte die jämmerliche Frau. Der Schüttler war nicht tot. Er gurkste und rülpste. Heiterkeit breitete sich in seinem Gesicht aus. Er nahm einen Bierdeckel und warf ihn nach dem Wirt. Ein Stück vor dem blanken Glatzkopf des Wirtes kehrte der Deckel um und schwebte in die Wurfhand des Schüttlers zurück.

»Ein Zauberer!« Nun schüttelte sich die jämmerliche Frau.

Der Zauberer krächzte wonnig wie ein Säugling, der mit seinem Zeh spielt, zog ein Kartenspiel aus der Rocktasche, ließ den dicken Mann eine Karte ziehn, anschaun und wieder ins Spiel zurückstecken. Die Karten wurden gemischt und das Spiel gegen die Schenktür geworfen. Die Spielblätter flatterten zu Boden wie geschossene Tauben; an der Tür aber klebte die Karte, die der Dicke gezogen und angesehen hatte.

Die Gäste kamen aus den Schenkenecken und wollten diesen Hexenmeister sehn. Der Dicke hieb die fleischige Faust auf den Tisch. »Ein Essen für den Zauberer her!«

Sie hatten gegessen, getrunken und wieder getrunken. Spielkarten waren auf einen Pfiff des Schüttlers aus Biergläsern gekrochen, Uhren verschwanden aus Westentaschen und wurden auf dem Grunde von Maßkrügen gefunden, das Taschentuch der jämmerlichen Frau wurde verbrannt und heil aus der Nase des Wirts gezogen. Leute von der Straße kehrten ein und durchnäßten Neugier und Schauder mit Bier.

Stanislaus war nicht nur vom nahenden Frühling berauscht. War er in die Gesellschaft eines gewissen Mephisto geraten, der einem Doktor Wein aus der Tischplatte zauberte? Die Sehnsucht nach geheimen Kräften war in Stanislaus trotz aller Wissenschaft nicht ganz verdrängt. »Wie machst du diese Wunder, Wanderkumpel?«

Der Zitterer zog ihn in die Ofenecke. »Mein größtes Wunder zeigte ich dir unterwegs. Du hast es nicht begriffen, jung und lammdumm wie du bist: Die Herrscher wolln ein hartes, böses Volk. Das Volk will weich sein und will gut sein. Ich bin fürs Volk. Ich helf ihm gut sein, schlag Mitleid aus steinharten Herzen. Ich säe und ich ernte Mitleid.« Der Schüttler begann laut zu singen: »Lirum, larum, Wunder über Wunder! Tuut, tuut, so pfeift die Leidfabrik. Wir liefern frisches Mitleid nach Maß, Mitleid nach Maß, großes und kleines Mitleid nach Maß ...« Der Mitleidsänger schloß die Augen und sank hintüber auf die Ofenbank.

Stanislaus befreite sich von seinem Schnapsrausch. Er ruderte mit den Händen, als schöbe er Schleier auseinander, rannte aus der Schenke, lief mit seinem Mitleid um die Wette.

Nun wollte dieser Schüttler nicht zur Herberge marschieren, wollte transportiert sein. Stanislaus wanderte die Nacht hindurch. Noch gegen Morgen war er sich nicht sicher, ob er nicht doch mit einem Teufel Bruderschaft getrunken hatte.

Und wieder wars eine kleine Stadt, in die er an einem Frühlingsabend einzog. Das also war nun das Gebirge: Höher in den Himmel gehängte Landschaft. Straßen, von frühgrünen Bäumen umsäumt, kamen die Berge, die Hügel herunter und versammelten sich auf dem Marktplatz der Stadt im Tale. An den Hängen blühte der Schlehdorn, und aus dem Bergbach schnellten sich die Forellen, als wollten sie nachsehn, wer da des Wegs kam. Das war ihm neu und schön. Der Himmel und sein Herz waren heiter. Es überkam ihn große Lust, ein selbsterdachtes Lied zu singen und zu tun, als stünde ein weißes Bett für ihn in einem der freundlichen Fachwerkhäuser bereit.

> Blühn an deinem Wegesrand
> Süße Kirschen, saure Kirschen ...

Ein Fuhrmann trieb bergwärts. Er stippte mit der Peitsche nach ihm. »Dir gehts gut. Das sieht man!«

Die Stadt war von Fremden belaufen, von Leuten, die jahrsüber dafür gespart hatten, eine Woche hier verbringen zu können, um ihre Lust am Leben, die in den großen Städten erstarb, wieder aufzumuntern.

In einem solchen Ort wurde ein Mann wie Stanislaus, der mit leeren Taschen kam, nicht mit Buschwindröschen umkränzt und mit Maiglöckchen überschüttet. Keine Herberge, kein Bett für Zaungäste, die nicht zahlen!

Es wurde nicht dunkler in seinem Herzen, denn der Mond schien hell, und die Luft war voll Wärme und Duft. Er beschloß, sich auf einer Parkbank zu lagern.

Keine leere Bank, kein Gesträuch ohne Gekicher. Er wollte warten, bis die Mitternachtskühle all diese Menschen in ihre gepachteten Betten trieb.

Es drang eine Stimme aus dem Gesträuch, dunkler Gesang einer Frau:

Rose, o Rose, wann blühst du am Hang,
Rose, o Herbstrose, mein?
War dir der Winter zu wild und zu weiß?
War dir der Sommer zu gelb und zu heiß?
War dir der Regen zu klein?

Rose, o Rose, kann nicht bei dir stehn,
Blüh mir doch, Rose, denn bald muß ich gehn;
Seh schon die Nacht und den Mond dünn darin,
Bald fährt mein Schiff; ich weiß nicht, wohin.«

Wars die milde Nacht, die in ihm wühlte? Wars das Mitleid mit sich selber? Wars seine Heimatlosigkeit, die aus ihm weinte?

Er wischte sich die Tränen mit dem Rockärmel und murmelte: »Nein, nein, ich weine wohl gar, wie?« War die Erde so schön und so warm, daß sich auf ihr alles, was Menschengesicht trug, zusammendrängte? Waren die Sterne kühl und entvölkert?

Sie saß allein auf der Bank. Als sie ihn gewahrte, summte sie nur noch. Er sah ihre Umrisse. Sie war schlank und verdeckte kaum den Birkenstamm, an dem sie lehnte. Vielleicht hatte sie helles Haar und ein dunkles Gesicht. Ihre Hände sah er deutlicher. Sie waren so, daß er Verlangen spürte, von ihnen gestreichelt zu werden. Er griff in seine Rocktasche, kramte seine Tabakspfeife aus dem Taschengekrümel, ließ sie fallen und ging weiter.

So gewitzt war er schon: Nach einer Weile kehrte er um. Sie sang wieder. Er ging gebückt. Nun war es wirklich nicht so leicht, zwischen totem Laub und Kies seine Pfeife wiederzufinden. Sie brach ihren Gesang ab und sagte: »Das ist nicht neu.«

Er blieb stehn und fühlte sich wie ein Junge, der am Waldteich überrascht wird – ohne Badehose. »Ich?« stotterte er.

»Sie warfen Ihr Pfeifchen weg. Nun suchen Sie es?«

»Ich bin zerstreut wie Unkrautsamen«, sagte er.

Sie sagte: »Nicht schlecht, das Bild«, und er glaubte zu sehn, daß sie lächelte. »Zerstreut wie Unkrautsamen, hmm. – Ich wußte, daß Sie wiederkommen wollten. Weshalb denn heucheln wie ein Kirchenweib?«

»Um es zu sagen, es war Ihre Stimme, die mich lockte.« Er sah zum Himmel, so, als hoffte er sich Hilfe von den Sternen. »Die Menschen gehn nie gradaus aufeinander los, ob sie sich mögen oder nicht – das ist es!«

»Philosoph?« fragte sie.

Er hob die Schultern und tats wie der Junge, der gefragt wird: Was hast du da gebaut?

»Setzen Sie sich!« sagte sie. Er tat es gern.

Er wußte nicht, wo er beginnen sollte. Sie erwartete wohl auch nichts weiter.

Das Mondlicht rann an den Zweigen einer Trauerweide herab, tropfte auf die Quarzsteinchen des Weges und ließ sie leuchten. Licht, dachte er. Was war geschehn? Ein Mensch hatte sich zu einem anderen gesetzt. Und immer wird die Welt ein wenig weiter, wenn sich ein Mensch zu einem anderen setzt.

Sie fragte: »Wer?«

Er antwortete: »Äußerlich der und der, innerlich ganz wer anders. Man fühlt, daß man mehr sein könnte. So vielleicht: – Blühn an deinem Wegesrand süße Kirschen, saure Kirschen. Stehn in deines Weges Sand Stolpersteine oder knirschen Kiesel unter deinen Sohlen – Gott befohlen! Heimat, Fremde, Haus und Heu – süße Kirschen – saure Kirschen.«

Sie sah ihn an, war braun und ruhig. Ihre Augen waren so, als hätten sie vieles geprüft und vorüberziehen lassen. »Also Dichter!«

Erschrecken in ihm.

»Aber weshalb ›Gott befohlen‹? Sind Sie so einig mit ihm?«

»Es fiel mir nichts Besseres ein.«

»Nein, das Herz muß in jede Silbe schlüpfen. Einfach: ›Gott befohlen‹, das geht nicht!«

»Es war nur so für mich«, sagte er und setzte die Mütze ab. Er schwitzte.

»Nun haben Sie es auch mir gesagt.«

»Ich wollts nicht.«

In dieser Nacht blühte er. Dort saß nun ein Mensch, der ihm zuhörte und ihn ernst nahm. Er zog sie in die Büsche seiner

Kindheitswiesen, zeigte ihr seine Lackschuhe aus Bach-
schlamm und ließ sie seine Wundertaten sehn. Sie lauschte,
schloß die Augen. Schlief sie? Sollte er sie küssen?

Sie ertappte ihn. »Damals dachten Sie noch nicht daran.«

»Das ist die Landstraße«, sagte er.

»Verwandeln die Straßen die Menschen oder die Menschen
die Straßen?«

Er wußte keine Antwort. Ihm war heiß. Er wollte den Rock
aufknöpfen. Es war kein Knopf mehr da. Nun schwieg er.

Eine Robinienblüte schwebte zu Boden. Eine Grille brach ihr
Gefiedel ab. Fünfhundertundachtunddreißig Lämmerwolken
wischten über den Mond. Der Mond deckte sein Gesicht mit
einem Hausgiebel zu. Ein Marienkäfer kroch um einen Baumstamm, nahm sich Zeit und untersuchte alle Rindenschründe.
Er untersuchte seine Welt.

Als die Baumwipfel das erste Morgenlicht auf sie herabsieb-
ten, wollte er kein Stromer, kein Raufhold für sie sein. Er bat sie,
in zwei Tagen auf die gleiche Bank zu kommen, und sagte so,
als wartete jemand auf ihn: »Man wird sich wundern, wenn ich
jetzt erst komme!«

Sie nickte nicht. Sie sah ihn lange an. Ihre Hand war warm.

35
**Stanislaus stößt auf Gustav unter der Hut-
krempe, staunt über die Vielverwendbarkeit von Kleie und
wundert sich über einen Menschen ohne Papiere.**

Am nächsten Mittag fand er eine Stelle.

»Ich backe Kommißbrot«, sagte der Meister. »Bist du radikal
oder mehr so für Arbeit, Brot und Frieden?«

Jawohl, Stanislaus war für das. Er wäre zur Not auch ohne Brot
ausgekommen. Er dachte an eine dunkle Stimme im Park. Was
er jetzt und hier benötigte, war ein Bett, eine Kammer, in der
er sich mit all seiner anerkannten Dichtkunst und Gelehrsamkeit ausbreiten konnte.

Der Meister druckste. Seine Blicke flackerten ruhlos. »Ich
war ein bißchen radikaler früher. Es bringt nichts ein. Die Radikalen pumpen dich an. Das hält ein kleines Geschäft nicht aus.

Und hüte dich vor Gustav! Er wird schon alt, ein wenig irre. Er stammt aus meiner radikalen Zeit.«

Der Altgeselle Gustav Gerngut war beim Beschicken der Beuten. Er mochte an die sechzig Jahre alt sein, hatte gebogene Beine, lange Arme, nichts fehlte – die Backstube hatte ihn geformt. Seine Bäckerkappe war ein alter, bemehlter Filzhut mit hängender Krempe. Gustav glich einem jener weißen Spätpilze, die im Herbst zu Tausenden in den Wäldern aufsprießen, hartnäckig, zäh und etwas holzen.

»Gott grüß das edle Handwerk!«

»Kleie brauch ich«, antwortete Gustav.

Zögernd schüttete Stanislaus die grobe, graue Kleie aufs Mehl. Gustavs Äuglein huschten unter der Hutkrempe hin und her. »Kommißbrot muß dunkel sein«, sagte er. Stanislaus wußte nicht, wie Kommißbrot sein mußte.

»Denk nicht, daß hier gemanscht wird, weil Kleie billiger als Mehl ist. Kommißbrot soll Soldatendärme massieren. Es rennt sich besser nach Kommißbrot.«

Das also war Gustav.

Zwei Tage waren herum. Stanislaus hatte acht Zentner Kleie in die Beuten geschüttet, daraus waren achthundert prächtige Kommißbrote entstanden. Daheim hatten sie die gute Kleie also vertan, wenn sie Schweine damit fütterten.

Am Nachmittag klatschte Regen gegen die verstaubten Backstubenfenster. Stanislaus bangte: Gott im Himmel, treib es nicht zu arg mit mir. Wir sind uns fremd geworden, freilich, aber kannst du nichts als dich rächen und rächen? »Sind Sie so einig mit ihm?« hatte eine dunkle Stimme im Park gefragt.

Gegen Abend ließ der Regen nach. Gott schob seine Wolken anderswohin. Es war, als ob er sagte: Unsere Herrlichkeit wollen es genug sein lassen. Wir haben ihn ein bißchen gequält. – Für Stanislaus stand außer Zweifel, daß Gott sich selber an Respekt nichts schuldig blieb.

Während des Nachmittagsregens hatten alle Blüten, voran die fürwitzigen Syringen, ihre Düfte an sich gezogen. Sie sparten allen Ruch für den Mondschein und die Nachtschmetterlinge.

Suchte auch der Nachtfalter Stanislaus im Park nach einer duftenden Syringenblüte? Er suchte nicht, er war so sicher. Er blieb ein Weilchen stehn und war dankbar gegen sein Schicksal, das sich nun wohl vorgenommen hatte, ihn weniger zu ducken und zu drücken. Er setzte sich auf einen Stein, schlürfte den Syringenduft, segnete sein Leben und hatte es lieb.

Als er ihre Bank leer fand, war noch kein Zweifel in ihm. Er wartete. Er hörte die Turmuhren schlagen und zählte die Nachregentropfen auf seinem Handrücken. Er schlief ein.

Kirschen willst du, Kirschen holen ...

Er erwachte, und die Verzweiflung prasselte wie Schloßenregen auf ihn herab. War es denn möglich? Alles war unterblieben. Alle Fäden durchschnitten! War er wirklich nur der junge Mann gewesen, auf den man eingeht, den man kirrt, damit er nicht lästig wird? War er der protzende kleine Bauer gewesen, der seine geringen Ersparnisse herumzeigt, damit er ein wenig was gilt?

Da hatte der Himmel sein Schauspiel für diese Nacht! Er ließ seinen Mond auf einen wandernden Bäckergesellen los, der allein und zerquält in einem städtischen Park saß und nicht wußte, was er mit sich sollte. Als seine Tränen wie vorher die Baumtropfen auf seinen Händen zerperlten, sprang er auf und murmelte: »Wenn er Wasser braucht, was nimmt ers von mir?« Er meinte Gott und spuckte gewaltig aus, als ob er damit alle andrängenden Tränen auf einen Hieb loswerden könnte. Er ging zweimal um einen Baum herum, beklopfte seine Rinde und sagte: »Du hast dich hier festgewurzelt, wie?«

Zwei Tage ging er so versonnen umher, daß es selbst Gustav unter seiner Hutkrempe zuviel wurde. »Andere Jungleute sind straff und marschieren, du aber schleppst, wenn ichs dialektisch betrachte, den Kopf unterm Arm.«

Stanislaus kam herauf. Ein Schwimmer, der nach dem Tauchen die Welt wiedersieht. Er erhaschte Gustavs Huschblick. Gustav zog die bemehlte Hutkrempe sogleich ein wenig tiefer in die Stirn. »Was für ein Mensch bist du?«

»Ein bißchen Erde und ein wenig Wasser, ein Quentchen eingesperrter Wind.«

Gustav, der knorrige Weißpilz, sah Stanislaus mißtrauisch an. »Es soll uns fast täglich besser gehn, heißts, aber dich scheint das nicht anzugreifen. Alle Welt macht Marschmusik, und du streichst die einsame Fiedel.« Er prüfte mit seinen mageren Fingern den Brotteig auf Gare ab.

»Es wird nicht jeder mit einer Trompete geboren.«

Da schob Gustav seinen Hut zurück und sah Stanislaus an wie ein Napoleon aus dem Lesebuch. »Du sollst nicht denken, daß ich meckere, wie sie es nennen. Der Führer – laß dir gesagt sein – ist ein großer Mensch. Er wird alles umgestalten und keinen auslassen. Jetzt hat er meine Frau von der Fabrik befreit. Alle Arbeit den Männern? Wie? Der Adolf ist, wenn ichs dialektisch betrachte, ein menschlicher Mensch.«

Da hatte auch Stanislaus mitzureden; so verfiedelt war sein Verstand nicht. »Reicht dein Gesellenlohn für euch beide?«

Gustav wurde bissig. »Du hast einen Kinderverstand, denn wir haben es jetzt, dialektisch gesehn, besser: Meine Frau hat mehr Zeit, meine Lumpen zu flicken! Du aber sollst nicht so abträglich vom Führer sprechen, merk dir!«

Hatte sich zuviel Mehlstaub in Gustavs Gehirnwindungen gesetzt? Wieso sollte Stanislaus den Führer beleidigt haben? Das wäre gefährlich gewesen, soviel wußte er. Es waren Nachrichten über Verhaftungen von Hitlerschmähern zu ihm in die Gärten des Geistes und der Wissenschaft gedrungen. Stanislaus hatte Kaiser Wilhelm weder geliebt noch gehaßt und beleidigt. Der Kaiser hatte ihn streng von seiner Kindertasse aus angeblickt. »Trinkst du deine Schwarzmehlsuppe, Büdnerjunge, damit du ein strammer Soldat wirst?« Es war Stanislaus auch nie eingefallen, Ebert, Hindenburg oder einen der Präsidenten zu beleidigen. Er hatte nichts mit ihnen zu schaffen. Sie standen in der Zeitung und er in seinem vertrackten Leben. Und nun sollte er den Hitler, den Führer, den Kanzler und alles miteinander beleidigt haben? Auch diesen Menschen kannte er nur von Bildern her. Dort stand er meist mit erhobenem Arm wie ein einschilderiger Wegweiser. Immer schien diesem Hitler die

Mütze zu groß zu sein. Stanislaus mußte ihn sogar ein wenig bemitleiden. Der Hitler war vielleicht ein bescheidener Mensch und nahm nach den Versammlungen immer die letzte Mütze, die Mütze, die übrigblieb. Und unter dieser Mütze sah er aus wie der kleine Junge, der mit seines Vaters Mütze Soldat spielte. Nein, Gustavs Gehirn war in dieser Beziehung nicht mehr in Ordnung!

Die Meisterin kam hereingehustet. »Cho, cho, alles soll sauber sein! Der Meister läßts sagen, cho, cho! Der Oberzahlmeister ist da. Sie frühstücken. Kann sein, der hohe Herr will den Betrieb sehn, cho, cho!«

Der hohe Herr kam nach dem Brotschieben. Er ging in hohen Stiefeln und hob die Beine zögernd wie ein Hahn im fremden Garten. Seine Revolvertasche glänzte. Der Blick in seinem blassen Gesicht war streng. Man wäre nicht überrascht gewesen, wenn dieser Herr seine Pistole gezogen und zwei, drei Löcher in einen der Mehlsäcke geschossen hätte, um sich von der Qualität des Kommißbrotmehles zu überzeugen. Der Herr Oberzahlmeister nickte sowohl Gustav als auch Stanislaus zu. Er trat an eine der Beuten, zeigte auf einen Mehlhaufen und sagte: »Mehl!«

Der Meister bestätigte es ihm, und seine Augen flackerten wie Flämmchen im Wind. Er stand geduckt hinter dem hohen Herrn, um alle notwendig werdenden Verbeugungen im voraus bereit zu haben.

Der Oberzahlmeister ließ sich eine Beute öffnen, sah den Vollsauer an und sagte: »Teig!«

Auch das war richtig.

Der Oberzahlmeister ging auf den Altgesellen zu. Sein weißer Zeigefinger deutete auf Gustav wie auf ein Ding. »Geselle.«

Gustav wich zur Seite. Nun war der hohe Zeigefinger des Herrn auf zwei Säcke gerichtet. »Kleie«, sagte Gustav.

Man konnte fast den inwendigen Aufschrei des Meisters vernehmen, aber der Oberzahlmeister war rührig und stippte nach Stanislaus. »Gesinnung?«

Die Antwort gab der Meister: »Beide für Arbeit, Brot und Frieden, Herr Oberzahlmeister.«

Der Oberzahlmeister ging noch einmal auf Gustav los. Der Meister bebte. »Gedient?«

»Landsturm«, sagte Gustav und zog seine Hutkrempe bis auf die Nase. Meister und Oberzahlmeister waren zufrieden.

Beim Hinausgehen tippte der Herr an die Backofenwand. »Backofen!« Er war froh und stolz, daß er alle Dinge in der Backstube erkannt hatte.

Zwei Tage später kam ein Auftrag des Oberzahlmeisters: Täglich dreihundert Kommißbrote mehr für die Soldaten.

Der Meister brachte einen neuen Gesellen nach hinten und sagte zu Gustav: »Mann ohne Papiere. Der Auftrag zwingt uns.« Der neue Geselle setzte sich auf einen Kleiesack, nahm den Hut ab und warf ihn in ein Backfaß. Sein Schädel war kahl rasiert. Eines seiner Augen blickte starr in die Weite. Er sog die Luft ein, schüttelte sich und sagte: »Diese Aktenscheißer!«

Ludwig Hohlwind, der neue Geselle, brachte Kurzweil in die Backstube. Es stellte sich heraus, daß er sehr wohl Papiere besaß und mit allen möglichen Dokumenten aufwarten konnte, aber er hatte über diese Fetzen seine besonderen Ansichten und trug sie eingenäht in einem Brustbeutel nur für den Fall seines Todes. Auf seinem Grabstein sollte kein falscher Name stehn, aber im Leben wollte er ohne Papiere gültig sein, basta und amen!

»Wer wird dir einen Leichenstein setzen, du Schlucker?« fragte Gustav hinter der Hutkrempe.

Ludwigs Glasauge blickte auch dann noch freundlich, wenn sein anderes Auge schon bös war. Er sah Gustav mit zweierlei Augen an. »Wenn ich tot bin, werde ich mehr Leichensteine bekommen als du.«

Gustav, der knorrige Weißpilz, grunzte: »Mit deiner Einbildungskraft könnt man Mühlen treiben!«

Ludwig ging drohend auf Gustav zu. Sicher hatte er sein eines Auge nicht beim Mädchenküssen eingebüßt. Stanislaus griff nach einem Semmeltrögel. »Du bist hier noch keine Woche alt!«

Da kam Ludwig zu sich, ließ die ausgestreckte Hand auf ein

Blech im Schragen fallen und griff sich ein Stück Kuchen. Gustav aber schob den Hut zurück und sah Stanislaus zum ersten Male vollgesichtig an. Stanislaus sah in kleine, gütige Augen, väterliche Augen.

36

Stanislaus bezahlt die Hochzeit eines Denk- malbenässers, erkennt Gustav unter der Hutkrempe und erlernt die höhere Kunst des Kartenspiels.

Die Sonne ging einen Frühling und einen Sommer lang unermüdlich in der Nähe des kugeligen Wasserturms auf und beim Zeigefingerturm der katholischen Kirche unter. Sie war vorhanden und an den meisten Sommertagen für jedermann zu sprechen. Würdigten die Menschen der kleinen Stadt diese Zuverlässigkeit? Nichts dergleichen. Das war die Sonne, und sie hatte Sonne zu sein und zu scheinen, Wäsche zu bleichen, arme Menschen zu wärmen, Rücken braun zu brennen, Käse zu trocknen, Korn reif zu machen, Rheumatismus zu heilen, Badewasser zu erwärmen, das elektrische Licht zu ersetzen, zu brüten und unerträglich zu sein für den Geschäftsgang der Speiseeishändler.

Stanislaus hatte sich wieder in sein Buch über die Welt, die Erde und die Menschheit vertieft. Er begann aufs neue, allen Dingen und Vorkommnissen wissenschaftlich zu Leibe zu rükken. Gewisse Syringensträucher hatten nur geblüht, um zu Samen und zur Vermehrung zu kommen. Auch ihr Duft war nicht für die Menschen bestimmt gewesen, sondern für ganz gewöhnliche Nachtkäfer und Befruchter. Der Mensch ging zwischen Blumen, Blüten und Kreaturen umher, nahm sich, was ihm paßte, bezog auf sich, was ihm gefiel. Er nahm der Kuh die Milch und trank sie, den Vögeln die Eier und aß sie, häutete die Tiere ab und kleidete sich mit ihren Pelzen. Ein rechter Parasit und Nutznießer, dieser Mensch auf der Erde, und höchste Zeit, daß er sich zu einem geistigen Wesen entwickelte. Aber dabei stand ihm wohl die Liebe nicht gerade wenig im Wege.

»Wie hältst du es mit der Liebe, Ludwig?«

»Sie ist eine Krankheit von Jünglingen.« Das ließ sich hören und bestätigte Stanislaus' Studien. »Ich heirate, wenn mir so ist. Eine Nacht – ohne Gesetz und Aktenschiß. Der Mensch ist ein freies Wesen!«

»Aber Brot fressen muß er.« Gustav mischte sich ein.

»Er muß es nicht!« Ludwig sprang auf, und die Frühstückshappen flogen ihm aus dem Munde. Gustav schob sein Krempenvisier herunter. »Du siehst nicht aus, als ob du dich von Luft aus Speisekammern, totalen Sonnenfinsternissen und trockenen Gewittern nährst.«

In der Tat, Ludwig war kein Asket und Kostverächter. Sein Hinterteil stremmte sich in der Hose, und der Eindruck, den er auf seinen Lehrstühlen, den Mehlsäcken, hinterließ, wurde von Monat zu Monat tiefer.

Es war nicht nur Jähzorn und Widerborstigkeit in Ludwig. Er ließ den Rest seines Frühstücks stehn, setzte sich auf den nächsten Mehlsack, rauchte dort ein wenig, fühlte sich unverstanden und wurde traurig. »Es wird der Tag kommen, wo du die Zeitung aufschlägst und liest: Unbekannter tötete den Kanzler. Dann kannst du an mich denken. Ich werd euch befreien, und mein Kopf wird für euch Gesetzessklaven auf dem Hauklotz liegen.« Als das gesagt war, füllten sich Ludwigs Augen mit Tränen, selbst sein Glasauge wurde von der großen Traurigkeit nicht verschont. Das Mitleid stieß Stanislaus.

Der Herbst kam. Die Welt webte sich grau ein. Die Krähen breiteten sich aus. Es nässelte aus allen Himmelsrichtungen. Die Bäume schüttelten sich kahl. Die Bäcker buken Kommißbrot. Die Soldaten aßen Kommißbrot und hatten inzwischen gelernt, wie man einen Menschen im Nahkampf tötet. Hurra!

Stanislaus hatte eine Leihbücherei entdeckt. Er las, wie ein Hungriger ißt, der in eine Speisekammer quartiert wird. Es gab Bücher, die ausschließlich mit Gedichten gefüllt waren, und andere, die sich mit der menschlichen Seele und unsichtbaren Dingen beschäftigten. Stanislaus las aber auch Bücher über die Anzucht von Rasseschweinen, über den »Umgangston im Salon«, über Reisen mit Rentieren und das Fahren auf Schneeschuhen. Er war auf alles neugierig, und in seinem Kopfe wurde es wirrer. Er gab allen Leuten und niemand recht. Ihm gefiel sowohl Gustavs Bissigkeit als auch Ludwigs Aufbegehren gegen alle Gesetzlichkeit.

Ludwig verachtete auch das kleinste Gesetz. Er klopfte nicht einmal an, wenn er Stanislaus' Kammer betrat. »Leih mir fünf Mark, mein Wochenlohn hat sich verflüchtigt.«

Stanislaus lieh Ludwig fünf Mark. »Ja, du willst dir eine Mütze nach der Mode kaufen. Es wird Herbst.«

»Eine Mütze? Ich werd so aussehn wie irgendeiner! Heiraten werd ich. Heute abend passiert es!«

Am nächsten Morgen blieb Ludwigs Platz an der Beute leer. Stanislaus fand ihn reisefertig. Zahnbürste und Kamm lugten aus seiner oberen Rocktasche. In die Seitentaschen stopfte Ludwig seine Sitz- und Schlafpolster. Es waren Zeitungen, grau, glänzend, fettig – die Schrift verwischt.

»Nun ziehst du zu deiner Verheirateten, wie ich sehe.«

»Ich werd mir Fesseln anlegen. Weg muß ich. Du kennst meinen hohen Auftrag.«

»Da hast du nicht geheiratet und meine fünf Mark noch?«

»Kindskopf, die Huren geben keinen Rabatt! Deine Groschen schick ich dir, Zins und Zinseszins, sobald ich diesen Hitler um die Ecke gebracht habe.«

»Dann wirst du keinen Kopf mehr haben, mit dem du daran denken kannst.« Stanislaus stellte sich breitbeinig vor die Tür.

Ludwig lenkte ein. Er kramte in seiner Hosentasche. »Ich habe dir und anderen das Leben erleichtert.«

»So?«

»Du kannst jetzt dein Wasser an jedem beliebigen Punkt der Stadt abschlagen!«

»So?«

»Hast du dich je getraut, an ein Denkmal auf dem Marktplatz zu urinieren, und oben sitzt Friedrich der Große zu Pferde?«

»So?«

»Der Stadtpolizist betraf mich dabei: Er fiel wie ein Sack.« Ludwig zog blinkendes Metall aus der Hosentasche. Kein Geld. Es war ein Schlagring. Er hob die Hand. Der Schlagring funkelte ... »Weg! Die Wohltäter der Menschheit leben im Verborgenen!«

»Du siehst so aus!«

Ludwigs Zornader schwoll. »Den Weg frei, Geldknecht!« Er warf sich hin und schlüpfte unter Stanislaus hindurch. Stanislaus fiel um. Ludwig war fort.

Es winterte ein. Stanislaus ging durch den Stadtpark. Nur so. Es war Abend. Der Syringenstrauch trug Schneegewöll. Eine Amsel saß mit eingezogenem Hals in den unteren Ästen.

Die Bank war verschwunden. Man hatte sie eingezogen. Sollte sie unbenutzt verwittern? So glühend war wohl keine Liebe, daß sie Schnee von Parkbänken schmolz. Der Papierkorb war stehengeblieben. Er enthielt Schnee, nichts als weichen Schnee.

Er hatte fürs erste genug gelesen und begann, sich selber einen Roman zu schreiben. Sein Roman sollte in Italien spielen, denn er hatte zuletzt ein Buch über jenes Land hinter den Alpen gelesen. Der Held, ein edler Mann und Mensch, verliebte sich in eine seuchenkranke Sängerin, in eine Sängerin mit dunkler Stimme. Er beschrieb ihre gräßliche Krankheit: schwärende Eiterbeulen unter geblümtem Kleid! Wenn er sich das Aufgeschriebene vorlas, klangs wie die Einleitung zu einem Doktorbuch.

Nein, da wollte er lieber erst den Helden mit Edelmut ausstatten. Er sollte die Stimme, nur die Stimme der Sängerin lieben und nach sonst nichts fragen.

Gestiefelte Männer betraten die Backstube. Sie rasselten mit roten Geldbüchsen, zehnmal größer als Kindersparbüchsen. Es handelte sich nicht um ein Kinderspiel. Die Männer grüßten mit erhobenen Armen, knallten die Stiefelabsätze gegeneinander und befahlen: »Spende für die Winterhilfe!«

Gustav schälte sich Kommißbrotkleister von den Händen. »Winterhilfe?«

»Liest du keine Zeitung?«

262

Stanislaus konnte bezeugen, daß Gustav die Zeitung las. Gustav las sie um und um und äußerte sich danach stets wohlwollend über die trächtige Zeit. Da erinnerte sich auch Gustav, was es mit der Winterhilfe auf sich hatte. »Ohrenklappen für die Menschheit, wie?«

»Für Alte und Minderbemittelte.« Der Büchsenraßler zupfte an seinem Schulterriemen. Gustav durchsuchte die Taschen seiner Backhose. Er fand sein Taschenmesser, wog es auf der flachen Hand und schüttelte den Kopf. »Das nicht! Habt bessere!« Er tippte auf den Dolch des Winterhilfsmannes. Der Mann fuhr mit dem Handballen über die Dolchscheide und wischte ein wenig Kleister herunter. Der Mehlmensch Gustav fand sonst nichts in seinen Hosentaschen. Die braunen Bettler wurden mißtrauisch. »Wo wohnst du, Kamerad?«

»Sehr hoch.«

»Du!« sagte der mit dem Schulterriemen, da erschien der Meister. »Was bitte, Kamraden?«

»Hier kommt nun der Meister«, sagte Gustav, »und der wird, wie ich ihn kenne, auch für meinen Teil etwas in die Büchse schmeißen.«

Der Meister sah sich um. Seine Augen flackerten mehr, als gut war. »Bis zum Lohntag.«

»Selbstredend, Kollege, Kamrad Meister.« Gustav hieb auf ein Teigstück ein, als schlüge er in ein Gesicht. »Keine Winterhilfe ohne Lohnabzug!«

Stanislaus' Bild von der Welt verwirrte sich mehr und mehr. Gedanken, verschieden wie Löwen und Tauben, lebten in seinem Hirn, gingen dort aus und ein und beschnupperten sich. War das Leben nicht wie Rauch in der Tüte? Wie Nebel in einem Sack? Er hatte fort und fort mit sich zu tun.

In den Straßen marschierte und brüllte es. Die Menschen fanden gut und modern, was der Kanzler sich wünschte. Er wünschte sich reinrassige Deutsche, und viele wollten reinrassig sein. Er wünschte sich stählerne Menschen, und viele gürteten und stiefelten sich. Sie aßen auf öffentlichen Plätzen Spekkerbsen aus Kesseln, wähnten sich auf dem Feldzug, härteten sich ab und tranken den Sekt nachmittags heimlich. Der Kommißbrotkonsum stieg, und die Kuchenbäcker kamen sich vor wie eine minderwertige Rasse. Große Schreier traten auf, brüllten und hämmerten mit den Fäusten auf unschuldige Fichtenholztribünen: »Das Volk drängt zum Aufbruch!«

Stanislaus hatte sich immer im Aufbruch befunden. Was gabs da zu schrein?

Im Laden hing neben dem Kommißbrotschragen ein Bild des Befreiers. Gustav brachte Zwiebäcke aus der Backstube und stieß mit der Kante des Kuchenblechs an dieses Bild. Das Schutzglas zerklirrte, und der Befreier flog auf den Ladenterrazzo. Die Meisterin hustete herzu. »Choch, choch, Gustav, sei nicht so tatterig! Choch, choch, wieder eine Tortenplatte zum Deibel.«

»Der Hitler nur!«

»Gustav!« Die gütige Stimme der Meisterin schien Gustav nahezugehn, denn er sagte verknirscht: »Weiß, weiß – man sollte ihn bei der Tür aufhängen!«

Und wieder war die Stimme der Meisterin gütig: »Gustav!«

Es ging eine Weile gut mit dem neu verglasten Führer, doch eines Tages blieben die Augen einer guten Brötchenkundin an ihm hängen. »Ihr Hitler ist so rot, Frau Dumpf.«

Da sah auch die Meisterin, daß das Gesicht des Befreiers mit Vierfruchtmarmelade verschmiert war. »Choch, choch!«

»Wie Blut«, sagte die Kundin. »Es ist ... wenn ein Ungewaschner kommt.«

Die Meisterin bekam Angstaugen und fuchtelte. »Cho, cho, Gustav, Gustav!«

Gustav blieb ruhig. »Hitler mit Marmelade? Wo ich in einer katholischen Gegend gesehn hab, wie sie einen Evangelischen steinigten, der der Mutter Gottes am Wege einen Schnurrbart angemalt hatte!«

Endlich begriff Stanislaus Gustavs Zweideutigkeiten. Der Altgeselle umschlich und umprüfte seinen jungen Kollegen, raschelte mit der Zeitung und erregte sich über die Feinde des trächtigen Staates. »Das letzte Kommunistennest in Liegnitz ausgehoben«, las er laut und lauerte unter seiner Hutkrempe.

Stanislaus schwieg und dachte an den Helden seines Romans, der ihm unter der Hand zu edel und schön geworden war. Gustav zerknüllte die Zeitung und warf sie auf den Backofen. Das Zeitungspapier sträubte sich in der Backofenwärme und knisterte wie elektrisiert. »Was mischen sich die Kommunisten ein? Sind sie vielleicht schlauer als ein gottgesandter Mensch, der die Armen kleidet, stiefelt und wärmt?«

Stanislaus sagte nichts, aber Gustav schien auch unausgesprochene Widersprüche zu hören. »Du möchtest natürlich sehn, daß er die guten Anzüge auch noch verschenkt. ›Hier, ein feiner Anzug, bittschön! – Dankschön!‹ Das gibts in keinem Lande der Welt. Außer vielleicht in Rußland, aber dort handelt es sich um kommunistische Untermenschen, Bolschewiki sagt man auch.«

Stanislaus hatte genug von Gustavs versteckten Anspielungen. Er war doch keine Naßnase mehr! »Ich kannte einen Kommunisten, der war ein guter Mensch. Er war ...«

»Halt!« Gustav hieb mit dem Hut um sich. Das Grauhaar seines Großvaterkopfes war zerzaust. »Kein Wort! An der Stelle bin ich empfindlich. Kommunisten sind Kommunisten. Sie haben etwas gegen diesen großen Führer und Anstreicher. Alte Rechnung. Du Privatgelehrter aber hast still zu sein, oder du bist nicht wert, Kommißbrot für Führersoldaten zu backen!«

Wieder Versteckspiel? Stanislaus konnte sich nicht Tag für Tag mit diesem rätselhaften Gustav abgeben! Diese Altgesellen, diese verbogenen Kerle! Hatte er sich nicht mit Ludwig Hohlwinds Ansichten auseinandergesetzt und sie sich für eine Weile wohlwollend zu eigen gemacht? Was war herausgekommen? Dieser Mensch benäßte wie ein Hund ein Denkmal und rannte davon. Lächerlichkeiten.

Er war froh, daß ein neuer Geselle kam, ein junger Mensch, soeben ausgelernt. Offene blaue Augen, Blondhaar wie frische Schrippen, stramm, fröhlich und guter Dinge.

»Wie denkst du über das Leben, Helmut?«

»Ich spar auf ein Motorrad.«

Stanislaus legte seinen Roman beiseite. Er hatte seinen Helden von hinten und vorn beschrieben, war mit ihm morgens aufgestanden, wusch und kämmte sich mit ihm, kramte schon beim Kaffeetrinken in seinen Seelenwinkeln und fand, daß alles langweilig wirkte.

»Ich habe nie einen Privatgelehrten mit einem größeren Loch in der Hose gesehn«, sagte Gustav.

Stanislaus zog das Loch am Abend mit Wolle zusammen, doch es riß beim nächsten Niedersitzen wieder auf, und Gustav kicherte hinter der Krempe. »Meine Frau wird dir das Loch am Hintern stopfen, wie sichs gehört!« Stanislaus gab Gustav die Hose und erhielt sie gewaschen und gestopft zurück. Dann war da ein Loch in Stanislaus' dunkelweißer Bäckerjacke. Die Jacke wurde gewaschen, sie wurde geflickt.

»Bezahlen sollst du es meiner Frau! Ich mach keine Preise.«

So kam Stanislaus in Gustavs Wohnung, drei Treppen hoch in einem alten Stadthaus, das nach Dielenschwamm roch. Gustav Gerngut, dritter Flur, links: eine kärgliche, eine saubere Wohnung. Sofa und tickende Uhr in der Küche. Schreibschrank und Betten in der Stube. Über dem Schreibschrank ein dunkler Viereckfleck auf ausgefahlter Tapete. Dort hatte wohl lange ein Bild gehangen.

Frau Gerngut kochte Malzkaffee und bestrich Brötchen mit Margarine für den Besuch. Sie war weißhaarig wie Gustav, flinkzüngig und hatte rote Apfelbäckchen. Ihr verschossenes Waschkleid war geflickt.

»Da hast du meine Frau, die Biene!«

»Laß die Faxen!« Frau Gerngut seufzte. »Die Butter ist teurer geworden!«

»Es geht aufwärts, solln die Preise unten bleiben?« Gustav stellte billigen Pfeifentabak auf den Tisch. Dunkelbraune Tabakraupen in einer Blechschachtel. »Die kleinen Leute werden nicht betroffen, essen Margarine. Wer Butter ißt, soll zahlen. National-soziale Gerechtigkeit!«

Die kleine Frau gab Gustav einen Schubs. »Bis sie dich haben!«

»Schönes Wetter hier.« Gustav rieb die Stubenluft zwischen Daumen und Zeigefinger.

Frau Gerngut sah Stanislaus voll ins Gesicht, lächelte und war wie eine kleine Sonne. Unter dieser Sonne blühte sogar Gustav, diese Brennessel. Er stieß Stanislaus. »Spielst du Karten?«

»Sechsundsechzig.«

»Skat?«

»Nie begriffen.«

»Du hast mehr nicht begriffen.«

Sie spielten Sechsundsechzig. Die Küchenuhr tickte. Die kleine Frau saß in einem Ohrenstuhl am Fenster und flickte. Die Stubenluft knisterte. Gustavs Reden machten sie elektrisch. Er knallte einen Rot-Unter auf den Tisch.

»Rot sticht immer noch!«

»Grün sticht. Du hast selber Trumpf gemacht.«

Unwille um Gustavs Nasenflügel. Seine Bäckerfaust sauste hernieder. »Rot sticht, zum Donnerwetter!«

Stanislaus begriff.

»Aber kein Wort davon in der Backstube, auch Kommißbrot hat Ohren.«

»Ich wollt dir von meinem Schwager ...«

»Vierzig! Paß auf!« Gustav griff sich an die Stirn. Da war keine Hutkrempe. Der Wasserkessel pfiff. Die Frau trippelte hinaus. Die Wohnung war voll Lärm.

Gustav schob den Kaffee beiseite. Er schickte seine Frau nach Bier. Die Frau zog sich eine weißgepunktete Strickjacke über. Nun sah sie aus wie ein flinker Marienkäfer. Sie kribbelte hinaus. Die alte Treppe knarrte.

»Wenn heute zwei davon reden, daß Rot noch sticht, ist schon ein dritter zuviel.«

»Deine Frau?«

»Sie ängstigt sich. Weshalb die Angst vermehren? Sie heckt so wie eine Ratte!«

Von nun an entdeckte Gustav jede Woche eine Stelle an Stanislaus' Kleidung, die zu stopfen oder zu flicken war, und erreichte, daß Stanislaus seiner Schwester Elsbeth schrieb. »Du darfst sie nicht allein lassen! Wenn dein Schwager ein Guter war, haben sie ihn geholt. Sie treiben alle Guten hinter Stacheldraht. Sie wünschen nicht, daß ihr Teufelsevangelium erklärt wird!«

37

Stanislaus steht kopf vor Freude, verliert seinen wirklichen Vater, fällt in Einsamkeit und beschließt, cand. poet. zu studieren.

Es kam eine Antwort von Elsbeth: Die Schwester war kummerig, aber nicht verzagt. Reinhold sei verreist. Der Staat habe die Reise bezahlt. Eine lange Reise! Dort im Erholungsheim ginge es ihm gut. Vor dem »gut« war mit schwarzer Tusche etwas ausgestrichen.

»Hier hat ein ›nicht‹ gestanden, das begreift eine Mehlmotte«, sagte Gustav. »Die Geheimen haben das ausgestrichen, die Hunde ... dürfen nicht mehr mit abgehackten Schwänzen rumlaufen, hast du davon gehört? Der Führer ist menschenfreundlich mit den Hunden. – Schick deiner Schwester Geld... sagen wir, unter Matheus Müller, und das ist eine Sektfirma.«

Stanislaus schickte Geld an Elsbeth. Sein Leben bekam ein wenig Sinn. Es traf ein Brief von Stanislaus' Nichten ein. Sie bedankten sich für die schönen Briefmarken. Sehr schöne Briefmarken! Sie hätten ihnen gerade gefehlt.

»Matheus Müller« machte Kopfstand auf einem Mehlsack. Es war das erstemal, solang er von daheim fort war, daß er eine große Freude hatte, die nicht der Liebe zu einem Mädchen entsprang. Der Meister betrachtete den kopfstehenden Gesellen. Stanislaus plumpste mit bemehltem Rotgesicht vom Sack. Dort stand der Meister, langgestiefelt in einer gelben Uniform. Seine Augen flackerten und fluckten, seine Schultern zuckten, als müßten sie sich in die neue Hülle hineinstoßen. »Ich hätt mit dir zu reden.« Der Meister versuchte, den Daumen hinter sein Koppel zu schieben. Das Koppel war zu eng geschnallt. »Wir sind nun alle für Arbeit, Brot und Frieden. Niemand kann anderes behaupten.«

»Nein«, sagte Stanislaus. Das konnte so und so gemeint sein. Er hatte von Gustav gelernt. Der Meister beklopfte die Dachsparren. Er schien froh zu sein, daß Dachsparren da waren, an die er klopfen konnte. »Du stehst nun hier kopf und bist

268

sportlich, daran fehlt es nicht, aber wir brauchen den Wehrsport.«

»Wie?«

»Ich bin nicht so, daß ich meine Leute zu etwas zwinge, aber du solltest es dir überlegen.« Der Meister beklopfte Stanislaus' Schulter und flüsterte: »Hock nicht allweil mit dem Gustav. Ich möcht dich gewarnt haben!« Er ging steif treppab. Seine Stiefel ächzten. Sie waren aus sehr neuem Leder.

»Der Führer kennt die Seelen seiner Menschen. Wie schnell ist so ein nebelzartes Seelchen beim Kartenspielen verdorben!« sagte Gustav.

Stanislaus sollte nicht mehr zu Gustav in die Wohnung kommen. Stanislaus gehorchte. Er wollte weder sich noch Gustav in Gefahr bringen. In der Backstube kams nur noch selten zu vertraulichen Gesprächen, denn da war nun auch Helmut.

»Wie denkst du über den Wehrsport, Helmut?«

»Ich denke, er muß motorisiert werden!«

Eines Tages kroch ein Streit aus einer verstaubten Backstubenecke. Sie hatten über die Sterne gesprochen.

»Ich bin für die Erde«, sagte Gustav. »Du hast gelesen und gelesen, aber die Wahrheit kennst du nicht.«

Stanislaus hob die Nase. »Wer unterm Himmel weiß, was Wahrheit ist?«

Gustavs Brennesselborsten stellten sich auf. »Du hast, dialektisch betrachtet, wie alle Spießer nichts Politisches gelesen.«

Spießer? War Stanislaus ein junger Rehbock! Er tat noch weiser. »Wer kennt alle Bücher unter der Sonne?«

»Hoho!«

Der Streit spuckte hin und her: »Ksss, ksss!« Von wem hätte Stanislaus auf dem Dorf kommunistische Bücher haben sollen? Gustav zog seine Backpantoffeln aus und klatschte sie gegeneinander. »Noch lauter, du Dummkopf!«

Stanislaus fuhr auf: »Du hältst dich für unfehlbar wie ein gewisser Gott!«

Hätten die Kommunisten vielleicht die Bücher fuderweis zu den Mistpickern aufs Land fahren sollen? »Hast du mich Mistpicker genannt?«

Sie sprachen nicht mehr miteinander. Die Tage vergingen, bis Gustav die mehlige Stille, das Gezirp der Heimchen und die Motorradgespräche von Helmut nicht mehr ertragen konnte. Er saß auf der Backofentreppe und sang:

Hab im Wald gelegen.
Alles war so still.
Auf bemoosten Wegen,
Alles war so still.
Vogel hoch im Neste
War so still, so still ...

Stanislaus schluckte, aber sein Trotz war mächtig. »Das versteht ein Mistpicker nicht.«

Gustav hielt sich einen leeren Eimer vor den Mund und grunzte: »Gruß vom unfehlbaren Gott an den Sternenkönig!« Der Gruß kam wie aus einem Grabe. Danach hörte man wieder den Backstubenstaub fallen.

Und wieder kam ein Brief von Stanislaus' Nichten. Dank für die schönen Stammbuchbilder! Der Vater sei nun auf Staatskosten in ein Moorbad verschickt worden. Stanislaus gab Gustav den Brief. Gustav las ihn in der Spucknapfecke. »Auch einer von den Unfehlbaren!«

Da übermannte es Stanislaus. Er schrie: »Gibst du mir jetzt ein Buch von den euren oder nicht?«

Gustav steckte den Brief gelassen unter seinen Hut. »Bist du noch ein moderner Mensch? Meine Bücher sind abgegeben, verbrannt!« Stanislaus sollte sich doch nicht einbilden, daß ein Mensch wie Gustav sich mit volksverderbender Literatur abgäbe, sie womöglich in einem toten Schornstein auf dem Hausboden versteckt habe. »Wie kannst du mich verdächtigen, schlauer als die Geheimen zu sein!« Gustav staubte Säcke aus. Er stand in einer Mehlwolke wie ein niedergefahrener Engel mit Hut. Und der Engel hob nochmals die Stimme:

»Steig selber in meinen Keller! Solltest du aber dort unter den Kartoffeln eine kleine Kiste finden, wie das in manchen Fällen vorgekommen sein soll, so möcht ich sogar so weit gehn und dir sagen, daß du dir daraus gut und gern nehmen könntest, was du für richtig hältst. Aber nimm du, wo nichts zu nehmen ist!«

Stanislaus riß sich absichtlich ein Loch in sein Backhemd. Er wartete auf Gustavs Einladung. Gustav bemerkte das Hemdloch nicht. Stanislaus vergrößerte das Flickloch. Gustav sah es trotzdem nicht.

»Hast du über den Wehrsport nachgedacht?« fragte der Meister. Seine Augen flackerten. Er zerrupfte ein bemehltes Spinnennetz. »Nicht, daß ich jemand treibe.«

»Ich habe darüber nachgedacht.«

»Und?«

»Sie exerzieren dort.«

»Das freilich.«

»Ich mag nicht.«

»Hast du mit Gustav darüber gesprochen?«

»Ich spreche nicht mit Gustav.«

»Nichts von radikalen Büchern?«

»Nein!« Stanislaus tauchte in den Kommißbrotteig. Die Hände des Meisters hatten sich das Nudelholz gegriffen. Sie konnten nicht leben, ohne etwas zu betasten und zu befingern. Das Nudelholz rollte über die Beute. Ein kleiner Donner. »Was soll man machen?«

Es war nicht ersichtlich, ob der Meister das Nudelholz, sich oder Stanislaus befragte.

Die Sonne war durch den Sommer gerannt. Es war Herbst geworden. An einem Tage, da es draußen so grau war wie auf dem Mehlboden, kam Gustav nicht zur Arbeit.

Gegen Mittag trippelte seine Frau in die Backstube, spähte in alle Winkel, lauschte und redete flink wie immer: »Er sei nicht in ein Sanatorium, soll ich ausrichten. Er sei ohne Reiseleiter auf eigene Kosten verreist, soll ich auch sagen. Und Sie sollen sich nicht einfallen lassen, mir Kartoffeln aus dem Keller zu holen, soll ich Ihnen ganz besonders mitteilen. Von mir sage ich Ihnen: Ich bin froh. Die ewige Angst! Sie müssen verstehn, und die Kartoffelkiste hab ich verbrannt.« Frau Gerngut trippelte in die Küche und sprach dort mit dem Meister. Der Meister bebte. Weder seine Blicke noch seine Hände wußten, wo sie bleiben sollten.

Es wurde still in Stanislaus. Er fühlte sich einsam. Dieser Gustav mit seinen Reden und Gedanken hatte ihn mehr in Anspruch genommen, als er sich eingestand. Es war ein herber Hauch Väterlichkeit von ihm ausgegangen.

Für Gustav kam ein anderer Geselle. Er war verwachsen und wirkte zwergig. Seine Stimme schien aus einem Keller zu klingen. Er lag auf der Lauer nach Beleidigungen. Rohe Menschen hatten ihn empfindsam und listig gemacht.

»Wie siehst du die Welt, Emil?«

»Ich seh sie, aber sie übersieht mich. Man muß sich ein bißchen Glück erramschen.«

»Glück?«

»Ich werd den Meister bitten und mir vom Fußmehl ein Schwein mästen.«

»Und dann?«

»Darüber kann ich nicht sprechen.«

Stanislaus fror. Sollte er wieder auf Wanderung gehn?

»Du denkst an Gustav«, sagte die Meisterin.

»Das tu ich.«

»Der arme Gustav nun!«

Da gewahrte er zum ersten Male die Meisterin, die wie ein graues Eulchen hinter ihrem Husten einherging. »Cho, cho, ich hatte einen Sohn. Gelehrt und in Büchern daheim wie du. Gestorben ist er mir. Auf der Walze, im Heuhaufen. Cho, cho, hatte er es nötig? Als sie ihn brachten, war noch Heu in seinem Haar. Renn du nun dem Gustav nicht nach, cho, cho!«

Der erste Schnee fiel auf die Simse der Schaufenster, sacht, aber unerbittlich. Stanislaus sah die Meisterin an: Dieses Graueulchen hatte sich in eine bittende Mutter verwandelt. Er versprach ihr zu bleiben.

Die Winternächte fanden den einsamen Außenseiter in seiner Kammer. Er schrieb. Er schrieb sich warm, bekritzelte Blatt um Blatt. Wieder sollte es ein Roman werden. Der Romanheld, ein Handwerksgeselle, glich einem gewissen Stanislaus Büdner, kannte die gleichen Traurigkeiten, die gleichen Freuden und irrte zwischen Mehl- und Sternenstaub umher.

Der Held brauchte eine Braut. Stanislaus stellte sie aus Buchstaben und Wörtern her. Seine Sehnsucht summte nur so. Als er sich die Braut des Helden besah, fand er, daß sie jenem Parkmädchen mit der dunklen Stimme glich. Da wurde er zornig, nahm sich beim Hemdausschnitt und schüttelte sich selber. »Billiger gings nicht, he?«

Eine Woche später zerriß er, was er geschrieben hatte. Er machte Schnitzel daraus, Schneeflocken, und warf sie zum Kammerfenster hinaus. Er war bissig und rief den schwebenden Schnitzeln nach: »So bringt man sein Werk in die Welt!«

Jetzt wollte er studieren, und weniger durfte es nicht sein. Er hatte in einer Zeitung ein Inserat gefunden; eine Anzeige, die sich über eine ganze Seite ausbreitete. »Der Weg steht allen offen! Weshalb studieren Sie nicht?«

Ja, weshalb hatte er eigentlich nicht studiert? Jetzt sollte es geschehn. Her mit den Unterrichtsbriefen! Er las die abgedruckten Dankschreiben der Leute, die sich nach der »Methode Mentor« im Selbstunterricht hochstudiert hatten: cand. med., cand. vet., cand. phil. Er wollte cand. poet. studieren.

Er schrieb an das Institut und gab seine Bestellung auf. Danach war ihm heiß wie von einem großen Fieber. Er raffte Schnee vom Dach, kühlte sich die Stirn, sah auf die frostgrünen Sterne, hob die Hand zum Schwur und stieß mit den Schwurfingern an die schräge Kammerdecke: Studiert sollte werden, bis alle Welt sagen würde: »Bitte einzutreten, Herr Doktor!«

Er verkroch sich in seiner Kammer.

38

Stanislaus lernt, die Welt mit Hilfe der Wissenschaft zu zerstückeln, wird vom KOMISSBROT-MEPHISTO heimgesucht und verführt, alsdann aber von einem Meisterweibe gerettet.

Er studierte, blieb Jahre verkrochen, heiligte seine Feierabendstunden mit Wissenschaft und lernte, daß Wasser nicht Wasser ist. Früher hatte es ihm den Durst gestillt, Gesicht und Hände gereinigt, jetzt war es eine chemische Flüssigkeit, war es Sauerstoff und war es Wasserstoff. Er lernte, daß der hochgeworfene Stein nicht niederfällt, sondern angezogen wird. Er zermaß die heimeligen Ecken seiner Kammer, sie wurden zu rechteckigen Winkeln, und er wurde inne, daß diese Kammer sieben Kubikmeter Sauerstoff, Kohlensäure und so gut wie kein Ozon enthielt. Er lernte ein Goethe-Gedicht auseinanderzunehmen und zu fragen: Was wollte der Dichter uns hiemit sagen? »Über allen Gipfeln ist Ruh ...« Er hörte den Wald darin rauschen und wurde von seinem Fernlehrer belehrt: Von Waldesrauschen sei in dem Gedicht nirgendwo die Rede, und deshalb erhalte er für diese Arbeit und Analyse aus der Ferne eine schlechte Note. Was sollte er tun? Der Wald rauschte für ihn noch immer in diesem Gedicht. Er lernte, daß die Sonne französisch soleil und englisch sun hieß, und er begann, alle Dinge und Menschen seiner Umgebung dreifach zu benennen. Er selber war ein Bäcker, boulanger und baker.

Seine Wangen fielen ein, denn er ging mit einem ständigen Lernfieber einher. An seine Stirn flog ein Spinnennetz von Falten. Sein Haar brach ab und begann sich zu lichten.

Die hustende Meisterin belegte ihm die Brote doppelseitig. Er aß sie nebenbei, repetierte und deklamierte. Die Mütterlichkeit der Meisterin umfing ihn, aber seine Wangenmulden füllten sich nicht.

»Du wirst dir die Auszehrung anstudieren.«

»Das wird niemand betreffen als mich«, sagte Stanislaus, doch die sorgenden Blicke der Meisterin taten ihm wohl.

»Ich seh den Tag, wo sie dich totstudiert aus der Kammer schleppen. Trink dieses Glas Sahne! Sofort!«

Er trank Wasser, Eiweiß, Protein und Milchfett.

Die Fernlehrer gaben ihm Ratschläge, wie sein Studium einzuteilen sei. Anordnungen für ausgeruhte Schüler. Es gab keine Hinweise für Nacht-Fern-Schüler, die tagsüber Kohlen in Bäckereikeller geschaufelt hatten, keine Extraanordnung für Bäcker, deren Arbeitstag morgens um fünf Uhr begann, die aus Mehlstaub und Brodem in die muffige Luft einer Kammer krochen.

Es gab Abende, da schlief er nach einer Viertelstunde an seinem Tischchen ein und erwachte erst, wenn der Meister im Hofe durch die hohlen Hände rief: »Aufstehn, alle Bäckerburschen!«

Er lernte den Schlaf überlisten. Sobald er ihn nahen fühlte, stand er auf, ging in seiner Kammer hin und her und stieß sich die Zehen an den Wänden.

»Schlafen, dormir, to sleep – Bett, lit, bed«, jawohl, all diese Wörter gab es, aber nicht für ihn. Er tauchte seine Hände bis zu den Pulsen in kaltes Wasser oder stellte gar seine Füße hinein, bis der Schlaf ihn floh.

So lernte er viel, aber er wußte nicht, ob er weiser und klüger geworden war. Er hatte niemanden, an dem er sich messen konnte.

Die Nacht war still. Es klopfte an seine Kammertür. Da klopfte wohl ein gewisser Famulus Wagner an die Tür des Studierzimmers und begehrte Einlaß bei einem bekannten Doktor Faustus und so weiter? Stanislaus war in seine Pflichtlektüre vertieft. Er scharrte unwillig mit den Füßen. »Man herein, Herr Magister!«

In der Tür stand der gestiefelte Meister. Auch er hatte sich verändert. Das Leben war in seinem Gesicht aus und ein gegangen und hatte seine Spuren hinterlassen. Stanislaus' Wangen wölbten sich nach innen, die des Meisters nach außen. Das Flackern in seinem Blick war geblieben, doch seine Augen waren stumpfer geworden, hatten sich abgenutzt. Ein Hauch von Pflaumenschnaps breitete sich in der Kammer aus. »Die

Nacht ist Stunde ... äh, die Nachtstunde ist spät, aber bring das hier Gustavs Frau!« Der Meister legte einen Fünfzigmarkschein auf den Faust-Monolog.

Stanislaus schob das Geld zur Seite. »Sie wird das nicht nehmen. Sie nahm auch von mir nichts.«

»Ist sie jetzt so fein?«

»Sie arbeitet bei der Straßenreinigung.«

»Ich habe es dir jedenfalls gegeben«, sagte der Meister, und seine Unterlippe hing beleidigt herunter. Seine Finger fanden Stanislaus' Kamm auf dem Wäscheschränkchen. Daran konnten sie sich halten. »Die Nacht ist spät ... die Stunde ist vorgerückt, du studierst nun und studierst.«

Stanislaus rieb sich die Augen. Stand dort der Mann, bei dem er vor drei Jahren in Brot und Lohn getreten war? Der Meister schien seine Gedanken zu erraten. »Wie lange bist du ...«

»Drei Jahre.«

»Ganz recht, und man fragt mich drei geschlagene Jahre: ›Wie stehts mit dem Personal?‹ Ich habe dich aufschreiben lassen. Zum Dienst. Halb so schlimm.« Er fuhr mit den Fingern über die Zinken des Kammes. Tirrritt! Ein Geräusch wie von einer dünnen Säge. Stanislaus zuckte und wischte den Geldschein vom Tisch wie Unrat. Der Meister straffte sich. »Ich werde hier nicht auf den Knien vor dir liegen.« Tirrritt! machte der Kamm. Der Meister der Kommißbrote griff zweimal an der Türklinke vorbei. Er wälzte sich durch die schmale Tür. Stanislaus starrte die kahle Kammerwand an. Das war nicht Famulus Wagner, sondern Herr Mephisto persönlich gewesen. Mephisto am Kreuzweg. »He, Fauste, was willst du? Eine Kammer und studieren oder das Leben und die Landstraße?«

Da ward Stanislaus inne, daß er mit Doktor Faustus nichts gemein hatte. Jenem ward das Studium zum Ekel, und er, Stanislaus Büdner, brauchte es. Er brauchte eine Kammer und die Mütterlichkeit der Meisterin.

Sie gingen zum Dienst. Die Stiefel des Brotherrn knarrten. Ein leiser Duft von Pflaumenschnaps umwehte ihn. Die Meisterblicke umflatterten Stanislaus. »Wenn ich an meinen Sohn denke!« sagte der Brotherr. »Ich hätt ihm die Büchersucht austreiben solln, aber treib andern das Zittern aus, wenn du selber wackelst: Ich hielt damals was von Büchern.«

»Wie oft muß ich in den Verein?« fragte Stanislaus.

»Um Gottes willen!« Der Meister ruderte mit den Armen und schlug einer vorübergehenden Frau gegen den Henkelkorb. Die Frau spuckte aus, sehr aus vollem Herzen und sehr fett. Der Meister drehte sich um.

»Man wird sich wohl noch erschrecken können!«

»So, ja!«

Kein Verein also – ein Sturm, eine Sturm-Abteilung. Und die Bierstube, in die sie gingen, war keine Kneipe, verdammt, ein Sturm-Lokal. Stanislaus hatte noch nie einem Verein angehört, und jetzt sollte es gleich ein Sturm sein.

Sie saßen bestiefelt und bedolcht an Tischen, tranken Bier und hörten sich an, was der Vereinsvorsitzende aus einem Buch über eine gewisse arische Menschenrasse vorlas, die berufen sei, die Welt zu beherrschen. Danach sangen sie ein Lied. Stanislaus sah auf den Mund des Meisters, um dort den Text abzulesen. Der Mund des Meisters war kein gutes Liederbuch. »Der Gott, der Eimer wachsen ließ, der wollte nicht das Schlechte ...« Stanislaus erschrak: Nun war er wohl nicht besser als die Herren im Café Kluntsch. Sie hatten dieses Lied manche Nacht mehrmals gesungen ... Das war hier überhaupt wie in einer Männer- und Soldatenkirche, denn wieder stand einer auf und verlas eine Predigt über Fliegen. Ein einsamer Mönch sollte rote und weiße Blumenblüten und zuletzt sehende und blinde Fliegen miteinander gepaart haben. Der Mönch sollte Mendel geheißen haben und bereits ein Vorläufer des Führers und Hitlers gewesen sein.

Nach den blinden Fliegen kam der gemütliche Teil. Meister Dumpf verwies auf den neuen Kameraden. Der neue Kamerad war Stanislaus. Gott steh mir bei! »Man tut, was man kann, und hält seine Leute zum völkischen Denken an«, sagte der Meister und bestellte Bier für alle Stürmer. Siehe da, Stanislaus entdeckte unter ihnen auch Helmut, der fremd und wichtig tat. »Hat dich der Meister an der Hand hergeschleppt?«

Die Stürmer lachten und krächzten. Stanislaus spülte seinen Unmut mit Bier hinunter. »Ich bin kein motorisiertes Kleinkind wie gewisse Leute.«

»Hohooo!« Ein Stürmer stellte sich vor Stanislaus auf. Er stand auf krummen Reiterbeinen und knallte seinen Maßkrug gegen das Bierseidel des neuen Kameraden. Das Seidel zerklirrte. Stanislaus hielt nur noch den Henkel in der Hand. Schadenfrohes Bierlachen der bedolchten Männer. Der mit den Reiterbeinen ging um die Bierpfütze herum, hob ein Bein und ließ einen Furz. Stanislaus sah ein grinsendes Maul und darin die Eckzähne eines Ebers. Ja, da stand nun Stanislaus mit seinem Biertopfhenkel, und »Prost!« schrie der mit den Eberzähnen grinsend. »Sauf, wer da saufen kann! Ein Hoch auf die Juden in der Hölle!«

In seiner Kammer vergaß Stanislaus alles wieder.

> Wie sich die platten Burschen freuen!
> Es ist mir eine rechte Kunst,
> Den armen Ratten Gift zu streuen …

Was wollte der Dichter Goethe in seinem »Faust« uns nun wieder hiemit sagen? Er schrieb einen Aufsatz darüber für seine Fernlehrer, und seine Anschauungen waren mit dem Ekel durchwirkt, den er aus einem gewissen Sturmlokal mitgebracht hatte.

Sodann wunderte er sich über diesen Schlaukopf von Pythagoras, der herausgefunden hatte, daß man auf den Linien eines rechtwinkligen Dreiecks drei Vierecke errichten mußte, um zu beweisen, daß die beiden seitlichen zusammen so groß seien wie das untere Viereck. Welcher normale Mensch wäre daraufgekommen! Es bereitete Stanislaus Vergnügen, in den Tapfen der alten Gelehrten zu wandeln und sich daran zu freuen, wie sie mit ihren Lämpchen kleine geistige Lichtkreise in die dunkle Unwissenheit der Menschheit getragen hatten.

Doch das Leben ließ und ließ ihn nicht in Ruhe. Es pochte an seine Tür und schickte ihm Meister Dumpf mit einem braunen Hemd und Wickelgamaschen. Hergeliehene Sachen fürs erste, denn nun sollte es zum Exerzieren gehn. Der Meister umwickelte Stanislaus die Waden mit graugrünen Gamaschen und scheute keine Mühe. Da sah nun Stanislaus aus wie ein aus dem Nest gefallener Junghabicht: Plusterschenkel und dürre Waden.

Das also war der Dienst: Sie standen angetreten auf einem Sportplatz. Der Stürmer mit den Eberzähnen stand vor ihnen. Die Front stand gut, nur Stanislaus stand nicht richtig. »Den Bauch raus! Den Bauch rein! Fahr in deine Mutter und laß dich umfabrizieren!«

Sie lagen auf dem Bauch und warfen mit Holzhandgranaten nach Maulwurfshügeln. »Immer drauf auf die Franzosen!« Die Holzkeule gehorchte Stanislaus' Bäckerhänden nicht, flog zweimal neben den Maulwurfshaufen und einmal gegen das krumme Schienbein des geifernden Stürmers. Der bleckte die Eberzähne, grunzte, spuckte und schrie schließlich. Er machte aus Stanislaus einen Wurm und ließ ihn über den Sportplatz kriechen. »Küß die Erde, du Kragenbär!«

Stanislaus schwitzte und schwor: Lieber die Landstraße.

Als sie Marschzahlen erhielten und nach dem Kompaß marschieren sollten, ging er, wie er war, über das freie Feld der Stadt zu.

»He?«

»Ich bin ausgetreten!« Er lief. Eine Wickelgamasche hatte sich gelöst und zottelte im Feldstaub hinter ihm her. In einem Wäldchen befreite er seine Waden, hängte die Beinbänder in einen Baum und das braune Hemd des Meisters dazu. Der Wind fuhr hinein und blähte es.

»Bist du ihnen davon?« fragte die Meisterin, als er im Unterhemd ankam.

»Es ist mir nicht gegeben«, sagte Stanislaus. »Ich geh!«

Sie ließ nicht zu, daß er sein Bündel schnürte. Im Heuhaufen sterben wie ihr gelehrter Sohn! Hier war Platz für alle Marschierer und Nichtmarschierer. Sie war trotz ihres Hustens kein halbes Weib, nein.

»Es ist die Frage, ob ich dich behalten kann«, sagte der Meister. Er spießte dreimal mit der Gabel nach einer Wurstscheibe und hatte sie noch nicht. Die Meisterin wurde vom Husten geschüttelt. »Cho, cho, die Frage ist, ob nun alles in der Welt ungültig geworden ist, cho, cho!« Sie zog ein dünnes Heftchen aus dem Schürzenlatz, und darauf stand mit roten Buchstaben geschrieben: »Nieder mit den Militaristen!« Der Meister wurde blaß. »Woher hast du es?«

»Cho, cho, es ist aus deiner Zeit. Ich hatte es in meinem Nähkasten. Gestern las ichs.«

»Kommißbrot ist kein Krieg!« schrie der Meister und wußte sich nicht zu helfen. Er grapschte das Heft und rannte hinaus. Die Meisterin griff nach Stanislaus' Hand. »Cho, cho, einen Sohn muß man haben dürfen!«

Er blieb. Der Meister klopfte nicht mehr an seine Kammertür.

Tags darauf ging Stanislaus zu Gustavs Frau. Es war ihm, als müßte er Abbitte tun. Die Frau war fort. Ein fremdes Schild an der Wohnungstür. Um das Namensschild runde, bunte Zettel geklebt: »Spende für das Winterhilfswerk. – Spende für die nationalsozialistische Volkswohlfahrt. – Betteln und Hausieren verboten!« Er sog den Geruch des Dielenschwamms ein, und ihm wars, als sähe er Gustav unter der Hutkrempe treppan stampfen. Unten auf der Hausmannstafel war der Name des neuen Mieters noch nicht angebracht. Dort stand noch: »Gustav Gerngut, 3. Stock, links«. – Er schluckte, als ers las. Keine Möglichkeit zum Abbitten.

39

Stanislaus erfährt das Versagen der Götter der Gelehrsamkeit, huldigt aufs neue der Dichtkunst, und ihm erscheint das Rehmädchen in der Holzmehlwolke.

Nein, der Meister klopfte nicht mehr an Stanislaus' Kammertür, doch es wurde Frühling, und die Liebe klopfte wieder bei ihm an. Er hätte noch ein Jahr, ein ruhiges Jahr bis zu seinem Fernexamen benötigt, aber nun kam sie – die Liebe. Sie wartete sein »Herein« nicht ab.

Die Backstubentür wurde weit aufgerissen, als sollten drei Menschen nebeneinander das verwraste Backhaus betreten. Eine dicke Frau tappte herein. Sie schleppte Kuchenteig in einer Wanne vor sich her, war blaurot, schwitzte und pustete. Das Gesicht der Frau war gütig, ihre schwarzen Augen freundlich und bittend: Nehmts mir nicht übel – das Dicksein kommt

280

von den Drüsen. Die Frau suchte nach einem Abstellplatz für die Teigwanne. Stanislaus sprang behilflich herzu und gewahrte hinter der Frau ein Mädchen. Das Mädchen war modern, dünn in der Taille, braun, lockig und wurde von seiner dicken Mutter verdeckt.

»Heil Hitler!«

Das war dieser Tausendsassa Helmut, und der machte dazu eine Verbeugung. Die Frau nickte. Das Mädchen lächelte und zeigte dabei einen Goldzahn. Sogleich wischte Helmut, dieser Motorradmensch, mit der Schürze einen Schemel für die Tochter ab. »Bitte! Wir haben noch niemand gefressen, hohoho!«

Sie ließen es an nichts fehlen: Mutter und Mädchen sollten sich wie daheim in der eigenen Küche fühlen, aber von männlichen Armen umsorgt und umtan. Und das Mädchen sah flink dahin und dorthin, wollte es mit niemand verderben, war aufmerksam, geizte nicht mit braunen Blicken und goldgeschmücktem Lächeln. Helmut hielt die leere Teigwanne mit ausgestrecktem Arm, warf sie in die Luft und fing sie wieder auf. Jeder konnte sehn, was für ein Kerl in ihm steckte. Selbst der kleine, stille Emil verwandelte sich und stellte sich bei seiner Arbeit mit dem Rücken zur Wand, um gut gegen die Frauen zu sein und sie mit dem Anblick seines armen Krüppelrückens zu verschonen.

»Hast du je gesehen, wie einer mit neunzig in eine Kurve ging, Emil?«

»Nein.«

»Das aber habe ich getan«, prahlte Helmut.

»Auf einem oder auf zwei Motorrädern?« fragte Stanislaus.

Das Mädchen lachte. Seine Nasenflügel bebten, sein Goldzahn blinkte, und zu allem stieß es Stanislaus an. Es war ein zarter Stoß, eine Liebkosung.

»Hier reden Männer!« knurrte Helmut, und in dieser Antwort knisterte eine kleine Feindschaft.

Stanislaus versuchte sich umsonst einzureden, die Liebe sei eine Krankheit von Jünglingen. Das war eine Ansicht von Ludwig Hohlwind gewesen, und der hatte weiter nichts ausgerichtet, als ein Denkmal zu benässen. Stanislaus suchte Rettung in der Biologie, betrachtete die Liebe wissenschaftlich, nannte sie: Drang der Säfte, Vermehrungsreiz, Balz und Paarungstrieb. Was hatte er, ein vergeistigter Mensch, mit der Liebe zu schaffen? Alle großen Weisen und Wissenschaftler hatten nichts mit Frauen zu tun gehabt, wenigstens in seinen Büchern nicht. Sie waren mit der Wissenschaft verheiratet gewesen wie die Nonnen mit dem Herrn Jesus.

Das Mädchen kam wieder. Es kam allein. Helmut wurde fromm vor lauter Höflichkeit. »Gehts Ihrer Mutter nicht wohl, gnädiges Fräulein?«

»Danke, es geht ihr wohl.« Das Mädchen hatte nichts dagegen, für gnädig gehalten und umgarnt zu werden. Helmut ging hin und her wie ein blühender Pfau. Er hieb auf den Kuchenteig ein, daß es knallte. Emil zog sich eine weiße Jacke über, nickte verständig und schob sein Bäckerkäppchen weit ins Genick.

Stanislaus stieg in die Fußgrube und machte sich vor dem Backofen zu schaffen. Diese Balz! Er war doch kein Birkhahn, dem der Frühling im Blut rumorte. Sollte er mit diesem Motorradmenschen Helmut in Liebesworten wetteifern und das Mädchen etwa noch Komtesse nennen?

Die Komtesse kam zu ihm in die Fußgrube. »Darf ich hinunter?« Sie wartete seine Antwort nicht ab, aber auf der untersten Stufe fürchtete sie sich vor der dunklen Grube. Er faßte nicht nach ihrer ausgestreckten Hand. Hier stand ein Mann der Wissenschaft, kein Schmuser und Kavalier. Sie wollte das Backofenfeuer sehen. Er zeigte es ihr. Sie prallte vor der Glut zurück, hielt sich an ihm fest und besiegte ihn.

Im Plan für das Fernstudium war die Liebe nicht einkalkuliert. Lieben, aimer, to love. Alles das war schön und trocken, wenns in den Vokabelheften stand. Er hielt sein Lernheft zum Dachlukenfenster hinaus. Da hast du die Frühlingsluft! Auf einmal wußte er, »was der Dichter Goethe uns mit dem Faust-Monolog sagen wollte«. Aber jetzt war das Thema behandelt und vorbei. Er hatte die Note zwei von seinem Fernlehrer dafür erhalten.

Er versuchte, sich bei Emil Halt zu holen. Dieser Mensch hatte offenbar nicht unter Versuchungen zu leiden. »Emil, wie überstehst du den Frühling?«

»Man schwimmt so hindurch – unter Wasser. Man wird nicht bemerkt. Jetzt hab ich das dritte Schwein mit Fußmehl gemästet.«

»Und?«

»Die Welt wird sehn: Wenn alles geschehn ist, lasse ich vielleicht eine Heiratsanzeige los.«

Kein Trost für Stanislaus!

Helmut war in das Kraftfahrerkorps eingetreten und prahlte gewaltiger als sonst: »Wir fahren nach der Heeresschrift und displiziniert.«

»Sieh mal an«, sagte Emil und rührte Zuckerguß an.

»Ich denke, es heißt diszipliniert.« Mußte sich Stanislaus einmischen? Helmut pfiff auf Stanislaus' Gelehrsamkeit. »Hast du Denken gesagt? Denken ist nichts. Displizin ist alles.«

»Disziplin!« beharrte Stanislaus.

Helmut pochte mit einem Semmeltrögel wie ein Herrscher auf den Fußboden. »Mir scheint, du bist so ein verfluchter Illektueller. Wir haben die Sorte in Staatskunde durchgenommen. Sie trägt den Zweiflergeist in sich. Wir werden sie mit Taten überfahren!«

Jetzt knisterte die Feindschaft nicht mehr, sie knasterte schon.

Die Tage vergingen. Stanislaus wurde ruhiger. Er dachte an Gustav, dachte an dessen flinkzüngige Frau. Er dachte an seine Schwester Elsbeth und sandte Geld ab. Matheus Müller. Er brachte das Geld zur Post und traf das goldgezahnte Mädchen. Es kam auf ihn zu und nickte. Er konnte nicht ausweichen. Er zog seine Mütze. Das Mädchen blieb stehn.

»Na?«

»Ja, so ist es«, sagte er und suchte seine Worte zusammen wie ein Waldläufer die Spätpilze. Wie denn der letzte Kuchen geschmeckt habe, bitte? Sie erinnerte sich nicht. Er habe wohl geschmeckt, ja.

»Sie gehen nun hier so umher?« fragte sie.

»Das kann man wohl sagen«, antwortete er und war abgeklärt wie Teichwasser am Morgen. Sie bohrte den kleinen Finger durch die Lochstickerei ihrer Bluse. »Ich eß keinen Kuchen.«

»Tun Sie das nicht?«

»Ich muß mich hüten, Kuchen schwemmt auf. Sie sahen meine Mutter. Das aber sage ich nur Ihnen.«

Ihr Vertrauen machte ihn verlegen. »Danke! Ja, das Dicksein, aber Sie sind so dünn wie das Reh in einem gewissen Märchen und so weiter.«

Sie lächelte, nahm seine Hand und dankte. Flinke Liebesfunken flogen.

Sie gingen auseinander.

Die spärlichen Backstubengespräche versiegten. Helmut zerpfiff die Stille: »... Schön sind die Mädchen von siebzehn, achtzehn Jahrn ...« Er pfiff schneidend falsche Töne. Stanislaus verzog das Gesicht. Helmut pfiff lauter: »Der Förster und die Tochter, die schossen beide gut ...« Stanislaus stopfte sich Teigstücke in die Ohren. Helmut bestieg die Backofentreppe, schwenkte ein Semmeltuch und sang: »Die Fahne hoch, die Reihen fest geschlossen ...«

Diesmal wollte das Mädchen einen Rührkuchen backen, und zehn Eier sollten zu Schaum gerührt werden. Eine große Gelegenheit für Helmut. Er rührte nicht, er raste mit der Reibekeule durch den Rührnapf, und der goldgelbe Teig drohte über die Ränder des Napfes zu schwingen. Wohl dem, auf den das Eindruck machte! Auf Stanislaus jedenfalls nicht. Sein Mund wurde zu einem dünnen Querstrich. Mochten sich gewisse Damen den Rührkuchenteig doch von den Wänden kratzen. Was ihn anbetraf, so stieg er auf den dunklen Backofen. Unten in der Backstube konnte ruhig darüber nachgedacht werden, weshalb er nicht zugegen war. Er scharrte die altbackenen Brötchen auseinander und suchte nach – nichts. Er zerschlug eine tönerne Backform, aber auch das machte auf die Menschen in der Backstube keinen Eindruck. Man plauderte dort munter fort. Aus den altbackenen Brötchen kroch die Eifersucht und bohrte sich in ein Gelehrtenherz. Dieser Herzwurm hatte kei-

nen Respekt vor wissenschaftlichen Begriffen wie Birkhahn-
balz, Brunst, Läufigkeit und Paarungsdrang.

»Ziehn Sie bitte eine Windjacke an, denn ich fahr Tempo«,
hieß es unten in der Backstube. Dieser Motorradscheißer! Soso!
Nun sollte also dieser Zauskopf hinter Helmut auf dem Motorrad sitzen und sich womöglich an ihm festhalten. Die Welt war
wohl doch nichts anderes als ein Vorhof der Hölle!

Am Abend triebs Stanislaus auf die Straße. Er hätte für seinen
Fernlehrer einen deutschen Aufsatz über die Nibelungen
schreiben sollen. Über Kriemhilds Treue womöglich. – Wenn
ein Motorrad die Abendstille zerknatterte, wandte er sich ab,
starrte in ein Schaufenster und las die Preisschilder: »Scheuerlappen fünfundzwanzig Pfennig. Mostrich pro Glas dreißig ...«

Das Rehmädchen traf er nicht. War er verrückt? Sollte sich
dieses Kind herumtreiben und auf einen Mann warten, der alle
Jubeljahre aus seiner Kammer kroch?

In seiner Dachstube schob er die Liliencrons, die Storms und
die Mörikes beiseite. Er war nicht zufrieden mit dem lyrischen
Brot aus ihren Händen. Er buk sich davon in der eigenen Bratröhre:

> Mädchen, du Reh!
> Schönheit tut weh!
> Kürtest den andern.
> Ich muß wohl wandern.
> Es fiel ein Schnee.
> Mädchen, ade!

Nun war er wieder für ein Weilchen wer. Er hatte eine Blume
wachsen lassen. Eine Blume zwischen Brennesseln. »Was will
uns der Dichter hiemit sagen?«

Der Trost reichte nur bis zum Sonntag. Sein Studiertag begann mit einem rot-roten Sonnenaufgang, mit einer großen
Sonnenmusik: Erwacht, Gelehrte unter Dächern! Er hatte für
den Biologiefernlehrer eine Arbeit über den medizinischen
Nutzwert und die Verwendbarkeit wildwachsender Kräuter
anzufertigen. Im Hof rüstete sich Helmut zur Ausfahrt und pfiff
herausfordernd. An der Lenkstange seines Motorrades hingen

zwei Schutzbrillen. Jeder Mensch konnte sehn, daß er mit einer Brille nicht mehr auskam.

»Die Blüte der Sommerlinde wirkt aufgekocht und als Tee genossen bekanntlich schweißtreibend«, schrieb Stanislaus.

Am Nachmittag saß er in einem Straßengraben vor der Stadt. Konnte er hier nicht besser als irgendwo sonst auf der Welt die wildwachsenden Heilpflanzen betrachten? Da war also die Klette neben dem Schotterhaufen, und ihr Wurzelsaft förderte den Haarwuchs. Seht an, hier wuchs diese Klette, benahm sich stachelig und stand dem hohen Himmel allein und haarwuchsfördernd gegenüber.

Die vorüberröhrenden Autos störten ihn nicht, aber jedes Motorrad zersägte den Faden seiner biologischen Betrachtungen. Jetzt krachte und paukte eine Maschine ohne Schalldämpfer heran. Gedrämmer wie von fünfundzwanzig stallmutigen Pferden – Helmut! Stanislaus sprang zornig auf und warf sich dem Gedonner entgegen. Alle Welt sollte sehn, daß man hier einen Gelehrten aus wichtigen Studien gerissen hatte. Helmuts Hexentanz jaulte heran. Am verkürzten Auspuffstutzen der Maschine knallte es: »Pack-paum! Pack-paum!«, und Stanislaus stand im Staub. Ein alberner Chausseegaffer, ein Mensch ohne Räder.

In einer Apfelbaumkrone zirpte ein Goldammer seine traurige Strophe. Stanislaus warf einen Stein ins Geäst. Der Goldammer strich ab, setzte sich auf eine Telegrafenleitung und sang dort.

Am Abend rieselte der Regen über sein Kammerdach. Das tröstete. Der beharrliche Regen ließ keinen Menschen aus, ob er nun unter Busch und Baum lag oder auf einem Motorrad saß.

Dieses Rehmädchen sollte überdies sehn, was es angerichtet hatte. Waren Seelen hierzulande so billig, daß man sie mit Motorrädern überfahren durfte?

Er schrieb einen Brief. Kurz und bündig: Manche morden Menschen, andere morden Seelen. Was ist grausamer? – Er steckte sein Gedicht mit in den Umschlag und trug den Brief noch nachts zum Kasten.

Schon auf dem Rückweg zu seiner Kammer überfiel ihn der Ekel vor sich selber. Was für ein Erdensohn war er! Konnte er nicht zupacken wie andere, wenn ihm etwas behagte und gefiel? Was sollten überhaupt seine Gedichte, auf die er nie eine Antwort erhielt? Hatte er nicht bei allen seinen Liebschaften erfahren, daß Gedichte nicht mehr waren als Worte im Wind? Außerdem schien ihm gerade sein letztes Gedicht ein dummes Ding zu sein. Es ging schon abwärts mit ihm. Er hatte bessere, reifere Gedichte gemacht. Zum Beispiel das von den Kirschen, aber da hatte freilich eine Sängerin mit dunkler Stimme geholfen. Schweig still, du einfältiges Herz!

Junge Menschen verließen die Tanzlokale, hüpften und sangen, neckten und leckten sich. Ihnen war die Welt gerade richtig. Stanislaus war sie voll Zwiespalt. Er verfluchte seine Gedichte. Sie waren Weichtiere ohne Deckel und Schalenhaus. Jedes Kind konnte sie zertreten.

Der Morgen kam. Ein Morgen mit Heuduft und den schweren Gerüchen des Vorsommers, aber Heu und Heckenrosen dufteten nicht für Bäckerknechte. Für sie war der Kohlenrauch des Backofenschornsteins, der Geruch des übergärigen Sauerteigs, waren die heimatlosen Gerüche der künstlichen Backessenzen bestimmt.

Der Motorradmensch Helmut war noch forscher geworden. Er betrat die Backstube in Langstiefeln, stand an der Beute wie ein General und ließ die Kommißbrote wohlgeformt aus seinen Händen marschieren. Das war selbst dem stillen Emil zuviel. »Hast du in Pantoffeln keinen Halt mehr?«

»Ich bin kein Krüppel«, erwiderte Helmut.

Der verletzte Emil wurde noch kleiner, seine Augen noch trauriger. Vielleicht dachte er daran, sich bei Gelegenheit seine Zunge auszureißen.

»Nun wird er bald mit dem Sturzhelm in den Brotkleister steigen«, sagte Stanislaus, und weniger gehässig durfte es nicht sein. Emil sandte ihm einen Dankblick über den Backtrog.

»Geht da der Wind im Schornstein?« Helmut tat großmütig und hatte kein weiteres Wort für die beiden Wadenbeißer.

Viel Gewitter und wenig Regen.

Der Tag verging, die Dämmerstunde fiel ein, da stand das Rehmädchen auf dem Bäckereihof. Helmut band die Bäckerschürze ab und marschierte hinaus. Deshalb also die Stiefel! Er blieb nicht lange draußen. Nein, er kam in die Backstube zurück, forsch und ohne Fehl, aber er spuckte gegen den kleinen Kanonenofen beim Garschrank. Dort stand Stanislaus. »He, hier steht wer, du Stiefelknecht!«

Da spuckte Helmut ein zweites Mal, und Stanislaus fast auf die Hosenbeinlinge. Stanislaus griff zum Streicheimer, um mit trübem Wasser ein wenig gegenzuspucken, da klopfte das Rehmädchen ans Fenster. Es winkte Stanislaus heran und bat ihn, für zwei Augenblicke auf den Hof zu kommen. Die Welt zeigte Stanislaus ihre angenehmere Seite.

Stanislaus' Brief war in die rechten Hände gelangt. Ein gutes Gedicht, ein fast trauriges Gedicht, aber die Sache war die: ein Gedicht voll Vermutungen und ungerechtfertigter Trauer. Es war eine kleine Motorradpartie, lauter Harmlosigkeit.

»Sie sind nicht verpflichtet, mit mir darüber zu sprechen. Das Gedicht? Gott ja, es war ein Einfall, eine Laune meinerseits. Sie flog vorüber, löste sich auf wie Wiesennebel im Sommer.«

Oh, das waren keine gewöhnlichen Worte! Das Mädchen suchte nach Antwort, aber da wurde das Backstubenfenster aufgerissen. Helmut schüttelte ein Semmeltuch aus, und sie standen in einer Wolke von Holzmehl. Das Mädchen wußte die Wolke zu nutzen, griff nach Stanislaus' Hand und drückte sie. »Am Mittwoch bei uns, bitte. Mein Vater läßt grüßen. Das Gedicht ist prima.«

Die Holzmehlwolke verflog. Das Mädchen war weg.

Stanislaus begann besser von sich zu denken: Er hatte ein Gedicht geschrieben; nicht nur für Wind und Wolken. Es war angekommen. Eine ganze Familie hatte sich damit beschäftigt. Er pries die Kunst, Worte so fein zu hämmern, daß sie wie unsichtbare Strahlen in Herzen drangen. Er opferte dieser Kunst die Zeit bis zum Mittwoch. Der große Gelehrte zog sich beleidigt in ihm zurück. Nun war er wohl doch so etwas wie ein Doktor Faustus. Der Goethe war ein Kerl! Er hatte für jeden etwas: mal dies, mal das.

40

Stanislaus kommt zum Vater des Rehmädchens, schaut in die Winkel einer Dichterseele und stürzt sich durch Küsse in einer Küche in neue Leiden.

Der Vater des Rehmädchens Lilian trug eine braune Strickweste mit grüner Kante, hatte blaue Kinderaugen und einen Klecks Bart unter der Nase. Seine großen schüchternen Hände falteten die Zeitung, als wäre sie aus Seidenpapier. »Ich heiße Pöschel, und das ist meine Frau.«

Frau Pöschel hielt Stanislaus den Ellenbogen zum Gruß hin. An ihren Fingern klebte grauroter Fleischteig mit blitzenden Zwiebelstückchen. »Wir kennen uns. Wird Ihnen Klops recht sein?«

»Wie?« Stanislaus war verwirrt, denn nun erschien auch Lilian, um ihn zu begrüßen.

»Klops«, sagte Frau Pöschel und klatschte die mit Fleischteig beschmierten Hände gegeneinander. »Falscher Hase. Essen Sie falschen Hasen?«

»Ja, ja, immer.« Stanislaus hätte auch gebratene Regenwürmer nicht abgelehnt, denn nun fühlte er die Schmeichelhand des Rehmädchens. »Willkommen!« Lilian mit einem weißen Küchenschürzchen, der muntere Zauskopf mit den geblähten Nasenflügeln — alles war da.

»Ja, ja, so kommt man zusammen!« Stanislaus und Herr Pöschel saßen sich gegenüber. Hinter den gelben Tüllgardinen fiel der Abend in die Straße. Eine Standuhr, so groß wie ein kleiner Schrank, tickte und tackte: eine Zeitfabrik mit goldenen Gewichten. In der Küche klickten, klopften und patschten die Frauen. Der dürre Stanislaus saß bescheiden auf dem Sofa und verbrauchte wenig Platz. »Ja, ja, die Menschen«, sagte er, tat tiefsinnig und betrachtete ein großes Bild. Eine Landschaft, rosarot von der Erde bis in den Himmel hinein. Selbst die Schafe, die wartend gestanden zu haben schienen, bis der Maler sie abgemalt hatte, waren bei der Verteilung von Rosarot nicht zu kurz gekommen.

»Dieses ist von einem Kunstmaler gemalt und nicht billig

gewesen«, erklärte Herr Pöschel. Er strich über das Gemälde. »Sie fühlen die Farbe. Dieses ist wichtig zum Unterschied von einem Kunstdruck.«

Stanislaus war, jubelig und erwartungsvoll wie es in ihm aussah, zu allembereit. Er ließ seine Finger über die eingetrockneten Ölfarbenkleckse hoppeln, und er fand im gemalten Heidekraut des Bildes sogar den Namen des Herstellers: »Hermann Windstrich, Kunstmalereigeschäft«.

Das Abendbrot wurde aufgetragen. Der falsche Hase lag da und duftete. Sie aßen. Stanislaus ließ nichts ungegessen und beleidigte niemand.

»Auch die Preiselbeeren hat Lilian geschmort«, sagte Frau Pöschel. Der gesüßte Beerenbrei kratzte im Schlund, wenn man zwei Häppchen hintereinander davon aß. Er war kratzig wie die Marschmusik aus dem Lautsprecher, die da hieß: »O Deutschland hoch in Ehren ...« Lilian schälte einen Apfel für Stanislaus. Die Augen der Mutter schälten mit. Man setzte sich an das Rauchtischchen.

»Dieses ist nun gleichzeitig ein Schachspiel«, sagte Vater Pöschel, und seine scheuen Finger huschten auf der Tischplatte mit den eingelassenen Schachfeldkaros umher. Stanislaus nickte zufrieden und rauchte eine Zigarre. Nein, er beleidigte niemand und nahm alles ohne Zögern und Widerspruch entgegen. Lilian setzte ihm den Aschenbecher hin, und er streifte die graue Zigarrenasche an den Zinnen des Spremberger Turms der Stadt Cottbus ab.

»Dieses ist ein Reiseandenken aus meiner Jugendzeit«, sagte Herr Pöschel.

Es war ein gelungenes Beisammensein. Stanislaus hatte nichts an ihm auszusetzen, denn als der Abend zur Neige ging, setzte sich Lilian wahrhaftig an das Klavier und spielte. Wer hätte das erwartet! Stanislaus bewunderte Lilians flinke Finger: Zauberfinger, die Musik aus weißen Tasten tippten. Ein Walzer tändelte durch die Stube, und ein Blinder hätte schmecken können, daß die Musik für Stanislaus gemacht wurde. »Üüüber den Wellen ...«, jawohl!

Frau Pöschel summte mit. Herr Pöschel nickte und sagte:

»Dieses habe ich durchgesetzt, denn Hausmusik muß sein!«

Stanislaus bekräftigte auch das.

Als er durch den Stadtpark ging, fiel ihm ein, daß weder Lilian noch Herr Pöschel von seinem Gedicht gesprochen hatten. Aber auch dafür fand er einen Grund. Seine Zufriedenheit war nicht zu zerstören, denn er glaubte, endlich, endlich ein Zuhause gefunden zu haben. Man mußte sich kennenlernen. Wo in der Welt war es üblich, sein Herz zum Betasten auf den Tisch zu legen, wenn man sich zum ersten Male sah?

Ein Schuß pochte: »Paum!« Sein Echo rumorte in den Stadtgassen. Eine Pfeife trillerte. Stanislaus blieb stehn und lauschte. War er in eine Übung der Stürmer geraten? Es knackte in den Baumzweigen. Er blickte hinauf. Aus den Zweigen sank wie ein Riesennachtschmetterling eine Decke herab. Die Decke umhüllte ihn, und ehe er seinen Kopf frei machen konnte, wurde er gepackt, geschleppt und im Gesträuch niedergeworfen. Er wehrte sich, kratzte, biß und spie wie einst in der Dorfschule, wenn sie ihn prügeln wollten. Er biß in eine Hand, die leise nach Pflaumenschnaps duftete, und spürte Blut über seine Lippen rinnen. – Er erhielt einen Fußtritt in die Rippen und erkannte, daß es sich um ernstere Dinge handelte als in der Dorfschule. Er sah Gestalten, bestiefelte Sturmmänner in weißen Kapuzen mit schwarzen Auglöchern. Er wußte, was ihm geschehen würde. – Und wieder wurde ihm die Decke über den Kopf geworfen, wurde er hochgerissen und trotz aller Gegenwehr über die Lehne einer Parkbank gebeugt. »Drauf auf den Drückeberger!« Ein Hagel von Hieben auf sein Gesäß, eine Hölle!

»Hunde!« schrie Stanislaus. Der Hiebhagel wurde dichter. »Hunde!« schrie er wieder und schon heiser vor Wut, da erhielt er einen Schlag über den Kopf und wußte nichts mehr.

Er lag in seiner Kammer, zerbleut und zerschlagen. Die Meisterin umsorgte ihn. »Man hat dich ins Krankenhaus schaffen wolln. Der Meister litts nicht. Es sei eine Sünde, dich fremden Menschen zu überlassen. Er ist weich gestimmt. Er hat Schmerzen.«

»Schmerzen?«

»Er riß sich die Hand an der Teigteilmaschine auf.«

»Gute Besserung.« Stanislaus lächelte ohne Hinterhältigkeit, denn er dachte an flinke Mädchenfinger, die über Klaviertasten spazierten und Musik machten.

»Ich hab den Überfall dem Polizisten gemeldet, der morgens Milchbrötchen holt. Er sagt, es sei schwierig.« So redete und tröstete die Meisterin.

Stanislaus' Trost war, dazuliegen und zu denken. Wenn er sich bewegen mußte, empfand er Schmerzen und haßte für eine Weile. Es war kein gründlicher Haß; er bezog sich auf einige Personen, die er im Verdacht hatte. Am meisten haßte er einen gewissen Truppführer mit Eberzähnen. Er glaubte, dessen krumme Beine in der Prügelnacht erkannt zu haben. Wenn er still lag, verdrängten die Erinnerungen an Lilian seinen unterernährten Haß und seine kindlichen Rachepläne. Es ging ihm darum, seine Geschwülste bei den Augen loszuwerden. Er wollte Lilian sehn.

Die Zeit verging.

Sie hatten von der Gewaltigkeit der Reichsautobahn gesprochen, und danach war Herr Pöschel auf die Dichtung gekommen. Seine scheuen Hände deuteten an, wie groß seine Schwäche für anständige Dichtung wäre. Sie reichte fast bis an die Stubendecke. Er konnte noch alle Gedichte aus dem Schulllesebuch hersagen: »Es ist so still, die Heide liegt im warmen Mittagssonnenstrahle ...«, und: »... zur Rechten sieht man, wie zur Linken, einen halben Türken heruntersinken ...« Herr Pöschel sprang auf. Begeisterung durchrötete sein Gesicht. Er klopfte an das Bauer des Kanarienvogels. »Meine meiste Verehrung hege ich für die Arbeiterdichter. ›Das Nietwerk‹, ›Der Dampfhammer‹.« Er deklamierte: »... Bessemerbirnen zischen entfesselt, daß flammende Funken kreisen ...«

War das noch Herr Pöschel? Er verjüngte sich bei jedem Satz, den er mit großen Gesten hersagte. Er deklamierte falsch, aber seine Begeisterung für das, was er sagte, söhnte Stanislaus mit der falschen Betonung aus. Da stand also ein erwachsener

Mann, ein Ehemann, der Vater einer flinken, zausköpfigen Tochter, und hielt etwas von Gedichten, sah in ihnen nicht nur Spielereien, Worthokuspokus, mit dem man langweilige Stunden tötet, sondern kunstvoll geordnetes Leben. Herr Pöschel glühte und sprühte. Er erzählte von seiner Begegnung mit einem Dichter. Dieser habe Erich geheißen und sei ein Dichter durch und durch und außerdem ein Kerl gewesen. Besonders ein Gedicht sei von diesem Erich immer wieder verlangt worden: »Das Lied von der roten Fahne«. Herr Pöschel flüsterte: »Dieses ist eine städtische Siedlung. Stampfbeton. Viel Sand und wenig Zement.« Er ging zum Rundfunkapparat und stellte laute Marschmusik ein. »Er war sogar Kommunist, der Erich!«

Stanislaus zuckte. Kam hier wieder ein Gustav Gerngut auf ihn zu?

Er fand Gefallen an Herrn Pöschel und wollte auch den Fernlehrer für Deutsch an seiner Zufriedenheit teilnehmen lassen. Er schrieb ein Gedicht über die Freundschaft:

> Vater meiner Vielgeliebten,
> Wohnst in einem Haus aus Liedern ...

Wenn die Frauen in der Küche das Abendbrot bereiteten, sprachen die neuen Freunde von ihrer gemeinsamen Leidenschaft.

> ... Kürtest den andern.
> Ich muß wohl wandern.
> Es fiel ein Schnee.
> Mädchen, ade!

Die letzten Zeilen sagte Herr Pöschel leise, denn seine Frau legte die Tischdecke für das Abendbrot auf. »Ist nun unsere Lilian der Grund — will sagen: das Motiv für dieses Gedicht gewesen?«

Stanislaus sog unsicher an seiner Zigarre und nickte. Frau Pöschel hustete. Herr Pöschel schien diese Art Erklärung zu kennen und ließ sich nicht stören. »Sie sind nun jung, und alles ist möglich. Haben Sie in Betracht gezogen, daß Gedichte ...« — er klopfte mit gekrümmtem Ringfinger an das Aquarium auf dem Fensterbrett –, »... daß Gedichte zuweilen Ewigkeitswert besitzen?«

»Ich habe es nicht bedacht.«

»Die Kinder lernen sie später in den Schulen. Es wird gefragt: ›Wer hat den Dichter traurig gestimmt?‹«

Schauer des Entzückens rannen Stanislaus den Rücken herab. Wurde seine Kunst in diesem Hause so hoch bewertet? Frau Pöschel patschte das Sofakissen zurecht. Sehr laut! Papa Pöschels Stirn wurde faltig. »Soll es einmal heißen, Grund dieser Trauer sei unsere Tochter gewesen?«

Frau Pöschel ging hinaus. Hinter der Tür befiel sie wieder dieser herausfordernde Husten. Herr Pöschel klopfte an die Zylinderhutschachtel auf dem Ankleideschrank. »Am besten, Männer sind unter sich, wenn sie von Dichtung reden. Frauen haben in der Regel keine Ader für diese«, sagte er.

Stanislaus' Fernlehrer für Deutsch schrieb zurück: Ganz schön und gut, aber eigene Dichtung stünde nicht im Lehrplan. Vielleicht später, wenn der Unterricht verlange, sich Klarheit über Metrik und Rhythmus zu verschaffen. Jetzt habe sein Schüler die vaterländischen Motive aus der »Hermannsschlacht« herauszuschälen. Es sei an der Zeit.

So ging der Sommer dahin. Stanislaus studierte den Kreislauf von Stärke und Kohlensäure in den Blattzellen der Bäume. Er dachte, mehr als seinem Studium guttat, an Lilian und studierte nur mehr, um die Zeit zwischen zwei Familienabenden zu überbrücken. Lilian war so schmiegsam, sie war so lockig und zutraulich. Sie duftete so gut und legte ihren Zauskopf schnell an seine Schulter, wenn sie ihn nach den Familienabenden bis zur Haustür brachte. Er küßte sie auf die Stirn und träumte davon, mit ihr allein im Park zu sein. Er bat sie darum. Sie sagte: »Fragen Sie meine Eltern.«

Sie war zwanzig Jahre alt und wohl immer noch ein Kind. Er nahm sich vor, Herrn Pöschel um einen Spaziergang mit seiner Tochter zu bitten, und lachte über diesen Einfall.

Eines Abends tat Pöschel besonders geheimnisvoll. Er verriegelte die Stubentür. Sodann probierte er einige Schlüssel und öffnete ein Kommodenschubfach. Stanislaus rutschte auf dem

Familiensofa hin und her. Sollte er nun vielleicht kommunistische Bücher in die Hand bekommen? Pöschel schob abgelegte Strümpfe und aufgetrieselte Wolle auseinander. Es kam eine verzierte Mappe zum Vorschein. Der Kanarienvogel ziepte aufgeregt, und die große Standuhr zerhackte die Zeit. Papa Pöschel lauschte zur Küche, drehte am Rundfunkapparat, bis Soldatenlieder erklangen: »Die blauen Dragoner, sie reiten mit klingendem Spiel durch das Tor ...« Da beklopfte Pöschel mit gekrümmtem Ringfinger den Nähmaschinenkasten, nickte sich selber zu und wußte, was er zu sagen hatte: »Zweihundertunddreiundzwanzig Gedichte, mein Lebenswerk!«

Stanislaus durfte die Mappe in die Hand nehmen. Sie hatte Gewicht. »Gedichte des Lebens von Paul Pöschel, Harmoniumtischler und Instrumentenbauer, Winkelstadt, Untere Gasse 4.« Es war nichts vergessen worden, und es gab keinen Zweifel darüber, daß diese Gedichte von Paul Pöschel eigenhändig verfaßt worden waren. Ein dickes Rotsiegel an einer Schnur verband beide Mappenschalen und trug auf einem angehefteten Zettelchen den Hinweis: »Erst nach meinem Ableben zu öffnen!«

Papa Pöschel hatte bereits vier Jahre nicht mehr in sein Lebenswerk geblickt. Nun öffnete er das Siegel mit seinem Taschenmesser. »Es mag sein, daß sich politisch anstößige Gedichte darunter befinden, aber Sie sind vielleicht nicht kleinlich.«

Nein, Stanislaus war nicht kleinlich. Er trug sogar einen kleinen Haß gegen ein paar Männer einer gewissen Sturm-Abteilung mit sich. Papa Pöschel drehte am Lautverstärker des Rundfunkapparats. »... sähst du mich traurig an, gern stürb ich dann ...«, schrie eine Sängerin. Stanislaus glühte. Vor ihm wurden Truhen und Siegel geöffnet. Er genoß Vertrauen und war sicher keine allzu kleine Seele im Garten der Menschheit.

»Unsere Regierung ist zum Teil nicht mehr für dieses, aber als ich die Gedichte schrieb, nahm niemand Anstoß. Die Zeiten ändern sich ... Dichtung hat Ewigkeitswert. Übrigens — mit Lilian sollten Sie über dieses nicht sprechen. Sie ist jung und mehr so heutig. Besser, man beirrt sie nicht.«

»Lilian? Ich seh sie kaum.«

Pöschel stutzte und beklopfte einen Blumentopf am Fenster. »Das ist wahr. Hier ist nun etwas Merkwürdiges eingetreten, und dieses ist: Sie sind mein junger Freund.«

Stanislaus griff nach Pöschels scheuer Hand und drückte sie.

Vater Pöschels Gedichte waren streng katalogisiert. Unter den Buchstaben Groß-A standen Abschiedsgedichte, unter F waren Familien- und unter K — Kampfgedichte zu finden. Unter H gab es viele Gedichte, und es waren Hochzeitsgedichte; ebenso stand es mit G — Geburtstagsgedichten.

»Hier können Sie sehen und nachprüfen, wie es in mir aussah, als meine Tochter Lilian geboren wurde, will sagen: in diese Welt trat.« Stanislaus las aufgeregt und flüchtig:

> Kleiner Engel mit den Patschhänden,
> Bist kommen in die Welt.
> Hier spricht man von Geld,
> Aber du hast in meinem Herzen Platz
> Als der größte Geldesschatz ...

Stanislaus durfte auch einen Blick in die Kampfgedichte werfen.

> Wir sind die wackeren Streiter
> Gegen die Ausbeuter.
> Lang waren wir bescheiden.
> Jetzt können wirs nimmer leiden.
> Unser Blut ist flossen.
> Sie haben geschossen.
> Rache! Rache! Rache!
> Pfeifen die Spatzen vom Dache.

»Dieses könnte vielleicht heutzutage anstößig sein«, sagte Papa Pöschel, »aber die Zeit vergeht. Ich hoffe, Sie werden mit niemand darüber sprechen. In uns ist viel Kraft. Dieses hat der Erich mehr als einmal gesagt. Wo wird er sein? Er war ein Draufgänger. Er wußte nicht, wann man still sein muß. So sind die Kommunisten. Gott, ja!«

296

Es wurde an die Tür gepocht. Vater Pöschel zuckte verschreckt. Frau Pöschel begehrte Einlaß. »Schöne Sachen. In der eigenen Wohnung ausgesperrt!«

Papa Pöschel stopfte seine Gedichte unter die Trieselwolle, sah sich nach Stanislaus um und legte seinen scheuen Zeigefinger quer über den Mund.

Der Kuchen stand auf dem Tisch. Der Malzkaffee dampfte. Lilians Platz blieb leer.

»Was treibt sie noch in der Küche?« Die Mutter bat Stanislaus, nachschaun zu gehn. »Sie sind vielleicht so freundlich.«

Stanislaus war gern so freundlich. Lilian saß vor dem Küchenherd und schaute auf die verglimmenden Funken im Aschloch. Sie trotzte. »Sind Sie nun zu meinem Vater gekommen oder zu mir?«

Er strich ihr vorsichtig über den Zauskopf. Sie hatte nichts dagegen. Er setzte sich zu ihr.

»Lore, Lore, Lore, schön sind die Mädchen von siebzehn, achtzehn Jahrn ...«, klangs aus der Wohnstube. Stanislaus' Blick fiel auf ein kleines Küchenregal, als er sie küßte. »Graupen«, »Grieß« und »Haferflocken«, alles war dort gut geordnet.

---

41   **Stanislaus wird eifersüchtig auf einen Mann mit weißen Handschuhen und beschließt, Ordnung in sein Gedankenleben zu bringen.**

Diese Lilian aber auch! Sie machte ihn toll und verrückt. Saßen sie daheim bei den Pöschels und verbrachten den Abend mit guten Mahlzeiten, Brettspielen oder dem Erzählen von kleinen Stadtneuigkeiten, so konnte es keine sanftere Tochter, kein züchtigeres Kind auf der Welt geben als sie. Gestatteten die Eltern Stanislaus, das Kind an die Luft zu führen, so war sie ein Ausbund von Zärtlichkeit, eine Meisterin von Schmeichelhänden, ein kleiner Liebesteufel und jederzeit imstande, Stanislaus' festeste Vorsätze sanft über den Haufen zu rennen.

»Erzähl, wie dir war, als du mich sahst!«

»Ich wehrte mich, ich sagte es dir schon; aber du warst so flink und lockend, ich konnt dich nicht vergessen. Du natürlich sahst nur diesen Motorradmenschen.«

»Nur, weil du so stumm warst.«

Logik der Liebe, Liebeslatein – der Himmel weiß was. Sie jedenfalls verstanden sich und hatten es gut miteinander.

Es wurde ihm schwer, das Gelöbnis zu halten, das er sich selber gegeben hatte: Keine Rede davon, in einem Jahr das Fernexamen zu machen. Er rang ehrlich und ausdauernd, aber er hatte es mit einer mächtigen Gegnerin zu tun, und das war die Liebe. Seine Wochen zersplitterten. Mittwoch, Sonnabend und Sonntag waren die von den Pöschels festgesetzten Tage für die Liebe. Montag, Dienstag, Donnerstag, Freitag – Studium und große Müdigkeit.

»Wo bleibt der Hausaufsatz über die Sturm-und-Drang-Zeit verschiedener Dichter?« fragte der Fernlehrer für Deutsch.

Ja, da konnte Stanislaus ohne zu große Mühe dienen.

»Wo bleibt der Aufsatz über den Einfluß Friedrichs des Großen auf die Urbarmachung des Oder-, Warthe- und Netzebruches?« fragte der Fernlehrer für Geschichte.

Da konnte Stanislaus schon weniger dienen. Von Logarithmen und Hyperbeln ganz zu schweigen.

»Letzte Woche was gedichtet?« fragte Papa Pöschel.

»Nichts gedichtet, nur studiert.«

Papa Pöschel nickte. »Der Arbeiter muß sich bilden. Es ist nichts so wichtig wie Bildung, Dichtung ist auch Bildung, aber nur ein Teil davon. Immerhin, als ich noch in der Gewerkschaft war, wurde fast jeden Tag ein Gedicht fertig, besonders bei Streik; da hatte man Zeit. Wenn man kämpft, gehts mit dem Dichten wie geschmiert. Jetzt haben sie gewerkschaftlichen Kampf verboten.« Papa Pöschel trank ein Schlückchen Erdbeerwein. »Jetzt haben sie es mit dem Vaterland. Gegen das Vaterland darf nicht gestreikt werden. Fürs Vaterland muß man schweigen, fürs Vaterland, fürs Vaterland! Es zahlt ein bißchen schlecht, das Vaterland.«

Stanislaus nickte. Er wartete auf Lilian. Die große Standuhr zerhackte die Zeit. Lilian war Stenotypistin in einer Fabrik am Stadtrand, es war eine neue, eine geheimnisvolle Fabrik. Da gabs Leute, die wissen wollten, daß diese Fabrik unter der Erde läge. Sie wurden wegen Verbreitung von Gerüchten verhaftet. Von da an lag die Fabrik nicht mehr unter der Erde. Es war eine Hühnerfarm, und die Hennen legten dort eiserne Eier für den Führer.

Lilian kam unfroh heim. »Hast du am Montag an mich gedacht?«

»Ich habe an dich gedacht!«

»Es war mein Pechtag.«

»Dein Pechtag?«

»Eine Ungerechtigkeit. Es ist uns nicht erlaubt, aus der Fabrik zu erzählen.«

»Dann erzähl nicht!«

»Mein Chef sagte: ›Schreiben Sie dreißigtausend!‹ Ich schreibe also dreißigtausend.«

»Dreißigtausend was?«

»Dreißigtausend von dem, was wir machen.«

»Ich sagte schon: Laß es!«

Sie saßen und starrten. Sie auf den Kanarienvogel. Er auf das große Heidebild. Die Standuhr schlug.

Der halbe Abend verging. Stanislaus war es, der nachgab. Er wollte nicht so ungewärmt in seine Kammer steigen. Sie näherten sich einander trotz Vaterland und Fabrikgeheimnissen. »Er warf seine weißen Handschuhe auf den Schreibtisch und sagte: ›Schreiben Sie dreißigtausend!‹ «

»Trägt er weiße Handschuhe?«

»Wir dürfen auch darüber nicht sprechen. Er ist Major. Ich konnte ihn gut leiden.«

»Kannst du es schneller erzählen?«

»Er sagte ganz gewiß: ›Dreißigtausend.‹ Nachher wollte er dreitausend gesagt haben. Eine Null zuviel in der Aufstellung. ›Sie schreiben jetzt, was Sie wolln?‹ fragte er. ›Ich schreibe, was Herr Major diktieren‹, sagte ich. ›Wer sich entschuldigt, klagt sich an!‹ sagte er. ›Was wahr ist, ist wahr‹, sagte ich. ›Wahr ist, daß ich Sie nun nicht mehr verwenden kann‹, sagte er. Ich wurde in die Lagerräume kommandiert.«

Stanislaus versuchte zu trösten: »Jetzt hast du nichts mehr mit den weißen Handschuhen zu tun.«

»Der im Lager ist nur Unteroffizier.« Sie greinte, wischte sich mit dem Handrücken über die Augen. Es war, als ob sie sich die Lieblichkeit aus dem Gesicht wischte. »Schuld ist Vater. Der Herr Major hatten mich eingeladen. Was wär schon gewesen? Er war mein Vorgesetzter. Jetzt hat er sich eine Schwarze ins Büro geholt. Sie sieht halbjüdisch aus.«

Stanislaus ging ungewärmt und ungeliebt in seine Kammer.

Er wurde eifersüchtig auf diesen Major und ging einen Mittwoch und einen Sonnabend nicht zu den Pöschels. Er hatte ein Büchlein aufgestöbert, das ihn beschäftigte: »Bringe Ordnung in dein Gedankenleben (Anleitung zu einem erfolgreichen Leben).« Stanislaus las, was dort über die Eifersucht gesagt wurde: Eifersucht vergifte die Gedanken, lähme sie. Wer Erfolg im Leben haben wolle, müsse die Liebe als Nebenbeschäftigung betrachten; besonders die leibliche Liebe sei ein störender Stein auf dem steilen Wege zum Erfolg.

Stanislaus rang mit seiner Eifersucht. Er nahm sich vor, die Leiter des Erfolgs zu erklimmen. Er fertigte ein Gedicht gegen die Eifersucht an. Es war ein Gedicht nach dem Muster von Papa Pöschels Kampfgedichten. Lilian aber sollte jetzt kühl und leidenschaftslos behandelt werden, wie es die Vorschrift im Büchlein gebot.

---

42   **Stanislaus kämpft vergeblich gegen die Unordnung in seinem Gedankenleben, marschiert unter der Brezelfahne und wird von einem Mondgesicht zum Zittern gebracht.**

Nun sollte das große Heimatfest für das Städtchen Winkelstadt stattfinden. Teilnahme aller Organisationen Pflicht! Auch Stanislaus gehörte einer Organisation an. Er gehörte zur Arbeitsfront. Donnerwetter, wie war er dazu gekommen? Der Meister hatte ihm das Mitgliedsbuch gegeben. Jeder anständige deutsche Arbeiter in der Arbeitsfront! Arbeitsfront oder arbeitslos!

Papa Pöschel war die Arbeitsfront zu still. »Früher in den Gewerkschaften gabs Leben.« Irgendwodrin aber mußte der Mensch sein. Der Mensch will zum Menschen. Pöschel wollte lieber mit der Kanarienzüchtervereinigung zum Heimatfest marschieren. Er hatte seinem Kanarienhahn ein Weibchen beigegeben und mit der Zucht begonnen.

Der hohe Festtag kam. Wecken mit Querflöten und Trommeln. Kinder, Knirpse mit großen Landsknechtstrommeln. Seht euch das Jungvolk an! Prompt, promt, promteromt, promt, promt! »Hitler, wir gehören dir ...«

Der Festzug: Die Kapelle mit der vernickelten Lyra. Die braunen Hemden, die gelben Kordhosen, Langstiefel, Geruch von Erdal-Schuhputz. Trampt, trampft, trampt – der Marschtritt der schwarzen Sturm-Staffeln! Schuhmachermeister Kröpel, Versicherungsvertreter Schniebel, Fabrikdirektor Drückdrauf, Nachtwächter und Schließmann Bärensohle, Kanalräumer Modderpflug, Imkerverbandsvorsitzender Brummensieg, Werkmeister Treter – alle mit dem Totenkopf auf der Mütze, alle mit dem Totenkopf am Fingerring. Sie wurden angeführt von Guts- und Schnapsbrennereibesitzer Hartwich vom Hartenstein. Die unorganisierten Hausfrauen am Straßenrand grüßten mit ausgestrecktem Arm die erlauchte Fahne des Totenkopfverbandes.

Stanislaus in der weißen Zunftkleidung. Die Bäckerinnung marschierte mit der Brezelfahne im Krach von zwei Blechmusikkapellen. Eine Horde weißer Nachtgespenster, die einander stießen und schubsten. »O Deutschland hoch in Ehren ... bis alles in Scherben fällt ...« Musikbrei von zwei Kapellen. Pöschel im schwarzen Zivilanzug unter den Kanarienzüchtern. »Wir züchten unsere gelben Sänger für das Großdeutsche Reich!« Hinter dem Kanarienzüchterverein der Spezialverband für die Erzüchtung deutscher Hühnerwirtschaftsrassen. Reichsnährstand. Mama Pöschel grüßte auch die Kanarienfahne mit ausgestrecktem Arm »Heil Hitler!«. Sollte ihr Mann und Meister unbegrüßt durch die Straßen ziehn?

Die knatternden Maschinen des Nationalsozialistischen Kraftfahrerkorps: ein Gewitter im Festzug. Schwarze Sturzhelme, ausgerichtete Blicke. Was soll umgefahren werden? Helmut sah verächtlich zu diesem Bäckergespenst Stanislaus hinüber. Der Wehrstand blickte verächtlich auf den Nährstand. Wir kämpfen, damit ihr backen könnt!

Da, da – die Reiterstaffel! Bierkutscherpferde, Müllkutscherpferde, der krummbeinige Braune von Gemüse-Meier, die ewig rossende Stute des Lumpensammlers, die Vollblüter aus dem Gestüt derer vom Hartenstein, zwei schwarze Pferde des Leichenbestatters, die sich angewöhnt hatten, die Köpfe gesenkt zu tragen. Die Kavalkade der kleinstädtischen Spießbürger, den Blick auf die Totenkopffahne gerichtet: Was soll umgeritten werden?

Der Festzug schlängelte sich um das Kriegerdenkmal im Heiligen Haine der Stadt. »Ehret die tapferen Helden unseres Volkes!«

Der Kanarienzüchterverein ehrte sie, der Verband für die Erzüchtung deutscher Hühnerwirtschaftsrassen innerhalb des Reichsnährstandes ehrte sie, die städtischen Straßenfeger ehrten sie mit gefälltem Besen. Die Brezelfahne der Bäckerinnung senkte sich zum Zeichen der Verehrung für die toten Helden.

Stanislaus sah Lilian. Sie marschierte beim Bund Deuts cher Mädchen. Echt deutsche Mädchen, Nachkommen der Himmelsfrau Frigga nach der Verpaarung mit dem Donnergott und Hammerwerfer Donar. Wohin werden sie noch klettern in ihren braunen Kletterwesten? Die schwarzen Halstücher flatterten, und die blauen Ziegenblicke ruhten auf den breitbreiten Schleifen der Kränze für die gefallenen Helden. Eine Herde gebärfreudiger Stuten; die Haarflechten nach vorn über die Brüste gelassen. Die schwarzen und die dunkelhäutigen Arierinnen neben den krummbeinigen, strohhaarigen, den geradlinigen Nachkommen der Ausklopferinnen altgermanischer Bärenfelle. Sie alle angeführt von der Germanistin des städtischen Lyzeums. Die Hohe Frau des Städtchens mit Zopfkranz und Himmlerkneifer führte die Hammelherde der

Mädchen und ihren eigenen verdrängten Gebärtrieb an der schwarzen Horde der Sturmstaffler vorüber.

Stanislaus hatte Lilian nie so braun, so völkisch herausgeputzt gesehn wie nun. Sie übersah den weißen Bäckerengel Stanislaus und lachte einer Gruppe von Herren zu, die den Festzug als Randverzierung begleitete. Unter diesen Männern ging ein geschniegelter Schwarzer mit einem Gesicht so glatt und alltäglich wie der Mond. Aus der Brusttasche wehte ihm ein Kavaliertuch. Auf seiner Hemdbrust lag ein hellblauer Schlips. »Lilian, he, Fräulein Lilian!« rief er.

Stanislaus verlangsamte seinen Marschtritt und knittelte seine Eifersucht mit Anweisungen aus der »Anleitung zum erfolgreichen Leben« nieder: »Sollte Eifersucht sich anschicken, dein Blut zu durchbittern, laß sie nicht ein! Was du nicht in Gedanken zu dir hereinnimmst, wird nicht in dir drinnen sein!« — Schön gesagt, aber der Schwarze, der Lilian so freundlich begrüßte, war schon drinnen. Stanislaus erhielt von hinten einen Tritt. »Gaff nicht! Weiter! Links, zwei, drei ...!« Die Bäckerengel feuerten aus. Sie waren gekommen, um zu marschieren.

Stanislaus dachte an Gustav. »Sie haben jetzt das Marschieren als Gangart eingeführt. Das ist klug. Der vor dir gibt den Tritt an; der hinter dir merkt, wenn du ihn nicht aufnimmst. Er haut dir eins ins Kreuz! Nur so kommen Großtaten zustande!«

Der Festzug wälzte sich zum Marktplatz. Vom Turm des Rathauses wehte die Flagge des Großdeutschen Reiches. Eine rote Fahne, aber in das Fahnenrot hatte eine schwarze Kreuzspinne ein weißes Loch gefressen.

Es brummte am Himmel in der Gegend hinter dem Rathausturm. »Ein Storch, ein Storch, ein Fieseler-Storch!« Das Flugzeug schwebte über dem Marktplatz. Mützen flogen in die Luft. »Heil! Heil! Heil!«

Sturmführer Hartwich vom Hartenstein riß sein Fernglas hoch: Sein Sohn kreiste am städtischen Himmel. Nun flog er kopfunter über dem Rathausturm. Die Arierinnen vom Bund Deutscher Mädchen rissen ihre Heldinnenmünder auf wie gewöhnliche Frauen. Soviel Kühnheit auf einem Haufen! Flie-

gerhauptmann Bodo vom Hartenstein ließ seine Maschine steigen wie einen beflügelten Hengst. Dicker Qualm stieg aus dem
Hengstafter.

»Wo soll das hin? – Immer mehr Kühnheit!«

Jetzt stand schon ein gerader Qualmstrich am Himmel, und
das Flugzeug stürzte wie ein in der Luft gestorbener Mistkäfer
nach unten. Ein Schrei ging durch die Nationalsozialistische
Frauenschaft. Hartwich vom Hartenstein hob beschwichtigend
die Hände wie Jesus bei der Stillung des Sturms, und siehe, die
Maschine des Hauptmanns Bodo vom Hartenstein hatte sich
gefangen! Sie schleppte jetzt einen Qualmquerstrich hinter
sich her. Zu dem Querstrich kam wieder ein Längsstrich. Nun
konnte schon jedermann sehen, daß es sich um ein großes in
den Himmel geräuchertes H handelte, und ganz Findige wußten, daß dort binnen einer Viertelstunde »Heil Hitler« in
Qualmschrift geschrieben stehen würde.

Am Nachmittag lief das Spiel vom Räuber Lauermann. Ein
Spiel aus der großen Vergangenheit des Städtchens, verfaßt von
Zahnarzt Wurzelbreit, stilistisch poliert und mit richtigen hi-
storischen Jahreszahlen versehen von Studienrat Doktor
Deutschmann. Räuberhauptmann Lauermann, dargestellt vom
städtischen Bahnhofsfriseur Stufenschneider, Lieferant histori-
scher Perücken. Bahnhofsfriseur Lauermann ritt auf dem hohen
Rappen der städtischen Abdeckerei durch die Grünanlagen des
Kaiser-Wilhelm-Platzes: Betreten der Rasenflächen während
des Heimatfestes ausnahmsweise erlaubt! Räuberhauptmann
Lauermann blies auf einer Blechflöte aus dem Spielzeugge-
schäft Marunke nach seinen Getreuen. Die bärtigen Räuber –
es waren die Fleischer vom städtischen Schlachthof – krabbel-
ten unter Sträuchern und Parkbänken hervor. Es wurde Rat
gehalten. Die Kutsche des Herzogs sollte überfallen und ausge-
raubt werden. Den Herzog spielte Bürgermeister Bleibtreu. Die
Kutsche, die ihn enthielt, stellte das Fuhrgeschäft Schnellreiser.

Die Schlacht entspann sich in der Nähe des städtischen
Springbrunnens. Die von Tischler Langlatte angefertigten Holz-
schwerter prasselten aufeinander. Mitten im heftigsten Gemet-
zel aber wurde Lauermann durch sein Pferd kampfunfähig

gemacht. Es war nicht zu halten und mußte um jeden Preis aus dem städtischen Brunnen saufen. Lauermann stürzte aus dem Sattel. Die Mannen des Herzogs hielten sich zurück, um das Festspiel nicht vorzeitig zu beenden.

Vor der großen Pause wurde der Herzog geknebelt, gefesselt, hinter eine Tollkirschenhecke geschleppt und im städtischen Parkpissoir gefangengesetzt.

Nach der Pause begann die Rache des Herzogs. Der König griff ein. Der König war Revieroberwachtmeister Schimmelblick von der städtischen Polizeiwache. Es war kein mächtigerer Mensch und keine stattlichere Figur im Städtchen aufzutreiben gewesen. Der Landrat, dem die Rolle eigentlich hätte zufallen sollen, stotterte.

Gegen vier Uhr dreiundvierzig am Nachmittag wurde Lauermann von seinem wohlverdienten Geschick ereilt. Er wurde vor aller Augen am tausendjährigen Eichbaum in der Mitte des Kaiser-Wilhelm-Platzes gehenkt. Bahnhofsfriseurmeister Lauermann hatte auch für diesen Zweck Vorsorge getroffen. Die Puppe, die er für die Henkung angefertigt hatte, sah ihm so ähnlich, daß einige nervöse Damen der Nationalsozialistischen Frauenschaft sich nur noch unter den scharfen Blicken ihrer Führerin aufrecht hielten, als diese Puppe vom Henkerbock gestoßen wurde. Nun aber mußte das Volk den Schaden und die Kriegskosten ersetzen, die sowohl dem Herzog als auch dem König entstanden waren. Ordnung muß sein!

Deutscher Tanz in allen Sälen der Stadt. Auf allen Tanzflächen rumpelte es, und die Gastwirte lobten das städtische Heimatfest. Im Großen Konzerthaus kehrte Frau Baronin Emmy vom Hartenstein, geborene Tuchfabrikantentochter Krause, mit ihrer Samtschleppe das Parkett. Hier fand die Parade der Stiefeltänzer statt. Hier war der Himmel der Ordenssterne und die Hölle der rennenden Kellner. Es wurde scharf geschossen. Vorerst mit Sektkorken der Firma Perlig & Co. – natürlich. Hier war der Tummelplatz für vaterländische Reden und Trinksprüche. Der Landrat brüllte: »Heil Hihihi ... «, und die städtische Blechbläserkapelle spielte auf ein Handzeichen des Kreisobersteuersekretärs schnell einen kräftigen Tusch, um die Peinlichkeit zu überbrücken. In einer Ecke des Lokals ritten die blauen Dragoner, von Bierkehlen getragen, mit klingendem Spiel durch das Tor. In einer Nische unter blaßblauen Lampions wurde Frankreich musikalisch siegreich geschlagen.

Stanislaus hatte in der Backstube den Sauerteig angefrischt, das Hefestück gemacht und die Zutaten für den Schneckenteig abgewogen. Er hatte sich umgezogen und nicht vergessen, seine Sonntagsjacke mit einem flotten Kavaliertuch zu schmükken. In seinen Gedanken wucherte die Unordnung. Der Erfolg stand traurig in einer Schlafkammerecke. Stanislaus ging Lilian suchen.

Im Großen Konzerthaus fand er sie endlich. Sie schien nicht auf ihn gewartet zu haben.

»Hast du getrunken, Lilian?«

»Ein bißchen Se-Sekt.«

»Oh, Lilian!«

»Mönsch, Heimatfest. Die Herren sind so spen-spendabel. Das ist mein Chef, mein Unteroffizier.« Der Schwarze mit dem Mondgesicht blickte weg.

»Täterätää!« — »Eine Einlage unseres hochverehrten Herrn Kameraden und Schneidemühlenbesitzers Trennbrett!« Trennbrett marschierte mit einer geschulterten Dachlatte auf die Bühne.

> Erst war Schulze bei die Feuerwehr,
> Aber jetzt is Schulze bei das Militär ...

»Lilian, wohin?«

»Zu meine Kameradens, Mönsch, Heimatfest.«

Stanislaus' Gedankenleben war so in Unordnung geraten, daß er zitterte. »Lilian!«

Lilian ließ nicht mit sich reden. »Sind wir vielleicht verlobt?« Sie schob eine langbeschleppte Dame zur Seite. Die Dame mäuselte: »Ich bitt um mehr Höflichkeit!«

Lilian steckte ihr die Zunge heraus und wankte zur anderen Saalseite hinüber.

> ... erst hat Schulze gerne een gepfiffen,
> Jetzt wird er geschliffen und geschliffen ...

Es hatte eine Zeit gegeben, da Stanislaus viel Macht über die Menschen besessen hatte. Nichts dergleichen mehr. Dort verschwand Lilian in den Wellen, und er war hilflos wie ein Strohhalm im Strudel des Festes.

> ... jetzt ist Schulze Unteroffizier und mehr,
> Deshalb ist und bleibt er bei das Militär!

43 Stanislaus verarbeitet seinen Kummer zu Gedichten, beschließt, ein Buch mit goldenen Rosen zu machen, und wird wieder in die Liebe zurückgerissen.

Die Sonne kämpfte sich durch die mehlschmierigen Fensterscheiben der Backstube. Ihre fahlen Strahlen trafen auf einen wund-wunden Stanislaus und einen matten Emil. Helmut fehlte. Sollte er sich noch mit diesem Zivilistengehampel in der Backstube befassen? Er hatte sich freiwillig zur »Wehrmacht« gemeldet und wartete auf seine Einberufung.

Der Tag schleppte sich hin. Stanislaus faßte Entschlüsse und verwarf sie wieder. Er versuchte sich einzureden, Eifersucht sei Eitelkeit. Die Broschüre über das »Gedankenleben« wies das einwandfrei nach. Aber die Broschüre lag in der Kammer, und Stanislaus ging in der Backstube umher. Die Eifersucht und ihre Mutter Eitelkeit feilten und bohrten indes feine Löcher in sein Herz und kümmerten sich nicht um die Broschüre.

Der nächste Sonntag kam heran. Stanislaus ging nicht zu den Pöschels. Hatte Lilian nicht mehr als gefrevelt? Sie hatte sich in der Nacht jenes Heimatfestes von diesem mondgesichtigen Unteroffizier nach Hause bringen lassen. Stanislaus hatte sich eine Latte vom Zaun des Fellhändlers Griffig gerissen – so vollkommen unordentlich war sein Gedankenleben geworden. Vor der Haustür der Pöschels hatte dieser Kerl Lilian geküßt. Lilian allerdings hatte sich gewehrt. Das mußte zugegeben werden. Selbst die größte Eifersucht aber hatte keinen Schläger und Rächer aus Stanislaus hervorreißen können. Hatte er diesen militärischen Kerl gefürchtet? Wer weiß? Denn er hatte in seiner Hilflosigkeit nur »Lilian! Lilian!« geschrien. Das Paar war auseinandergetaumelt, und Lilian war im Hauseingang verschwunden.

Diese Zentnerlast schleppte Stanislaus nun mit sich.

Die Tage vergingen. Stanislaus wurde ruhiger, aber sein Gedankenleben ordnete sich nicht. Seine Fernlehrer mahnten. Er versuchte, sich wieder in sein Studium zu vertiefen. Es gelang ihm nicht. Er entschuldigte sich mit Krankheit, aber mitten in seiner Krankheit reifte ein neuer, tröstlicher Plan in ihm: Konnte er seine vielen Gedichte nicht zu einem Buch zusammenfassen? Ein Buch mit goldenen Rosen auf dem Deckel: »Die Liebeslieder des Lyro Lyring«? Er machte sich an die Arbeit. Sie verdrängte die Erinnerung an die Kränkungen, die er sich hatte geschehen lassen. Er wurde wieder wer. Ja, es war ein Wunder: Er vergaß und versäumte seine Schmerzgedanken. Es war tröstlich, sich auszumalen, wie die Menschen an den Fenstern der Buchhandlungen stehenbleiben würden. »Was für ein schönes Buch mit goldenen Rosen!«

»Es sind die Liebeslieder des Lyro Lyring.«

»Wohnt er im Ausland auf glückseligen Inseln?«

»Nein, er wohnt in unserer Stadt!«

»Ein Dichter in unserer Stadt?«

»Ein Dichter. Zusammengetragenes Leid und Liebesglück. Ein Mädchen unserer Stadt hat ihn verschmäht.«

»Unglaublich!«

»Doch, doch, leider, meine Beste.«

Stanislaus hörte, während er die Gedichte für sein Buch abschrieb, viele solcher Gespräche schöner Frauen. Er sah sein Buch zwischen Linealen, Radiergummis, Bürokleister und gemarmorten Löschwiegen im Fenster der Buch- und Papierhandlung Grobgriffel liegen – goldene Rosen auf dem Deckel.

Zwei Wochen vergingen. In der Broschüre »Bringe Ordnung in dein Gedankenleben« war zu lesen: »Gesegnet der, der auf seinen Schmerz zu steigen vermag. Gepriesen der, der seinen Kummer als Treppenstufe auf dem steilen Wege des Erfolges zu nutzen weiß!« Stanislaus vermeinte jetzt, auf seinen Schmerz gestiegen zu sein. Die Stufe, auf der er stand, war noch ein wenig weich und wackelig, aber immerhin.

Es kam ein Brief von Lilian. »Liebster, ich geb zu, daß ich ein wenig gefehlt habe. Er ist mein Chef, und ich wollte nicht so sein, aber er darf doch nicht denken, daß er alle Mädchen haben kann. Nein, so eine bin ich nicht, und das weißt Du am besten. Meine Eltern würden das auch nie dulden. Vater, der Dich schön grüßen läßt, ist gegen die vom Militär, und Mutter, die Dich auch schön grüßen läßt, ist sowieso dagegen, weil ein Unteroffizier meist verheiratet ist.

Du sollst nicht böse sein, lieber Stanislaus. Ich bin es auch kein bißchen. Ich bereue es bitter, schlafe fast keine Nacht mehr. Wenn Du wüßtest, wie mager ich geworden bin! Es küßt Dich in Reue Deine Lilian. Verzeihung! Verzeihung!«

Er fühlte sich sehr wund, aber sein Verstand war wach. Lilians Brief erschien ihm dumm und plump. Er war ganz damit beschäftigt, einen Sieg mit seinen Gedichten zu erringen. Lilians Reue kam ihm zu früh.

Als er am Abend wieder über seinen Gedichten saß, bemerkte er, daß sein Stolz schon wurmstichig geworden war. Er hatte tagsüber mehr an Lilian gedacht, als er wollte. Hatte er sich an ihre Zärtlichkeiten gewöhnt? Was aber Lilians Brief anbetraf, so konnte wohl nicht jeder Mensch ein Schriftgelehrter sein wie er.

Am Morgen benahm er sich wie ein Mensch, der über Nacht vom Zahnschmerz befreit wurde. Er pfiff, war lustig und mitteilsam.

»Hast du je ein Mädchen gehabt, Emil?«

»Und was für eines. Schlank und fast hübsch.«

»Hat sie dir je Kummer bereitet?«

»Und was für Kummer! Ich red zu niemand drüber, aber du hast mich stets vor diesem Hund von Helmut geschützt.« Emil tippte auf seinen krummen Rücken. »Sie war zu gut gewachsen für mich. Das war es. Sie hätte ein kurzes Bein haben solln. Sie heiratete, führte sich an, aber noch ist das letzte Lied nicht gesungen. Ich würd ihr verzeihn, wollt sie wieder so zärtlich sein wie damals.« Emil bekam sehnsüchtige Augen.

Stanislaus konnte kaum noch begreifen, daß ihm Lilians Brief dumm erschienen war. Konnte hinter einer so wohlgewölbten Stirn die Dummheit hocken? Lilian war noch jung – das war es. Ein halber Gelehrter wie er konnte sie erziehen, formen und ein Weib von Welt aus ihr machen. – Und er schämte sich seiner Hoffärtigkeit.

Es wurde ein großer Versöhnungsabend. Lilian war zärtlich, zausköpfig und ein Liebesteufelchen wie früher. Überhaupt die Wärme des Pöschel-Hauses, das Sofa, der gedeckte Tisch! Sie tranken Erdbeerwein, plauderten und waren froh, als sei nicht der fremde Bäckergeselle Stanislaus Büdner, sondern ein Sohn zurückgekehrt.

»Wie es auch mit Lilian kommt, deinen Freund sollst du nicht im Stich lassen«, sagte Papa Pöschel in vorgerückter Stunde. Er umarmte Stanislaus. »Freund, mein Freund!«

»Na, du«, sagte Stanislaus. Da sprang Lilian auf und küßte ihm den Mund zu.

»Unverlobte Mädchen – jagdfreie Rehe –, besonders für die vom Militär«, sagte Mama Pöschel.

Es wurde eine lange, liebe Versöhnungsnacht. Stanislaus und Lilian schliefen umarmt auf dem Familiensofa ein.

44

Stanislaus wird, wie der Papagei der Gräfin, an einen goldenen Ring gefesselt, in einen Familienkäfig gestopft und feilt an der Munition der goldenen Rosen.

Ein fast goldener Ring funkelte trotz Mehl und Teig am Finger des Bäckergesellen Stanislaus Büdner. Wenn der Bäcker morgens in den Kleister stieß, legte er den Ring auf den Rand der Backbeute; er hütete diesen Ring. Er sollte nicht, in ein Brötchen gebacken, auf irgendeinem Frühstückstisch der Stadt erscheinen.

Auf dem Schreibtisch im Lagerraum einer Fabrik lag in einem Handtäschchen neben Puderdose und Taschentüchlein

ein ähnlicher Ring. Er gehörte Lilian. Auch sie schonte diesen Ring und trug ihn nicht bei der Arbeit. Sie trug ihn nur daheim.

Verlobte müssen ihre schwindende Jugend genießen und Abschied von den schönen Zeiten nehmen. Lilian litt es nicht mehr daheim auf dem Sofa. Sie führte Stanislaus zum Militärkonzert, zerrte ihn auf den Manöverball und überredete ihn zum »Dielentanz«.

Stanislaus, der arme Stanislaus! In seiner Kammer lagen unter Büchern und Bäckerschürzen vollgeschriebene Papierbogen. »Die Liebeslieder des Lyro Lyring« warteten auf ihren Einband mit den goldenen Rosen, den er ihnen in roten Leidstunden versprochen hatte.

Soso, seine Liebe zu Lilian hatte ein goldenes Siegel bekommen, aber seine Tage wurden trotzdem wieder mehlgrau. Sollte er sich freuen, wenn ein Feldwebel, ausgestattet mit Schützenschnur und blinkenden Sternen, Lilian von seinem Tisch wegholte, um mit ihr zu tanzen? Sollte es ihn ergötzen, trübsinnig vor einem Glas Malzbier sitzen zu bleiben, während Lilian lachte, schwatzte und sich in den Koseworten fremder Männer badete? Sollte er glücklich sein, wenn er wahrnahm, daß seine Verlobte in einer dunklen Ecke der Tanzdiele einem solchen Hengst entsagungsvoll in die Geilaugen blickte?

Liebte er Lilian noch? Welcher Versucher klopfte da bei ihm an? Er litt um sie, also liebte er sie! Man sah es den begehrenden Augen anderer Männer an, daß es sich lohnte, Lilian zu lieben. Sie kam lächelnd zum Tisch zurück. »Er tanzt gut«, sagte sie, »aber seine Hände schwitzen.«

Stanislaus fühlte etwas wie Dankbarkeit gegen die schwitzenden Hände des Feldwebels. Lilians Blicke trafen sich indes mit den Blicken des Feldwebels unter einem blauen Lampion. Sie trank ein wenig Weißwein, sah in ihr Taschenspiegelchen, schien sich wiederzuerkennen und nickte. »Kann er was für seine Hände?«

Stanislaus antwortete nicht.

»Sei du nicht wieder eifersüchtig und beleidigt.«

Stanislaus schwieg.

»Ich bin übrigens nur für dich schön. Es sollte dich freun, wenn auch andre mich nicht übersehn!«

Er drückte ihr die Hand für die Lüge. Der Feldwebel sah herüber. Sie entzog ihm ihre Hand.

Darf die Liebe eine Qual sein? Stanislaus kannte sie nur so. Die Liebe diente wohl nur dazu, den Menschen zu zerschrämmen.

Eines Abends nahm Papa Pöschel Stanislaus beiseite. »Wir sind Männer, mein Junge. Weiber sind unberechenbar. Es sind Kinder in ihnen, die hinaus wollen, so mußt du dieses sehn.« Stanislaus blickte verschämt unter den Familientisch. Seine Füße standen im grünen Plüsch des Teppichs wie auf einer vermoosten Wiese. Papa Pöschel klopfte mit seinen scheuen Fingern an das Vogelbauer. Die Kanarienvögel bauten ein Nest aus Trieselwolle. »Man muß ein Weib wegheiraten, bevor es anfängt, kullerig zu werden. Dieses ist der Gang des fortschreitenden Lebens, und ein Schiller hat, glaube ich, auch davon gesprochen.«

Pfannkuchenduft aus der Küche. Die Standuhr zerhackte die Zeit. »Hei-rat, Hei-rat, Hei-rat!«

Stanislaus sah seine Vergangenheit, wie sie Ertrinkende sehn sollen: Landstraßen, staubige Wege, Bittgänge um Arbeit in Bäckerläden, gekalkte Gesellenkammern, Gebälk mit zerquetschten Wanzen, Meisterinnen wie Hornissen, schwere Morgen mit zerrissenen Schlafstunden, Winterkälte und Frostwind, der durch dünne Jacken blies, Heimatlosigkeit und zerfetzte Liebesversuche.

»Hei-rat, Hei-rat, Hei-rat!« Papa Pöschel räusperte sich. »Du denkst an deine fünfzehn Mark baren Bäckerlohn, wie?«

»Nein.«

»Man muß daran denken!«

Stanislaus fühlte wie früher, wenn er vom Dorfkarussell gesprungen war, aber jetzt kreisten nicht lachende Menschen, Bäume und Zaunlatten um ihn, sondern Durchschlagsiebe, Nudelhölzer, Eßlöffel, ein Küchenschrank, bunte Gardinen.

»Hei-rat, Hei-rat, Hei-rat!«

Nein, er wollte noch nicht heiraten, er wollte erst etwas sein. Er unterbreitete Papa Pöschel seinen großen Plan. Pöschel wanderte zwischen Kommode und Eßtisch hin und her. »Wie wir verwandt sind! Du könntest mein Sohn sein!« Er lauschte scheu wie ein hornloser Hirsch zur Küche hin und flüsterte: »Ich hab mich damals erkundigt. Es soll über tausend Mark bringen — so was.« Er klopfte auf das Kommodenfach, in dem seine Werke zwischen abgelegten Strümpfen lagerten. »Mit den Frauen ist darüber nicht zu reden.« Er reckte sich und begann zu deklamieren: »Das Weib ist Realist und klebt an der Erde. Die Himmelssehnsucht des Mannes ist ihm unbekannt.« Er sagte: »Männes« und »unbekännt«. »Du weißt vielleicht nicht, von wem dieses Zitat abstammt. Es stammt von keinem Geringeren als von einem gewissen Hermann Löns, und der Hermann hat auch ›Rose weiß und Rose rot‹ und ›Wenn wir fahren gegen Engeland‹ geschrieben.«

Es war eine blaue Stunde, in der sich der verhinderte und der kommende Dichter in einem Himmelsgarten trafen, und an der Pforte dieses Heiligtums hing ein Schild mit der Aufschrift: »Für Weiber Zutritt verboten! Die geheime Dichterinnung«.

»Lyro Lyring — das ist nicht von Pappe. Es klingt so mehr südlich und pseudonym. Ich wollte mich damals Paul Ponderabilus nennen; nicht schlecht, muß ich zu meiner Ehre gestehn.«

Ein Taumel fuhr in die Männer. Sie aßen frische Pfannkuchen, und dazu klickerte fünfjähriger Erdbeerwein in die geheimnisvollen Dichterschlünde.

»Prost, Lyro Lyring!«

»Prost, Paul Ponderabilus!«

Stanislaus' Bäckerkammer wurde ein Kampffeld. Eine Rotte von Feldwebeln mit Schützenschnuren und blinkenden Silbersternen marschierte gegen den Dichter an. Ein Buch mit goldenen Rosen sollte ihnen entgegengeschleudert werden. Halt! Nicht weiter mit Marschtritt und Schiebertänzen! Hier ist der Wall der goldenen Rosen!

Wie verzweifelt war der Geheimdichter, wenn er immer wieder das Faß mit Herzblut schließen mußte, aus dem er schrieb, um auf Bällen, Vereinsfeiern, Bockbierfesten und Karnevalsrummeleien zu Gefecht zu ziehn.

»Auch das muß sein, Junge«, beruhigte ihn Papa Pöschel. »Du weißt, die Weiber! Denk an den Spruch vom Hermann!«

Wenn der Geheimdichter in solchen Nächten in seine Kammer zurückkehrte und in seinen Gedichten blätterte, schien ihm manches nur so hingesagt, weil der Reim sein Recht erheischte. Er strich die Fernen, die sich auf Sterne, die Herzen, die sich auf Schmerzen, die Liebe, die sich auf Triebe reimte, und versuchte, seine Anliegen auf bisher noch ungesagte Art zu Papier zu bringen. Seine Ahnungslosigkeit schützte ihn vor neuen Enttäuschungen. Er genoß das Glück der Erfinder, die eine Entdeckung zum zweiten Male mit ungeschmälertem Genuß machen. In diesen Stunden wurde seine Kammer zum Zauberpalast. Er vergaß die Zeit, und er vergaß, daß er um Lilian kämpfte. Das waren gute Lebensminuten.

Der große Weltgeist bedachte ihn mit seinen Klopfzeichen, und er übersetzte diese Klopfzeichen in Reim und Klang. Am Morgen bezahlte er diese geheime Lust mit Müdigkeit und Leere im Kopfe, und oft stürzte ihn die nächste Nacht schon wieder in Ängste und Zeitnot. Er hörte den Trappschritt der Feldwebelrotte und fühlte sich gedrängt, schneller und nicht so gründlich an der Munition der goldenen Rosen zu feilen.

In einer Nacht voll Beglückung schrieb er den Brief an den Verlag: »Meine Herren, überhören Sie nicht den Klang einer unbekannten Glocke ...«

Es war um die Weihnachtszeit, als Stanislaus die Munition der goldenen Rosen in ein Geschützrohr stopfte, und das war der Briefkastenschlitz des städtischen Hauptpostamtes. Es zeigte sich, daß dieser Schlitz nicht breit genug war. Es war ein elender Hauptpostbriefkastenschlitz. Der Mann am Paketschalter warf das Bündel Glockentöne auf die Waage. Der Zeiger zitterte: Zweieinhalb Kilogramm Gedichte hatte Stanislaus in vielen Nächten aus sich herausgeholt. Kummer und heimliche Tränen: sechshundert Gramm, wiederholte Verzweiflungsnähe:

dreihundertundachtunddreißig Gramm, Rachedurst und Versorgungsnöte: fast ein Kilo.

Nun konnte Weihnachten mit all seinen Fährnissen kommen. Stanislaus' Ersparnisse gingen für den Silberpelzkragen, den er Lilian um den weißen Hals legte, dahin. Die Raten für die Fernlehrer der »Methode Mentor« bezahlte er nicht.

Hätte der kleine Jesus geahnt, wie viele Gänse jährlich zur Feier seiner Geburt ihr Leben würden lassen müssen, so wär er bei seinem Vater im Himmel geblieben! Als die Rindertalgkerzen am abgesägten Waldbaum stanken und kleckerten, wurde auch in Pöschels Haus das Lied von der »stillen, heiligen Nacht« angestimmt. Lilian mußte am Klavier sitzen und mit zirpender Stimme die Melodie halten. Papa Pöschel saß mit verschränkten Armen, brummte: »... holder Knabe im lockigen Haar ...« und starrte gläubig gegen die Zimmerdecke, denn der Himmel war durch mehrere Stockwerke und Wohnungen anderer Mietsparteien von ihm getrennt.

»... durch der Engel Halleluja ...«, sang Stanislaus und blätterte in einem Buch, das er neben anderem Weihnachtskrimskrams und Fünfpfennigzigaretten erhalten hatte. Das Buch trug den Titel »Wann kommen die Deutschen endlich wieder?« und behandelte das Leben der armen Neger Südwestafrikas, die ihr trostloses Leben jetzt ohne die vormündliche Liebe der Deutschen verbringen mußten. Ein trauriges Buch!

Mama Pöschels Gesang wallte auf und nieder: »... schlahaf in hihimmlischer Ruhuh ...« Sie stampfte geschäftig hin und her und begoß den gebräunten Gänsebauch in der Bratröhre mit fettäugiger Tunke. Der im Topf quackernde Rotkohl untermalte die »himmlische Ruh« mit etwas irdischem Jauchegestank.

»Das sind ein paar schöne Feiertage«, ächzte Papa Pöschel, wenn er sich zum Mittagsschläfchen auf dem Sofa einrollte. Stanislaus las indes vom Schicksal der armen Neger, die nun ihr Leben in fremdländischer Knechtschaft dahinbringen mußten. Die Deutschen um alles in der Welt wieder nach Südwestafrika! Die gepeinigten Neger warten auf Christus und seinen Geburtstagsgänsebraten.

Einzig Lilian teilte die weihnachtliche Ruhe und Sattheit der Familie nicht. Sie probierte ihr neues Kostüm, legte den Silberfuchskragen um den Hals und klapperte auf hohen Schuhabsätzen einher. Stanislaus mußte mit ihr auf die Straße. Er mußte als Garnierung des Silberfuchsfelles mit Lilian den Nachmittag lang in den Straßen hin und her gehn und mußte an Schaufenstern stehnbleiben, damit sich Lilian in den Scheiben spiegeln konnte.

»Eigentlich passen wir gut zusammen, wie?«

Stanislaus drückte ihr dankbar den Arm.

»Der Mensch ist, wie er ist«, sagte Lilian, »aber eine Uniform würde dir nicht schlecht stehn, du bist bis auf die Beine gut gewachsen und müßtest Kavallerie mit Sporen sein.«

45
Stanislaus' Schuß mit den goldenen Rosen geht nach hinten los. Er studiert die alkoholischen Dünste, gibt einer Mädchenlaune nach und mischt sich unter die Marschierer.

In seiner Kammer beschäftigte Stanislaus sich jetzt wieder mit der Broschüre »Bringe Ordnung in dein Gedankenleben!« Er suchte sich den letzten Teil der Anweisungen zu eigen zu machen, Unterabschnitt: »Wenn sich der erste Erfolg eingestellt hat.« Kein Zweifel, daß er jetzt bei diesem Teil des Büchleins in die Lehre gehen mußte: Sein Gedichtbuch würde sein erster Erfolg werden!

»Es liegt in der Natur des Menschen, nach Erfolgen der Unordnung des Gedankenlebens wieder Raum zu geben. Gerade das muß vermieden werden, wenn der Erfolg ein beständiger und ein wachsender sein soll ...«, hieß es in der Vorschrift für den Gedankenordner. »Nutze den Schwung des ersten Erfolges!«

Stanislaus bereitete sich innerlich auf diesen Schwung vor; mochte er noch so groß sein, der Dichter war gewillt, sich von ihm vorwärtsreißen zu lassen.

Zwei Wochen nach Weihnachten wurde er ungeduldig. Papa Pöschel beruhigte ihn: »Du kennst den Geschäftsverkehr der Dichter noch nicht. Zuerst erhalten dein Werk die Liktoren. Sie sind aus dem Altertum bekannt durch ein Rutenbündel und die Axt. Es handelt sich um hochwissenschaftliche Männer, die alles abprüfen. Sie wissen, was du als Dichter darfst und nicht darfst. Sie zählen die Silben ab: Eins, zwei, drei, vier, fünf, sechs, sieben – eine Bauersfrau kocht Rüben ..., und sie sind wie die Wespen auf sogenannte unreine Reime. Du bildest dir ein, Spiegel und Kübel reimen sich, aber sie husten dir was. Die Liktoren finden alles.«

Stanislaus beruhigte sich für vierzehn Tage, dann aber schrieb er einen Brief. Nun sollte der Verlag gezwungen werden, ihm sofort zu antworten!

»Hochverehrter Verlagsführer, geschätzte Liktoren!

Ich, Stanislaus Büdner, habe die Ehre, Sie darauf aufmerksam zu machen, daß sich ein weiterer Verlag um mein Buch, betitelt ›Die Liebeslieder des Lyro Lyring‹, bemüht und die Absicht hat, es zu drucken« usw.

Stanislaus gewahrte nicht, daß er log. Es ging um Munition gegen die Feldwebel. Diese Herren sausten jetzt wie die Kleidermotten gegen Lilians Silberfuchskragen an.

Acht Tage später hüpfte Stanislaus fast das Herz in den Brotteig. Der Briefträger brachte ein Einschreiben in die Backstube. Stanislaus machte hinter seinem Namen einen riesigen Schnörkel. So unterschreibt ein Dichter! Wenn Gott das Schreiben erlernt hätte, so hätte auch der keinen mächtigeren Schnörkel zu Papier bringen können.

Dieses Päckchen also! Wie harmlos es auf dem Mehlkasten lag! Stanislaus brauchte es nur aufzuschnüren, und die gedruckten »Liebeslieder des Lyro Lyring« würden ihm entgegenpurzeln ... Wo geht ein geplagter Arbeiter hin, wenn er während der Arbeitszeit private Geschäfte zu erledigen hat? Dort zerrte Stanislaus zitternd die Schnur auf und fand in Wellpappe verpackt – die gestutzte Mappe mit seinen Gedichten. Im Verlag hatte man nur den Mappenrand beschnitten. Portoersparnis! Stanislaus' Gesicht wurde weiß wie seine Schürze. »... wollen wir Ihren sonstigen geschäftlichen Verbindungen keineswegs im Wege stehn und reichen Ihnen das Material zu unserer Entlastung zurück ...«

Der erste Schuß gegen die Feldwebel war nach hinten losgegangen. Stanislaus lag am Abend schmerzverätzt im Bett und konnte keine Hand seines zerschmetterten Geistes rühren.

Ein Glück, daß ihn Emil, der kleine, geheimnisvolle Mensch, zu Rate zog! Emil lobte die Güte des Meisters, der ihm das Fußmehl für die Mast seines fünften Schweines kostenlos überlassen hatte, nun aber brauchte er Stanislaus' Hilfe. »Du hast viele Bücher gelesen, bist gelehrt und vielleicht auch in der Chemie beschlagen.«

Stanislaus wurde verlegen. »Es hätte etwas aus mir werden können, aber diese verfluchte Liebe kam dazwischen.«

»Ja, ja, die Großen sind bescheiden«, sagte Emil. »Es wird dir als gelehrtem Menschen nicht unbekannt sein, daß Brotdunst Alkohol enthält.«

Emil hatte in der Zeitung von Apparaten gelesen, mit denen man Alkohol, der im Backofen frei wird, auffangen konnte. Nun wollte auch er einen solchen Apparat anfertigen. Alkohol auffangen, wohlhabend werden und sein früheres Mädchen zurückheiraten. In seiner Kammer sollte ein kleines Laboratorium entstehn, und Stanislaus sollte ihm dabei zur Hand gehn. Stanislaus war vom Schicksal verwundet, gedemütigt und zerkratzt. Er hatte nicht das Herz, die Hoffnungen des kleinen Emil mit seinen Zweifeln zu zerschrämmen.

Zwei Wochen vergingen, da begann sich Stanislaus' Tatlust wieder zu regen. Die Wunden, die er vom Rückschlag seiner eigenen Kanone erhalten hatte, vernarbten. Sollte er den Feldwebeln kampflos das Feld räumen? »Der Angriff auf den Erfolg ist mit gesammelter Gedankenkraft so lange zu wiederholen, bis der nicht anders kann und kommen muß!« hieß es in der Broschüre.

Stanislaus besorgte sich die Anschrift eines anderen Verlages für Gedichte. Diesmal verfaßte er das Begleitschreiben mit großer Bescheidenheit: »... daß ich persönlich weniger Wert auf die Veröffentlichung dieser meiner lyrischen Bekenntnisse lege, aber mein weitreichender Bekanntenkreis, darunter der nicht unbekannte Dichter Paul Ponderabilus, hält sie für wichtig und drängt mich gewissermaßen zu diesem Schritt ...«

Die Zeit verging. Die Eiszapfen an den Dachrändern zertropften. Die Rentner bezogen in den Mittagsstunden die Parkbänke. In der Himmelsfabrik wurde mit viel Sausen und Brausen der Frühling angefertigt. Lauluft und Dämpfe flossen wie Abwässer auf die Erde. Aus Hauswänden und Fensterborden keimten Fahnen. Rote Fahnen mit einem weißen Loch und der schwarzen Lauerspinne darin. Der Himmel ertrug gelassen weltzerstörerische Gesänge und das Trappen schwarzer und gelber Stiefel. Die Spatzen schilpten wie eh und je, doch es gingen Leute herum, die brüllten von Tribünen, des deutschen Volkes Sonderfrühling sei endgültig ausgebrochen. Stanislaus' Verlag antwortete nicht.

Lilian bekam Gelegenheit, aus dem Lagerkeller in die höheren Stockwerke der geheimnisvollen Fabrik aufzusteigen. Sie sollte einen Lehrgang für Führerinnen besuchen.

»Man darf dem Glück seiner Kinder nicht im Wege stehn. Dieses ist immer ein Grundsatz von mir gewesen«, sagte Papa Pöschel. »Wir sind am Ende veraltet und von der Zeit überholt worden. Dieses ist es!«

Stanislaus traf Lilian lernend an. Sie starrte gegen die Stubendecke, bewegte die Lippen und war unwillig. Stanislaus wollte nicht stören. Er und Papa Pöschel gingen auf Zehenspitzen in die Küche und spielten dort »Siebzehn und vier«.

Draußen ging warmer Wind durch die Bäume und streichelte Knospen und Blüten wach. Das schönste Wetter für traurige Liebesgedichte. Stanislaus' Verlag aber antwortete nicht.

Emil schleppte in einem Rucksack gläserne Probierröhrchen herbei, brachte Fläschchen und Chemikalien in seine Kammer und huckte eines Tages sogar ein kleines Tischchen auf seinem Buckel die Treppen hoch. »Es riecht in meiner Kammer schon chemisch«, sagte er, und sein künftiger Gehilfe sollte ein wenig schnüffeln kommen.

Vielleicht ein Fingerzeig des Schicksals für den gequälten Stanislaus, ein besonderer Glücksfall, der ihn in die Lage versetzte, Lilian mit einem Schlage aus allen Gefahren herauszuhalten und wegzuheiraten? Er nahm seinen Fernlehrgang wieder auf und warf sich mit »neugeordneter Gedankenkraft« auf das Studium der Chemie.

Er saß bei den Pöschels und wartete auf Lilian, die als angehende Mädchenführerin viel und lange zu lernen hatte. Die große Standuhr zerhackte die Zeit. — Mama Pöschel schob die Fenstergardine zur Seite und sah auf die Straße hinunter. »Sie wird sich überanstrengen mit ihrem Gelerne.«

»Dieses liegt im Zuge unserer trächtigen Zeit«, sagte Papa Pöschel.

»Eine Zeit ist wie die andere.« Mama Pöschels schwarze Äuglein funkelten katzig. »Ein Mädchen muß rechtzeitig geheiratet werden!« Ein Herzstreifschuß für Stanislaus. Er ging Lilian entgegen. Sie empfing ihn nicht gnädig. Sie löste sich widerwillig aus einem Trupp junger Menschen. »Was stehst du und lauerst?«

»Bist du noch Lilian?«

»Du siehst mich!«

»Dann bist du es, auf die ich lauere.«

Kein dankbarer Blick. Kalte Fremdheit. Lilian war auf dem Wege, eine harte Mädchenführerin zu werden.

Emil bog im Holzstall Blech zu geheimnisvollen Behältern. Stanislaus bohrte sich immer tiefer in seinen Lehrgang für Chemie. Sollte er zum Schluß vor Emil stehn wie ein Popanz, der gewöhnlichen Brotwrasen nicht von Alkohol unterscheiden konnte?

Emil hieb Rillen und Löcher in seine Bleche, formte und werkte mit mageren Händen. Der Erfindergeist beutelte ihn.

»Neue Kuchenformen?« fragte der Meister.

Der kleine Holzstall füllte sich mit dem Duft von Pflaumenschnaps. Der Duft beflügelte Emils Phantasie. Er schwieg und hämmerte.

»Eine neue Schweinekrippe?« forschte der Meister.

»Die Welt wird sehn!« sagte Emil.

»Du bist ein fixer Kerl, haha, und paßt in die Welt.« Die Hände des Meisters spielten mit der Axt. »Hättest du Lust, in unserm Sturm ein wenig zu marschieren?«

»Mit einem Buckel?«

Der Daumen des Meisters fuhr über die Axtschneide. »Buckel oder nicht – es geht um Weltanschauung.«

»Die Welt schaut mich nicht an. Warum soll ich die Welt anschaun?« Emil war nicht so weich und bereit, wie der Meister dachte. Der Erfindergeist toste in ihm. Er war nicht zu erreichen und zu haben.

Der Schornsteinfeger kam, gewaschen und in Zivil. Emil verhandelte mit ihm im Holzstall. Sie maßen den Blechkasten aus, nickten, flüsterten und taten wie zwei Verschwörer.

Mittwoch, Liebestag. Stanislaus saß bei den Pöschels. Die große Standuhr zerhackte die Zeit. Lilian blätterte in einem dünnen Heftchen: »Grundzüge der rassischen Vererbung«. Sie lernte schwer, wisperte vor sich hin und fuhr auf die Mutter los, wenn die in der Küche mit den Herdringen klapperte. Lilian war nicht fürs Lernen geschaffen. Sie war ein wilder Zauskopf und gerade jetzt so schön – braun und appetitlich.

Stanislaus sollte im Zimmer auf und ab gehn. Lilian wollte das Gelernte an seiner Figur überprüfen. Niemand war froher als der treuherzige Stanislaus. Auf diese Weise konnte er Lilian helfen und ihr ein wenig nützlich sein. Er ging quer durch die Wohnstube, wie es Lilian verlangte. Lilian sah die Abbildungen in ihrem Lernheft an und verglich sie mit Stanislaus. Sie betastete seine Unterschenkel. War das eine versteckte Liebkosung? Wieder mußte er auf und ab gehn, und jetzt sagte Lilian: »Du hast vorschriftsmäßige Judenbeine.«

Stanislaus sah besorgt auf seine angekrümmten Bäckerbeine, die dem Druck vieler Zweizentnersäcke nachgegeben hatten.

»Wie?« Papa Pöschel fuhr hoch. Er gab Lilian eine Ohrfeige, entriß ihr das Lernheft, zerriß es und warf es in den Küchenherd. Alles ging geschwind.

»Roter Sozi!« zischte Lilian.

Papa Pöschel gab ihr zwei weitere Ohrfeigen. Stanislaus durfte nicht länger zusehn, wie seine Braut und Verlobte geschlagen wurde: Er und Mama Pöschel fielen dem Alten in die Arme. Lilian kreischte und rannte, wie sie war, auf die Straße. Papa Pöschel zitterte. »Zurück mit ihr!«

Stanislaus sprang Lilian nach. Frau Pöschel drang wie eine wilde Hornisse auf ihren Mann ein.

Stanislaus fand Lilian nicht.

»Der Deibel hol sie!« Papa Pöschel hob die Faust, aber zehn Zentimeter vor der Tischplatte fing er den geplanten Faustschlag ab.

Alles das war Donner. Der Blitz schlug ein, als Stanislaus in seiner Kammer ein Briefpäckchen vorfand. Er riß den Umschlag des beigegebenen Briefes auf. »... nicht Ihr Bekanntenkreis, Sie selbst haben recht, wenn Sie mißtrauisch gegen Ihre Gedichte sind. Wir schließen uns Ihrer eigenen Meinung an: Keine lyrischen Aussagen von allgemeiner Bedeutung ... Gestammel und jugendliche Selbstverständigung ... den Gedichten fehlt es an der Kampfkraft, die unserer trächtigen und hohen Zeit gemäß ist ...«

Dieser Bescheid fällte Stanislaus auf sein dürres Bett. Der große Dichter Lyro Lyring schlief mit dicken Kindertränen auf den hohlen Bäckerwangen ein.

Ein neuer Tag mit zerzausten, zergrübelten Stunden begann. Auf seinem Grunde lag der tote Dichter Lyro Lyring. Wie damals, als Stanislaus es unternommen hatte, seinen Körper von der Seele zu trennen, erwachte er auf buckligen Mehlsäcken in einer dämmerdunklen Backstube. Ein dürrer Jungvogel, den die Flügel nicht trugen, auf die Erde geklatscht!

»Der Helmut hat geschrieben. Gefreiter ist er schon«, murmelte der Meister beiläufig beim Frühstück. »Ja, die Jugend!«

Gegen Mittag machte sich im Backhaus ein stechender Geruch breit. Die Meisterin kam aus dem Laden gerannt. »Cho, cho, was ist das? Trinkst du jetzt so scharfen Schnaps?« Der Meister tat beleidigt und schnüffelte am Feuerloch. Die Backstubenfliegen krochen taumelig über die bemehlten Fenster-scheiben. Der Meister riß das Einstiegloch am Backofenschorn-stein auf und starrte in die Höhe. »Es sitzt was im Schornstein!«

Der Schornsteinfeger wurde geholt. Er kroch in den Kamin. Man hörte ihn in der Esse mit Blech hantieren.

Als der Schornsteinfeger einen verrußten Kasten über das Dach trug, stolperte er fast über Emil, der sich durch die Dach-luke zwängte. »Du bist mir ein Erfinder!«

Emil schwieg.

»Meinen Anteil gib mir«, sagte der Feger, »es kann die Beam-tenlaufbahn kosten.«

Emil nickte und nahm den Kasten.

Eine Viertelstunde später kam der Kaminfeger zur Ladentür herein.

»Eine kleine Störung beseitigt. Zwei Mark und achtzig. Der Ofen zieht wieder.«

Emil war verschwunden.

Sie fanden den kleinen, geheimnisvollen Mann am Abend in seiner Kammer, in seinem Laboratorium. Er hatte sich die Puls-adern durchschnitten. Auf dem Tischchen, das Emil einmal die Stiegen hinaufgeschuftet hatte, lag ein Zettel: »Die Liebe hängt hoch. Ein Krummer kann sie nicht erlangen.«

Am selben Abend saß Stanislaus wieder und schrieb. In der Kammer nebenan lag Emil, den die Liebe gefällt hatte, der keinen Kummer mehr kannte. Stanislaus schrieb keine erha-benen Worte, nichts von Liebe, nichts von Enttäuschung. Oder doch von Enttäuschung? Er schrieb eine Freiwilligenmeldung: »... und möchte aus bestimmten Gründen zur Kavallerie ...«

II *Mancher ist lange unterwegs…*

Vorspiel, worin von Männern die Rede ist, mit denen Stanislaus künftig sein Leben und Leiden verbringt.

In den Barackenkasernen der deutschen Stadt Bärenburg wurden an einem Tage des Jahres neunzehnhundertundachtunddreißig acht Männer zusammengeworfen. Es waren: Der Kleinhändler Theo Kraftczek, der Bahnschrankenwärter August Bogdan, der Gärtner Bernhard Wonnig, der Großbauer Albert Marschner, der Knecht Ali Johannsohn, der Zementarbeiter Otto Rolling, der Dichter Johannis Weißblatt und der Bäckergeselle Stanislaus Büdner.

Theodor Kraftczek war Kohlenkumpel wie die meisten kleinen Leute in Oberschlesien, doch er war schlau und gottesfürchtig und hielt von der Jungfrau Maria mehr als von seiner Mutter. Eines Tages begann Kraftczek, Bier und Kautabak an seine Kumpel zu verkaufen. Das hatten ihm seine Schläue und die Mutter Gottes offenbart: Ist der Handel noch so klein, mehr als Arbeit bringt er ein. – Kraftczek gab Bier und Kautabak für eine Woche, bis zum Lohntag, auf Kredit. In seiner Wohnstube durfte auch Schnaps getrunken werden. Auch den Schnaps gab Theo Kraftczek auf Kredit, und seine Kumpel lobten ihn: »Der Theo, der Theo, der ist nicht so. Der weiß, daß ein Bergmannsschlung nach Schnaps schreit.«

Aus Theo Kraftczeks kleinem Schwarzgeschäft wurde mit der Zeit ein Laden. Er verkaufte dort den Schnaps etwas billiger als die Gastwirte, sorgte aber auch dafür, daß das Gesöff nicht allzu stark war und die Gesundheit seiner Mitkumpel womöglich ruinierte. Er hielt das geistige Getränk dünn, aber nie mit so viel Wasser, daß es zu Beanstandungen reichte.

Es gab ein paar Weiber, die dem Kraftczek das Haus abbrennen wollten. Der Kaplan wies diese verirrten Seelen zurecht, denn er hatte den Gotteseiferer Kraftczek in sein Herz geschlossen; nicht nur, weil in Kraftczeks Laden ein Marienbild hing, sondern weil Kraftczek von Zeit zu Zeit bei der Wirtschafterin des Kaplans einen gepfefferten Pfefferminzschnaps ablieferte. Dieses war der Zins- und Opfergroschen des Theo Kraftczek an seine Kirche.

Schließlich baute Kraftczek an sein Häuschen einen Pferdestall an, kaufte ein Pferd, gab die Arbeit in der Grube auf und fuhr mit Waren über Land. Er verkaufte Kolonialwaren, Rotkohl, Räucherhering und Pflaumenmus. Auch an seine Kirche hatte er wieder gedacht, denn er verkaufte Marienbildchen, die er im Sitzkasten seines Wagens verstaute.

»Sollst du auf der lieben Mutter Gottes sitzen und sie am Ende befurzen?« fragte man.

»Nein, ich soll die Mutter Gottes, das liebe Weib, bewärmen«, antwortete Kraftczek, und er war ein kluger Mann.

Politisch war Theo Kraftczek nicht. Er war katholisch. Das war genug. Er zahlte ein bißchen Beitrag für die ENN-ESS-Volkswohlfahrt, damit das Volk wohl fährt. Also unterstützte er den Bau von Sanitätskraftwagen für kommende Tote und Verwundete. Er spendete auch, wenn die Büchsenraßler bei ihm im Laden erschienen, für das Winterhilfswerk und kaufte damit für einige seiner künftigen Kameraden die Pistolen 08.

Auf diese Weise rückte der Krieg näher, und es wurden immer mehr Soldaten gebraucht. Der Kramladen hatte Kraftczek vor mancher Not geschützt, aber er schützte ihn nicht vor dem Militärdienst. Das erstemal in seinem Leben half Kraftczek die Schläue nicht weiter. Oh, wär er Kumpel und vor Ort geblieben! Wie schön unabkömmlich hätte er sein können!

Er beriet sich bei einer Flasche Pfefferminz mit seinem Kaplan. Der Kaplan ging in seiner Studierstube auf und ab. Er hob sogar an einer Seite die Soutane und steckte eine Hand in die Hosentasche. So sah er fast wie ein normaler Mann aus. Der

Kaplan mußte gestehn, daß er wohl bei Gott, dem Herrn, nicht aber bei Kreis- und Gauleitern der Nationalen Sozialisten einen Stein im Brett hatte. Nach dem fünften Pfefferminz fand er eine Lösung: Man diene Gott auch, wenn man dem Vaterland diene, entschied er, und Theo Kraftczek hatte die Flasche Pfefferminz umsonst ausgegeben.

August Bogdan hatte eine kleine Bauernwirtschaft, das Erbteil seiner Frau, in Gurow bei Vetschau. Ein paar Felderchen, ein Stückchen Wiese, eine Kuh als Zugtier und Milchtier. Wenn die Kuh hochträchtig war, zogen Bogdan und seine Frau Pflug und Egge selber, mal er Ochse, mal sie Kuh; mal er Kutscher, mal sie Kutscher zum Ausruhn. Viel Arbeit und wenig Geld. Bogdan begann, bei der Bahn zu arbeiten. Er fing bei der Stopfkolonne an. Pick, pack, pick, pick, pick! Saure Wochen, saure Feste. Bogdan krebste an Sonn- und Feiertagen und an langen Abenden noch daheim auf den Feldern umher. Bei der Bahn diente er sich hoch. Nach zehn Jahren wurde er Schrankenwärter im Walde zwischen Gurow und Vetschau und damit Beamter. Seine Frau kaufte sich einen Hut für den Kirchgang. August Bogdan war ein vorbildlicher Beamter. Er war für das Leben von mindestens fünf Bauern, für das Leben des Briefträgers und das Leben von sechs bis acht Kuhgespannen verantwortlich, die im Sommer den Waldweg benutzten und seine Gleise passierten. Manchmal kam der Tierarzt, und Bogdan war auch für das Leben dieses Mannes verantwortlich.

August Bogdan hatte viel Zeit an seiner einsamen Schranke. Er legte sich ein Gärtchen an und versorgte die Familie mit Gemüse und Blumen. Wenn er Urlaub hatte, vertrat ihn seine Frau. Er übernahm daheim die Frauenarbeit. Ein großartiger Urlaub! Einmal aber nutzte er in all den Jahren zur Urlaubszeit seinen Freifahrtschein von der Bahn. Er fuhr bis Berlin. Da wurde daheim seine Kuh krank. Sie war verhext. August Bogdan machte die Hexe ausfindig, verprügelte sie mit einem Rutenbesen, und die Kuh wurde wieder gesund.

Seitdem verreiste August Bogdan niemals mehr mit seinem Freifahrtschein. Er ließ ihn verfallen. Das schöne Geld! – Er träumte viel, besonders des Nachts, aber niemals schlief er im Dienst. Er träumte von feurigen Drachen, die in den Herbstnächten über den Kiefernwald ins Dorf flogen. Jedesmal, wenn er einen Drachen hatte fliegen sehn, war mit Sicherheit ein Stück Vieh im Dorf krank. Bogdan träumte auch von seinem Aufstieg. So ein Traum zeigte ihn als Stationsvorsteher mit roter Mütze in Gurow. Man bot ihm eine braune Uniform an. Er nahm sie nicht. Er wollte die Uniform eines Stationsvorstehers. Die Uniform des Stationsvorstehers konnte er nicht bekommen, ehe er nicht die braune Uniform anzog und auf den Feldern Geländespiele mitmachte. Er hatte keine Zeit dazu. Er machte genug Geländespiele nach Feierabend auf seinen Feldern.

Eines Tages wurde August Bogdan eröffnet, daß für ihn die Zeit gekommen wäre, sich höher zu dienen. Er sollte ein Weilchen zum Militär gehen. Und die Schranke? Die Schranke wurde mit einem Stahldraht versehn und von der Station aus bedient. Man stellte einen Stahldraht für den Schrankenwärter August Bogdan ein. August Bogdan wurde zum Militär geschubst.

Bernhard Wonnig kam aus Thüringen. Er war Gärtner und hatte die fünf Morgen Steinacker seines Vaters in ein kleines Paradies verwandelt. Er selber war auf dem Wege, sich in einen paradiesischen Menschen zu verwandeln, denn die Suchenden finden. Es kamen Anhänger der Mazdaznansekte in seinen Garten und kauften frisches Gemüse. Bernhard Wonnig fand sie sympathisch, denn sie lebten von Früchten und rohem Gemüse und hatten sich vorgenommen, die ganze Welt dahin zu bringen. Welche Aussichten für den Gartenbau! Bernhard Wonnig fühlte sich diesen Leuten verpflichtet und verwandt.

»Alles ist gut« – war der Wahlspruch der Mazdaznanleute. Je öfter Bernhard Wonnig mit ihnen zusammenkam, desto eifriger versuchte er, nach diesem Grundsatz zu leben. Es war immer ganz einfach: Wozu sind die Elstern gut, die Maiskolben anpicken, ehe sie reif sind? Es wurde ihm gesagt: »Die Elstern sind berufen, den Erfindergeist und die Denkkraft des Menschen anzuregen.« Bernhard Wonnig dachte lange nach und fand, daß der Mensch schon etwas gegen die gierigen Elstern erfunden hatte. Er kaufte sich ein Kleinkalibergewehr und schoß nach ihnen. Nun hätte alles gut sein können, aber Wonnig traf nicht. – Da dachte er nochmals nach, strengte seinen Erfindergeist an und erfand eine Vogelscheuche. Sie war nur halb gut, denn sie hielt nicht alle Elstern fern.

Andere Dinge und Verhältnisse fand Wonnig schon absolut gut. Es war gut, daß die Erbsen nicht im Winter, sondern erst im Frühjahr keimten, wie hätten die Keimlinge sonst die Fröste überstanden? Es war auch gut, daß die Äpfel hoch oben in Sonne und Wind auf den Bäumen wuchsen, denn wären sie in der Erde gewachsen, wie beispielsweise die Kartoffeln, wie hätte man sie vor der Fäulnis bewahren können?

Dann aber kam etwas, was wieder nicht so gut war: Bernhard Wonnigs Einberufung zum Militär. Er überlegte lange und fand keine Erklärung für den Militärdienst. Er befragte die Mazdaznanleute. Sie gaben ihm diese Antwort: »Der Staat, in dem wir als Gäste leben, hat unsere Familie, die Familie der heiligen Mazda, verboten. Die Klugheit gebietet uns, erst wieder zu sprechen, wenn unsere Zeit gekommen sein wird. Alles ist gut!«

So ging der Gärtner Bernhard Wonnig mit ungeklärten Fragen zum Militär.

Der Großbauer Albert Marschner lebte in einem Dorf in Mecklenburg. Pasenthin war eines der wenigen Dörfer Mecklenburgs, in denen es kein Rittergut, keine Domäne, kurzum, keinen Herrensitz gab. Deshalb wohl fühlten sich die beiden größten Bauern des Ortes verpflichtet, für Herrenluft zu sorgen. »Was gibts Neues von Marschner und Diehn?« fragten Kleinbauern, Kossäten und Büdner, wenn sie sich trafen.

Diehn hatte die hübsche Magd geschwängert, hinter der Marschner her war. Marschner hatte dafür seinen krummbeinigen Dackel auf Diehns läufige Schäferhündin gehoben. Schöne Kläffer wird das geben! – Diehn ließ Marschner auf einen ausgestopften Fuchs schießen. Der Stopffuchs trug ein Plakat um den Hals: »Scheißschütze! Schönen Gruß von der Nachbarschaft.« Dafür machte Marschner einen Rappen des Diehn auf der Weide mit Fensterfarbe zum Zebra.

Die weltumwälzenden Gedanken des fliegenbärtigen Diktators machten auch vor Mecklenburg nicht halt. Wer sich zuerst in diesen Gedanken sühlte und wohl fühlte, sie den seinen verwandt empfand und danach lebte, wurde Statthalter in seinem Flecken. In Pasenthin wurde es Diehn. Die Statthalterschaft war schon vergeben, als der Groß- und Grobbauer Marschner zum rückwärtsgewendeten Lebensstil erwachte.

Marschner sah Diehn eines Sonntags in einem staubtuchfarbenen Buntrock, gegürtet und bedolcht, zur Kirche gehn. Du Donnerwetter! Da hatte sich Diehn zum Dorfkönig gemacht. Marschner sann auf Rache.

Diehn brachte viel Zeit auswärts, in der Kreisstadt und in der Gauhauptstadt, zu. Er wurde mit der Würde eines Dorfkönigs und räuberischem Kampfgeist ausgestattet. Seine Frau mußte ihr Haar zu einem Gretchenkranz legen und durch und durch deutsch und germanisch tun. Sie wollte auch eine deutsche Mutter sein, doch ihr Diehn fand anderwärts bessere Gelegenheiten, sein germanisches Blut zu vererben. Marschner fing jedenfalls sonntags beim Beten in der Kirche einen mannsgierigen Blick von Diehns Frau auf und machte sich schon am Nachmittag zu ihr auf den Weg. Er nahm einen Kalbshandel zum Vorwand und machte das weiche Kalbsstroh im Stalle zum Brautlager für die gierige Diehnsche und sich.

Das war eine der unerhörtesten Tatsachen, die im Dorfe Pasenthin in der Zeit des Zwölfjährigen Reiches zu verzeichnen waren: Bauer Marschner schwängerte die Frau seines Rivalen und Herrenbruders Diehn. Der buntberockte Diehn verprügelte sein Weib in aller Stille und mit aller Wucht seiner germanischen Fäuste, aber das Kind konnte er ihr nicht aus dem Leib prügeln. Er tat lieber so, als hätte er seiner Freiin das Kind in den Leib hineingeprügelt.

Marschner ließ keine Gelegenheit aus, bei Säufergesprächen darauf hinzuweisen, daß sich gewisse Leute und Dorfmarschälle ihre Kinder jetzt von anderen Leuten und fruchtbareren

Bauern anfertigen lassen müßten. Diehn erfuhr es und schurigelte Marschner, den neugebackenen Sturmabteilungsmann, im Geländedienst beim Stürmen von Feldscheunen-Forts und Heuschober-Festungen. Marschner ließ daraufhin den Ehrendolch des Diehn bei einem Saufgelage im Dorfwirtshaus mit Mostrich beschmieren. Er dang den Dorfnachtwächter dazu. Der Dorfnachtwächter durfte dafür seine dürre Kuh gratis von Marschners Herdbuchbullen decken lassen.

So ging das Spiel der Dorfherren hin und her, bis Marschner auf den großartigsten Gedanken seines Lebens verfiel: Er meldete sich freiwillig zum Ehrendienste für das Vaterland. Diehn sollte staunen und an seinem Ehrendolch rütteln, wenn Marschner eines Tages als Leutnant oder gar als Hauptmann ins Dorf einziehen würde. Kein Mensch würde dann Diehn, diesen jämmerlichen Dorfoffizier, mehr für voll nehmen.

Ali Johannsohns Mutter war eine Bauernmagd, groß und ungeschlacht. Sie hatte Mannsarme und ein pockennarbiges Gesicht, in dem blaßblaue Kindsaugen trauerten und nach Liebe dürsteten. Wo aber sollte die Liebe für Alis Mutter Frauke im verstockten friesischen Dorfe herkommen? Keiner von den Dorfburschen wollte das narbige Riesenmädchen. Alle fürchteten, sich die Pocken in den Leib zu lieben.

Es kamen Zigeuner ins Dorf. Ein fixer Zigeunerbursche nahm nicht nur etwas Silbergeld und eine Schinkenschrote von Frauke, sondern nachts im Heu auch sie. Zigeuner sind flüchtig wie der Wind. Der Bursche zog anderen Tags wohlversorgt und in Liebe gebadet weiter. Die Magd Frauke blieb im Dorf, und alle Welt war auf das kommende Zigeunerkind gespannt und machte sich über Frauke lustig.

Das Kind kam, war weißköpfig, blauäugig und stark wie seine Mutter. Es gab zunächst keinerlei Anlaß zu besonderen Belustigungen. Frauke aber wurde mit der Geburt dieses Kindes zur Bärin. Sobald ein Bauer mißächtlich von ihrem Jungen sprach, sprang sie ihn an und verließ seinen Hof. So wechselte sie die Diensthöfe jahrsüber mehrmals und nahm ihr Kind wie eine Kostbarkeit zuoberst in ihrer Magdlade mit. Bald hatten sich die

Bauern an ihren »Aufsack« gewöhnt, denn Frauke arbeitete für zwei Mägde, wenn man sie in Ruhe ließ.

Das Kind aber wurde nach seinem Vater Ali genannt und wuchs auf den Feldern heran. Es hatte sein Hausung unter Heuhaufen und Strauchwerk. Als Zehnjähriger schleppte Ali Baumstämme heran und fügte sie zu kleinen Blockhäusern. Die Bauern beleckten sich schon die Lippen nach dem Jungknecht, der da langsam baumstark heranwuchs. Nach seinem zehnten Jahr wurde Ali zur Arbeit herangezogen. Die Mutter wachte zwar nach wie vor über ihn und schützte ihn mit ihren Bärinnentatzen vor Überforderungen, aber es war ihr nicht unlieb, wenn sie am Monatsschluß ein paar Groschen für Alis Arbeit in ihre Magdlade legen konnte.

In die Schule ging Ali nur im Winter. Der Lehrer sah ihn nicht gern und nannte ihn einen Taugnichts von Geburt. Ali konnte zuweilen – angestachelt von der Schaulust hinterhältiger Bauernkinder – die Sträflingsbank, auf der er zu sitzen hatte, zum Fenster hinauswerfen. Wurde er während des Unterrichts mit dem Abschreiben der Hausaufgaben nicht fertig, nahm er die Wandtafel auf den Rücken und trug sie nach Hause.

Der Jungknecht Ali wurde von den Jungbauern zu Fest- und Saufgelagen in den Krug geholt. Dort hob er für einen Ring Wurst oder eine Schinkenschrote gefüllte Bierfässer und stemmte sie mit ausgestreckten Armen bis an die Schenkendecke. Er spazierte, mit sechs oder acht Männern beladen, durch die Schankstube oder trug den jungen Ochsen des Wirts herein und stellte ihn auf den Tresen.

Es kam die Zeit, da in Deutschland die Viehzucht zur Religion erhoben wurde. Die Dörfer Frieslands wurden zum Gehege für die Lieferung rassereiner Menschenböcke erklärt. Es kamen Werber für die Leibstandarte des fliegenbärtigen Diktators ins Dorf. Sie gingen auch zu Alis Mutter und sagten: »Es ist doch richtig, daß der Vater deines Sohnes ein friesischer Fischer war, der auf dem Meer blieb.«

Frauke sah die Männer mit ihren Treuaugen an und erwiderte: »Er war kein Fischer.«

Man gab ihr einen Geldschein und fragte: »Erinnerst du dich auch richtig?«

»Ich erinnere mich sehr«, sagte Frauke und steckte das Geld in ihre Rocktasche. »Er war ein Zigeuner, ein guter Mensch, und verschmähte mich nicht.« Sie sagte es stolz und wandte sich wieder ihrer Arbeit zu.

»Gib das Geld her; man wird dich einfangen, weil du mit einem Zigeuner, einem halben Juden, hurtest!«

Frauke hob ihre erdbeschmierten Tatzen. Die Werber wichen zurück. »Er war kein Sünder. Er gab mir das Kind und fertig.« Das schrie Frauke den Werbern nach.

Die Zeit verging, und Alis junger Herr und Bauer sollte zum Militär einrücken. Er war so jung verheiratet und so wenig geneigt, sich totschießen zu lassen. Da kam er mit dem Dorfleiter der Arier-Zucht-Partei in den Handel. »Ich bin nur *ein* Mann. Der Junge aber ist drei bis vier Mann wert, was die Kampfkraft betrifft.«

Also wurde Ali zum Militär verhökert.

Als sich der deutsche Herrscher, Adolf mit der Stirnmähne, in jener Januarnacht 1933 die Herzen der Kleinmenschen mit Fackelzügen und die politische Macht mit dem Abmorden seiner Gegner erobert hatte, traf sich der Betonarbeiter Otto Rolling noch eine Zeitlang mit seinen Genossen, fertigte Flugblätter an und warf sie von Hausdächern und Fabrikschornsteinen.

Eines Morgens, als er in seinen Schlupf wollte, faßten sie ihn. Man hatte ihn verraten. Auf Wiedersehn, Weib, sei nicht bitter! Auf Wiedersehn, Kinder, bleibt, wie ihr seid! Er kam ins Lager und sah seine Familie drei Jahre nicht. Er mußte Moore rigolen, hungern, strammstehn, den Rücken hinhalten und wieder hungern. Sie wollten ihn kirren. Sie kirrten ihn nicht. Seine Fröhlichkeit, die er hinter Geknurr versteckt hielt, war unzerstörbar. Sie hielt auch andere wach und hoch. Sie war den Kameraden im schwarzen Moor und im dunklen Lager ein Lämpchen, an dem sie die Seelen ein wenig erwärmten.

Er wurde entlassen und konnte das Wunder selber nicht fassen. Sie ermahnten ihn: »Noch einmal – und dein Kopf kullert.«

Er antwortete: »Man tut, was man kann – die Welt ist noch nicht fertig.«

Er zergrübelte sich den Kopf: Sie hatten ihn entlassen – war er irgendwann kein guter Genosse gewesen?

Er erhielt wieder Arbeit. Er kam in die Weißblattsche Zementwarenfabrik. Weißblatt-Vater war Christ und Sozialist. Er war ein christlich-sozialer deutscher Fabrikbesitzer. Der vegetarische Herrscher auf dem Thron in Berlin dagegen war national-sozial und österreichisch, und Weißblatt-Vater hatte nicht viel mit ihm im Sinn. Weißblatt-Vater war der Besitzer einer Beton- und Zementwarenfabrik, stellte Zaunsäulen für die Schrebergärten der kleinen Leute und Schornsteinaufsätze nebst Kaminschiebern für Hausbesitzer her. Er brauchte die Gunst des Kanzlers nicht. Weißblatt-Vater ging es mehr um die Gunst seiner Arbeiter. Er kannte sie bis in die Familie hinein, rief die Kinder mit Namen, wenn sie den Vätern ihr Frühstück brachten, tanzte mit ihren Frauen beim Betriebsfest und feierte seinen Geburtstag regelmäßig nicht nur im Hause, sondern auch auf dem Bauplatz.

Weißblatt-Vater war ein guter Beobachter. Er sah alle Dinge und Menschen, so weit sein Blick reichte. Eines Tages rann zufällig halbsteife Zementbrühe über Holzwolle. Weißblatt-Vater beobachtete: Zementbrühe und Holzwolle ergaben eine Masse – leicht und porös wie Bimsstein. Sieh, da merkte Weißblatt-Vater, daß er den Bimsbeton erfunden hatte. Er ließ sich die Masse patentieren. Seine Fabrik schwang sich dank seiner guten Beobachtungsgabe auf. Er stellte noch Arbeiter ein, gab ihnen Brot, war ein Charaktermensch und nahm sich vor, die Maurer und die Menschheit mit seinem leichten Bimsbeton zu beglücken.

Weißblatt-Vater beobachtete auch seinen neuen Bimsbetonarbeiter, Otto Rolling. Er bewunderte Rolling im stillen, weil der sich gegen den österreichischen Kanzler aufgelehnt hatte. Vor den anderen Arbeitern aber ermahnte er Rolling zum

Gehorsam gegen die amtierende Obrigkeit. »Der einsame Hund hüte sich, gegen die Wölfe zu bellen!«

»Bellen Sie mit!« knurrte Rolling und stampfte Beton.

Weißblatt-Vater aber konnte nicht mitbellen; er hatte das Geschäft und die Verantwortung für das Brot vieler Arbeiterfamilien.

Rolling hielt von Weißblatt-Vater nicht mehr als von anderen Unternehmern, die er bis dahin hatte reich machen helfen. Er hätte diesem Bimsbetonmann ruhig ein wenig dankbarer sein dürfen. Weißblatt-Vater mit dem ausgeprägten Familiensinn fing die Leute ab, die Rolling bespitzeln sollten, und verhinderte mit einer Schranke aus Kognak, daß Polizeibesucher in die hinteren Räume der Fabrik drangen. Auf diese Weise gelang es Rolling sogar, Verbindungen mit alten Kampfkumpeln wiederaufzunehmen.

Weißblatt-Sohn, der Dichter, ging zuweilen über den Betontrockenplatz. Er sah die stampfenden Arbeiter nicht, stolperte über die Holzwolleballen und sagte: »Das Betonzeitalter zieht herauf.«

»Da geht er hin und verdichtet unser Geld«, sagte Rolling, aber die anderen Betonstampfer zischten ihn nieder. »Sei still mit deinem Gestänker. Der Chef ist nicht der Schlechteste!«

»Die Welt ist noch nicht fertig«, knurrte Rolling, und sie verstanden ihn nicht.

Die Zeit verging, und eines Tages erhielt Weißblatt-Vater einen großen Auftrag. Darüber fand eine Auseinandersetzung zwischen ihm und seinem Bimsbetonarbeiter Rolling statt. Es kam Bewegung in die Arbeiter auf dem Zementplatz, denn nun sollten sie mit allem Handwerkszeug und ihren Zementkenntnissen verreisen. Sie sollten einen großen, harten Wall nach Frankreich hin bauen, einen ehernen, harten, deutschen Wall. Weißblatt-Vater stand vor Rolling. »Sie werden nicht mitgehn?«

»Ich werde nicht mitgehn. Vielleicht nehmen Sie Ihren Herrn Sohn mit. Er wird den Wall mit seinen Dichtungen dicht machen.«

335

Das hätte Rolling vielleicht nicht sagen sollen, denn er beleidigte seinen Chef und Brotherrn damit. »Meinen Sohn? Es steht mir nicht gut zu Ohren, wenn Sie sich über diesen – will sagen, etwas mißratenen – Sohn lustig machen.«

»Mir scheint, Chef, Sie haben sich nun doch mit diesem national-sozialen Kanzler eingelassen.«

»Mit dem?«

»Sie werden seinen Wall bauen.«

Weißblatt-Vater hob die Schultern. »Es handelt sich um einen Wall gegen die Franzosen, bitte.«

Das war das letzte Gespräch des Zementarbeiters Otto Rolling mit seinem gerechten Chef, dem Vater seiner Arbeiter; denn nun konnte auch Weißblatt-Vater nichts mehr für dieses störrische Mitglied der Familie seiner Arbeiter tun. Geschichtliche Notwendigkeiten konnten nicht am Eigensinn kleiner Leute zerschmettern. Der Weißblatt-Betrieb reiste jedenfalls nach dem Westen, um dort einen Damm zu bauen, dem keine Kanonenkugel etwas anhaben konnte. Würde ihn auch kein Flugzeug überfliegen können? – Flugzeug? Die Sache ist die: Die Hauptwaffe der Franzmänner ist die Artillerie. Sie sind wahre Kunstschützen auf Kanonen. Dem ist vorzubeugen. Man hat seine Erfahrungen.

Auch Rolling verreiste. Er war nicht mehr unabkömmlich. Er erhielt seinen Einberufungsbefehl, als seine politische Arbeit soeben wieder anzulaufen begann. – Und welchen Zufall sich der Weltlauf da ausgedacht hatte! Rolling und Weißblatt-Sohn, der Dichter, trafen sich vor dem Kasernentor. Der Weißblatt-Sohn trug einen Lederkoffer mit Klebezetteln von Hotels aus fernen Ländern. Abziehbilder von Sonnen und blauen Himmeln. Rolling trug einen Seifenpulverkarton Marke »Sunlight«. Sie machten nichts miteinander her und grüßten sich nicht. Der Arbeiter Rolling kannte den Dichter, doch der Dichter Weißblatt kannte den Arbeiter Rolling nicht.

1

Stanislaus soll sich bei den stolzen Reitern selbst beschimpfen, verweigert es und wird mit Mauersteinen gewalkt.

»Der Büdner natürlich, der Büdner. Wie er hängt, wie er hängt! Eine Pflaume vorm Abfalln!«

Gedämpfter Hufschlag der Pferde im Sägemehl der Reithalle. Die Stimme des Wachtmeisters war wie das Knarren eines Astes in der Waldstille. »Absitzen, Kamelreiter!«

Der Hengst Wiesenspringer wartete nicht, bis sein Reiter absaß. Er wurde von der aufrückenden Pferderunde getrieben, tat einen Satz, und Stanislaus kugelte sich in den Sägespänen.

»Wie ein Faultier vom Mangobaum!« Die Stimme des Wachtmeisters biß zu: »Unten bleiben, Sauerkrautfahrer! Rob-ben!«

Stanislaus kroch mit aufgestützten Ellenbogen durch das Sägemehl.

»Auf! Marsch, marsch!«

Stanislaus sprang auf und rannte neben den Pferden der Kameraden einher.

»Hinlegen!«

Stanislaus warf sich ins Sägemehl.

»Rob-ben! Ich sage: rob-ben, Sie Altweiberfurz. Tempo!«

Stanislaus' bäckerbleiches Gesicht rötete sich. Er dachte an das Strafexerzieren bei Meister Kluntsch. Aber hier war nirgendwo ein Stoß Kuchenbleche, die er dem raunzenden Wachtmeister hätte vor die Füße scheppern können.

»Hinlegen! – Auf! – Hinlegen! – Rob-ben!«

Stanislaus wurde störrisch. Er blieb stehn, wo er stand.

»Sie weigern sich?« Wachtmeister Dufte, der ehemalige Reisende in Marmelade aus Berlin, kam auf ihn zu. »Sie weigern sich? Hinlegen!«

Stanislaus warf sich nieder. Das Sägemehl roch nach Pferdeurin. Stanislaus wars, als tauchte er in eine kleine warme Heimat. Er begann, wie ein Pferd zu fühlen. Er war ein geschundenes Wesen.

»Auf, marsch, marsch!«

Stanislaus erhob sich langsam und widerwillig.

»Auf den Stallgang, Invalidenrentner!«

Stanislaus suchte sich durch die Kette der kreisenden Pferde zu schlängeln. Der Wachtmeister ließ aufreiten. Keine Lücke mehr für Stanislaus, und in seinem Rücken die knallende Wortpeitsche des Wachtmeisters: »Auf den Stallgang, Mergelmännchen!«

Stanislaus duckte sich zum Sprung. Jetzt war schon alles gleich: Das Leben hatte ihn niedergeworfen, mochten ihn die Pferde vollends zertreten!

Ein Pferd bäumte. Stanislaus schlüpfte durch die entstandene Lücke. Der Reiter stürzte ins Sägemehl. Stanislaus hörte ihn ächzen. Es war Weißblatt, der stille Johannis Weißblatt. Hatte er sein Pferd absichtlich zurückgerissen? Hatte er die Verzweiflung seines Kameraden Büdner erkannt? Stanislaus rannte den Stallgang hinunter, bis an die Giebelwand. Dort blieb er stehn. Der Wachtmeister randalierte jetzt mit Weißblatt. »Weißblatt, auf – hinlegen! – Buchschnüffler, ich zeig Ihnen, wie man vom Pferd fällt!«

Der lange Weißblatt zitterte bis in die Kleinfinger hinein. Wachtmeister Dufte ließ die Kolonne halten. Ein Pferd hatte gemistet.

»Mütze ab! Einsammeln!«

Weißblatt sammelte die Pferdekäulchen in seine Dienstmütze. Seine weißen, dürren Finger umklammerten die warmen Mistbällchen wie ein letztes Stück Leben und Wärme auf diesem Nordpol der Menschheit. Über Duftes Gesicht kroch fröhliches Grinsen. »Schneller, Sie Kleingartenpieper!«

Weißblatt wurde auf den Stallgang gejagt. Der Pferdemist rollte beim Rennen aus der Mütze.

»Halt! Stillstann! Kehrt!«

Weißblatt stand neben Stanislaus. Dufte brüllte aus der Reithalle herüber: »Was seid ihr?«

Keine Antwort.

»Was ihr seid, will ich wissen?«

Schweigen.

»Scheißkerle seid ihr, Scheißkerle! Was seid ihr?«

Keine Antwort, aber in der Reithalle wieherte Stanislaus' Hengst Wiesenspringer.

»Scheißkerle – will ich hören!«

Stille wie im Waldesdickicht. Dufte trampelte im Sägemehl hin und her. »Hinlegen!«

Stanislaus und Weißblatt ließen sich in den Stallgang fallen. Der letzte Pferdekot kollerte aus Weißblatts Mütze. Dufte klatschte mit der Reitpeitsche gegen die Stiefelschäfte. »Auf! – Hinlegen! Auf! – Hinlegen! – Was seid ihr?«

Stanislaus' Mund wurde ein Strich. Weißblatt hüstelte, besah seine mistigen Hände und schrie: »Schmeißkerle!!«

»Mich machst du nicht dämlich, Bücherwurm.«

Weißblatt schüttelte sich. »Scheißkerle – Scheißkerle sind wir!« Er ekelte sich vor sich selber. Er durfte zurück zu seinem Pferd.

»Scheißkerl Büdner, mittags melden!«

Stanislaus' Hengst war auf eine Stute gesprungen. In der Reithalle entstand ein Knäuel aus Pferdeleibern. Wachtmeister Dufte knallte dazwischen. Auch Stanislaus wurde beim Entwirren des Pferdeknäuels von Duftes Peitschenschlägen getroffen.

Mittags meldete Stanislaus sich auf der Schreibstube. Er wurde von Dufte zurückgejagt. »In fünf Minuten feldmarschmäßig!«

Die Kameraden ließen ihr Essen stehn, halfen Stanislaus den Tornister packen, rollten seine Decke, seine Zeltbahn und stülpten ihm den Stahlhelm auf:

»Hättest du nur gesagt, was er wünschte«, barmte Weißblatt.

Stanislaus sah neben seinem Eßnapf einen Brief von Lilian liegen. »Scheißkerl – nein!«

»Ein Scheißkerl war man, als man herging«, sagte Rolling, den sie vom ersten Tage an Rollmops nannten. Die Narbe auf seiner Stirn lief rot an. Er zog so heftig an Stanislaus' Deckenriemen, daß die Schnalle platzte. Stanislaus griff sein Gewehr und rannte.

»Mach, was sie wolln, doch mach es langsam!« rief Rolling ihm nach.

Rollings gute Ratschläge zerrannen wie süßes Eis in der sengenden Sonne. Stanislaus lag auf dem Schotter des Kasernenhofes. Seine Handflächen bluteten, die Hosenbeinlinge waren an den Knien vom scharfen Steinsplitt zerrissen. Der Schweiß rann vom Gesicht hinter die Halsbinde. Drei Unteroffiziere lösten sich ab, ihm die Störrigkeit auszutreiben.

Nach einer halben Stunde glaubte Stanislaus, sich nicht mehr erheben zu können. Da kam Dufte selber. Er drohte mit standrechtlicher Erschießung. Erschießen? Standrechtlich erschießen? Stanislaus hatte davon gelesen. Ein neuer Kraftspeicher tat sich in ihm auf. Er spürte keine Schmerzen mehr in den Muskeln. Sein Fleisch war taub und abgetötet. Er bewegte sich traumwandlerisch. Die Unteroffiziere stolzten mit neugierigen Gesichtern umher und gaben sich wie bei einer Sportveranstaltung. Wieviel wird dieser Rekrutenknüppel hergeben? Und sie nannten diese Rekrutenbehandlung wie Kasernenhofärzte — eine Bestrahlung. Stanislaus fiel hin, stand auf, fiel hin, stand auf. Ab und an keimte ein Gedanke in ihm: Fleisch und Wille waren wohl eins, und der Wille versiegte, wenn das Fleisch nichts mehr hergab. Er blieb bei diesem Gedanken etwas länger liegen.

»Erdkunde, das ist Erdkunde!« triumphierte Dufte. Aber war er zufrieden damit, Stanislaus wie einen Wurm vor sich liegen zu sehen? Keineswegs. Er ließ Stanislaus Mauersteine in den Tornister packen. Stanislaus sank zusammen. Dufte wuchs. »Jetzt wirst du merken, daß du ein Scheißkerl bist. — Was für ein Kerl bist du?«

Keine Antwort. Stanislaus krümmte sich unter dem Gewicht der Steine. Ein Wurm, der zermalmt werden sollte!

Zehn Minuten vor dem Glockenschlag zur ersten Nachmittagsstunde lag Stanislaus reglos unter seiner Steinlast auf dem Bauch. Auch Duftes Todesdrohungen trieben ihn nicht mehr hoch. Dufte stand wie ein scheußlicher Gott, ragte bis in den Kasernenhimmel hinein. »Ich wußte, daß du ein Scheißkerl bist!«

Weißblatt und Rollmops trugen den ohnmächtigen, zerquälten Stubenkameraden Stanislaus Büdner in das Krankenrevier. »Hätt ers nicht lieber sagen solln?« jammerte Weißblatt. Rollmops sah sich um. Seine Stimme war wie ein Messerstich: »Nein!«

Auf der schwarzen Namenstafel über Stanislaus' Revierbett stand mit Kreide geschrieben: »Scheißkerl Stanislaus Büdner«. Befehl von Wachtmeister Dufte. Der Stabsarzt übersah die ungewöhnliche Bezeichnung. Weshalb sollte Dufte nicht seinen Spaß haben? Er sorgte zuweilen dafür, daß auch der Stabsarzt seinen Spaß hatte. Der Stabsarzt brachte seinen Damen nach Dienstschluß unerlaubterweise ein wenig das Reiten bei. Dufte sorgte für fromme Pferde und für Mannschaft in der Reithalle.

In Stanislaus' Träumen und Fieberphantasien wimmelten Mehlsäcke und Pferdeleiber durcheinander. Meister Kluntsch kam an sein Bett und war über und über mit Blumen geschmückt. »Hast du Scheibenrand für mich angezeigt, Scheißkerl?«

Lilian maß Stanislaus' Schenkel mit einem Zirkel aus und sagte: »Das ist der Judenkreis. Er beträgt fünfundvierzig Gramm.«

Ein Mann mit roter Kolbennase gab Stanislaus ein Paket. »Zu leicht, zu leicht, junger Mann. Gedichte erst ab dreißig Kilo!« Der Mann verwandelte sich in Marlens Vater, den Pastor. Sirupsüße Worte tropften aus seinem Munde: »Ergebenheit – Ergebenheit ist alles!«

2
Stanislaus übersteht die Malträtiererei, wird dafür in den Karzer gesteckt, erhellt das Karzerdunkel mit einem Liebeslämpchen und hofft auf die Einsicht eines preußischen Rittmeisters.

Stanislaus kämpfte sich durch ein Fieberdickicht, litt Durst und Gliederschmerzen, tauchte in das undurchsichtige Wasser eines Tiefschlafs und wurde wieder an das Ufer des Lebens gespült.

Der Reviersanitäter klopfte das Thermometer herunter. »Hat man dich zugeritten? Jetzt bist du Mann!«

Gegen Mittag kam Weißblatt. Seine Oberlippe vermochte die großen Vorderzähne nicht zu decken. Sie täuschten ewiges Lächeln vor. Wenn Weißblatt wirklich lachte, wars das Lachen eines Klassenprimus, der eine Fünf im Betragen erhält.

Weißblatt hatte die Hände in die Taschen seiner Drillichhose gesteckt. Er wollte forsch aussehn. Er sah nicht forsch aus. Seine feinfingerigen Hände fürchteten sich in den dunklen Hosentaschen. Seine Rechte flitzte wie ein verscheuchtes Weißspitzhündchen aus dem dunklen Hosensack. Sie suchte in den Rocktaschen nach etwas. »Der Brief. Ich hatt einen Brief für dich«, sagte er. Seine Hand fand den Brief nicht. »Vergeßlichkeit. — Mal mein Tod.« Er vergaß den Brief ganz und gar. Seine Zähne lächelten. Die Philosophie hatte ihn gepackt. Er fragte: »Wozu ein Kopf? Behaarte Kugel auf dem Hals. Kopfkugel strahlt nur Erinnerungen in dich ein. Erinnerungen lästig, irgendwie pi, pa, po, Sand im Schuh.« Er machte eine vorschriftsmäßige Kehrtwendung, weil der Sanitäter kam, und ging, fast im Paradeschritt, aus dem Revier, um den vergessenen Brief zu holen.

Der Brief war von Lilian. Er war das Pulver Werdgesund für Stanislaus. Lilian war keine Mädchenführerin geworden, nein! Das sei etwas für strengere Damen, schrieb sie. Nun aber wollte sie bald kommen und Stanislaus in der Uniform sehn. Ob Stanislaus Sporen und einen Schleppsäbel trage, wollte sie wissen. Stanislaus lächelte, schob einen Fuß aus dem Bett und betrachtete die langen Zehennägel. Schöne Sporen.

Also Lilian! Ein Mensch aus seiner Heimat. Heimat? Jedenfalls ein Mensch, den er kannte. Ein Mensch, den er liebte. Liebte? Jedenfalls ein Mensch.

Rollmops brachte eine Zeitung. Stanislaus steckte die Zeitung achtlos unter sein Kopfkissen.

»Bring mit Tinte und Papier, Rollmops!«

»Schreib du jetzt nicht an deine Braut. Es wird ein bitterer Brief.«

»Es wird ein süßer Brief, Rollmops. Du sollst sie bald kennenlernen.«

»Willst du ihr eine gewalzte Maus vorführn?« Rolling zog die Zeitung unterm Kopfkissen hervor. »So was lest ihr Lümmel nicht! Es wettert zwischen den Schlagzeilen. Krieg werden sie machen.«

»Vergiß die Tinte nicht«, sagte Stanislaus.

Rollings Narbe wurde rot. »Ein Trauerkleid soll sie sich beizeiten beschaffen, schreib deiner Braut. Schwarzer Stoff wird bald knapp sein.« Er steckte die Zeitung wieder ein und rollte davon.

Mit Tinte und Papier kam Johannsohn, der lange, weißblonde Friese, die Heuschrecke der Stube. Er aß, wo er saß. »Tjä, Rollmops hat Sonderbefehl. Stummellesen auf dem Kasernenhof. Ist das nu deine Marmelad da auf dem Fensterbrett? Tjä, denkst du, ich hätt früher Marmelad gegessen? Wurst, Schinken, hin und her zehn Eier, aber Marmelad?«

Stanislaus wurde unruhig. »Ist der Rollmops über wen gestolpert?«

»Ist er nicht. Hat ein bißchen ausgespuckt, hat er. Der Gefreite ist zufällig auf der anderen Seite längs gegangen, ist er. Aber nu eß ich Marmelad. Wie ich die eß, sag ich dir!«

Stanislaus gab Johannsohn den Marmeladenapf. Der lange Friese fuhr mit der Zunge hinein und schleckte den Napf im Stehen leer.

Stanislaus schrieb einen Brief an Lilian. Liebe Worte rauschten und raunten darin: »Wir aber werden mitsammen durch die schönen Herbstalleen gehn. Die Blätter werden fallen, aber die Sonne wird scheinen – in uns und außer uns ...«

Der Reviersanitäter sah Stanislaus über die Schulter. »Du machst ein Büro auf? Raus!«

Auch im Hemd auf hartem Schemel und barfüßig formte Stanislaus aus schwarzer Tinte rote Liebesworte. Es war noch ein Rest Dichterseele in ihm verblieben.

Vom Krankenrevier kam er in Arrest. Seine Befehlsverweigerung war mit dem Herumfaulenzen auf dem Revier nicht ausgelöscht. Drei Tage Dunkelarrest bei Wasser und Kleiebrot. Er ging in der Zelle umher und summte. Er hatte seine eigene Sonne hier im Kammerdunkel der Kaserne. Seine Sonne war Lilian. Er war auf dem besten Wege, ein harter Mensch zu werden. Hier, Stanislaus Büdner, ein Mensch, der ertragen und gehorchen gelernt hat. Hier, Stanislaus Büdner, durch die harten Mahlsteine einer Unteroffiziersmühle gedreht. Hier, Stanislaus Büdner, ein Mann aus grobem Schrot.

Auf dem Kasernenhof fielen die Ahornblätter wie goldene Tropfen von den Bäumen. Der Frühfrost hatte sich eines Nachts glitzernd auf ihnen niedergelassen. Rollmops sah dieses poetische Wunder nicht. Für ihn waren das Dreckblätter, naß und glitschig. Dreckblätter, aufzuheben wegen Ausspucken vor einem Gefreiten. Was ein bißchen Spucke bewirken konnte! »Die Welt ist noch nicht fertig!« Rollmops las auch Ahornblätter an der Wand, hinter der er den geschurigelten Stanislaus Büdner wußte. Mit einem Stein klopfte er einen Gruß für Stanislaus an die Mauer. »Man tut, was man kann!«

Stanislaus verstand das Geklopf nicht. Es war das erste Gefängnis seines Lebens, wenn er die inneren Gefängnisse nicht rechnete. Er ging in der Zelle auf und ab, auf und ab und sagte alle Gedichte her, die er bis dahin angefertigt hatte. »Stammelei, jugendliche Selbstverständigung!« Er klopfte sich selber auf die Schulter und ließ sich auf seiner Pritsche nieder. Was konnte nun begonnen werden? Er suchte sich alle Küsse seines Lebens ins Gedächtnis zu rufen und verteilte Lobe und Tadel an die Küsserinnen seines Mundes. Das beste Prädikat erhielt Lilian. Der Duft ihrer Küsse war in seiner Erinnerung noch nicht verschollen.

So ging die Arrestzeit herum, und er meldete sich im Dienstanzug bei Wachtmeister Dufte.

»Haben Sie eingesehn, was Sie sind?«

»Jawohl, Herr Wachtmeister!«

»Was sind Sie?«

Eine späte Schmeißfliege summte am Fenster der Schreibstube.

»Was Sie sind, will ich wissen!«

Jetzt schwieg sogar die Fliege. Stanislaus war blaß und schluckte.

»Das macht vier Wochen Kasernenarrest, verstanden?« Dufte schmetterte ein Holzlineal auf den Tisch.

Keine guten Tage. Wachtmeister Dufte hatte Druck für Stanislaus befohlen. Den Druck erhielt er von den Unteroffizieren, von den Gefreiten. Man drehte ihm beim Kleiderappell die Knöpfe von der Jacke. »Was fällt Ihnen ein? Mit losen Knöpfen zum Appell?« Knack, knack – ein Knopf nach dem anderen flog in den Hofschotter. Stanislaus hatte sie in der Mittagsstunde anzunähen. Macht nichts. Deine Lilian kommt, dachte er.

Stanislaus holte Kaffee im Kochgeschirr für die Belegschaft seiner Stube. Der Gefreite Rehhorn ging vorüber. Stanislaus riß grüßend den Kopf herum, daß die Halswirbel knackten.

»Das nennst du halber Mensch grüßen? Hinlegen! – Auf! Hinlegen!«

Es blieb kein Kaffee im Kochgeschirr. Sollten seine Kameraden keinen Kaffee haben, weil er schlecht gegrüßt hatte? Stanislaus trabte zur Küche zurück und zupfte an seinen beschwappten Hosen. Macht nichts. Deine Lilian kommt, dachte er.

Stanislaus mußte neugepflanzte Bäumchen auf dem Kasernenhof aus seinem Kaffeebecher begießen. Stanislaus mußte unter Aufsicht des Gefreiten Rehhorn die Scheuerleisten der Stube mit einer Zahnbürste schrubben. Stanislaus mußte die After der Kompaniepferde mit seinem Taschentuch putzen. Er erhielt einen Tritt von einer rossigen Stute und hinkte.

Der Druck von Wachtmeister Dufte erdrückte Stanislaus nicht. Etwas anderes bedrückte ihn mehr: Nun würde Sonntag Lilian kommen, und er durfte nicht aus der Kaserne. In seinem Herzen flackerte eine kleine Hoffnung auf Einsicht. Stanislaus erhoffte sie von Rittmeister von Kleefeld. Ein feiner Mensch, dieser Rittmeister von Kleefeld. Vornehmer Kopf wie die Männer auf den Reklamebildern für die Sechspfennigzigarette »Attikah«. Oben schlank wie ein Pferdehals. Die Jacke knapp, aus feinstem Tuch. Die Reithosen beulig, in der Schenkelgegend wie Blasbälge, um die Knie eng werdend. Wadenlose Stelzvogelbeine in engen Stiefeln aus schmiegsamem Leder. Die Mädchen fielen fast aus den Fenstern, wenn die Kompanie ausritt. Voran Rittmeister von Kleefeld, ein preußischer Gott und Heiland.

»... und bitte Herrn Rittmeister hochachtungsvoll um Einsicht für den Rekruten Stanislaus Büdner, welch seine Braut und Verlobte am Sonntag hier einzutreffen sich erlaubt, und ein bißchen Urlaub aus der Kaserne für den Nachmittag. Und wird sich der Rekrut Stanislaus Büdner für die Einsicht dankbar erzeigen und Überstunden die nächsten Tage vollführen.«

Stanislaus übte den heiligen Akt des Rapports auf dem Stallgang. Es war tiefe Nacht und die Antwort auf seine Bitte um Einsicht war das Schnauben der rossigen Stute, die ihn zum Hinkebein gemacht hatte.

Er meldete sich am Sonnabend nach Dienstschluß auf der Kompanieschreibstube: Stahlhelm, poliertes Koppel, funkelnde Stiefel. Der Gefreite Rehhorn lümmelte gähnend am Tisch. Klapp — klapp, Stanislaus riß die Hacken zusammen, daß er wankte.

»Wohl entkräftet, wie?« Der Gefreite Rehhorn ließ Stanislaus zwanzig Kniebeugen zur Kräftigung seiner Beinmuskulatur machen.

»Rekrut Büdner bittet, Herrn Rittmeister sprechen zu dürfen!«

Der Gefreite Rehhorn sprang auf. »Du Sau? Den Rittmeister?« Er packte Stanislaus' Rockknöpfe. Knack! »So zum Rittmeister?« — Knack, knack, knack! »Wegtreten! Knöpfe annähn!«

Rollmops winkte ab. »Zieh meinen Rock an. Ich garantier dir, sie finden was andres.«

Sie rauchten miteinander eine Zigarette. Es mußte Zeit verstreichen. Stanislaus meldete sich in Rollmops' Rock. Er wurde von Wachtmeister Dufte empfangen.

»Rekrut Büdner bittet ...«

Dufte fuhr mit der Hand in den Aschenbecher auf dem Tisch. »Kehrt!« Stanislaus fühlte sich am Koppel gepackt. »So verdreckt zum Rittmeister? Ihre Mutter hätt einen Scheuerlappen zur Welt bringen solln. In fünf Minuten mit sauberem Koppelputz!«

»Zigarettenasche angeschmiert!« Rollmops wischte Stanislaus' Koppel ab. »Gibs auf! Du kommst schneller in den Himmel als aus der Kaserne.«

Stanislaus dachte an Lilian. Nein, er konnte nicht aufgeben. Er marschierte wieder zur Schreibstube. Jetzt war der Dienstanzug in Ordnung, aber das Gesuch um Unterredung mit dem Rittmeister sollte schriftlich eingereicht werden.

Stanislaus schrieb sein Gesuch. Rollmops saß in der Ecke und nähte. »Hier mußt du nichts wollen, dann stößt du nicht an!«

Stanislaus kam nicht dazu, sein schriftliches Gesuch abzugeben. Wachtmeister Dufte empfing ihn im Flur vor der Schreibstube. »Verschwinde, Klosettfrauenbastard!«

---

3   **Stanislaus trifft einen wahren Kameraden und erkennt ihn nicht. Seine Liebe erstirbt an einem Drahtzaun, und seine Liebste wird von einem gespornten Ochsen gefressen.**

Sonntagnachmittag wars. Es ging ein jacher Wind. Ahornblätter taumelten auf den Schwarzschotter. Arbeit für Ausspucker wie Rolling und seinesgleichen. In den Kasernenstuben lagerte der Geruch von geschmälztem Rotkohl. Stiefelgeklapper auf Treppen und Gängen. – Ausgang.

Der falbe Friese Johannsohn stopfte gedünsteten Rotkohl mit den Fingern in sich hinein. Vier geleerte Kochgeschirrdeckel standen vor ihm. »Tjä, den Rotkohl hab ich früher nicht gegessen, hab ich nicht. Jetzt freß ich den Rotkohl.«

Der Rekrut Stanislaus Büdner lag auf seiner Kasernenpritsche. Er lauschte auf die Windmusik vor dem Fenster. Er hörte eine Lokomotive pfeifen und schreckte auf. Die Tür hatte geklappt. Johannsohn war gegangen. Alle waren gegangen. Er war allein. Er hätte ungehemmt heulen und sein Leben verfluchen können.

Hinter den Betten knackte es an einem Schrank. Da stand Rolling! Rolling hatte sein Mützenschiffchen breit gezerrt und über den ganzen Kahlkopf gezogen. Er setzte seine Dienstmütze nur so auf. »Man tut, was man kann!« Rolling stellte sich vor Stanislaus' Pritsche auf und riß die Hacken zusammen. »Oberspucker Rolling, genannt Rollmops, fertig zum Abholen der Braut des Rekruten Büdner!« Stanislaus wollte Rolling umarmen, aber der machte sich steif und klappte die Hacken zusammen. »Zu Befehl, wieviel Schmatzer für die Braut als Vorschuß?«

»Verrückter Mensch!«

Rolling marschierte im Stechschritt aus der Stube. Seine Schritte verhallten auf dem Gang.

Stanislaus stand vor dem Spiegel und setzte die Schiffchenmütze nach rechts, dann nach links. Er zog die Stiefel aus, putzte daran und schabte. Er rieb Flecke mit schwarzem Gerstenkaffee aus dem Rock. Nun konnte er es wohl mit jedem Unteroffizier aufnehmen.

Auf der Straße vor der Kaserne spazierten sonntäglich geputzte Menschen. Junge Mädchen in bunten Mänteln winkten der Wache zu. Frauen schoben Kinderwagen. Ein Trupp Braunstiefler marschierte mit der Kreuzspinnenfahne. Die Mütter ließen die Kinderwagen stehn und grüßten mit ausgestrecktem Arm die Fahne. Männer mit Sonntagsschlipsen und steifen Hüten nahmen Kriegervereinshaltung an und grüßten die Fahne. Junge Mädchen henkelten sich aus und streckten der Fahne ihre bunten Mantelärmel entgegen. Ein Invalide hob seinen Krückstock, grüßte die Fahne und fiel fast hin, denn er grüßte mit seinem dritten Bein. Achtung, Achtung, hier wird ein Fetzen Flortuch an einer Stange begrüßt! –

Auch Stanislaus grüßte Stoff und Stange. Er trat einen Schritt zurück, weil das Kasernengitter ihn hinderte, seine Hand waagerecht auszustrecken. Seine Finger berührten das kalte Gitter.

Zwischen den Ahornbäumen vor den letzten Häusern der Stadt wiegte sich ein weinroter Punkt. Ja, ja, da kam nun Lilian, und sie trug einen kurzen Schirm unterm Arm. Zögernd setzte sie einen Fuß vor den anderen. Gelbe Ahornblätter knisterten leise unter den Samtschuhsohlen. Stanislaus schaute scheu zur Wache, fuchtelte mit den Händen und winkte. Lilian hob den Kopf wie ein witterndes Reh, senkte ihn wieder und starrte auf die Blättermatte unter ihren Füßen.

Sie standen sich gegenüber. Das Zaungitter war zu eng, um sich die Hände hindurchzureichen, und es war zu hoch, um darüber hinwegzulangen. Stanislaus steckte den Zeigefinger durch eine Drahtmasche, aber Lilian sah diesen lockenden, weißen Zeigefinger nicht. Ihre Arme klemmten

Schirm und Handtasche; ihre Hände wärmten sich in den Manteltaschen.

»Hat dich Freund Rolling sofort erkannt?«

»Er nahm die Mütze ab und verbeugte sich.«

»Er ist ein Herzensmensch«, sagte Stanislaus.

»Ein Unteroffizier sah seine Verbeugung und hielt ihn zurück«, sagte Lilian und warf einen kleinen Kuchen über den Zaun: Gruß von Mama Pöschel. Ein Päckchen Tabak flog hinüber: Gruß von Papa Pöschel. Weiter nichts? Nein, weiter nichts. Lilian betrachtete ihren Schirm, als sähe sie ihn zum ersten Male. Stanislaus scharrte am Zementsockel des Zaunes. Es schien ihm unpassend und anmaßend, als minderwertiger Mensch und unfertiger Soldat anzufragen, ob Lilian ihn noch liebe. Lilians Gesicht war bleich von dunklen Kontortagen. Hie und da spielten schon heimliche Fältchen darin. »Kein Blatt mehr an den Bäumen«, sagte sie. »Dann kommt der Winter«, sagte sie auch.

Stanislaus nickte leise. Hier stand er nun: erniedrigt bis zu den Steinen am Wege. Seine Menschenwürde von Zweckenstiefeln zertreten. Für wen? O Stanislaus, o Stanislaus, grau ist der Himmel der Soldaten!

Wachtmeister Dufte hatte seinen Sonntagsschlaf beendet. Sein Bursche hatte ihn beputzt. Gestriegelt und gezwirbelt, hatte er sich zum Schluß starkes Riechwasser auf den Ausgehrock gekippt. Sogar der silberne Preußenadler hatte ein wenig Riechwasser auf die Fletten bekommen. Wachtmeister Dufte ging sich der sonntäglichen Stadt zeigen. Seid stark in der Hoffnung auf unsere schlagkräftige Armee!

Wachtmeister Dufte schickte sich an, durch die Wache zu gehn. Er achtete darauf, daß der Wachthabende hinterm Fenster am Schreibtisch mit einem vorschriftsmäßigen Gruß davon Kenntnis nahm: Herr Wachtmeister ging in die Stadt, Ruhm für Kompanie, Bataillon und Kaserne unter den Menschen zu verbreiten. Wachtmeister Dufte achtete auch darauf, daß der Posten am Schilderhaus zunächst die Frage der Frau mit dem Freßbeutel nicht beantwortete, sondern erst erstarrte und erschreckte wie vor einem grimmigen Feind. Wachtmeister Dufte legte Wert auf eine sonntagsmäßige, blankgeputzte Ehrenbezeigung. Bräute und Frauen, schwangere deutsche Mütter, Kinder und Väter der Rekruten, die wartend vor dem Kasernentor standen, bildeten eine Gasse, nickten beifällig oder musterten kritisch. Wachtmeister Dufte schritt durch das Zivilistenspalier wie ein weißer König, der im fremden Erdteil an Land geht und mindermenschliche Neger und Affenverkäufer von seiner Höhe aus betrachtet. Er war stumpf vor Eitelkeit und sah das leise Kopfschütteln mancher Männer und die Haßblicke schwangerer Frauen nicht. Sein Gang wurde von den glänzenden Stiefeletten und den blinkenden Sporen bestimmt. Seine Handhaltung bestimmte der Schleppsäbel.

Wachtmeister Dufte stolzierte in die zivile Welt hinaus, in die Welt der Schlipsträger, in die Welt der Damenkneipen. Zivilisten, das waren für ihn bekleidete Urmenschen. Der Mensch begann beim Unteroffizier.

Wachtmeister Dufte sah ein weinrot bekleidetes Urmenschenmädchen nicht sehr fröhlich am Drahtzaun der Kaserne stehn. Worüber sollte es sich auch freun? Über diesen Kompanieklecks Büdner, diese soldatische Mißgeburt? Dufte war in die zivile Welt zum Grasen gegangen. Seine Augen grasten auch Lilians Gesicht ab. Lilians Gesicht wurde einen Schein freundlicher. Lilian gehörte zu den Blumen auf der Menschenwiese, die einen Ochsen so lange anleuchten, bis er sie nebenbei mit der rauhen Zunge einstreicht und frißt.

Wachtmeister Dufte bekam eine hiebfeste Feldwebelidee. Er blieb beim Drahtzaunpaar stehn. Stanislaus' Drillichhosenbeinlinge wackelten über den zusammenschlagenden Beinen. Seine Hand fuhr grüßend zum Mützenschiffchen und zurück. Er blieb mit angepreßten Armen stehn, denn Wachtmeister Dufte geruhte, an einem dienstfreien Sonntagnachmittag mit ihm zu sprechen und ihn anzureden wie einen guten Bekannten. Es fuhr ein wenig Stolz in Stanislaus: Lilian konnte ruhig sehen, daß er in der Kaserne nicht der und jener war. Er schien jedenfalls im Bewußtsein großer Wachtmeister und Leute vom militärischen Fach eine bestimmte Stelle einzunehmen. Lilian

betrachtete den Kompaniewachtmeister wie einen herabge-
fahrenen Engel. Dufte sagte, nicht ganz so streng wie sonst:
»Büdner, zwanzig Zigaretten aus der Kantine, marsch, marsch!«

Die Hoffnung auf ein freundliches Wort von Dufte war in
Stanislaus nicht sehr groß gewesen, deshalb entstand weder ein
Riesengeräusch noch eine Schrecksekunde in seinem Innern.
Der Befehl drang an sein Ohr, riß die kleine Hoffnung um und
setzte Stanislaus' Glieder in Tätigkeit. Er rannte. Zwanzig Zigaretten für Wachtmeister Dufte. Zwanzig Zigaretten für ... Was
wird er rauchen? »Eckstein«? »Overstolz«? Besser, die teureren
»Overstolz« zu nehmen. »Eckstein« wäre vielleicht eine Beleidigung, ein Rüffel vor Lilian am Ende und ein zweiter Trab in
die Kantine zum Umtausch. Stanislaus verlangte in der Kantine
»Overstolz«. Er erhielt sie und wurde vor ein neues Problem
gestellt. Sollte er die »Overstolz« auf Wachtmeister Dufte an-
schreiben lassen? Auch das könnte einer Beleidigung gleich-
kommen. Stanislaus bezahlte »Overstolz«, die er für sich nie
gekauft hätte. Zwanzig »Overstolz«, ja!

Der Weg von der Kantine bis zum Drahtzaun war einige
hundert Meter lang. Stanislaus war auf dem Hinwege gerannt,
und er preschte auf dem Rückwege, denn die Zeit ging vom
Nachmittag mit Lilian ab. Er zupfte unterwegs an seiner Halsbinde, die aus dem Drillichrock rutschte. Konnte er mit heraushängender Halsbinde wie ein Pampel vor Lilian und dem Feldwebel erscheinen?

Er hätte nicht nur die Halsbinde baumeln lassen, sondern
sogar sein Hemd über den Hosen tragen können: Es stand
niemand mehr am Drahtzaun. Wie, Lilian auch nicht? Nein,
Lilian auch nicht. War sie nicht gekommen, ihn zu besuchen?
Stanislaus, den sie liebte, mit dem sie einmal verlobt gewesen
war? Der Kompanieklecks Stanislaus Büdner starrte auf die
Schachtel »Overstolz«, dann ganz überflüssigerweise auf die
Straße, und dort ging ein Soldat ganz überflüssigerweise mit
zwei Mädchen in die Stadt. Es war ein mit Mädchenliebe gesegneter Soldat, und es war der Reiche aus der Bibel mit den zween
Mänteln, von denen er sich wärmen ließ, ohne an den Armen
zu denken. — Stanislaus war ein Weilchen wieder ein Kind,

erwartete das Unmögliche und war gläubig durch und durch. War es nicht oft so gewesen: Bruder und Schwester schickten ihn ins Haus, etwas zu holen. Er kam zurück, sie hatten sich versteckt, um aber bald lachend hervorzutreten, wenn sie sein weinerliches Gesicht sahn. – Oh, du kindlicher Stanislaus! Weine Tränen, so groß wie Glaskugeln – niemand wird kommen!

Stanislaus ging zur Kasernenbaracke. Er ging vornübergebeugt, und es sah aus, als ob er etwas hinkte. Er war ein durch und durch zerstochener Mensch.

---

4   Stanislaus sucht nach der Menschenfreiheit, wird von seinem Kameraden Weißblatt auf die schneeigen Höhen des Geistes gezerrt und schaut von dort auf die Moraste des Lebens.

Stanislaus war vor Jahren aus Vorliebe für Pflaumen- und Quarkkuchen unter die Bäcker gegangen. Die Vorliebe erstarb, aber er blieb Bäcker. Es war ausgemacht worden, auf einem Stück Papier schriftlich niedergelegt und von mehreren Menschen unterschrieben, daß er Bäcker zu lernen hatte, komme es, wie es wolle.

Stanislaus war später aus Vorliebe für das Mädchen Lilian Pöschel unter die Soldaten gegangen. Die Vorliebe erstarb an einem Sonntagnachmittag vor einem Drahtzaun. Wieder mußte er bleiben, was er war. Auch das war auf einem Stück Papier mit Unterschriften, nicht zuletzt mit seiner eigenen, ausgemacht. Dieser Lehrvertrag aber enthielt nichts weniger als seinen Tod, seinen kontraktlichen Tod, wenn er sich einfallen lassen würde, beim Ersterben der Vorliebe, die ihn zu diesem Beruf geführt hatte, davonzugehen. Und wenn er diesem aus Liebe zu Lilian erwählten Berufe treu blieb – war ihm dann ein gutes und ewiges Leben sicher? »Ja, zum Donnerwetter, was ist los? Ist der Mensch nicht frei?« Stanislaus schrie das, auf seiner Pritsche liegend, gegen die Decke der Baracke ... Der Kalkanstrich der Barackendecke war wohl noch sehr frisch, denn man hat gehört, daß nur frischer Kalk ätzend in Menschenaugen fährt und sie zu Tränen reizt. Nein, die Barackendecke wurde vor zwei Jahren frisch gekalkt. Aber dort liegt der Rekrut Stanislaus Büdner. Er starrt die Decke an, und aus seinen Augen rinnen Tränen.

In einer anderen Ecke der Stube, die von der Spindreihe verdeckt war, lag ein anderer Rekrut auf seiner Pritsche. Niemand hatte dieses Bett im Halbdämmer haben wollen. Es blieb dem Rekruten, der sich sein Bett zuletzt und am Abend des ersten Kasernentages wählte. Der Rekrut war Weißblatt.

Weißblatt war am Nachmittag aus der Kaserne gestakt und mit langen Schritten bis zum Schäferberg, einem kahlen Heidhügel außerhalb der Kaserne, gegangen. Der Schäferberg war der Geländeexerzierplatz der Rekruten. War Weißblatt ein so begeisterter Rekrut, daß er sogar an Sonntagen Sehnsucht nach diesem Stück schweißgetränkter Erde hatte? Weißblatt hatte keine Sehnsucht nach diesem Anger, denn dort wurde niemand schlimmer geschunden als er; aber er hatte dort eine Verabredung mit einer Blume. Das, was er Blume nannte, war die harte Blüte einer Schafgarbenstaude, weiß und an den Rändern etwas ins Rosa hineinschimmernd. Weißblatt war am Tage zuvor beim Exerzieren erschöpft und ohne Aussicht auf ein Weiterleben neben diese Blüte zu liegen gekommen und hatte ihr geschworen: »Ich will dich vor Stiefeln und grasenden Pferden retten, wenn ich überleben sollte!«

Weißblatt überlebte. Seine Erschöpfung ging vorüber. Sollte er nun wortbrüchig gegen die Blume sein?

Er kam mit dieser Blume durch das Kasernentor, als Stanislaus am Drahtzaun stand und noch glaubte, Lilian sei zu ihm gekommen. Jetzt stand die Schafgarbenblüte in einem Trinkbecher vor Weißblatts dämmeriger Pritsche. Er sah die Blüte an und glaubte, die Blüte sähe auch ihn. Zwei Gerettete sahen sich an. Zwei Gerettete für wie lange? Diese Welt war ein unvollkommenes Gewebe. Überall schimmerte der Tod hindurch. Also müßte man den Tod in Gedanken zu etwas Erstrebenswertem machen! Sobald man das tat, ging alles gut.

So weit war Weißblatt beim Grübeln gekommen, als er ein Schluchzen vernahm. Das Schluchzen kam von Stanislaus.

Weißblatt hielt nichts von Menschentrost. Der war in seinen Augen blanke Stümperei. Der Mensch hatte auf Erden sein Pensum abzuleiden.

Gegen sechs Uhr nachmittags kletterte der Rekrut Stanislaus Büdner von seiner Pritsche, um es wieder mit dem Leben aufzunehmen. Er wischte sich die letzte Spur Augenwasser aus dem Gesicht und kramte Tinte und eine Mappe Briefpapier mit der Aufschrift »Liebesgrüße für die Heimat« aus seinem Spind. Es handelte sich um gehämmertes Papier und gelbe Umschläge mit veilchenblauem Futter. Daraus sollte nun ein Abschiedsbrief für Lilian angefertigt werden; eine Aufforderung an sie, seinen Ring abzulegen und seinen Namen nicht mehr im Munde zu führen. – Stanislaus schrieb mehrere Abschiedsbriefe, aber keiner schien ihm die Größe seines Entschlusses richtig widerzuspiegeln. Unterderhand wurde aus dem Brief ein Gedicht. Als die ersten Reime auf dem gelben Hämmerpapier standen, kamen Erleichterung und Trost über Stanislaus. Dieses leichtlebige Mädchen Lilian würde tot und vergessen sein, gestorben als die Witwe eines unbekannten Feldwebels, aber das Gedicht des Dichters Stanislaus Büdner würde aufgefunden werden. »Wie verlautet, wurde die Handschrift eines unbekannten Gedichtes des Dichters Stanislaus Büdner, Abschied von einem Mädchen betreffend, erst jetzt aufgefunden. Es handelt sich dabei um eine von poetischem Zauber durchdrungene Arbeit« usw. So oder ähnlich würde später in der Zeitung zu lesen sein.

Stanislaus' Gedicht lag in der Form eines dicken gelben Briefes neben den streng auf Kante geschichteten Hemden und Unterhosen, ein Stück über dem Fach mit dem Marmeladenglas und dem Margarineklecks des Rekruten. Ein bedeutsamer, bauchiger Brief! Stanislaus hatte ihn übrigens nicht an Lilian, sondern an Papa Pöschel gerichtet. »Mein lieber Paule Ponderabilus, da hast Du das Schicksal der Dichter. Du selber hast nun diese Tochter und Dichterqual gezeugt. Gib Lilian das Gedicht, und wisse Du, daß alles aus und vorüber ist. Dein Dichter-Kollege Lyro Lyring.«

Stanislaus sah seinen Mitrekruten Johannis Weißblatt erhaben und voll innerer Ruhe auf seiner Pritsche liegen. »Ja, ja, deine Familienverhältnisse sind geregelt. Du liegst hier und denkst an angenehme Dinge daheim.«

»Ich bin irgendwie als Einsamer in diese Welt hineingeboren worden«, antwortete Weißblatt.

Stanislaus setzte sich auf den Pritschenrand. »Da hast also auch du deinen Rucksack durchs Leben zu schleppen?«

Weißblatt entwarf eine Skizze von der großen Einsamkeit, in die der Mensch gehüllt wird, sobald er dem Mutterleibe entfährt. »Sie betatscheln dich, sie bewindeln dich, doch in Wirklichkeit lieben sie sich immer irgendwie selbst oder eben das, was aus ihnen herauskam.«

Stanislaus nickte und versuchte, hinter Weißblatt auf die schneeigen Gipfel der menschlichen Einsamkeit zu klettern. Es tat gut, ein wenig in die Täler der Leidenschaften zu schaun. Dort unten zwischen den flohgroßen Wesen bewegte sich auch eine gewisse Lilian Pöschel, und sie war noch nicht einmal eine der größten Sünderinnen wider den Menschengeist.

Weißblatt trug seine Ansichten und Theorien über diese Welt, in der man nur zufrieden leben konnte, wenn man das Leid anerkannte und den Tod zu etwas Begehrenswertem machte, im Liegen vor. Alle Weisen haben gelegen, wenn sie dozierten, denn jeder Schritt hin und her ist ein Tribut an das tätige, leidschaffende Leben. Weißblatt verrauchte dabei mindestens fünfzehn Zigaretten. Es waren »Amarillas«, das Stück zu sechzehneinhalb Pfennigen. Er rauchte sie nur halb auf, zerdrückte die ungerauchte Hälfte in einer leeren Ölsardinendose und verzog dabei angeekelt das Gesicht. Schließlich zitierte er andere hohe Gelehrte, die seine Meinung über die Unzulänglichkeit des Lebens teilten.

Stanislaus lechzte nach Trost wie ein weißes Löschblatt nach Tinte. »Gott segne dich in deiner Weisheit, aber du bist nirgends auf dieser halbgebackenen Welt mit einem Mädchen zusammengestoßen.«

Weißblatt machte ein Gesicht wie jemand, der zum ersten Male in eine Tomate beißt. Er zündete sich eine neue »Amarilla« an und schluckte den blauen Qualm. Das aber war die Geschichte von Weißblatts erster Liebe:

Johannis Weißblatt war zwanzig Jahre alt und studierte schon eine Weile das Recht. Es gibt Menschen, die das Unrecht auf den Marktplätzen der Welt studieren, aber Weißblatt studierte jedenfalls das Recht und ging dazu auf eine Universität. Das wollte sein Vater, der Fabrikant und Erfinder des Bimsbetons. Wieviel Geld muß in einem gutgehenden Geschäft ausgegeben werden, um im Recht zu sein? Weißblatt-Vater wußte, weshalb er seinen Sohn das Recht studieren ließ.

Weißblatt war zwanzig Jahre alt, und die, in die er sich verliebte, war vierzig. Sie war so alt wie seine Mutter, war deren Freundin und seine Patin. Sie war die Frau eines kleinen Gutsbesitzers, hieß Elli, schrieb ihren Vornamen hinten aber mit einem Y und legte Wert darauf, daß jedermann das Y am Ende ihres Vornamens wie ein Ü aussprach. Eine komplizierte Frau also!

»Riefst du Elli oder Elly?« konnte sie ihren Mann und Gutsbesitzer fragen.

»Ich rief Elli.«

»Gestatte, daß ich dir keine Antwort gebe, denn ich bin nicht eine deiner Mägde.«

Er rief sie eine Minute später Ellü. »Stimmt es, oder ist es ein Versehen deiner Modistin, daß du an einem Tage nicht weniger als drei Hüte kauftest?«

Sie antwortete spitz und mit den Gesten einer großen Dame: »Wenn du schon nach Nebensächlichkeiten fragst, mein Bester, so sag mir zuvor: Bin ich schuld, daß ich in der Nähe einer Provinzstadt mit unzulänglichen Modistinnen lebe?«

»Verzeih«, sagte er. »Ich hatte ein wenig Appetit auf deine Stimme.«

Weißblatts Liebe zu Elly Mautenbrink war wie ein Gewitter. Er hatte um diese Zeit in einem kleinen Verlag auf eigene Kosten, also auf Kosten seines Herrn Vaters, des Bimsbetonfabrikanten, sein erstes Bändchen Gedichte drucken lassen. Es waren verhaltene, rätselhafte Gedichte, wie mit weißem Blut geschrieben. Eines davon war ein Liebesgedicht und ging so:

Dein schwingendes Gegänge, dein Rand am Ohr,
Dein Schweißgeruch.
Dein Fingerzwischenraum. O sanfter Regen
Deiner Speicheltröpfchen, o Haar
In deiner Achselhöhle, o zitternd Federflaum
Auf meiner Seele ...

Es war besonders dieses Gedicht, das einige Frauen aus dem Bekanntenkreis des Bimsbetonfabrikanten aufhorchen ließ. Es kamen Einladungen für Johannes Weißblatt, den Dichter. Er verbrachte einige Ferientage in der Villa der Mautenbrinks auf dem Lande. Da für Weißblatt um diese Zeit ein Pferd noch ein sehr, sehr fremdes Ding und fast so kompliziert wie eine Lokomotive war, ritten er und Elly Mautenbrink nicht, sondern fuhren in einem gummibereiften Zweirad-Kutschwagen durchs Land. Sie kutschierte und trug zu diesem Zweck ein enganliegendes Kostüm und einen flachen Zylinderhut. Weißblatt kannte solche Ausfahrten nur aus Büchern. Er schwieg verlegen. Sie sagte in einem Gehölz: »Verzeihen Sie!« und tippte wie unabsichtlich mit dem Peitschenstiel an seinen Schenkel. »Ich frage vielleicht ein wenig direkt, aber dachten Sie an eine bestimmte Frau, als Sie dieses Gedicht schrieben?«

Johannes Weißblatt wußte, welches Gedicht gemeint war. Nein, er hatte dabei an niemand gedacht. Dieses Gedicht war ihm zugeflogen, als er morgens noch eine Weile im Bett gelegen und an die Liebe gedacht hatte.

Sie atmete auf. »Ich wette, daß noch tiefere Gedichte zustande kämen, wenn Sie das einmal wirklich erleben würden!« sagte sie.

Weißblatt seufzte. Er hatte zuviel gelesen und fürchtete sich vor der Syphilis.

Es war eine durch und durch verkehrte Liebe, die an diesem Tage für Weißblatt begann. Sie lagen auf einer Wiese im Gehölz, und sie zog ihn gierig aus. Sie wollte eigentlich nur nachsehen, ob er immer noch den reizenden Leberfleck auf der Schenkelinnenseite hätte, den sie schon bei ihm geliebt hatte, als er noch ein Kind war und in weißen Kissen von ihr zur Taufe getragen wurde.

Er kam an diesem Tag zerbissen und vergewaltigt nach Hause und schwor, entweder nach Afrika auszuwandern oder Selbstmord zu begehen. So hatte er sich die Liebe nicht vorgestellt! Sie aber ließ ihm weder Zeit, sich zu morden, noch sich nach Afrika in Sicherheit zu bringen. Er schrieb damals eine Reihe von Gedichten, eines verzweifelter als das andere, eines trauriger als das andere. Sie aber gönnte ihm weder Ruhe noch Rast. Sie drang in sein Zimmer, belog seine Mutter, betrog ihren Mann.

Dann wurden sie entdeckt. Es war ein scheußlicher Tag: Ihr Mann, Mautenbrink, überraschte sie in der Scheune im Heu. Sie wußte die absonderlichsten Brautlager zu finden! Weißblatt verstand die Welt nicht mehr. Elly Mautenbrink erwähnte ihrem Manne und seinen Eltern gegenüber mit keinem Wort, daß sie ihn verführt hatte. Sie beschuldigte ihn. Er nahm die Schuld auf sich wie Kavaliere, von denen er gelesen hatte. Erst als Mautenbrink laut werden ließ, daß er ernstlich gewillt sei, Weißblatt zu erschießen, und sich auch wirklich einen Waffenschein und eine Pistole beschaffte, offenbarte Johannes Weißblatt sich seiner Mutter. Zwischen dem Hause der Mautenbrinks und dem Hause der Weißblatts drohte eine große Feindschaft aufzustehen, aber da geschah das Ungeheuerliche: Weißblatt begann Elly Mautenbrink wirklich zu lieben. Er nannte und schrieb sich jetzt Johannis – man verstehe: mit einem I gegen Ende seines Vornamens. Dieses I sollte ein stilles Gutheißen ihres Y und eine heimliche Verlobung darstellen. Es fehlte ihm wirklich etwas, als er sie zwei Monate nicht mehr gesehen hatte. Er schrieb ihr einen Brief. Sie brannte wie eine Strohscheune, antwortete stürmisch und bestellte ihn.

Er wartete im Gutspark, ging in der Allee auf und ab. Sie hatte ihm geschrieben, er könne sicher sein, ihr Mann sei auswärts. Weißblatt trug einen Strauß Maiglöckchen bei sich und bohrte seine schmale Nase voll Vorfreude in die weißen Blütenglöckchen. Als er um ein Gebüsch bog, stand nicht Elly, sondern Mautenbrink vor ihm. Der Gutsbesitzer Karl Mautenbrink feuerte zwei Schüsse ab. Weißblatt fiel in eine Stiefmütterchenrabatte und stellte einige Minuten später fest, daß er nicht tot war. Der Schreck hatte ihn gefällt. Der Freund seines Vaters hatte vielleicht absichtlich schlecht geschossen.

Am Ausgang des Parks wurde Weißblatt von hinten gepackt. Der ihn packte, war sein Vater. »Muß man das erleben?« Weißblatt-Vater war fahl im Gesicht, und sein Wangenfleisch zitterte. Er war aus dem Gutshaus gekommen, wo er mit Elly Mautenbrink am Fenster des Salons gesessen und die Maiglöckchenpromenade seines Sohnes mit angesehen hatte. Die Pistolenschüsse seines Freundes aber hatte er nicht ohne Furcht um seinen Sohn gehört und überstanden. »Man sollte dich prügeln!« schrie er.

»Tun Sie, was Sie müssen«, hatte Weißblatt seinem Vater damals geantwortet und stolz und bleich dagestanden. Jawohl, er duzte seinen Vater nicht mehr und erklomm zum ersten Male eine seiner philosophischen Höhen.

Was war geschehn? Gutsbesitzer Mautenbrink hatte sich mit einer Tracht Prügel um seine Frau gekümmert. Sie war ihm wieder hörig und in allen Stücken zu Willen geworden. Sie hatte nichts dagegen, daß ihre Liebe verkauft wurde. Mit Mautenbrinks Gutsbesitzerei stand es nicht zum besten. Man brauchte ein größeres Darlehn, und Mautenbrink erhielt es zinslos von seinem Freunde und Bierbruder, dem Bimsbetonfabrikanten Weißblatt-Vater, der damit die Liebesaffäre seines mißratenen Sohnes und Dichters aus der Welt zu schaffen wähnte.

So sah Weißblatts erste Liebe aus.

Weißblatt suchte nach Trost. Eines Abends saß er kummerig auf einer Bank im Stadtpark, und ein Mädchen setzte sich ohne Umschweife zu ihm. Das Mädchen kümmerte sich um seinen so sichtbaren Kummer. Weißblatt war gerührt. Er ließ sich trösten und dichtete an jenem Abend daheim eine Ode und ein Lob auf den »Unbekannten Menschen«. Das Mädchen war außerdem in Not gewesen und hatte Weißblatt um zehn Mark für die kranke Mutter daheim gebeten. Weißblatt schickte seiner Trösterin am nächsten Tage noch fünfzig Mark. Das Mädchen war in der Nacht für ihn zu einer halben Madonna angewachsen. Leider hieß sie Nelli, und er hätte sie so gern Maria genannt.

Auch auf dem Baum dieser Liebe wuchsen für Weißblatt faule Früchte. Sie fielen ihm nach einigen Wochen auf den Kopf. Er hatte sich von Nelli auf einen Rummelplatz zerren lassen. Sie war ihm im Rummelwirbel bald entschlüpft. Er fand sie auf einer Luftschaukel wieder. Sie schaukelte sich in einem gefährlich bunten Kahn. Er ängstigte sich um sie und stand hilflos mit baumelnden Armen vor der quietschenden Drehorgel. Erst über ein Weilchen gewahrte er das Johlen der Menge. Man johlte über Nelli. Frauen wandten sich ab und spuckten aus. Höher und höher flog Nellis Schaukelkahn, und da sah auch Weißblatt, daß Nelli in der Bein- und Bauchgegend vollkommen nackt war. Ein Polizist befahl dem Schaukelbesitzer, die Bremsen zu ziehen. Der tätowierte Schaukelmann wandte sich beim Bremsen an Weißblatt, der sich jetzt an der Drehorgel festhielt: »Eine Insel aus Träumen geboren, ist Hawaii, ist Hawaii …«.

»Is dat Ihre Kleene?« fragte der Schaukelkönig. »Wenn ja, dann schmiern Se ihr gleich wat uff den Nackten!«

Weißblatt war empört. Weshalb sollte er Nelli schlagen? Hatte nicht auch er schon oft vergessen, sich einen Strumpf anzuziehn? Er war sogar oft mit einem Barfuß in die Vorlesung gegangen. Nelli wurde von Burschen in Empfang genommen, die sie im Triumphzug aus der Helle des Dudelplatzes in das Dunkel des Stadtparks schleppten. Weißblatt mußte erleben, wie der Bursche, der Nelli auf die Schultern genommen hatte, mit rohen Händen ihre weißen Schenkel tätschelte. Diese Nacht sah Weißblatt im Lexikon unter »Hure« nach und versuchte festzustellen, ob er es vielleicht wirklich mit einer solchen zu tun gehabt hatte.

Weißblatt gab sein Studium auf. Er fühlte sich gedrungen, als hauptberuflicher Dichter die Welt zu verbessern. In einem möblierten Zimmer machte er sich daran, seinen ersten großen Roman zu schreiben: »Ist die Liebe ein Geschäft?« Stolz und philosophisch, wie er war, wäre er sicher dabei verhungert und zugrunde gegangen, wenn seine Mutter ihn nicht heimlich versorgt hätte. Sie finanzierte auch den Druck des Romans und richtete es ein, daß ihn die in die Hände bekamen, um die er geschrieben wurde, die Mautenbrinks.

5

Stanislaus muß einen Zigarrenstummel anbeten, macht Bekanntschaft mit dem Vater des Übermenschen und schwört den Weibern ab.

Stanislaus vergaß beim Anhören von Weißblatts Liebesgeschichte seinen eigenen Kummer um Lilian ein wenig. Weißblatt gab ihm ein Buch aus seinem Soldatenschrank. »Kannst du lesen, was mit Weibern los ist, irgendwie verfahren, alle.«

Stanislaus verneigte sich vor lauter Dankbarkeit und setzte an, seinem neuen Freunde, dem Dichter, die Geschichte seiner Liebe zu erzählen, da kam Rolling. Er war um die ganze Stadt gelaufen. »Einen zweiten Unteroffizier hätt ich nicht verdaut«, sagte er und warf sein Mützenschiffchen in die Bettecke.

Nach und nach fielen die Rekruten der Stube achtzehn ein wie Krähen auf ihrem Schlafbaum. Der Friese Johannsohn schüttete mindestens zwanzig Brötchen auf den Tisch und machte sich sofort daran, eins nach dem andern zu verspeisen. »Früher habe ich die nie nicht ohne Butter gegessen, hab ich nicht, aber jetzt eß ich die, wie sie sind, das tu ich.«

Nach ihm kam Kraftczek. Er duftete nach Weihrauch. Rolling hielt sich die Nase zu. »Du riechst schlimmer als nach Bordell!«

»Du als Evangelischer möchtest den Stunk vom Deiwel lieblicher finden als den Geruch von der Madonna«, sagte Kraftczek. Er hatte sich in einer Nachmittagsandacht mit Gott, seinem Herrn, verständigt. Nun kramte er eine Postkarte hervor und schrieb an sein Weib, das in Oberschlesien seinen Kramladen weiterführte. Die Karte war eine Ansicht von der lächelnden Mutter Gottes. Die heilige Frau hielt die Hände, wie Frauen sie halten, wenn sie ein Wollvlies von ihren Unterarmen abwickeln, um ein Strickknäuel daraus zu rollen.

Zuletzt kam Marschner. Er biß auf einem Zigarrenstummel herum und schwankte. Die Stube füllte sich mit seinem groben Gelächter.

Weißblatt drehte sich zur Wand. »Satanas fährt ein!«

Marschner schnallte sein Koppel ab und warf es aufs Bett. »Horiochoch, hariechech, das war ein Tag, ihr elenden Kasernenwürmer!«

»Was war es schon für ein Tag«, raunzte Rollmops.

Marschner zwinkerte und wischte sein fettiges Gesicht mit dem Handrücken ab. »Wenn ich sag, es war ein Tag, dann war es ein Tag, und du wirst gleich kusche sein, wenn ich mit unserem Wachtmeister, mit unserem Herrn Wachtmeister, eins gesoffen habe – das bitt ich mir aus.«

Rolling klappte die Hacken zusammen und machte höhnend eine Verbeugung.

Marschner ließ sich auf einen Hocker nieder und streckte die Beine. »Ihr könnt lachen, wie ihr wollt. Es wird euch vergehn. Es kommt die Stunde – das bitt ich mir aus!« Marschners Mitteilungsdrang war nicht aufzuhalten. Da ihm kaum einer zuhörte, erzählte er zum Kanonenofen hin: »Nicht zu sagen, was es alles zu erleben gibt, Kamerad – das bitt ich mir aus! Herr Wachtmeister sitzen mit seiner Gemahlin oder Braut oder so im Café. Ein Mensch wie unsereiner kommt ins Café. Er nimmt wie ein gebildeter Soldat seine Haltung an – das bitt ich mir aus! Meine Wenigkeit gehen weiter und suchen sich einen Platz. Da rufen der Herr Wachtmeister einen heran, und unsereiner ist auf alles gefaßt, und am Ende hat man seinen Hosenschlitz nicht geschlossen und soll mitten im Café abgerüffelt werden. Der Himmelsherr verhüt das Schlimmste! denkt unsereiner und schielt mit einem Auge auf seinen Hosenschlitz. Der Herr Wachtmeister aber sind freundlich wie die Sonne. ›Platz nehmen!‹ Und man muß sich setzen und hat die Ehre – das bitt ich mir aus! –, neben seine Gattin und Gemahlin oder so gesetzt zu werden. Der Herr Wachtmeister sind ganz schön lustig, und Frau Gemahlin sind auch nicht von Pappe. Sie kolportieren sich unter dem Tisch mit den Beinen. ›Marschner, Sie sind mein bester Rekrut‹, belieben der Herr Feldwebel im Angesicht seiner durch und durch schönen Gattin zu bemerken. ›Haben Sie schon militärische Ausbildung anderwärts genossen?‹ Ich erzähle ihm, daß ich sie genossen habe und in der SA gebildet bin und schon in der Kristallnacht dabei war, das bitt ich mir aus!

Wir trinken eins dabei, und was sie ist, die vom Herrn Wachtmeister, trinkt auch einen Pfefferminz und dann noch einen und einen Eierlikör. Sie halten sich vor mir an den Händen und sind zu mir gegenüber wie zu einer Freundschaft. Unser hochverehrter Herr Wachtmeister singen ein wenig zur Musik: ›Lore, Lore, Lore, schön sind die Mädchen mit siebzehn, achtzehn Jahrn ... ‹ Ich singe auch aus Anstand, das bitt ich mir aus. Der Herr Wachtmeister und seine hakeln sich ein, und es gibt Schunkelwalzer. Auch ich habe die Ehre, eingehakt zu werden von Herrn Wachtmeister persönlich. Wir trinken wieder eins, und Herr Wachtmeister sind schon etwas selig und sagen: ›Nie hätt ich mir im Leben träumen lassen, einen so guten SA-Kameraden zu treffen mitten in dieser Wüste.‹ Und der Herr Wachtmeister bedanken sich öffentlich, daß ich ihn eingeladen haben soll. Und ich sage ihm, die Zeche wird bezahlt sein, ehe der Hahn dreimal gekräht hat. Danach wird es immer fröhlicher. Der Herr Wachtmeister und seine Gattin werden minütlich intimer vor meinen Augen und fühlen sich wie in einer Familie. Er nimmt sie in den Arm und steckt ihr ein klein wenig seine Zunge in das Ohr. Solche Herrschaften haben ihre Gewohnheiten – das bitt ich mir aus! Die Gemahlin ist auch nicht allzu faul. Sie küßt ihn, wie er sitzt und schwitzt. Und sie soll auch mir einen Kuß geben, weil ich der Gastgeber bin, und sie gibt auch mir einen Kuß, und nun sitz ich hier, geküßt von der Madame unseres Herrn Wachtmeisters und wie ein Mensch der besseren Gesellschaft.«

Rolling fuhr aus der Bettdecke und griff nach seinem mit Kaffee gefüllten Trinkbecher. »Halt dein dreckiges Großbauernmaul!«

Stanislaus fühlte sich wie ein Gekreuzigter, in dessen Wunden mit einem Quirl gerührt wird. Bogdan, der dienststeifrige Schrankenwärter, ging auf Marschner los. Dieser Prahlsack sollte zu Bett. Gleich würde der Offizier vom Dienst erscheinen, um die Stube anzusehn und die Meldung entgegenzunehmen. Stanislaus faßte sich. Er hatte Stubendienst und hastete zum Eisenofen, um dort nachzusehn, ob der Aschkasten geleert wäre. Sodann fuhr er mit dem Staublappen über den Hitler.

Adolf mit der Stirnmähne hing zwischen den Fenstern. Es durfte kein Stäubchen Dreck auf ihm sein. Marschner zog sich aus und rempelte gegen die eisernen Pfosten der Pritschen. Kraftczek wurde bei seinem Abendgebet gestört. Er gab Marschner einen Tritt. Marschner stand in Unterhosen. Ein Hemdzipfel ragte aus dem Hosenschlitz. Er versuchte, mit der Faust zu drohn, mußte sich aber am eisernen Bettpfosten halten. »Lacht nur, lacht, es kommt die Zeit – das bitt ich mir aus!« Er rüttelte am Pfosten wie ein Bär an der Käfigstange. Stanislaus, der Stubendienst, schob Marschner zu seinem Bett. Wonnig lachte und lachte. »Hast du mit dem Wachtmeister Brüderschaft getrunken?«

Marschner rülpste. »Brüderschaft ist das wenigste. Er hat mich nicht weniger als aufgefordert und gebeten, ein Hotelzimmer für sich und das gnädige Weib zu besorgen. Ich hab die Patrouille ausgeführt: Zimmer mit zwei Betten – automatische Waschanlage –, auf meine Rechnung – das bitt ich mir aus!«

Braune Kaffeebrühe regnete auf Marschner herab. Rolling stellte den leeren Trinkbecher weg und drehte sich zur Wand. Marschner kletterte, gestützt von Stanislaus, in sein Bett. »War es Kaffee, oder war es Seiche? Ich mach Rapport. Der Herr Wachtmeister werden sich freuen – das bitt ich mir aus!«

Wonnig lachte. Der Offizier knallte in die Stube; mit ihm kamen der Unteroffizier vom Dienst und der Kompanieschreiber. Stanislaus meldete seine Stube ab. Der junge Leutnant Zärtling verschränkte die Arme auf dem Rücken und tappte durch die Stube wie ein Pilzsucher. Er ließ den Kompanieschreiber den Aschkasten aus dem Eisenofen ziehn. Keine Beanstandung. Der Leutnant stolzierte in die Bettgänge. Er schlug Marschners Bettdecke am Fußende zurück und prüfte dessen Füße auf Sauberkeit ab. Stanislaus begann zu schwitzen. Sollte er vielleicht Marschner noch die Füße waschen? Der Leutnant rümpfte die Nase. Marschner lallte am anderen Ende des Bettes: »Keine längeren Betten im Hotel, zu Befehl, Herr Hauptwachtmeister – das bitt ich mir aus!«

Der Leutnant betrachtete den im Schlaf schnurchelnden Marschner und entdeckte das kaffeebefleckte Hemd. »Sau!« zischte er.

Der Kompanieschreiber notierte es. Der Leutnant bückte sich. Er war auf etwas getreten. Es handelte sich um den Stummel von Marschners Zigarre. Für Stanislaus brach das Unwetter los. Er mußte sich hinlegen und bis zum Zigarrenstummel robben. Er mußte über dem Zigarrenstummel fünfzig Liegestütze und Armbeugen machen – vor seiner Nase immer den zerkauten Stummel.

»Sehen Sie was? Noch dreißig Armbeugen zur Stärkung der Sehkraft!« Der Kompanieschreiber kritzelte. Die Ronde verließ die Stube. Stanislaus machte immer noch Armbeugen. Die Stimme Rollings kam für ihn wie die Stimme Gottes aus der Höhe: »Er ist weg.«

Stanislaus blieb noch eine Weile auf dem Bauche liegen; er dachte über sein Leben nach.

Die Kasernentage kleckerten dahin. Es wurde Winter. Am Morgen zerriß ein greller Pfiff alle Träume. Stanislaus hatte von Marlen geträumt. Sie war seine erste, sie war seine beste Liebe gewesen. Die Kasernenbude war kalt und klamm, wenn die Männer beim Unteroffizierspfiff aus den Betten sprangen. Sie schlürften braune Gerstenbrühe aus dem Kochgeschirr, kratzten Margarinekleckse auf stachliges Brot.

Dann das, was sie Dienst nannten. Links um, rechts um. Links aufmarschiert, marsch, marsch! Rechts aufmarschiert, marsch, marsch! Langweilige Zielübungen mit dem Gewehr. Das Kolbenhalsumfassen. Sie leierten Sprüche aus der Heeresdienstvorschrift dazu und sahen nach den gierigen Dohlen auf dem Kasernendach. Das Hersagen und Herunterleiern der Gewehr- und Maschinengewehrteile. Das Waffenreinigen, und immer wieder das Waffenreinigen. Das Ausbürsten der Röcke, das Befummeln der Hosennähte, das Polieren der Lederkoppel und Stiefel. Endlich das Putzen der Pferde. Die Tiere waren warm, wenn man sie berührte. Ihr Fell war das letzte Stück Leben in der Kasernenöde. Die Stuten waren störrisch, und die Hengste waren wild, wenn die Liebe über sie kam. Sie ließen sich die Liebe nicht verbieten. Man hatte Respekt vor ihnen. Man sorgte und wachte, daß sie sich nicht übernahmen oder verletzten. Die Pferde waren teuer – die Menschen billig.

An den Kasernenabenden, die er nicht strafweise im Stall zubrachte, fand Stanislaus Trost in dem dünnen Buchband, den ihm Weißblatt an jenem Sonntagnachmittag gegeben hatte. Auf der ersten Seite des Buches war der Mann abgebildet, der es geschrieben hatte: ein Mann mit fliehender Stirn unter dichtem Haar. Unter seinen buschigen Brauen glühten Wahnsinnsaugen. Von der Oberlippe des Mannes fiel der Bart wie eine Haarwelle über seinen Mund. Es stand für Stanislaus fest, daß dieser Mensch seinen Morgenkaffee aus einer Barttasse getrunken haben mußte, und dieser Mensch hieß Friedrich Nietzsche. Er schien ein Halbgott gewesen zu sein, wenn man vom kleinkarierten Jackett absah, das er trug. Friedrich Nietzsche beschrieb in diesem Büchlein das Leben eines Mannes, der ins Gebirge stieg und dort seines Geistes und seiner Einsamkeit zehn Jahre genoß. Dann stieg dieser Mann vom Gebirge herab und begab sich wieder unter die Menschen. Schau an, er war im Gebirge weiser geworden als Jesus Christus! Überall, wo er erschien, spuckte er Lehren unter die Menge. »Siehe! Ich bin meiner Weisheit überdrüssig wie die Biene, die des Honigs zuviel gesammelt hat, ich bedarf der Hände, die sich ausstrekken.« So wundersam redete der Mann daher.

Stanislaus streckte beide Hände aus. Her mit der Weisheit! Er las mit krauser Stirn, und er fand Stellen, die er nicht verstand. Er schöpfte Verdacht, daß diese Buchstellen nur von Friedrich Nietzsche persönlich verstanden werden konnten, denn dieser Friedrich war nichts weniger als der Vater des Übermenschen.

Stanislaus fand aber auch Absätze und weise Lehren, die ihm eingingen wie Honig. Die Biene Friedrich Nietzsche schiß ihm diesen Honig paßrecht in die Hirnzellen. »Alles am Weibe ist ein Rätsel, und alles am Weibe hat eine Lösung: sie heißt Schwangerschaft.« Ja, ja, der Friedrich wußte Bescheid! Stanislaus konnte sich nicht verzeihen, daß er Lilian kein Kind gemacht hatte. Es wäre ihr schwerer gefallen, mit einem Kindbündel auf dem Arm nach Feldwebeln zu fischen. »Das Glück des Mannes heißt: ich will. Das Glück des Weibes heißt: er will«, lehrte Friedrich Nietzsche. Da konnte Stanislaus ja nun bequem sehen, was er falsch gemacht hatte. Immer hatte Lilian gewollt, und er hatte nachgegeben.

»Heute bitte nicht ins Café, ich habe zu dichten«, hatte Stanislaus gesagt.

»Ins Café, ich muß tanzen!« hatte Lilian bestimmt und ihn mit dem kleinen Finger gestreichelt. Da waren sie ins Café gegangen.

Stanislaus hätte das nicht tun sollen. Der Friedrich hatte recht. Er war ein Auskenner, der Bartmann Friedrich Nietzsche.

»Und gehorchen muß das Weib und eine Tiefe finden zu seiner Oberfläche. Oberfläche ist des Weibes Gemüt, eine bewegliche stürmische Haut auf einem seichten Gewässer«, lehrte der Friedrich auch. Und das war wahr wie verschiedenes in der Bibel. Stanislaus konnte das aus eigener Erfahrung bestätigen. Oh, wie wunderbar ist es, sich von anderen, besonders in gedruckten Büchern, bestätigt zu finden!

Kompaniewachtmeister Dufte verteilte die Post. Die Männer waren auf dem Kasernenhof angetreten.

»Wonnig!« rief der Kompaniewachtmeister.

»Hier!« rief Wonnig.

»Hat keine Post«, sagte der Kompaniewachtmeister.

»Hachachach!« Marschner lachte über den guten Spaß des Herrn Kompaniewachtmeisters.

»Der lacht wie eine Jauchepumpe«, raunzte Rolling.

»Büdner!« rief Kompaniewachtmeister Dufte. Er drehte Stanislaus' Brief um und las den Absender. Seine Augen wurden habichtstarr. Stanislaus trat aus der Reihe. Der Wachtmeister ließ den Brief zu Boden fallen. Stanislaus bückte sich.

»Bleib unten!« brüllte Dufte.

Stanislaus mußte vierzig Liegestütze über dem Brief machen. Er konnte dabei den Absender lesen: »Paul Pöschel, Harmoniumtischler«. Stanislaus hätte fünfzig, auch sechzig Liege-

stütze machen können. Seine Hände hatten Hornhaut vom Hofschotter und vom Gewehrgreifen bekommen.

»Auf, auf, marsch, marsch!«

Stanislaus mußte an die Kasernenecke rennen. Dort mußte
er wieder liegen, sich auf seine Ellenbogen stützen und rob-
ben. Stanislaus robbte sich ohne Mühe bis an seinen Brief.
Er nahm ihn und reihte sich wieder ein. Der Herr Feldwebel
war zufrieden und schön mittagsmüde. Er gab noch mit
Schmunzeln bekannt, daß sich Marschner ein Paket, ein schwe-
res Paket, aus der Schreibstube abzuholen habe, dann gähnte
er in seinen ausgezogenen Handschuh und ließ wegtreten.

Stanislaus war neugierig auf den Brief von Papa Pöschel. Er
las ihn, schmutzig wie er war, noch vor dem Essen. Vater Pöschel entschuldigte sich. Er habe Lilian ins Gewissen geredet.
Man könne heutzutage nicht mehr allzuviel sagen. Die Verhältnisse seien so ... Immerhin sei man ein Dichter und könne die
Dinge umschreiben. Lilian habe jedenfalls Lehre angenommen
und auf ihn gehört. »Was soll ich schreiben, lieber Lyro Lyring?
Du fühlst es, wenn Dein Schätzchen, meine Tochter, Dich
umarmt. Sie fährt jetzt gern zu Dir, und ich bin froh und fröhlich.
Ich könnt fast wieder einmal dichten, wenn ich daran denke,
wie schön Ihrs miteinander habt. Vergiß nicht Deinen Paul
Ponderabilus.

> Trotz aller Wunden, geschunden,
> Hat mein Herz noch große Stunden ...

Nachbemerkung: Hoffentlich wird der Brief nicht kontrol-
liert. Ich meine in meinem kleinen Gedicht natürlich die Ehe —
nicht die Regierung. D. O.«

Stanislaus bekam Mitleid mit seinem ehemaligen Schwiegervater Paul Pöschel. Seine Tochter belog ihn vortrefflich. Alles
am Weibe ist Lüge, und alles am Weibe hat eine Lösung, und die
heißt Schwangerschaft, dachte er und reinigte seine Sachen für
den Nachmittagsdienst.

6

Stanislaus kämpft mit Gespenstern, sucht nach dem Übermenschen und wird zu einem Junghabicht ohne Beinfedern.

Wachtmeister Dufte ging in blanken Langschäftern mit funkelnden Sporen durch den Stallgang. Träumte er von seinem Sonntag mit einer gewissen Lilian?

Ali Johannsohn wischte seiner Stute die Nasenlöcher aus. Er nahm den grauen Lappen aus der Pferdenase, stand stramm und meldete: »Reiter Johannsohn beim Putzen!«

»Was frißt du während des Dienstes? Maul auf!«

Ali schluckte gemächlich und riß dann erst den Mund auf. Seine Zähne schimmerten weiß – alle dreißig Zähne.

»Was schlingst du?«

»Schinken, Herr Wachtmeister.«

Ali riß, nachdem er »Schinken« gesagt hatte, seinen Mund wieder auf. Es war kein Befehl zum Maulschließen gegeben worden.

»Woher Schinken?«

»Von meiner selbst, Herr Wachtmeister.«

»Maul zu! – Woher der Schinken?«

»Portionen standen auf dem Tisch, Herr Wachtmeister, standen sie. Es war ein Karton herum, denn er war groß, der Schinken. Für acht Mann muß ein Schinken groß sein. Hab mir abgeschnitten, was mein war, hab ich. Hab gegessen, was mein war, hab ich.« Ali riß die Augen auf und schwieg.

Der Wachtmeister ließ ihn stehn. Er ging sehr breit und sehr klirrend davon. An seiner Schläfe schwoll eine Ader. Er rief nach Marschner. Marschner, der sich sein Pferd für eine Leberwurst pro Woche dienstfertig machen ließ, sprang von seinem Heulager. Er trabte wie eine Ulmer Dogge hinter dem Wachtmeister her.

Die Schinkengeschichte klärte sich: Der Karton auf dem Tisch der Stube achtzehn war Marschners Paket von daheim gewesen. Marschner hatte es bis auf den Schinken geleert. Der Schinken war für Wachtmeister Dufte bestimmt gewesen. Der

Wachtmeister hatte den Schinken in Empfang genommen und gesehen, daß er angeschnitten war. Es fehlte ein Achtel des glänzenden Schweinehinterschinkens. Niemand außer Ali wäre so treu im Glauben an ein Vaterland gewesen, das anfing, leichtsinnig zu werden, und ganze Hinterschinken von Schweinen an Stubenbelegschaften zu verteilen begann.

»Du hast dich an einem vorgesetzten Schinken vergriffen, bitt ich mir aus. Die Strafe wird folgen«, triumphierte Marschner.

Draußen stand die Nacht und zwinkerte mit tausend Sternenaugen. Die Menschen hatten ihr Getu. Die Nacht war einsam. In der Kasernenstube war die Luft dick und mit vieltönigen Schnarchern durchsetzt. Wonnig sang im Schlaf einen Mazdaznan-Choral. Ein Kochgeschirrdeckel flog heran. Wonnig verstummte. In seinem Traum ging ein Gewitter nieder, und er fürchtete sich. Kraftczek träumte von goldgelben Bücklingen, die er aus einem schwarzen Grubenwasser in Oberschlesien fischte. Er wunderte sich, daß er nicht früher daraufgekommen war.

Marschners Bett war leer. War er jetzt schon so gut mit der Schreibstube dran, daß er Nachturlaub bekam? Die Stubentür wurde leise geöffnet. Vier weiße Gestalten traten ein. Drei von ihnen blieben ein Augenblickchen am Ofen in der Stubenmitte stehn und gingen dann zur vierten Gestalt, die wie betend vor Ali Johannsohns Pritsche kniete. Alis Zudeck flog herunter. Zwei weiße Gestalten packten ihn. Man stopfte ihm etwas in den Mund und zerrte den langen, zappelnden Kerl auf den Stubentisch. Die weißen Gewänder der Gespenster klafften auseinander. Es flitzten nasse, starre Stricke hervor. Die Stricke sausten auf Alis Leib. Ali wimmerte. Rolling fuhr aus dem Bett und stieß Stanislaus. »Hast nicht auch du mit diesen Hunden abzurechnen?«

Stanislaus hatte wache, eifrige Augen, doch er tat, als ob er gähnen müßte. »Weiß ich, wer unter den Bettüchern steckt?«

Rolling sah ihn wild an. »Du triffst schon die Richtigen. Schlag nur drauf!«

Ali versuchte, mit seinen Hebelarmen das geknüllte Tuch aus

dem Mund zu ziehen. Die Gespenster packten ihn fester. Wieder sausten die Stricke auf Alis Rücken nieder. Die Halter kamen ins Schwitzen. Es knackte, krachte und klappte. Ali hatte eine Hand frei bekommen und riß sich das Tuch aus dem Munde. »Ararach!« Jetzt war das kein Schmerzensschrei mehr, sondern ein drohendes Knurren. Ein Aschenbecher flog heran. Er kam aus Rollings Ecke. Eines der Gespenster taumelte. Ein Stahlhelm flog auf den Fußboden, ohne zu treffen. Die Gespenster erschraken. Ali kam frei. Die Stube füllte sich mit Gewimmel von Schlägen und Hieben. Ein Gespenst flog durch die Scheiben in den Kasernengarten. Ali stand halbnackt wie ein germanischer Gott, wie der König der Arier. Er schwang einen Schemel. Der Schemel zerschellte an einem Schrank. Ali nahm die herausgeknackten Schemelbeine, für jede Hand eines. Es blieben zwei Hölzer für Rolling und Stanislaus. Stanislaus schlug sich nicht schlecht für den hungrigen Ali.

Rolling hatte nicht recht gehabt: Sie hatten weder Feldwebel Dufte noch einen Unteroffizier oder Gefreiten verbleut. Die Prügelsuppe hatten Kameraden aus anderen Stuben, gedungene Dreschknechte, gefressen. Marschner, der Schinkenbesitzer, mußte mit geprellten Knochen ins Revier. Das war immerhin etwas. Er hatte einige Schnittwunden von Scheibenscherben, denn er war durch ein Fenster geflogen, das niemand geöffnet hatte. »Er ist geflogen wie eine weiße Krähe, ist er«, sagte Ali.

Für Ali, Rolling und Stanislaus begannen wieder ungute Tage. Man strich beim Appell mit weißen Handschuhen über ihre Pferde. Man fand viel Staub auf den Rücken der Tiere, jawohl.

Marschner heilte seine Blaubeulen aus. Eines Abends kam er aus dem Krankenrevier und holte seine Sachen aus der Stube achtzehn. Alle konnten den kleinen Silberwinkel an seinem Ärmel bewundern: Marschner war Kammergefreiter geworden. Brauchte man eine neue Mütze, einen Rock, dann hatte man sich gut mit Marschner zu stellen, sonst machte der einen Clown, einen Popanz aus einem.

Stanislaus brauchte eine neue Hose. Seine alte Hose war vom

vielen Strafexerzieren auf den Knien durchgewetzt. Er hatte die bleckenden Risse mit Zwirn zusammengezogen, aber beim ersten Aufsitzen spleißte der Stoff wieder. Wachtmeister Dufte konnte nicht zulassen, daß ein Mann seiner Kompanie mit weiß bleckenden Hosenknien zu Pferde saß und dem Rittmeister auffiel. Rekrut Büdner faßte bei Marschner auf der Kleiderkammer eine bessere Hose. Marschner tat freundlich und redete Stanislaus eine angebrauchte Offiziershose auf. Stanislaus zog die Offiziershose an. Die Hose war zu eng, und Stanislaus stolzierte darin umher wie ein junger Habicht, dem die Beinfedern noch nicht gewachsen sind.

Marschner verunzierte auch Rolling und Ali. Ali ging umher wie ein Riesenkonfirmand. Auch der etwas dickliche Rolling hatte zu enge Hosen von Marschner empfangen. Sein Hinterteil saß darin wie eingelötet. »Der Kommiß ist keine Modenschau«, sagte Rolling.

Am Abend, als die andern flickten und putzten, zog er seine Hose aus. Er malte mit Kreide ein volles Mondgesicht auf den Hosenhintern. Das Mondgesicht bleckte die Zunge aus, wenn Rolling sich bückte. Marschner kam zu Besuch in seine alte Stube. Rolling hatte Stubendienst. Er machte sich am Ofen zu schaffen und drehte Marschner sein Hinterteil zu. Das Mondgesicht auf seinem Hosenhintern bleckte Marschner an.

Rolling verkürzte heimlich einen Beinling seiner Hose. Am Mittag stand er auf Strafposten am Offizierskasino. Rittmeister von Kleefeld kam und sah einen Mann seiner Kompanie mit verschieden langen Hosenbeinlingen stehn. Er sandte seinen Teufel Dufte aus. Der Wachtmeister mußte seine Mittagsstunde unterbrechen und sich die Hosen von Rolling ansehn gehn. Bestrafen konnte er Rolling nicht mehr; der war schon bestraft und verbrachte seine Mittagsstunden als Abträger von Speiseresten und leerem Geschirr im Vorraum des Offizierskasinos. Die Wut von Dufte entlud sich auf den Kammergefreiten Marschner.

Marschner mußte seine Mittagsstunde unterbrechen, zur Kammer gehn und Hosen für Rolling heraussuchen. Marschner nahm sich vor, Duftes Anteil am nächsten Schinkenpaket zu streichen.

Der Frühling ging, und der Sommer kam. Der Sommer wurde kurztagiger und deutete an, daß auch er sich davonmachen würde. Die Jahreszeiten flossen durch das Land — sacht wie große, beständige Flüsse. Sie umspülten die Kasernen, als ob das Sandbänke und Inseln wären. Der Kasernenhofschotter blühte nicht. Die Gewehrschäfte trieben keine Knospen. Auch an den heißesten Tagen wurde nicht hemdärmelig und in Strohhüten exerziert.

Stanislaus füllte sich mit Friedrich Nietzsches Weisheiten. Der Friedrich kündigte den Übermenschen an. Alle Anzeichen sprächen für die baldige Geburt des Übermenschen — und das sei der Sinn alles menschlichen Gekrabbels auf dieser Erde.

Stanislaus suchte in seiner Kompanie nach Anzeichen des kommenden Übermenschen. Wachtmeister Dufte konnte der Keim des Übermenschen nicht sein, denn er kümmerte sich um gestohlene Bauernschinken. Stanislaus stieß bei seiner Suche auch auf seinen Kompaniechef und Rittmeister von Kleefeld. Hier war schon mehr zu sehn, daß ein Mensch in die Nähe von Göttern gerückt war. Rittmeister von Kleefeld saß auf seinem hohen Hengst wie auf einem Thron. Er sprach selten. Er lächelte vornehm und undurchsichtig. Auf einen Wink seiner Augen tanzten die kleinen Teufel, die Feldwebel, die Unteroffiziere und Gefreiten, und wirbelten Staub auf. Sie schliffen und polierten an den Rekruten, und der Herr Rittmeister schauten ohne Rührung hernieder. Vielleicht war er der Herr einer großen Mühle, die aus Rekrutenrohstoff feines übermenschliches Kaiser-Auszugsmehl mahlte. Der Herr Rittmeister hielt keinen Rekruten auf der Kasernenstraße an, wenn der lässig grüßte oder vor lauter Hochachtung gerade, wenn er grüßen sollte, ins Stolpern kam. Den Herrn Rittmeister kümmerte es nicht, ob Ali den Heiligen Geist mit Schemelbeinen traktierte und den Rekruten Marschner durch ein Fenster fliegen ließ. Er ritt oder stakte steif beinig über den Kasernenhof und war göttlich und unerreichbar für die kleinen Dinge des Kasernenalltags.

Stanislaus fühlte sich philosophisch reif und trächtig, übergärig wie eine Bierflasche. Vielleicht würde er eines Tages aus sich selber den Übermenschen gebären.

7
Stanislaus wird vom Kriege überfallen, läßt sich ein Schicksal anfertigen und erlebt das Wunder der Fernzeugung.

Noch zwei heiße Tage schlichen um die Kaserne, da war auf einmal der Krieg da.

»Du bist doch nicht gescheit!«

»Jawohl, der Krieg ist da.« Wonnig hatte Kaffee geholt und unterwegs etwas aus dem Radio der Kompanieschreibstube gehört.

Weißblatt stand in Unterhosen vor dem Eisenofen. Er starrte zum Fenster hinaus. »Die große Zeit des Nichts beginnt!«

Der Kammergefreite Marschner ging von Stube zu Stube, um die Neuigkeit mitzuteilen: » Sie haben uns den Krieg aufgezwungen!«

»Wer?« fragte Rolling.

»Die Polacken, bitt ich mir aus.«

»Haben sie dich auf der Kleiderkammer gestört? Haben sie deine Schinkenpakete aufgehalten?«

Der Herr Gefreite Marschner hielt es für unter seiner Würde, dem Gemeinen Rolling zu antworten.

Auf der Schreibstube hantierte ein bescheidener, zitternder Mann. Es handelte sich um Wachtmeister Dufte. Er zerriß nachdenklich ein Blatt Papier, eine Meldung des Kammergefreiten Marschner, einen gewissen Reiter Rolling betreffend: Verbreitung unwahrer Gerüchte über einen kommenden Krieg.

Wo waren die Witzchen und Späßchen von Wachtmeister Dufte geblieben? Er verteilte die Post beim Mittagsantreten ohne Umschweife wie ein Postbote in Freienwalde oder Frankfurt an der Oder.

374

Der Reiter Büdner erhielt wieder einen Brief vom Instrumententischler Paul Pöschel. Wachtmeister Dufte kümmerte sich nicht mehr um den Absender, und Stanislaus brauchte sich diesen Brief nicht mit Robben und Liegestützen zu verdienen. Dufte war blaß, und seine Wangenmuskeln zitterten.

Stanislaus erfuhr, daß er sich anschickte, Vater zu werden. Sollte da etwa der Übermensch geboren werden, an dem er innerlich nach Friedrich Nietzschens Rezepten arbeitete? Stanislaus sollte bitte um Urlaub einkommen. Es müsse geheiratet werden, teilte sein Dichterkollege Paul Ponderabilus ihm mit. Paul Ponderabilus war glücklich in seiner Anwartschaft auf den Großvaterposten. Er hatte diesen Zustand sogar bedichtet, aber Stanislaus hatte keine Augen für die Großvatergedichte von Paul Ponderabilus.

Bei Friedrich Nietzsche fand Stanislaus keine Verhaltensregeln für solche Fälle. Der Friedrich schien keine Kinder gezeugt zu haben, und man hatte wohl auch nie versucht, ihm solche zu unterschieben. Stanislaus mußte sich an Weißblatt wenden. Nietzsche war tot, Weißblatt lebte. – Oder war Weißblatt ein lebender Toter? Er hatte sich in weises Schweigen gehüllt und wich allen Fragen und Anfechtungen dieser Welt mit einem leisen Lächeln aus. »Krieg ists. Die Menschheit geht – was weiß ich – irgendwie mit Riesenschritten ihrer Bestimmung entgegen – dem Nichts. Um ungeborene Kinder kümmern – nein!«

Der Krieg schien den Menschen Bängnis, aber auch große Freundlichkeit gegeneinander abzufordern. Wenn Stanislaus über den Hof und in die Kantine nach Briefmarken ging, so lächelten ihm die Unteroffiziere freundlich zu und nickten. Rolling ging über den Kasernenhof. Er dachte an den Krieg und versteckte seine geballten Fäuste in den Hosentaschen. Der Gefreite Marschner kam mit einem Unteroffizier aus der Bekleidungskammer. Rolling zog die Hände nicht aus den Hosentaschen. Man rief ihn nicht zurück, man ließ ihn mit verpackten Fäusten weitergehn.

Der Abend kam, und noch immer war das Bataillon in den Kasernen. Es wurde nicht in den Krieg gerufen. Auf den Stuben kochten die Gerüchtesuppen: »Wir sind Reserve, eiserner Bestand. Sie machen alles mit Panzern. Die Reiter braucht man für Paraden.«

In der Kasernenstube kritzelten Schreibfedern auf Papier. Es war, als schrieben alle Kameraden an Vermächtnissen und Testamenten. Kraftczek ließ Grüße an seine Kramladenkundschaft übermitteln. »Wenn wir wieder Kolonien bekämen, möchte es in der heiligen Zukunft besser um Kolonialwaren bestellt sein. Schokolade ging immer und gut, und an Kaffee war mit Hilfe der Mutter Gottes gut zu verdienen ...«

Rolling warf wilde Schriftzeichen auf ein Briefblatt: »Seid fest daheim. Tut, was Ihr könnt. Die Welt ist noch nicht fertig!«

Wonnig schrieb an einen Mazdaznan-Bruder, er möge sich um seine Gärtnerei kümmern. Wintersalat solle ausgesät werden. Das kämpfende Volk brauche Vitamine. Alles ist gut!

Weißblatt schrieb einen langen Brief an seine Mutter: »Ich seh irgendwie ein großes Loch. Reiten hinein. Das Nichts. Kalt und dunkel. Man muß sich irgendwie an diesen Gedanken gewöhnen. Menschengröße!«

Stanislaus schrieb an Paul Ponderabilus. Das gehe zu weit. Er habe Lilian nicht einmal einen Kuß gegeben. Ein Drahtzaun habe zwischen ihnen gestanden, als sie sich sahen. Woher also das Kind? Paul Ponderabilus möge sich an einen gewissen gewaltigen Wachtmeister Dufte hierselbst wenden. Stanislaus wolle nicht gerade zuviel behaupten, aber in dieser Richtung sei vielleicht der Vater von Paul Ponderabilus' Enkel zu suchen – leider.

Stanislaus brachte den Brief vor dem Zapfenstreich zum Briefkasten der Schreibstube. Die Nacht war lau. Frühlingsluft im Herbst. Der Himmel mit tausend Sternenkörnern beworfelt, Ruhe – nichts von Krieg und Kanonendonner. Auf der Schreibstube sangen sie besoffen und mutig: »Die blauen Dragoner, sie reiten ...«

Tage vergingen. Die Erwartung blieb: Wann würde der große Ruf des Krieges durch die Kasernen hallen? Die Erwartung legte sich sogar auf die Pferde in den Ställen. Sie spürten sie aus den fahrigen Händen der Reiter.

Marschner erhielt von daheim eine große Holzkiste. Er ließ sie in der Kleiderkammer abladen. Duft von geräuchertem Fleisch vermischte sich mit dem muffigen Geruch von Soldatenröcken. Marschner machte kleine Pakete, große Pakete und huschte in der Dämmerstunde hin und her. Verschiedene Persönlichkeiten wurden bedacht. Die Pakete waren im Verhältnis zum Einfluß dieser Persönlichkeiten bestückt. Auch Rittmeister von Kleefeld wurde nicht vergessen. Er erhielt das größte Paket: eine Magenwurst und einen Vorderschinken mehr als Wachtmeister Dufte. Marschner arbeitete an seinem Schicksal.

Stanislaus unterhielt sich über die Zeitläufte hinweg mit Friedrich Nietzsche. Er mühte sich, ein guter Gefolgsmann dieses Bärtigen zu werden. An seinem Schicksal arbeiteten indes andere.

Er wurde zu Wachtmeister Dufte auf die Schreibstube befohlen. Dufte ließ auf sich warten. Im Raum neben der Schreibstube sprach Rittmeister von Kleefeld zu den Unteroffizieren. Der Mensch, der für Stanislaus in der Nähe der Götter thronte, sprach knarrend, mit der Stimme eines Drosselrohrsängers: »Bei Besichtigung schlecht abgeschnitten! Schlappe Kerls. Nicht genug geschliffen. Latrinenweiber. Zuverlässige Nachrichten: Hauptmann von Hatzfeld: Zwei Drittel von Kompanie verloren. Heißere Kämpfe, als Zeitungen berichten. Eisernes Kreuz erster Klasse. Hatzfeld! Wollt ihr weiter Weiberbewachungstruppe in Heimat hocken, wie? Weggetreten!«

Stanislaus hatte so eifrig hingehört, daß er diesen Befehl auf sich bezog. Er ging mit langen Schritten zur Tür. Der Gefreite rief ihn zurück. Die Tür vom Nebenraum wurde aufgerissen. »Achtung!« Rittmeister von Kleefeld stakte in erprobter, bewährter Haltung durch die Schreibstube. Er sah den zitternden Bauch des Schreibstubengefreiten nicht. Er sah den steinstarren Stanislaus nicht. Ein Unteroffizier riß ihm die Türen auf. Der Rittmeister konnte, ohne eine Hand zu rühren, gewissermaßen durch die Wände schreiten.

Eine neue Welle der Härte fuhr in die Unteroffiziere. Sie brandete gegen Stanislaus. Einer fand seinen Arm beim Grüßen zu locker angewinkelt. Der nächste beanstandete den Sitz seiner Halsbinde. »Schlamperei! Soll man wegen euch als Weiberbewacher hier hockenbleiben?«

Stanislaus wurde von Beschimpfung zu Beschimpfung kleiner. Jetzt kam zu allem Überfluß Wachtmeister Dufte. Gleich würde Stanislaus nur noch ein Sonnenstäubchen sein, das man zur Tür hinausnieste. Stanislaus mußte mit Dufte in den Nebenraum. Dort hingen Landkarten und Darstellungen durchschnittener Pferde an den Wänden. Dufte setzte sich hinter ein Katheder. Stanislaus durfte sich an eines der kleinen Tischchen setzen. So saßen Dufte und er wie Lehrer und Schüler. Dufte besah seine Fingernägel. Es waren spitz zugeschnittene, sehr saubere Fingernägel. Er fragte: »Haben Sie gemacht?«

Stanislaus sprang auf. »Es ist mir nichts bewußt, Herr Wachtmeister.«

Ein Grinsen kletterte an Duftes Gesichtsfalten hoch. »Früher. Welchen Beruf?«

»Bäcker.«

»Behalten Sie Platz!« Duftes Grinsen versickerte. »Eine gewisse Lilian Pöschel — bekannt?«

»Bekannt, Herr Wachtmeister.«

»Sozusagen Braut?«

»Braut gewesen.«

»Wann das letztemal dran?«

»Ich habe nicht verstanden, Herr Wachtmeister.«

»Haben doch nicht Blumen mit der gepflückt.«

Stanislaus errötete. »Schon ein Jahr her. Über ein Jahr her.«

»Und das Kind?«

Stanislaus hob die Schultern. Dufte knispelte am Nagel seines rechten Zeigefingers. Er hielt seine rechte Hand gegen die Sonne und betrachtete die Nagelränder. Er fand noch ein Sandkörnchen unter Nagel Nummer zwei. »Herrja, Kind! Kommt vor. Gibts. Hats immer gegeben. Freilich, Kinder macht man sich lieber selber. Versteh das. Hähähä! Sie weiß nicht, von wem, aber liebt Sie, ist emsig.« Dufte lächelte verschlagen.

Stanislaus sprang auf. »Herr Wachtmeister ...«

In Duftes Gesicht fuhr die alte Wildheit. »Fällt Ihnen ein – unterbrechen. Schreiben! Von sich hören lassen! Verstanden? Ob Sie die Bettratte heiraten oder nicht – mir gleich, aber schreiben! Dienstlicher Befehl!«

»Jawohl!«

»Ab morgen kochen! Küchendienst! Wegtreten!«

Stanislaus verließ den Landkartenraum ziemlich unmilitärisch, ziemlich gebeugt und wie von einem schweren, unsichtbaren Tornister niedergedrückt. Dufte klaubte noch eine Weile an seinen Fingernägeln. Seine Entlassung stand bevor. Sein Schwiegervater hatte ihn reklamiert. Er konnte nicht mit einem Kind in die Heimat rücken und ins Geschäft eintreten. Sein Schwiegervater war Marmeladefabrikant im Spreewald. Dufte, Reisender in Geliermitteln, ein Mann mit Mundwerk, ein Mann mit Späßchen und Witzchen für jede Gelegenheit, erspaßte und erredete sich die Tochter des Marmeladefabrikanten und wurde Aufseher in der Fabrik seines Schwiegervaters. Langweilig, immer Marmelade, immer Kochdunst und Gequacker. Er ging in Hitlers Sturmabteilungen, um ein wenig von der Marmelade wegzukommen. Er meldete sich freiwillig zum Militär, um noch weiter von der Marmelade wegzukommen. Das war im Frieden. Jetzt sollte Krieg gemacht werden. Das hatte Dufte nicht gemeint. Überhaupt wars gefährlich, mit dieser Truppe auszurücken: Er hatte sich hin und her seinen Privatspaß geleistet, um die Langweile zu verscheuchen, versteht sich. Es gab Leute, die das übelnahmen.

8
Stanislaus wird ein Sechstel Pferd, erkennt die Unzulänglichkeit menschlicher Begriffe und trifft auf eine Gottbetrügerin.

Eine Lokomotive zockelte über Eisenschienen. Sie zog Holzwagen auf Eisenrädern hinter sich her. Die Holzwagen enthielten entweder acht Pferde oder achtundvierzig Menschen. Der Mensch aber fühlte sich freier, wenn er nicht mit achtundvierzig seinesgleichen, sondern als Stallwache bei acht Pferden reiste.

Stanislaus reiste wie ein König. War er zum Befehlshaber der Kleinmenschen geworden? Nein, er reiste mit der Feldküche und hatte tagsüber Arbeit, während die anderen auf dem Stroh lagen.

Es ging noch mehr Menschen gut auf dieser Reise; zum Beispiel den Herren Offizieren. Sie fuhren in einem Personenwagen zweiter Klasse, hatten gepolsterte Sitze und Tischchen, auf denen schlanke Weinflaschen stehen konnten. Manchmal fiel eine Weinflasche herunter, dann war der betroffene Offizier selber schuld. Er lallte nach der Ordonnanz. Schwupp, stand eine volle Flasche auf dem Tischchen. Der Offizier konnte wieder froh sein, anstoßen und blärren: »Der Kott, der Eisen wachsen ließ, der wollte geine Gnechte ...«

Auch im Wagen dritter Klasse, in dem Unteroffiziere und Feldwebel fuhren, war es nicht ungemütlich. Allerdings waren die Bänke nicht gepolstert, und es gab keine Tischchen, auf denen Weinflaschen stehen konnten. Wozu auch? Die Unteroffiziere hielten Bier- und Schnapspullen oder gepackte Tornister auf den Knien. Sie warfen bunte Kärtchen auf die kalbshaarigen Tornisterdeckel und krochen in die Kartenspiele hinein. Sie vergaßen dabei, wohin sie fuhren, und fühlten sich wohl und gut. Ab und zu griffen sie nach der Flasche und prosteten sich zu: »In der Heimat, in der Heimat, da gibts ein Wiedersehn ...« Sie waren zwar noch nicht aus der Heimat heraus, aber weshalb sollten sie nicht schon bejammern, was sie gleich nicht mehr haben würden? Hier hörten den Wehmutsgesang wenigstens noch die Rote-Kreuz-Schwestern und die Frauen von der Nationalsozialistischen Volkswohlfahrt. Diese Frauen wurden gerührt. Sie reichten gefüllte Flaschen in die Waggons, bitte.

Die Leute aus der Stube achtzehn reisten in einem Viehwaggon. Der Wagen hatte vergitterte Luken. Selbst wenn die Rolltür offengehalten wurde, war das Dunkel nicht aus den Waggonecken zu treiben.

Rolling saß in einer Ecke und schrieb Briefe. Er nutzte den Streifen Sonnlicht bei der geöffneten Tür nicht; denn es sollte ihm niemand über die Schultern schaun. »Wohin der Schweinetransport geht, weiß niemand, aber Du denkst Dir wohl, daß die Hunde uns nicht zur Konfirmation fahren ...«

Kraftczek und Wonnig hatten sich in ein religiöses Streitgespräch verwickelt. Kraftczek tat dar, daß die Existenz der Mutter Gottes mehr als einmal bewiesen worden sei. Sie sei hier und dort erschienen. Er konnte es auch an Verkaufsbuden beweisen, die sofort an heiligen Erscheinungsorten entstanden waren. Diese Geschäfte waren gesegnet und bestanden fort und fort mit großem Umsatz.

Wonnig glaubte nicht an die Wunder der heiligen Mutter Gottes. Der Mensch ist selber ein Wunder: Ohne Mutter keinen Gott und ohne Gott keine Mutter. Da lag das Geheimnis. »Ist dir dieses Weib schon erschienen?«

»Es möcht ihr bei mir nicht gelingen, weil ich ein sündiger Mensch bin.« Kraftczek wies nach, daß ein Mensch seines Berufs der Sünde nie Herr werden könne. Die Waage im Kramladen konnte einmal haken, und man gab wider besseres Wissen ein wenig Untergewicht; schon war man in Sünde gefallen. Der Sauerkohl konnte nicht mehr ganz frisch sein. Man kippte etwas Essiglauge darauf und schrieb auf die schwarze Ankündigungstafel vor dem Laden: »Sauerkohl frisch eingetroffen«. Wieder war man in Sünde gefallen, wer weiß, wie tief! Nun hoffte Kraftczek auf den Krieg, der ihn fern von seinem Kramladen läutern sollte.

Bogdan erlernte in einer Ecke von Leuten der Stube neunzehn das Skatspiel. Er verfolgte damit besondere Absichten: Man hatte an der Schranke von Gurow statt seiner einen Stahldraht eingestellt. Der Stahldraht würde auch dort bleiben, wenn der Krieg zu Ende und Deutschland ein bißchen größer sein würde. Auf der Station würden sie gezwungen sein, Bogdan in den Stationsdienst zu nehmen. Vielleicht würde er gar Stationsvorsteher werden! Ein Stationsvorsteher muß Skat spielen, sonst kann er sich nirgendwo behaupten.

Ali Johannsohn hatte schon seine Eiserne Ration aufgegessen, obwohl drei Tage Arrest darauf standen. Wo sollten sie ihn auf dem Eisenbahnzug einsperren, wenn sie entdeckten, daß er die leeren Konservendosen nachts in der Gegend von Sorau aus der Waggontür geworfen hatte? Vielleicht würden sie ihn in ein Bremserhäuschen pressen und es zunageln. Ali starrte die Birnbäume an, die draußen vorüberhumpelten. Niemals hielt der Zug zwischen Gärten und reifen Früchten. Er hielt zwischen Kohlenbergen, Wasserkränen und schwarzem Gemäuer. Ali gierte nach dem Henkelkorb einer Helferin der Volkswohlfahrt, doch als er eine Rolle süßsaurer Drops geerntet hatte, trieben ihn die Unteroffiziere hinweg.

Stanislaus holte Rolling und Johannsohn zum Kartoffelschälen auf den Küchenwagen. Weißblatt lehnte eine solche Beförderung ab. Er war in den Hungerstreik getreten. Weshalb sollte er essen und seine Körpermaschine anfeuern, wenn die Fahrt ins Nichts ging?

Die graublaue Rauchfahne der Lokomotive war mit roten Funken geschmückt. Manchmal flog ein Funke in den offenen Kessel der Feldküche. Er verlosch dort mit leisem Zischen. So wanderte die Kohle, die aus dem Bauch der Erde kam, in einen Menschenbauch. – Stanislaus wartete auf das Kochen des Wassers. Die Lokomotive brachte die hölzernen Waggons mit Menschen, Pferden, Waffen und Geräten vorwärts. Was war »vorwärts«? Es war unsicher, was »vorwärts« war. Wenn die Maschine Stanislaus wieder in die Heimat fahren sollte, so würde auch das »vorwärts« heißen. Wie ungenau waren die menschlichen Wörter!

Willi Hartschlag, der erste Koch, stieß Stanislaus. »Vorwärts! Das Wasser muß kochen!«

Gegen Mittag hielt der Zug, aber Alis Hunger kam richtig in Fahrt. Stanislaus gab ihm vor der Mittagsmahlzeit ein Waschbecken voll gekochter Salzkartoffeln. Ali strahlte, stopfte und schaute aus der Höhe seines Paradieses auf das Gewimmel seiner Kameraden zwischen den Kohlenbergen. Der Kammergefreite Marschner ging unten vorüber. »Wie lange murkst ihr mit dem Fressen?«

Ali hatte zwei Kartoffeln im Mund und keinen Platz darin für Worte. »Bopp, bopp«, sagte er.

»Was frißt du?« schrie Marschner.

»Was kümmerts dich, Kleiderlaus!« sagte Willi Hartschlag. Er war Gefreiter und konnte sich diese Antwort erlauben.

Marschner holte seine Mittagsportion und mäkelte ein wenig bei der Küche umher. Er hatte schmackhaftere Dinge. Sie lagen in einer großen Kiste, und auf dieser Kiste stand mit schwarzen Buchstaben das Wort »Kleiderkammer«. Es duftete nicht nach Mottenkugeln und verschwitztem Soldatenzeug aus dieser Kiste.

Marschner ging mit seiner Mittagsportion zum neuen Kompaniewachtmeister Zauderer. »Soll das Suppe sein?«

Zauderer rührte in der Brühe. »Ich würde sagen: zuwenig Fleisch.«

Marschner legte ein fettiges Päckchen auf den Platz des Kompaniewachtmeisters. »Der Johannsohn frißt die Küche leer, möcht ich aufmerksam machen.«

Der Kompaniewachtmeister befühlte das fettige Päckchen.

Ali Johannsohn mußte aus der Küche! Marschner hatte einen großen Glücksaugenblick. Sein Gesicht war schön. Jeder, der ihn traf, konnte es sehen.

Und der Zug wand sich wie eine Riesenraupe weiter durch Kartoffelfelder mit schwarzem, lappigem Laub. Am Morgen verschönte der Glitzerfrost das erfrorene Kraut.

»Da hast du den Krieg! Die Kartoffeln erfrieren auf den Feldern«, sagte Rolling und spuckte zur Waggontür hinaus.

»Das gibt Schnaps«, sagte Wonnig. »Alles ist gut!«

Als der Zug Tausende solcher nichtssagenden Gespräche aus den fahrenden Männern geschüttelt hatte, wurde es stiller in den Waggons. Nur hier und da rollten noch kurze Mitteilungen hin und her wie Resterbsen in einem geleerten Sack. Sie fuhren und dachten vor sich hin, aber auch die Gedanken schienen bei vielen schon zu Ende zu gehn. Halbe Tage lagen sie auf verstopften Bahnhöfen und beruhigten die ungeduldigen Pferde. Sie fuhren durch Oberschlesien, hatten auf Züge zu warten, die aus Polen kamen, es eilig hatten und vorwärts mußten. Was war »vorwärts«? Stanislaus kam und kam nicht damit zurecht.

Die Sterne waren von Wolken verhüllt. Der Frost konnte nicht zur Erde. Die Luft war mild. Es war, als sei ein Quentchen Sommer auf einem Güterbahnhof zurückgeblieben. Es lagerte dort.

In den Waggons blakten Stearinlichter in kleinen Pappnäpfchen. Sie schienen sich um nichts zu kümmern und Freude daran zu finden, ihr Dasein in kleinen Flämmchen zu verflakkern. Sie beleuchteten einen wedelnden Pferdeschwanz oder ein weiches Pferdemaul. Das Pferdemaul wühlte im graugrünen Heu. Ein Kerzenflämmchen hob das Gesicht von Rolling aus dem Dunkel. Rolling lag und benutzte seinen Tornister als Kopfkissen. Er lag mit offenen Augen und zwinkerte keinmal. Die milde Luft strich durchs Gitterfensterchen. Das Flämmchen tanzte auf dem flüssigen Stearin zur anderen Seite. Dort lag Ali zufrieden wie ein gesättigter Säugling. Stanislaus lugte durch den Türschlitz in die Nacht. Kein Licht auf dem Bahnhof, kein Licht auf der Rampe. Draußen hatte das Licht zu schweigen. Ehrensache! Jede Flamme zog feindliche Flieger an. Jeder Funke konnte mit einer Bombe zugeschüttet werden. An Stanislaus fraßen die Fragen wie Läuse: Was war feindlich? Die Polen waren nicht nach Deutschland, aber die Deutschen waren nach Polen marschiert. Sie hatten dort mit Kanonen geknallt, Häuser und Menschen verdorben. In den Zeitungen hatte gestanden, die Polen seien die Feinde der Deutschen. Jeder deutsche Mensch und jeder Soldat hatte das zu glauben!

Stanislaus hatte keine Feindschaft mit Polen. Er hatte seinen Namen nach einem polnischen Glasfresser erhalten. Sein Vater hatte diesen Glasfresser gesehen und gesagt: »Ein Kerl, der in die Welt paßt!« Wieder gewahrte Stanislaus, wie willkürlich die Menschen ihre Worte wählten. Vorwärts konnte ebenso rückwärts und rückwärts konnte vorwärts sein. Es ging wohl immer danach, wohin einer wollte.

Stanislaus drückte sich durch den Schlitz der Waggontür. Er entfloh seinen Gedanken. Er sprang hinaus. Kokskloben klirrten.

»Parole!«

»Sieg!« sagte Stanislaus. Es war, als hätte der Kohlenhaufen nach der Parole gefragt.

Die Nacht war groß, und die kleinen Lichter saßen versteckt wie Läuse in ihrem schwarzen Pelz. Stanislaus fand hinter dem Bahndamm einen Holunderstrauch. Der Strauch stand wie das einzig lebende Wesen auf der Welt. Lokomotivenpfiffe zerstachen die Stille. Eine Funkenlohe flog aus der Maschinenesse. Dieses Eisentier fürchtete die Flieger nicht. Es machte, was es mußte. Der gescheite Mensch aber verkleinerte vor der Gefahr furchtsam seinen Atem. Schritte hinter Stanislaus. Waren noch mehr Bahndammwanderer unterwegs? Schritte – so zögernd, wie sich ein Geiziger von seinen Talern trennt. Stanislaus saß am Ende einer herausgerissenen Bahnschwelle. Die Schwelle bewegte sich. Jemand hatte sich auf das andere Ende gesetzt. Sollte dort sitzen, wer mochte.

Die Nacht hob ihren Wolkenrock. Ein Sternensaum wurde sichtbar. Stanislaus hatte im Traum daheim im Dorfteich gebadet. Sein Körper verlangte nach reinigendem Wasser. Das Wasser im Dorfteich war kühl gewesen. Stanislaus schüttelte sich und erwachte. Die Schwelle bebte leise. »Wer bist du?«

»Niemand.« Die Stimme war zwittrig. Für einen Mann zu hoch, für eine Frau zu tief.

»Du sprichst wie eine Frau.«

»Ich bin eine Frau. Weshalb rückst du nicht näher?«

Stanislaus tat es. Sie saßen nebeneinander. Ihre Atemzüge grüßten sich. Die Frau duftete nach frischer Wäsche und geschmolzenem Teer. »Du bist verheiratet?« fragte die Frau. Sie trug eine Spitzkappe.

»Nicht verheiratet«, sagte er.

»Vielleicht verlobt – versprochen.«

Stanislaus dachte an Lilian. »Es ist hinfällig.«

»Du liebst sie nicht mehr?«

»Frag nicht wie jemand aus einem Buch. Sie wollt mich nicht mehr. Sie hat mich, glaub ich, nie recht gewollt.«

Ihre Gesichter waren nah beieinander.

»Bist du hübsch?« fragte die Frau.

»Ich kenn mich von Kind an und bin, wie ich bin.«

»Du bist hübsch, ich fühl es.« Sie drückte seinen Arm. Ihr Atem roch nach Pfefferminz. Er küßte ins Dunkel und traf auf Lippen voll pulsenden Bluts.

Überall in der Welt stehn die weichen Betten der Liebenden. Die Liebe polstert den Stein. Sieh das kahle Brett dieser Bank! Gestern war es ein Daunenkissen für zwei, die sich liebten. Lag dort ein Hirsch im Schnee und verbrachte seine Nacht? Nein, es waren Liebende, deren Stunde gekommen war.

Nachher fragte sie: »Wie heißt du?«

»Meine Schwester nannte mich Stani. Aber was sage ichs dir?«

Sie hatte ihn losgelassen. »Es kann nie genug gesagt werden. Die Zeit ist knapp.«

»Nein«, sagte er schroff. »Die Menschen zerstückeln und beknappen die Zeit. Ich sah eine Krähe über die Frostfelder fliegen. Sie roch wohl das Kochfleisch auf dem Küchenwagen. Der Zug fuhr weiter und hatte es eilig. Sie setzte sich auf einen Pfahl im Feld. Mir schien, sie schüttelte den Kopf. Die Menschen reden ungenau. Du wirst in die Stadt gehen. Mich wird der Zug wegschleppen. Du wirst mich, ich werde dich zurücklassen. Wer hat recht?«

»Das verstehe ich nicht.« Sie faßte wieder nach seiner Hand. »Es ist mir unheimlich.«

»Es sind nur Gedanken«, sagte er.

»Bist du ein Dichter?« fragte sie.

»Niemand druckte, was ich schrieb.«

»Es wurde einmal einer bei uns eingeliefert, dem setzten die Fragen zu wie Kopfläuse. Sein Kopf war innen zerfressen.«

»Was habt ihr mit ihm gemacht?«

»Er wurde geheilt.«

»Schrieb er Gedichte?«

»Er ging davon, aber eine junge Schwester hatte er angesteckt. Sie hatte ihn gepflegt und mit ihrer Liebe geheilt. Jetzt meldet er sich nicht mehr, und die junge Schwester geht bleich und wächsern wie eine kleine Kerze umher.«

Die Stimme des Postens: »Wer da?«

»Sieg!« Stanislaus erhob sich.

Schotter klirrte. Der Posten beugte sich zu ihnen. Der Schein seiner Taschenlampe zerspellte das Dunkel. »Schweine!« Die Lampe verlosch. Der Schotter klirrte wieder.

Die Hand der Frau zitterte. »Sahst du mich?« fragte sie und wurde hastig. »Wie gut, daß du mich nicht sahst. Ich bin zu häßlich für die Liebe. Du hättest nur in meine Manteltasche zu greifen brauchen, um dort eine dicke Brille zu finden. Du hättest nur meine Stirn zu küssen brauchen, um zu fühlen, wie niedrig und geduckt sie ist. Du hättest meinen Buckel gefühlt, wenn du mich nur einmal umfaßt hättest.«

Er wußte nicht, ob sie ihn zum Narren hielt, doch er wollte sie trösten für den Fall, daß alles wahr war, was sie sagte.

Sie hielt ihm den Mund zu. »Ich bin nicht Schwester aus Barmherzigkeit. Ich bins aus Mannsbegehren. Ich nutz den Liebeshunger der Kranken. Ich lebe im Krieg mit Gott. Er hat mich mit Häßlichkeit ummantelt. Jetzt betrüg ich seine Menschen. Ich werde ihn weiter betrügen. Oh, ich werde es schlimm treiben! Ich geh in ein Blindenlazarett. Ich will die frischen Blinden, deren Hände das Sehen noch nicht gelernt haben. Ich werde meine Brille in den Schrank schließen und zwischen den Betten der Blinden umhertaumeln, nicht viel weniger blind als sie!«

Die Lokomotive pfiff. Ein grausiger Pfiff, ein Messerschnitt!

»Geh du jetzt, geh!« Sie drängte ihn in die Richtung des Zuges und sprang ins Dunkel. Stanislaus hörte sie ächzen. Sie mußte gefallen sein.

9
Stanislaus rettet einen brennenden Mann, wird für seine Guttat bestraft und beschließt, sich das Herz mit einer Heirat zu erwärmen.

Schnee war gefallen. Grauer Stadtschnee. Die hungrigen Pferde zerscharrten ihn. Das Bataillon lag vor den Kasernen einer polnischen Stadt. Die Männer warteten. Stanislaus und Hartschlag hockten neben der kalten Kochkanone. Stanislaus lugte aus dem Schlitz seines Kopfschützers zu seinem einstmaligen

Reitpferd Wiesenspringer hinüber. Dort war ein Tier, dort war Wärme. Die Fahrküche war mit einer Frosthaut überzogen.

Rittmeister von Kleefeld stakte über den Kasernenvorplatz. Sein Stelzvogelgang war nicht erfroren, doch seine Erhabenheit schien gelitten zu haben. Es war Zorn in ihm, ein ganz gewöhnlicher Kleinmannszorn. Die Sonne brach einen Herzschlag lang durch die Wolken. Der Schnee funkelte, und sein Widerschein glitzerte im Einglas des Rittmeisters, dessen Stimme wie immer hölzern knarrte: »Sind wir Menschen zweiter Güte?«

Wachtmeister Zauderer hüpfte aufgeplustert wie ein Wintersperling hinter ihm her. Und wie ein Sperling die Roßäpfel, so pickte der Wachtmeister die Worte, die der Rittmeister im Gehen verlor. »Zu Befehl, ein starker Knorpel, Herr Rittmeister«, sagte er. Der Rittmeister blieb stehn. Die Sonne verkroch sich. Das Einglas des Herrn wurde matt. »Wieso Knorpel?«

Der Sperlingswachtmeister zog die Flügel an. »Man sagt so, Herr Rittmeister.«

»Wo?«

»In der Truppe.«

»Nicht in meiner Kompanie, bitte. Das klingt, wie denen da abgelauscht.« Der Rittmeister wies mit dem lederbezogenen Zeigefinger auf die Kasernenfenster.

In der Kaserne hauste ein Bataillon von Hitlers Sturm-Staffel. Diese Arier fühlten sich beleidigt. Sie hatten das Land und diese Stadt mit erobert, jetzt aber kamen graue Sperlinge aus den Heimatkasernen, wollten die Adler aus ihren Horsten treiben und hier die Herren und Nutznießer sein.

Die Arier waren damit beschäftigt, Hocker, Tische und Spinde durch die Fenster auf den Kasernenvorplatz zu werfen. Krach – blupp! Ein Tisch ging vor dem Hengst Wiesenspringer nieder. Das Tier stieg, schnarchte und riß den Reiter mit sich. Die dunkle Tischplatte lag im Schnee und war voller Fettflecke.

Der Rittmeister beschleunigte seinen Gang. Der Wachtmeister machte größere Hüpfer. Da ging ein Hocker vor den blanken Schäftern des Kompaniechefs nieder, und aus dem Fenster schrie ein schwarzer Arier: »Nieder mit den Wanzen!«

Der Rittmeister blieb jäh stehn und wischte sich den Schnee-staub vom lackierten Mützenschild. »Unglaublich!« murmelte er.

»Unglaublich«, schilpte der Wachtmeister. Es kam ein Spind geflogen.

»Ist das nicht die Höhe?«

»Starker Priem«, sagte der Wachtmeister.

Von Kleefeld stellte diese Redensart nicht aus. Er hatte keine Zeit mehr, sich mit der Sprachverwilderung seiner Truppe auseinanderzusetzen. Er rannte fast zum bedachten Kasernen-portal. Die Posten verzogen den Mund, als kauten sie Mohn-körnchen zwischen den Vorderzähnen. Das inwendige Lachen trieb ihnen den Bauch auf, als sie salutierten. Der Rittmeister ging gebeugt von der Beleidigung durch das Kasernenportal. Die Männer auf dem Kasernenvorplatz stampften und klopften sich die Füße warm.

Als der Rittmeister aus der Kaserne kam, ging er wie mit gebrochenem Rückgrat. Erst am Ende des Platzes hob er den Kopf, sah zum Himmel auf, und die batzigen Schneeflocken ließen sich auf seinem Einglas nieder wie auf einem kleinen Glasteller. Auch der Wachtmeister musterte wie ein Reprisen-clown den Himmel. Der Rittmeister setzte das Einglas ab. Der Wachtmeister wußte nicht, was als Ersatz tun. »Biwakieren!« schrie er. Der Rittmeister ging weiter, und die Schneeflocken saßen auf seinem Pelzkragen wie weiße Wanzen.

Der Abend war halb herum. Die Männer lagen in ihren Zelten. Sie sprachen nicht. Jeder wärmte seine Gedanken am mehr oder weniger heißen Flämmchen seines Herzens. Es hatte auf-gehört zu schneien. Die Kälte ging beißend auf die Jagd. Die Männer kauten trocknes Brot. Vor den Zelten scharrten die Pferde. Sie hatten kein Heu. Die Wachen versuchten, sie mit Krumen von ihrem Brot zu beruhigen.

Stanislaus dachte an gute Augenblicke seines Lebens und wollte auf diese Weise die Nachtkälte von sich fernhalten. Die Glücksaugenblicke seines Lebens waren gering an Zahl und reichten nicht weit. Er schlummerte ein und erwachte vom eigenen Zähneklappern. Durch den Zeltschlitz drang scheue Wärme. Ein Schein wie von gedämpftem Sonnenlicht flimmerte durch die Geweberitze. Draußen war Lärm, als sei der helle Tag schon da. Schlug in diesem fremden Lande das Wetter so rasch um?

Stanislaus hörte Kommandos; Getrappel folgte. Auf einmal war Stille wie vor einem schwierigen artistischen Trick in der Zirkusmanege. Feuer prasselte. Vor dem Zelt fiel etwas nieder. An der Zeltleinwand sah Stanislaus den Schatten eines knienden Menschen. Der Schatten schluchzte und stöhnte. Stanislaus sprang auf.

Vor dem Zelt kniete ein bärtiger Mann. Er sah aus wie der Hohepriester aus der Schulbibel. Sein langer Rock brannte. Er betete.

Rolling rannte herzu, warf den Mann um und rollte ihn durch den Schnee. Das sah roh aus, doch die Flammen am Rocksaum des Mannes verlöschten zischend. Die Pferde erschraken. Sie zerrten an ihren Ketten. Rolling umhüllte den alten Mann mit seiner Schlafdecke. Es roch nach schwelenden Lumpen und sengenden Haaren. Auf dem Kasernenvorplatz prasselte das Feuer der Arier. Die Türen der Kasernenspinde bogen sich darin und knackten. Die Flammen steilten knatternd zum Nachthimmel. Die Sterne zwinkerten frostgrün. Am Feuer erhob sich Gebrüll und Lachen wie von Wölfen in einer Mondnacht. Auf der anderen Seite des Kasernenvorplatzes raste ein Mann mit brennender Kutte in das Nachtdunkel. Stanislaus setzte ihm nach. »Bleib stehn, laß dich löschen!«

Der Mann rannte heftiger, und die Flammen an seinem Rocke wuchsen. Psching, pschiusching! Stanislaus warf sich auf die Erde, als trüge er Gefechtserfahrung im Blut.

Stanislaus hielt Ausschau. Vor ihm lag zausiges Buschwerk. Der brennende Mann war verschwunden. Zwei Kugeln summten heran.

»Hört auf! Das bin ich!« schrie Stanislaus.

»Dummkopf – hierher!« rief Rolling. Stanislaus kroch zu ihm ins Gebüsch. Sie lagen an einem Flußufer. »Das Eis ist noch dünn, wenn er nur nicht ertrunken ist«, sagte Rolling.

Das Gebüsch schützte sie. Sie faßten Mut und richteten sich auf. Sie standen lange in den Sträuchern und froren, sahen das Feuer auf dem Vorplatz, die schwarzen Männer, und die waren vor dem Feuer zugange wie Teufel in der Hölle.

Zwei schwarze Arier hatten Weißblatt gegriffen, der ungeschickt den Kaftan eines brennenden Mannes löschte. »Was bist du für eine Sau?« Sie hoben den halb verbrannten Kaftan hoch und schoben den alten Mann, das Gesäß nach vorn, zu Weißblatt. »Lecken!«

Weißblatt tat nicht, was sie wollten. Sie traten ihn. Er fiel über den alten Mann, sprang auf und erreichte das Zelt der Stube achtzehn. Weißblatt war dankbar gegen die dünne Zeltleinwand, die ihn zu schützen schien. Er tastete nach seinen Decken und berührte eine fremde Hand. Es war die Hand von Willi Hartschlag. »Laß das!« grunzte Willi und drehte sich auf die andere Seite. Weißblatt war nahe daran, über die Begegnung mit einer Menschenhand zu jubeln, dann aber fiel ihm ein, daß er von der Höhe seiner philosophischen Betrachtungen ins Leben gestiegen war. Nun hatte er seine Strafe dafür erhalten.

Auch Stanislaus erging es für den Rest der Nacht nicht besser. Furcht und Empörung machten ein klapperndes Bündel aus ihm. Gegen Morgen beschloß er, Lilian zu heiraten, um eine Heimat und eine Herdflamme in dieser Welt zu haben, in der Menschen wie Wölfe umhergingen.

Zwei Tage später zogen sie in die Kaserne. Auf dem Vorplatz lagen in einem Haufen grauer Asche angekohlte Tischplatten und Schranktüren. Den Brandhaufen ließ Rittmeister von Kleefeld nicht wegräumen. Er hatte Meldung an den Regimentsstab gemacht. Der Brandhaufen sollte ein stummer Zeuge sein, wenn gewisse Formationen wegen mutwilliger Vernichtung vaterländischen Mobiliars zur Rechenschaft gezogen werden würden. Die Meldung war unterwegs und unterwegs. Der Brandhaufen lag und lag.

Stanislaus, Weißblatt und Rolling standen im Dienstanzug vor Rittmeister von Kleefeld. Rollings Gesicht war bis zur Nase unter dem kalten Stahlhelm versteckt.

Die Krallenfinger des Rittmeisters nestelten an einem Schrift-
stück. Sein Gesicht war tot wie ein Sandacker. Es wuchsen
weder Zorn noch ein Lächeln darin. »Also Juden begünstigt,
heißt es hier.«

Schweigen. Weißblatts Stahlhelm wackelte leise. Die glanz-
losen Blicke des Rittmeisters wühlten sich noch einmal durch
die Sätze auf dem Papier. Dann sah er die Männer an —
einen nach dem andern. »Gewußt, daß es sich um Juden
handelte?«

Rolling antwortete: »Wir dachten — Menschen.

Der Rittmeister ruckelte mit den Schultern, als zöge er sich
erst jetzt seinen Dienstrock richtig an. Sein Blick fiel auf den
Sperlingswachtmeister. Er bat ihn, einen gepfefferten Kognak
aus der Kantine holen zu lassen. Der Wachtmeister rutschelte
dienernd hinaus. Der Rittmeister stemmte die Arme gegen den
Schreibtisch und wippte mit dem Stuhl. »Also nicht gewußt,
daß das Juden waren.«

Rolling antwortete zweideutig: »Jawohl!«

Stanislaus schwitzte. Der Rittmeister ließ den Stuhl zurück-
kippen und brachte sich ins Gleichgewicht. In seinen Augen
funkelten Flämmchen, die sofort wieder verlöschten. »Lesen
Sie keine Zeitung?«

»Zu Befehl, nein!« antwortete der zitternde Weißblatt und
log nicht.

Der Wachtmeister kam zurück.

»Ich muß Sie also bestrafen«, brüllte der Rittmeister. »Sie
lesen keine Zeitung. Oho, wie? Jawohl, wegtreten!«

Die Angeklagten kehrten auf der Stelle. Weißblatt verhakte
sich an einem Dielenritz. Er taumelte gegen die Wand. Der
Wachtmeister rief ihn zurück. Der Rittmeister schrieb eine
Randnotiz auf das Papierblatt.

Die Strafen waren nicht von den härtesten: eine Woche
Nachtstreife nach dem Küchendienst für Stanislaus. Für Rolling,
den Wortführer, vier Wochen Ausgehverbot und Aufräum-
dienst zur Nacht im Offizierskasino. Weißblatt vierzehn Tage
Wache in den Ställen. — Schlug bei Rittmeister von Kleefeld
etwa ein Herz unterm Korsett?

Es war nachts um die elfte Stunde. Der Schnee quietschte unter den Pferdehufen. Hinter einem Fenster jammerte ein Säugling. Stanislaus und Theo Kraftczek ritten durch die fremde Stadt. Auf ihren grauen Rockärmeln leuchteten weiße Binden, darauf stand mit schwarzen Trauerbuchstaben gedruckt: »Streife«. Von dieser Leinwandbinde an ihren Ärmeln ging eine Menge Macht aus. Stanislaus und Kraftczek dachten nicht an die Macht, die von den hellen Binden an ihren Rockärmeln in die Nacht verströmte. Kraftczek ritt an ein Schaufenster heran und riß sein Feuerzeug an. Er betrachtete die Auslagen: süßes Gebäck. Bis zu Kraftczeks Heimatort in Oberschlesien waren es kaum fünfundsiebzig Kilometer. Dort lag seine Frau neben dem leeren Kramladen und wartete auf ihn, wartete auf Zucker und allen künftigen Reichtum des Großdeutschen Reiches. Kraftczek ritt zu Stanislaus zurück. »Sind wir Sieger oder nicht?« fragte er. Stanislaus war um den alten Marktbrunnen geritten und hatte an Lilian gedacht. In seiner Rocktasche knisterte ein Brief, darin war von einer bevorstehenden Hochzeit die Rede.

»Ob wir Sieger sind?« Kraftczek ließ nicht nach.

»Jaja«, sagte Stanislaus.

»Dann möchten sie daheim den Kaufmenschen bißchen mehr Zucker zusprechen«, sagte Kraftczek.

Aus einer Gasse kam plumpes Tappen. Jemand trampelte sich Schnee von den Schuhen. Sie lauschten. Der Sieger Kraftczek wurde blaß. »Es möchte am Ende ein Partisane, ein Halbwilder sein«, flüsterte er.

Das Tappen war wieder da.

Kraftczek zog sein Pferd hinter den Brunnen. Stanislaus ritt ein Stück auf die Gasse zu.

»Ich will mit solche Partisane nichts zu tun haben«, raunte Kraftczek, und da wieherte sein Pferd. »Heilige Mutter, hilf!« Kraftczek schlug mit der Reitgerte zwischen die Pferdeohren. Aus der Gasse stampfte ein Mensch. Kraftczek legte sich fast auf sein Pferd. Der Mensch, der ins Licht trat, war ein beleibter Mann. Er führte Selbstgespräche.

»Jetzt ruft er die anderen!« wisperte Kraftczek.

Stanislaus ritt auf den Mann zu. Der Mann war ein Mönch. Der Mönch sank vor Stanislaus' Pferd auf die Knie. Das Pferd beschnüffelte den plötzlich kleiner gewordenen Mönch. »Gnade, Herr Offizier«, barmte der Mönch. Er begann mit Fettstimme zu beten: »Gelobt seist du ...«

Jetzt ritt auch Kraftczek heran. Vor einem knienden Pater brauchte er sich nicht zu fürchten. Der Mönch streckte ihm die gefalteten Hände entgegen. »Bitt um Vergebung, Herr Hauptmann!«

Kraftczek hatte nichts dagegen, auf hohem Pferde zu sitzen und Hauptmann zu sein. »Priester?« fragte er mit schnarrender Stimme.

»Man hat mich zu einem Sterbenden gerufen. Heilige Wegzehrung, Euer Gnaden.«

»Einen gesoffen, Pater, wie?« fragte Kraftczek immer noch streng und preußisch.

»Es ist ein Fläschchen gegeben worden, Herr Hauptmann, für den Mut um den Weg.« Der Mönch streifte seinen Rosenkranz ab, küßte das Kruzifix und reichte Kraftczek die Gebetschnur.

Kraftczeks katholischer Seelenbezirk tat sich auf. »Macht mir das Amulett so, daß mir keine Kugel möchte was anhaben, Hochwürden!«

Der Pater murmelte einige Gebete über den Rosenkranz. Das Gewimmer des kranken Kindes hallte über den Marktplatz. Die Figuren am Marktbrunnen, ein nackter Knabe und ein Mädchen mit einem Blumenstrauß, schienen unter der Schneelast zu ächzen.

»Wo wohnen?« Kraftczek tippte den betenden Pater auf die Schulter. Der Mönch schreckte auf.

Sie brachten den schwankenden Geistlichen ein Stück des Wegs. Kraftczek trug den Rosenkranz wie einen Orden auf dem Waffenrock. Am Ende ihres Streifenbereichs küßte er den Pater umständlich, und sie weinten ein Weilchen miteinander.

Stanislaus und Kraftczek ritten zurück.

»Wenn nun eine andere Streife deinen Pater packt?« fragte Stanislaus.

»Er steht unter Gottes Schutz. Er möcht uns sonst nicht getroffen haben.«

»Und wenn er sagt, daß wir ihn gehn ließen?«

Kraftczek bekreuzigte sich und befingerte das kugelfeste Amulett. »Mit dem Vaterland ist nicht zu spaßen. Es möcht einen noch für eine gute Tat in den Arsch treten.«

---

10 Stanislaus wartet auf seine Hochzeit, spickt einen Schreiber und erfährt, daß er fernverheiratet werden soll.

Stanislaus war um Urlaub eingekommen. Sein Urlaubsgesuch lag in einer Mappe auf der Kompanieschreibstube. Niemand hatte Zeit, es anzusehen. Für die Männer auf der Schreibstube gabs große Tage: Wechsel des Kompaniechefs. Rittmeister von Kleefeld tappte durch die Gänge der Kaserne. Seine Erhabenheit war dahin. Er ging im Schatten der Korridorwände entlang wie ein gewöhnlicher Mensch. Seine Koffer wurden zum Bahnhof gebracht. Er mußte sein Zimmer für den neuen Kompaniechef hergeben. Die letzte Nacht schlief er in einem Offiziershotel und fuhr dann westwärts. Rittmeister von Kleefeld habe zu dreist auf eine Bestrafung von Zerstörern vaterländischer Möbel gepocht, hieß es. Und der Kammergefreite Marschner sagte: »Er hat Judenbegünstiger begünstigt.«

Rittmeister von Kleefeld selber hüllte sich in edelige Verschwiegenheit. Sollte er vielleicht mit dem Gefreiten Marschner über Dinge reden, die seine Gesinnungsbezirke berührten?

Der neue Rittmeister fuhr wie Beelzebub in die Kompanie. Er war ein bayrischer Bierbrauereibesitzer, der nur Schnaps trank. Sein Gesicht war je nach der Witterung lila, blau, hochrot und bei Wutanfällen fast schwarz. Sein Haar war auf Igelborsten zurückgeschnitten. Wenn er beim Appell durch die Gewehrläufe der Reiter sah, setzte er einen Kneifer auf die blaubunte Knollennase. Der Kneifer saß auf diesem Nasenklumpen klein und verspielt wie eine Fastnachtsbrille. Rittmeister Beetz schnaubte wie ein bayrischer Almbulle hierhin und dorthin. Der Wachtmeister flatterte hin und her wie ein verstörter Sperling, der vom Kuhdreck naschen will.

»An Scheißkrieg is dös gegen vierzehn, achtzehn«, schnaubte der neue Rittmeister, »an Margarinekrieg!«

Als Unterlage für seinen Tagesschnaps brauchte Rittmeister Beetz Speckseiten und Gänsebrüste. »Sakra, mir san bei den Polschen! An Gansbraten muß her!«

Einkäufer zogen über Land. Zum Meister und Spezialisten für Mastgänse, Speckseiten und gelbe Bauernbutter entwickelte sich der Kammergefreite Marschner. Er steuerte auf den Dienstgrad eines Unteroffiziers zu und hatte nötig, sich hervorzutun. Für die Bekleidungskammer erhielt er einen Gehilfen. So konnte Marschner ausschwärmen und sich die Versorgung der Herren Kompanieoffiziere angelegen sein lassen. Sein Ruhm stieg, und sogar die Offiziere des Bataillonsstabes wurden auf diesen tüchtigen Besorger aufmerksam.

Marschner fuhr mit einer polnischen Pferdedroschke über Land. Er saß zurückgelehnt, die Beine übereinandergeschlagen, und starrte gelangweilt, ein Auge dabei zugekniffen, auf den Himmel. So hatte er den Gutsherrn in seinem Nachbardorfe ausfahren sehen. Oder Marschner schaute nicht auf den Himmel, sondern – auch mit einem zugekniffenen Auge – auf die polnischen Bauernmädchen rechts und links des Weges. Und auch das hatte er von dem Gutsherrn daheim.

Auf dem Kutschbock saß Ali. Ali hatte zwar seinen Fahrgast, den Kammergefreiten und Besorger Marschner, einmal durch ein Kasernenfenster fliegen lassen, doch er hegte keine Feindschaft gegen ihn. Für Feindschaften war Alis Jungenherz nicht eingerichtet. Marschner hingegen hatte sich Ali wohlweislich zum Kutscher bestellt. Es verschaffte ihm einen erlesenen Genuß, seine Macht vom weichen Rücksitz eines Kutschwagens aus auf Ali wirken zu lassen. Der immer hungrige Ali kaute Sonnenblumenkerne. Seine Pistolentasche war damit gefüllt. Alis Pistole lag in der Kaserne im Spind. Er benötigte sie nicht, denn er kannte keinen schlimmeren Feind als den Hunger. Er spuckte die leeren Samenschalen einmal rechts und einmal links in den Wegsand.

»Laß die Spuckerei; du fährst eine Offiziersequipage!« knurrte Marschner. Ali behielt die Schalen, wie ein Hamster die Körner, in den Backentaschen. Marschner lehnte sich wieder zurück und blies den Rauch seiner Zigarre steil gegen den Himmel. So kam er sich vor wie ein kleiner Gott, der Wolken anfertigte.

»Hast du mal richtige Mädchen unterm Sattel gehabt oder nur alte, dreckige Stallmägde?« fragte er Ali, um sich die Langeweile zu vertreiben. Ali spuckte seine Schalen mit einem Stoß aus.

»Ich habe eine Schöne geliebt, aber sie wußte es nicht. Sie war gelähmt und saß auf der Hausbank. Ich brachte ihr Blumen, sie merkte es trotzdem nicht, Herr Gefreiter.«

Marschner lachte laut und wild. Ein paar polnische Bauernhühner sprangen verschreckt in den Straßengraben. Ali schob sich Sonnenblumenkerne in den Mund. Marschner kicherte in sich hinein, keckerte noch einmal laut auf und schlief dann ein.

Der Besorger Marschner befreite polnische Bauern von ihrem Überfluß an landwirtschaftlichen Naturalien. Er bezahlte mit deutschen Inflationsgeldscheinen, die er sich von zu Hause hatte kommen lassen. Er knauserte nicht, und die polnischen Bauern bekreuzigten sich vor dem vielen Geld, das ihnen in die zerschrundenen Hände geworfen wurde. Ali stand dabei und stopfte Speckseiten, Mastgänse, Würste und löwenzahngelbe Bauernbutter in einen Sack. Er huckte den Sack auf und brachte ihn zur Kutsche. Marschner überwachte Ali wie ein Dorfgendarm den Landstreicher. Ali fand keine Gelegenheit, ein Stück Butter oder eine Speckseite unter das Schutzleder auf dem Kutschbock verschwinden zu lassen.

Manchmal war Marschner zu großzügig mit seinem Inflationsgeld. Es wurde alle, und der Sack war noch nicht mit Naturalien gefüllt. Dann benutzte Marschner andere Zahlungsmittel: Sobald Gänse und Butter im Sack des Besorgers verschwunden waren, nestelte er am Verschluß seiner Pistolentasche. Diese Handbewegung löste die gleiche Wirkung aus wie das Bezahlen mit großen, falschen Geldscheinen: Die Bauern bekreuzigten sich.

Die Rückfahrt war für Ali jedesmal eine Qual. Marschner griff ab und zu in den Sack und holte eine Wurst heraus. Er biß behutsam mit den Vorderzähnen davon ab und schob das Kosthäppchen prüfend auf der Zungenspitze hin und her; dann aber spuckte er den überprüften Wurstinhalt in den Wegsand und warf den Wurstzipfel hinterher. Der Kammergefreite Marschner aß keine Wurst von polnischen Dreckbauern. Er hatte daheim eine saubere Landwirtschaft, die ihn versorgte. Mochten sich die Offiziere Pocken und schwarze Pest einfressen – Marschner jedenfalls nicht. Ali kam mehr als einmal in Versuchung, vom Kutschbock zu springen und die von Marschner weggeworfenen Wurstzipfel aus dem Wegsand zu klauben.

»Hast du Hunger?« fragte Marschner sanft und teilnahmsvoll. Alis Ja ertrank in Appetitsspeichel, aber Marschner bot ihm trotzdem nichts an. Keine Rede davon. Das Herauslocken von Alis Appetit gehörte zu Marschners Racheprogramm.

Zunächst fuhr Marschner einmal in der Woche auf Besorgungen, dann zweimal, dreimal, und schließlich fast jeden Tag. Er war nicht mehr als einziger Besorger unterwegs. Er mußte früh fahren und spähen, damit das Dorf, in dem er ernten wollte, nicht überlaufen war. Da war zum Beispiel der Armeepfarrer, der mit echtem Wehrmachtsgeld bezahlte; denn auch er hatte das Bedürfnis, dann und wann ein Stück Butter über die Ration hinaus zu vertilgen. Er war demütig und bescheiden. Es gelüstete ihn nicht nach Speckseiten und Mastgänsen. Er wollte nur dieses eine Stück Butter pro Woche, um seine Seele, mit der er andere Seelen zu versorgen hatte, elastisch und kräftig zu halten. Er bat höflich um ein Stück Butter, verneigte sich dankbar vor den polnischen Bauern, wenn er es erhalten hatte, und bezahlte, wie gesagt, mit echtem Wehrmachtsgeld, das in einer deutschen Fabrik für Kellnerblocks angefertigt wurde.

Marschner suchte sich jetzt die kleinen unauffälligen Bauernhöfe aus. »Jeiza?«

Ein ernstes Mädchen mit schwarzen Augen zeigte auf den Schnee und schüttelte den Kopf. Marschner besah sich das Mädchen. »Bißchen küssen, küssen, huppi, huppi?«

Das Mädchen verstand nicht. Marschner versetzte Ali einen Stoß. Ali ging mit seinem Sack davon. Marschner spuckte auf den Misthaufen und stolzierte im Hofe umher wie ein Hahn. Er riß das Scheunentor auf, winkte das Mädchen herbei und wies auf das Heu in der dunklen Scheune. »Jeiza, Jeiza – zeigen du mir Nest!«

Das Mädchen wich zur Seite. Marschner öffnete seine Pistolentasche. Das Mädchen bekreuzigte sich und blickte hilfesuchend zum Wohnhaus hinüber.

Ali stand an der Kutsche und schnupperte in den leeren Sack. Nun wurde er ein einziges Mal nicht von Marschner bewacht, und der Sack war leer. Er wartete eine Weile. Als Marschner nicht kam, ging der lange Friese in das nächste Bauernhaus. Weshalb sollte er sich nicht selber etwas zu essen holen? Es wurde ihm ein schmales Stück Speck gegeben. Ali gab Wehrmachtsgeld dafür. Die Bauern nahmen das Geld. Ali griff an seine Pistolentasche. Die Bauern rannten schreiend in die Stube. Aus der Stube trat der Armeepfarrer. Er hatte ein Butterpfund in den »Völkischen Beobachter« gewickelt. Der Pfarrer sah Ali an seiner Pistolentasche knispeln. »Halt!«

Ali sah die Silbertressen des Armeepfarrers, und sein Speckstück fiel zu Boden. Der Armeepfarrer ließ Ali von seinem Fahrer, einem Unteroffizier, aus dem Haus führen.

Auf dem Heuboden des Nachbarhofes knallte es hart, wie wenn zwei Bretter aufeinandergeworfen werden. Der Armeepfarrer und sein Fahrer beachteten dieses Geräusch nicht. Marschner kam aus dem Bauernhof und rief nach Ali. Der Unteroffizier ließ Ali nicht los, und der Armeepfarrer blieb kein Stück zurück. Sie brachten Ali zu Marschner. Marschner wischte sich mit einem verdreckten Taschentuch Schweiß und Blut aus dem Gesicht.

»Etwas passiert?« fragte der Armeepfarrer sanft.

»Nichts passiert, Exzellenz«, erwiderte Marschner. Er stillte das Blut, das aus einer Kratzwunde in seinem Gesicht rann, mit Speichel. »Polnische Wirtschaft. Eier suchen. Auf Heuboden durchgebrochen, Exzellenz«, murmelte Marschner. Er hatte seine kindsköpfige Redart noch nicht abgelegt, war ein wenig bleich, aber zitterte nicht. Dem Armeepfarrer schmeckte Marschners Anrede Exzellenz. Er wandte sich Ali zu.

»Dieser hat marodiert. Bringen Sie ihn zur Einheit! Bericht liefere ich.«

Stanislaus wartete auf seinen Hochzeitsurlaub. Jeden Morgen hoffte er, zur Schreibstube gerufen zu werden. Er füllte das Kochgeschirr des Kompanieschreibers und fragte nach seinem Urlaubsgesuch.

»Dein Urlaubsgesuch?« sagte der Schreiber. »Es ist in meiner Mappe sowenig zu finden wie Fleisch in deiner Suppe.«

Stanislaus fischte Fleischstückchen aus dem Kompaniekessel und ließ sie in die Suppe des Schreibers schwappen.

»Dein Urlaubsgesuch ist spätestens übermorgen gefunden worden«, sagte der Schreiber.

Ali saß im Arrest. Er hatte Hunger. Das Arrestlokal war ein polnisches Vorstadthaus. Seine Wände waren aus Lehm. Seine Fensterhöhlen waren vernagelt. Ali kratzte an der kalten Kammerwand. Trockener Lehm fiel ihm in die Hand. Er ließ den Lehm im Mund weich werden und kaute ihn auf. Sein Magen wurde fürs erste ein wenig ruhiger. Es gab, außer in seiner Kindheit, wenige Tage in Alis Leben, an denen er sich völlig gesättigt gefühlt hatte. Auch seine Heimat, Nordfriesland, hatte ihn nicht so genährt, wie ers nötig gehabt hätte. Es wäre ihm ein leichtes gewesen, die Lehmmauer mit seinen Fäusten einzuschlagen. Er tats nicht. Sein Herz war rein. Man würde feststellen, daß er nicht hatte auf Bauern schießen wollen. Er wollte seine Sonnenblumenkerne aus dem Pistolenfutteral schütten, um das Speckstück darin unterzubringen. Sie konnten ja nachsehn, daß seine Pistole, vor der er sich selber fürchtete, auf seinem Wäschepacken im Spind lag. Allein der Armeegeistliche hatte seinen Bericht gemacht, und darin hieß es: »... Speck abgenommen ... Bauern mit der Waffe bedroht ...«

Stanislaus saß auf der Stube und las den Bescheid und die Entscheidung seines Rittmeisters in Sachen Hochzeit. In angespannten Kriegszeiten sei es nicht in jedem Falle möglich, sich in der Heimat zu verheiraten, so wünschenswert Verehelichungen von Truppenangehörigen auch seien. Die weise Führung der Armee habe deshalb beschlossen, Erleichterungen in bezug auf die Eheschließung von Soldaten und Mannschaften einzuführen. Kurzum, Stanislaus würde auf der Kompanieschreibstube ferngetraut werden.

Stanislaus war so mit seiner Enttäuschung beschäftigt, daß er Marschner nicht gewahrte, der Alis Spind aufschloß und dessen Pistole zu sich steckte.

Ali wurde wieder vorgeführt. Er beteuerte seine Unschuld. Man glaubte ihm nicht, fragte kreuz und quer, bis der Riese vor aller Augen zu weinen begann wie ein Kind.

»Verrückt, was? Weibischer Kerl von zwei Metern!« Die Zornworte des Gerichtsoffiziers knallten wie Peitschenschläge. Ali reckte sich, wurde blaß und stumm, und die Tränen auf seinen Wangen schienen einzufrieren.

Im Armeegeistlichen rührte sich der Teil der Seele, der noch nicht vom Preußentum durchwuchert war. Er bat, die Verhandlung abzubrechen. Er bat ferner, Alis Pistolentasche herbeizuholen, und er bat, Ali zu fragen, wo denn seine Waffe sich befände, wenn in der Pistolentasche Sonnenblumenkerne wären. Natürlich könne er, der Armeegeistliche, nicht beschwören, eine Pistole in der Hand Alis gesehen zu haben. Ali habe sie vielleicht wieder eingeschoben, als der Angsttumult unter den polnischen Bauersleuten entstanden sei, oder aber er habe gar keine Pistole im Futteral gehabt und habe nur schrecken wollen.

Den Wünschen des Armeegeistlichen wurde Rechnung getragen. Alis Pistolentasche wurde gebracht. Sie enthielt die Pistole. Jawohl, es hatte seine Richtigkeit, Marschner hatte sogar vom Armeegeistlichen, von der Exzellenz, den Befehl erhalten, auf Ali aufzupassen, und er hatte Ali zur Sicherheit entwaffnet.

Von diesen Nebenverhandlungen nahm Ali nichts wahr. Er saß in seinem Arrest und rauchte Zigarren, die ihm Rolling auf dem Flur zugesteckt hatte. Die Zigarren brachten Alis hungrigen Magen in Aufruhr. Er fühlte sich elend genug, um auf der

Stelle zu sterben. Sollte es ihm noch einmal besser werden, so
wollte er nie im Leben mehr Zigarren rauchen. Armer, ahnungs-
loser Ali!

11 Stanislaus wird von einem Mörder getraut und feiert sein Hochzeitsfest auf merkwürdige Weise in einer Lehmgrube.

Stanislaus' Hochzeitstag war herangekommen. Er stand im
Dienstanzug, den Stahlhelm unterm Kinn festgeschnallt, Koppel und Stiefel blank geputzt, die Hände an der Hosennaht
haltend, in der Kompanieschreibstube. Er fröstelte, aber er
gestand sichs nicht ein. Woran hätte er sich auch wärmen
sollen? Etwa an der Hosennaht, die von einer in Deutschland
lebenden, verbitterten Witwe in Heimarbeit hergestellt worden war?

Man machte Stanislaus darauf aufmerksam, daß er sichs zur
Ehre anrechnen könne, vom Gerichtsoffizier des Bataillons
getraut zu werden. Der Gerichtsoffizier habe in der Kompanie
zu tun gehabt und sei sich nicht zu schade gewesen, hier die
erste Ferntrauung höchst eigenhändig vorzunehmen.

An der Wand hing die rote Fahne. Sie war ausgebreitet, und
die schwarze Kreuzspinne, die ein weißes Loch in das Rot
hineingefressen hatte, war für jedermann gut sichtbar. Der
Tisch der Kompanieschreibstube war mit weißem Schrankpapier bespannt, und es stand sogar eine Vase mit Blautannen-
zweigen darauf. Soviel Feierlichkeit für Stanislaus.

Vielleicht hätte Stanislaus auf seine Heirat für alle Zeiten
verzichtet, wenn er gewußt hätte, daß die Kreuzspinnenfahne,
das weiße Schrankpapier und die Blautannenzweige durchaus
nicht gerade für ihn aufgestellt worden waren. Man hatte die
Ausstattung mühselig hergestellt, um der Verurteilung Alis eine
feierliche Umrahmung zu geben. »Es ist dem deutschen Soldaten, dem Sendboten des Führers und Befreiers der Menschheit,
nicht erlaubt, im fremden Lande zu marodieren. Es ist ihm nicht
erlaubt, auf eigene Faust zu requirieren und den Gemeinnutz in
Frage zu stellen ...«

Wenn Stanislaus nicht unausgesetzt an die zausköpfige Lilian in Deutschland gedacht hätte, so hätte er noch das Zittern der Dielen spüren müssen, auf denen Ali gestanden hatte, als man sein Urteil verkündete.

Der Schreibstubengefreite sah auf seine Armbanduhr. »Von deinem Heimatstandesamt ist mitgeteilt worden, daß deine Trauung dortigenorts um zehn Uhr und dreißig Minuten stattfinden wird. Noch fünf Minuten Zeit, bis ich den Herrn Gerichtsoffizier rufe. Dein Koppelschloß sitzt etwas links, bitte!«

Stanislaus richtete sein Koppelschloß und stellte sich wieder auf, die Hände an der Hosennaht, als ob auch er auf seine Verurteilung wartete.

Den Armeepfarrer hatte sein Gewissen in den Bauernort getrieben, an dem Ali so schwer – und zwar nach den Angaben des Armeegeistlichen selber – gefrevelt haben sollte. Er sprach milde und mit soviel Vertraulichkeit, als ihm angemessen schien, mit den Bauern. Er erfuhr: Jawohl, Ali hatte den Speck bereits bezahlt. Jawohl, auch mit Wehrmachtsgeld bezahlt wie der Armeepfarrer seine Butter. Nein, eine Pistole habe niemand bei Ali sehn, aber wer könne wissen – er habe jedenfalls am Verschluß der Tasche genestelt.

Der Armeepfarrer machte sich auf den Rückweg. Zwar zweifelte er im tiefsten Herzen, daß ein preußisches Militärgericht die Aussagen polnischer Bauern gelten lassen würde. Auf jeden Fall wollte er es versuchen. Sein Gewissen war jedenfalls wach.

Stanislaus taumelte aus der Kompanieschreibstube. Das lange Strammstehn hatte seine Glieder verkrampft. Die Offiziere hatten ihn angestarrt. Er hatte nicht auf die mit viel völkischen Worten durchstickte Rede des Gerichtsoffiziers gehört. Die Offiziere hatten sich wohl als Zeugen aufgedrängt, um sich nach der Verurteilung Alis an Stanislaus' frohem Gesicht zu weiden und die Bestätigung zu erhalten, daß das Leben trotz kleiner Entgleisungen seinen Weg mutig fortsetzte, Leute zusammenwarf und Kinder aus ihnen herausholte. Als Ersatz für mutwillig Getötete. Stanislaus hatte die Offiziere mit seinem ernsten Gesicht wohl nicht von ihrem Druck befreit. Er hatte nicht zurückgelächelt, als die hohen Herren sich herabließen, auf das Wohl seiner jungen Ehe anzustoßen. Stanislaus selbst hatte zu diesem Verlegenheitsumtrunk kein Glas erhalten.

Er schwankte durch den langen Korridor. Alle Fensterbretter waren dick mit Schnee gepolstert. In den Wildweinranken schilpten die Straßenspatzen. Stanislaus sah dankbar auf die grauen Vogelgesellen. Sie waren hier nicht anders als in seiner Heimat.

Die Spatzenrufe wurden von der Kommandostimme des Sperlingswachtmeisters Zauderer übertönt. Stanislaus bog um die Flurecke. Dort standen die Leute der Stube achtzehn. Sie standen Gewehr bei Fuß, und die Stahlhelme verfinsterten ihre Gesichter. Stanislaus stutzte. Wie sollte er sich verhalten, wenn seine Stubenkameraden und der Zauderer ihn ehren würden? Es lag kein Verdienst in seiner Heirat.

Die Stube achtzehn ehrte Stanislaus nicht.

»Büdner, Gewehr holen, marsch, marsch!« fuhr ihn der Wachtmeister an. Stanislaus rannte. Das war ihm lieber als eine Ehrung. Er würde mit den anderen auf Wache ziehn und würde dort Zeit haben, an Lilian zu denken.

Sie fuhren auf einem Lastauto aus der Kaserne. Vor ihnen surrte ein kleineres Auto mit vergitterten Fenstern, ein grüngestrichenes Postpaketauto.

Rolling runzelte die Stirn und zeigte auf den kleinen grünen Wagen. »Da fährt Ali.«

»Wohin?«

»Zum Regimentsstab. Sie werden ihn dort weiter ausquetschen. Wir solln wohl schießen, wenn er beim Ausladen tätlich werden sollte. Pfui Deibel!«

Sie wurden zu einer Lehmgrube außerhalb der Stadt gefahren. Dort standen schon die Offiziere umher und erwarteten sie. Der Gerichtsoffizier, der Stanislaus vor einer halben Stunde getraut hatte, rauchte eine schwarze Zigarre. Einige Offiziere schienen betrunken zu sein. Sie redeten miteinander von Pferden. Vielleicht gab es Stimmen in ihnen, die sie mit lautem Geschwätz übertönen mußten.

In der Lehmgrube stand ein mannshoher Pfahl, ein Marter-pfahl wie aus einem Indianerbuch. Rolling packte Stanislaus' Hand. Rollings Hand war leichenkalt, und diese Kälte teilte sich Stanislaus mit.

Das kleine Postauto wurde geöffnet. Zwei Männer aus einer anderen Kompanie stießen den gefesselten Ali heraus. Ali lä-chelte und atmete tief. Sie führten ihn auf den Grund der Lehm-grube. Ali entdeckte die Kameraden aus seiner Stube und lä-chelte wieder. Er wurde losgebunden und schüttelte die Arme so emsig, wie es lang eingesperrt gewesene Vögel mit ihren Flügeln tun; dabei sah er die Soldaten, die ihn von seinen Fes-seln befreit hatten, dankbar an. Wachtmeister Zauderer ließ die Männer der Stube achtzehn antreten. Sie stellten sich verbissen in einer Reihe auf. Nun gab es keinen mehr, der nicht wußte, was geschehen sollte.

Man band Ali an den Pfahl, und er wurde traurig. Er hatte stets, wie ein Kind, nur dem Augenblick gelebt. Die Männer der Stube achtzehn kratzten mit den bestiefelten Füßen im Lehm. Über Alis Gesicht rannen dicke Kindertränen. Ein brunnentiefes Schluchzen folgte ihnen. Die Schultern der Männer von Stube achtzehn beugten sich wie auf Kommando noch tiefer. Es war, als wollten sie sich in den Lehm wühlen. Der Kammergefreite Marschner flüsterte auf Leutnant Zärtling ein.

Man mußte warten. Der Armeegeistliche fehlte. Er sei über Land gefahren. Man hatte Sucher ausgeschickt. Die Sucher wa-ren noch nicht zurück.

Da geschah es: Ein Schuß fiel. Der Schuß kam aus Rollings Gewehr, und Rolling sank, wie von diesem Schuß gefällt, vorn-über. Stanislaus sprang zum liegenden Rolling.

»Los!« zischte Rolling.

Wonnig und Stanislaus trugen Rolling aus der Lehmgrube. Die Offiziere hatten eine Auseinandersetzung und gestikulier-ten. Es wurde nach Wachtmeister Zauderer gerufen. Am Rand der Lehmgrube stand das kleine grüne Auto. Seine Türen waren offen. Sie legten Rolling einfach hinein. Rolling öffnete die Au-gen nicht, aber er kommandierte: »Abfahren!«

Der Fahrer fuhr wirklich ab. Hinter ihnen krachten Schüsse.

»Sie schießen nach uns«, sagte Stanislaus.

»Solln sie!« sagte Rolling.

»Alles ist gut«, sagte Wonnig, »am Ende hätten wir auf Ali schießen müssen!«

Man hatte nicht nach Rolling, Stanislaus und Wonnig geschossen. Rittmeister Beetz, der tapfere bayrische Bierbrauer, war in die Lehmgrube gesprungen. »Scheißkerle, schlappe preußische Scheißkerle, an Exempel muß statuiert sein! Freiwillige vor!«

Der Kammergefreite Marschner und der Leutnant Zärtling sprangen herzu. Zärtling entriß dem zitternden Weißblatt das Gewehr und lud durch. Rittmeister Beetz riß seine Pistole aus dem Futteral.

»Schießen! Habt 's Angst vor einem Marodeur und Mörder! Ein Exempel muß sein!«

Schüsse krachten durcheinander wie auf der Wildjagd. Ali wurde getroffen und zerrte an seinen Fesseln. »Mutter, Mutter, ich wollt nicht in den Krieg!« schrie er. Ein Tigerschrei, und danach quoll Blut aus Alis Mund. Das Blut sickerte in den Lehm.

Die Männer stiegen aus der Grube wie aus einem Eisschacht. Sie wagten nicht, einander anzublicken. Kraftczek drückte sein Amulett und murmelte Rosenkranzgebete. Weißblatt erhielt sein Gewehr zurück. Er weinte.

Der Armeepfarrer wurde traurig. Er hatte vielleicht eine kleine Hilfe für Ali in seinen gesegneten Händen gehabt, aber sie wurde nicht mehr benötigt. Weshalb hatte man sich mit der Exekution so beeilt? Weshalb hatte man diesen Bauernknecht ohne den Beistand eines Geistlichen hingerichtet?

Der Armeegeistliche erhielt auf all seine Fragen bündige Antworten:

Der Armeegeistliche hätte an Ort und Stelle sein müssen, als man ihn benötigte. War er vielleicht kein preußischer Armeegeistlicher? Die schnelle Exekution sei nötig und ganz in der Ordnung gewesen, denn die Vernehmung des Kammergefreiten Marschner habe ergeben, daß der Hingerichtete nicht nur geplündert und Bauern mit der Pistole bedroht, sondern auf einem Hofe nahbei sogar ein polnisches Mädchen erschossen habe. Erst vergewaltigt und dann erschossen auf einem Heuboden, jawohl. Das Mädchen sei gefunden worden; alles sei bewiesen, weg mit Schaden!

Der Armeegeistliche wurde ruhiger. Sein Gewissen schüttelte sich gleichsam nach der Befreiung von dieser Last. Er hatte Worte zur Hand, die ihn weiterer Gewissensqualen enthoben: »Wer aber Blut vergießet, dessen Blut soll wieder vergossen werden!« So wars wohl, und daran hatte er als kleiner schwacher Geistlicher nicht zu rütteln.

Rolling kam am Hinrichtungsabend aus dem Revier. Ein kleiner Ohnmachtsanfall – nichts von Bedeutung. Er erhielt drei Tage verschärften Arrest für seine Mannsschwäche. »Man tut, was man kann!«

In Stanislaus fuhr an seinem Hochzeitsabend ein Fieber. Das Fieber schüttelte ihn und trieb seine Temperatur hoch. Man brachte ihn ins Revier und behandelte ihn auf Sumpffieber.

Drei Tage nach Alis Hinrichtung begannen die Männer der Stube achtzehn leis und verscheucht wieder miteinander zu reden. Einer versicherte dem anderen, daß er in die Luft geschossen habe.

»Aber Ali ist tot«, sagte Rolling. Er ging in eine Schrankecke, starrte gegen die Wand, und seine Schultern zuckten.

»Wir sind mitten im Nichts!« murmelte Weißblatt.

12

Stanislaus fährt aus der Fremde in die Fremde, soll sich über das Kind seines Feldwebels freun und fühlt, wie sich das große Nichts vor ihm auftut.

Das Bataillon zog westwärts. Man ließ Stanislaus zurück. Sein Fieber wollte nicht weichen. Er sollte Berge von Infanteriemunition auf Ali verschießen. Eine geheime Macht, die aus dem Dunkel kam, trieb ihn. Er fühlte Gewehrläufe in seinem Rücken. Er schoß. Ali hielt Stanislaus sein leeres Kochgeschirr entgegen. Im Kochgeschirr sammelten sich alle Kugeln, die Stanislaus auf Ali verschoß.

Es kam ein neuer Arzt ins Lazarett. Es war ein blasser, nachdenklicher Mann. Er stellte seine Langstiefel in den Schrank und ging auf leichten Schuhen durch die Krankenräume. Es hieß, der Schlaf habe diesen Arzt verlassen, und man sagte, dieser Arzt wollte sich totwachen. Man habe ihm die Frau und seine kleine Tochter geraubt. Eine schöne, dunkelhaarige Frau mit südlichen Glutaugen. Sie sei eine Jüdin gewesen, und deshalb habe man sie ihm genommen. Man hatte gehofft, dieser Arzt würde sich auch an andere Frauen gewöhnen. Er gewöhnte sich nicht. Er wachte.

Der neue Arzt trat an Stanislaus' Bett. »Was fehlt dir?«

»Ein Strick«, antwortete Stanislaus.

»Ich werde dir den Strick verordnen!«

Da sah Stanislaus den Arzt mit großen Augen an, und der Arzt schaute ebenso zurück. Eine Weile — und Stanislaus schlief ein. Der Arzt beobachtete ihn lange und behandelte ihn tags drauf nicht auf Sumpffieber und nicht auf Malaria wie seine Vorgänger. Er behandelte ihn auf Nervenfieber. Die guten Worte des Arztes umraunten Stanislaus beruhigend. Es war, als hätte der Hypnotiseur Stanislaus seinen Meister gefunden. »Erzähl aus deinem Leben!«

Stanislaus erzählte und erzählte, wie einstmals die Bäckermagd Sophie. Es war eine Wohltat, seine Erlebnisse in die großen, wachen Augen des Arztes hineinzuschütten.

Er wurde gesund. »Wozu?« fragte er.

»Zum Leben«, sagte der Arzt. »Scheint dir nicht nötig, deine Hochzeit nachzuholen?«

Es ging auf den Frühling zu, als der Genesungsurlauber Stanislaus Büdner an einem weichen Abend durch die Straßen des kleinen Städtchens tappte, in dem einmal der Bäckergeselle Stanislaus Büdner einen Band lyrischer Gedichte als Munition gegen die Feldwebel und Unteroffiziere geschrieben hatte. Die zarte Munition war, wie sich herausgestellt hatte, nicht zum Verschießen geeignet gewesen.

Das Städtchen lag in Fliegerfurcht unter einer Decke aus Finsternis verkrochen. Die Liebenden hatten es leicht, und man stieß an allen Ecken auf sie. Das unsinnige Sterben draußen in der Welt trieb eine dürre, mauerkrautartige Liebe aus allen Ritzen.

»Liebst du mich?«

»Ich seh dich zum erstenmal.«

»Lieb mich, der Tod wartet nicht!«

Stanislaus läutete an der Wohnung der Pöschels. Im Flur rochs nach gekochtem Kohl, und der Name Pöschel glänzte in Goldbuchstaben auf einer schwarzen Platte. Hier war nun Stanislaus' Zuhause.

»Der Stanislaus!« Mutter Pöschel drückte ihn ab, und es ging ein Dunst von angebratenen Zwiebeln von ihr aus. Papa Pöschel schlurfte in zerlappten Hauspantoffeln herbei.

Sie saßen im Wohnzimmer und besahen sich. Die große Standuhr zerhackte die Zeit wie eh und je. Wieviel Stunden dauert der Krieg? – Tack, tack, tack!

»Willst du deinen Jungen nicht anschaun? Er schläft, und er ist süß und seidig.« Mama Pöschel öffnete die Schlafzimmertür. Papa Pöschel aber hielt seinen Schwiegersohn zurück. »Dichtest du noch?«

»Ich dichte lieber nicht.«

»Ich dichte wieder und habe beispielsweise dieses Kind bedichtet. Es kann nicht dafür.«

Stanislaus wollte Lilians Kind vorläufig nicht anschaun. Es konnte sein, daß es einem gewissen Wachtmeister Dufte ähnlich sah und er würde sich Mühe geben müssen, es lieben zu lernen.

»Wo ist Lilian?«

»Lilian?«

Ja, Lilian sei nun Schwester bei der Volkswohlfahrt. Bahnhofsschwester. Etwas müsse ein junger Mensch betreiben, wenn sein ganzes Volk auf den Beinen sei.

»Bahnhofsschwester?«

»Bahnhofsschwester.«

Stanislaus tappte gereinigt und gewaschen durch die dunkle Stadt zum Bahnhof. Nun ging er Lilian vom Dienst abholen, und seine Sonne sollte aufgehn. Er traf unterwegs viele Paare, doch er traf keine einzelne Frau. Am Parkausgang meinte er, Lilians Stimme vernommen zu haben. Er lauschte. Da hörte er sie lachen.

»Lilian!« Er rannte durch die Büsche und traf Lilian bei einem Mann. Sie erschrak. Der Mann schnarrte: »Nehmen Sie Haltung an!«

Lilian beschwichtigte den Mann: »Es ist dunkel – er kann deinen ... kann Ihren Rang nicht erkennen, Herr Hauptmann. Es handelt sich um meinen Mann.«

»Immerhin ...«, sagte der Hauptmann, drehte sich um und ging.

Stanislaus und Lilian standen beieinander, sahen dem davongehenden Hauptmann nach und fanden im Wortvorrat der Welt kein einziges Wort füreinander.

Es wurde eine Nachhochzeit gefeiert. Bekannte und Verwandte der Pöschels bevölkerten die Wohnstube, tranken, boten dem Kanarienvogel Bier an und waren lustig, so gut es ging. Papa Pöschel las zwei Gedichte auf Lilians Kind. Es waren Gedichte, die auch Mama Pöschels Beifall fanden. Man erzählte von der wirklichen Hochzeit, wie schön, wie wohlgelungen sie verlaufen wäre, und fragte schließlich Stanislaus, diesen stummen Bräutigam, wie er seinen Hochzeitstag in Polen verbracht habe. Stanislaus schwieg.

»Gibts in der polnischen Gegend noch die weißen Filzstiefel mit rotem Lederbesatz?« fragte Lilian. Und auch dazu schwieg Stanislaus.

Das Fest feierte sich ohne ihn weg.

»Soldaten sind schweigsam. Sie haben was gesehn«, lallte Vater Pöschel gegen Morgen und prostete Stanislaus zu.

Das Geräusch der großen Standuhr ertrank im Familiengelärm. Die Uhr zerhackte trotzdem die Zeit. Stanislaus und Lilian sahen aneinander vorbei.

»Ist nun dieser Hauptmann etwas in deinem Leben?«

»Nein.« Lilians Antwort kam zu schnell. »Er ist nichts als ein ... er kümmert sich übrigens um alle Schwestern. Ja, das tut er.«

Lilian schlief, und Stanislaus wachte. Er war aus der Fremde in die Fremde gefahren. Hier, in all dem Familiengetu war kein Wort über Alis Tod, über die wühlenden Erlebnisse von draußen am Platze.

Die Urlaubstage welkten dahin. Einer nach dem anderen. Lilian verbrachte sie auf dem Bahnhof. Sie hatte nicht dienstfrei bekommen. Ihr Vorgesetzter, der Hauptmann, war dagegen. Es war Krieg. Man konnte mehr als einem Wunsche nicht Rechnung tragen.

Nachts, wenn er mit Lilian im Bett lag, glaubte Stanislaus manchmal, zu Hause und angekommen zu sein. Er war für eine Weile sicher, daß sie ganz bei ihm sein mußte. Sie war nicht sparsam mit Schmeichelworten und Liebkosungen. Am Morgen jedoch stieg eine verwandelte Lilian aus dem Kissennest: Sie lauerte unwillig auf den Morgenkaffee, zeterte mit der Mutter, giftete den Vater an, sah flüchtig ins Kinderkörbchen und eilte davon, als ob es gälte, den Anfang eines großen Festes nicht zu verpassen.

»Lilian glüht vor Pflichteifer – so ist sie«, sagte Mama Pöschel, lächelte Stanislaus ermunternd an und schenkte ihm eine Zigarre von ihrer Kriegszuteilung. Stanislaus setzte sich aufs Familiensofa und sah zu, wie sich der Trost von Mama Pöschel in blaue Wolken auflöste.

Am Abend saß er mit Papa Pöschel zusammen. Sie warteten. Jeder auf das Seine. Worauf eigentlich?

»Wie sind die Kriegsaussichten?« fragte Papa Pöschel und beklopfte die Sofalehne. Sollte dort eine Antwort herauskommen? Stanislaus schwieg. Es erschien ihm albern, hier auf dem Sofa vom Krieg zu reden. Papa Pöschel gab sich die Antwort selber. »Die Kriegsaussichten sind, glaube ich, nicht schlecht. Ich war nie für diesen Hitler da – das weißt du, aber die Kriegskunst beherrscht er. Euch wird einmal die Welt offenstehn – unsereiner natürlich ...«

Sägende Heullaute drückten sich durch die Fensterritze und bohrten sich ihnen in die Ohren. Auf der Straße bekam das

Leben einen Stoß. Schritte verwandelten sich in Getrappel,
Zurufe in furchtsames Geschrei.

Papa Pöschel sprang vom Sofa, hastete in die Schlafstube und
riß das Kind aus dem Bett. Das Kind schrie. Mutter Pöschel
rannte herzu. Sie riß das Kind mit teigbeschmierten Händen an
sich. Pöschel nahm den besten Kanarienvogel, seinen Haupt-
sänger, von der Wand. »Einmal finden uns die Flieger vielleicht
doch.«

Sie preschten – Mama Pöschel mit dem Kind voran – in den
Keller.

Stanislaus blieb auf dem Sofa sitzen und war sich ein harter
Frager: Würdest du dich rühren, wenn sie kämen und dich
eintrümmerten? Seine Antwort war nicht schnell gefunden,
aber sie endete mit einem Nein. Jetzt war er wohl soweit wie
Weißblatt, und das große Nichts hatte Besitz von ihm ergriffen.
Er bekam Sehnsucht nach seinem Kameraden Weißblatt, und
es schien ihm, als könnten sich zwei, die in das große Nichts
hineinlebten, doch ein wenig aneinander wärmen.

---

13   Stanislaus friert vor Einsamkeit in der großen Stadt Paris, zitiert den Wein-Neck und rettet aus Zorn auf die Feldwebel ein Liebespaar.

Stanislaus traf Weißblatt in Paris wieder. Einen ganz anderen
Weißblatt. »Trinken wir auf deine Frau!« Weißblatt lachte und
lachte.

»Bist du krank, Weißblatt?«

»Muß ein Philosoph krank sein, wenn er irgendwie, was weiß
ich, ein wenig lustig ist?«

Stanislaus musterte seinen trinkenden Kameraden. »Und das
Nichts?«

»Nichts ist dort, wo nichts ist. Hier ist Paris. Gebildete Menschen. Irgendwie politesse, noblesse. Wie schön ist deine Frau?«

Stanislaus war ein Nüchterner in einer betrunkenen Gesellschaft. Der angeheiterte Wonnig nahm ihn beiseite. »Alles ist
gut. Wir sind Schau- und Paraderegiment geworden. Die
Pferde sind weg. Was sollten wir hier in der Weltstadt mit

solchen Dingern. Nur der Rittmeister hat noch ein Pferd. Wir
flitzen in Autos durch die Metropole und schüchtern die paar
Leute ein, die uns nicht wohlgesonnen sind. Die meisten sind
uns gut gesonnen. Ich versteh mich auf Güte. Alles ist gut,
hurra!«

»Erlaubt deine Sekte das Trinken, Wonnig?«

»Meine Sekte erlaubt die Fröhlichkeit, alles ist gut, und hier
ist Paris und bravo!«

Bei Willi Hartschlag in der Küche flogen die Korken aus den
Weinflaschen. Er hatte wenig Zeit fürs Kochen. Schon am frühen Nachmittag verschwand er mit Paketen unterm Arm. »Du
bist ja verläßlich«, sagte er zu Stanislaus.

Stanislaus kochte Kaffee nach Heeresvorschrift – Gerstenkaffee. Niemand trank ihn. Er schüttete die Kaffeebrühe in den
Ausguß und kochte am Morgen frische. Es war nicht gesagt,
eines Tages konnte es sich ein Offizier einfallen lassen, seinen
Katzenjammer mit diesem Heimatgesöff zu verdünnen und
hinwegzuspülen, also mußte es vorhanden sein.

Stanislaus dachte und dachte: Was taten sie nun wirklich hier
in fremden Landen? Das Vaterland konnte nicht nur fremde
Länder für die tüchtigen Deutschen erobern; in diesen Lebens-
räumen mußte die Ordnung aufrechterhalten werden. Sie hatten die Vorsehung zu sein. Das jedenfalls entnahm Stanislaus
den Soldatenzeitungen. Heil Hitler!

Stanislaus' Bataillon war dazu ausersehen worden, Wacht-
gruppen für die hohen deutschen Befehlshaber in ihren Palä-
sten zu stellen; außerdem hatte es diese leichtlebige Stadt und
diese unfruchtbaren Franzosen ein bißchen mit deutschem
handfestem Wesen zu durchsetzen. Das las Stanislaus in den
Regimentsbefehlen. Es machte keinen Eindruck auf ihn. Seine
Gedanken kreisten um das Nichts.

Weißblatts fahles Blut schien sich vom französischen Wein
gerötet zu haben. Er traf sich an freien Nachmittagen in
einem Winkelcafé hinter Schilfrohrmatten mit der zierlichen
Französin Hélène. Oh, diese feinfingrigen Hände! Voilà, die
weichen Gelenke! Ici, dieses Aufschaun unter einem Saum

schwarzer Wimpern! Parbleu, diese Intelligenz! Weißblatt sprach nur mehr französisch – natürlich. Sollte er in der barbarischen Sprache seiner Heimat durch intime Gespräche trampeln?

Sie tranken Wein. Sie wenig. Er noch ein Glas und noch ein Glas. Quelle délicatesse, dieser Wein! Eingefangenes französisches Klima, das über die Zunge rann und sich im Körper verteilte, ausbreitete und überhandnahm. Der Dichter erwachte, Weißblatt schrieb auf der Wache Gedichte. Liebesgedichte in französischer Sprache. Er legte Hélène ein Gedicht neben das Weinglas. Sie las es, lachte und sagte höflich: »Oh! – Ich habe ein wenig Hunger!« Er ließ seinen gedruckten Roman von daheim kommen. Sie sagte wieder höflich: »Oh – eure Sprache geht in Stiefeln – tramp, tramp.«

Er hatte so viel Wein getrunken, daß er sie zu küssen versuchte. »Sie sagten so süß: tramp – tramp!«

Sie entzog sich ihm höflich. Sie warf eine Schilfwand um. »Man sieht uns!«

»Pardon, mille fois pardon!« sagte Weißblatt.

Sie setzte das Gespräch fort: »Ich habe nie gehört, wie eure Dichter mit dieser Sprache umgehn. Vielleicht ...« Sie blickte ihn von der Seite an. »Vielleicht lassen sie die Sprache auf schwarzen Samtschuhen gehn.«

»Schwarze Samtschuhe, Hélène?«

»Es ist alles dunkel bei euch.«

»Quel esprit, wie geistreich.«

»Oh!«

Er führte sie in ein Kino. Im Dunkeln griff er nach ihrer Hand. Dieser Weißblatt! Dieser Philosoph des Nichts! War eine Mädchenhand etwa nichts? Ja, denn er griff ins Leere. Hélène hatte es plötzlich nötig, mit beiden Händen ihr Haar zu ordnen und ganz und gar damit beschäftigt zu sein.

Als sie das Kino verließen, war er dem Weinen nahe wie ein Kind, das nicht erhalten hatte, was es sich wünschte. Das Kino war von deutschen Soldaten abgesperrt. Weißblatt ließ Hélènes Arm fahren und erstarrte. Hélène plauderte munter auf ihn ein. Er antwortete deutsch.

414

»Ihre Sprache geht in Stiefeln«, sagte Hélène und haschte nach seinem Arm. Er legte die Hände auf den Rücken wie ein deutscher Spießer beim Abendspaziergang.

Die deutschen Soldaten fischten nach jungen Franzosen, und sie nahmen viele von ihnen mit.

»Was geschieht?« fragte Weißblatt.

»Es geschieht jeden Tag irgendwo in Paris«, antwortete Hélène. Sie ging. Sie verließ ihn. Er traf sie auch am nächsten Tage nicht wieder. Sie blieb verschollen.

Die Wochen vergingen. Stanislaus hockte in der Kellerküche seiner Kompanie. Abgebrauchtes Nachmittagslicht sickerte herein. Die Schattenvierecke der Gitterfenster ruhten auf dem durchfetteten Steinfußboden. Der Abendkaffee für die Mannschaften war gekocht. Es lag noch eine lange Nachmittagsstrecke, dazu der ganze Abend bis zum Zapfenstreich vor dem zweiten Kompaniekoch Stanislaus Büdner. Wie sollte er diese Zeit aufbrauchen? Früher kannte er keine Langeweile, da nutzte er jede freie Bäckerminute für sein Studium. Wozu jetzt studieren? Um eine gelehrte Leiche zu werden?

Er holte sich eine Flasche Wein aus Willi Hartschlags Küchenreserven. Willi war, wie stets nach dem Mittagessen, in das fröhliche Paris getummelt. Alle waren regsam, alle hatten etwas vor, alle schienen glücklich zu sein; nur Stanislaus ging umher und sortierte seine Gedanken. War er vielleicht immer noch krank? Hatte dieses merkwürdige Fieber, das er sich in einer Lehmgrube in Polen zugezogen hatte, vielleicht sein Hirn in Unordnung gebracht?

Es war nicht die erste Flasche Wein, mit der Stanislaus seine zerrissenen Hoffnungen ein wenig zu flicken versuchte. Der Weingeruch kicherte ihn an wie jener Neck, der ihn vor Jahren des öfteren in seiner Bäckerkammer aufgesucht hatte. Nach dem dritten Becher Wein fand der zweite Kompaniekoch, daß es sich etwas leichter mit einem gewissen todtraurigen Stanislaus Büdner umgehen ließ. Er schalt diesen Büdner einen Dummkopf, weil der sich den Küchendienst einmal von einem ganz bestimmten Wachtmeister Dufte hatte aufschwätzen lassen. Er beschuldigte den Büdner sogar, diesen Druckposten gegen ein Kind eingehandelt zu haben. Druckposten gegen Wachtmeisterkind in volle Pension mit Familienanschluß! Es kam so weit, daß der zweite Koch seinen Schatten anspuckte und ihn mit Herr Büdner anredete. Er ließ diesen bespuckten Koch in einer Ecke sitzen, trank noch einen Hieb Wein und schrieb Postkarten: O. u. – Ort unbekannt. Er schrieb aus Langweile an seine Eltern. Er schrieb an seine Nichten, die, nach einem Photo zu urteilen, schon wie kleine Fräulein aussahen. Er schickte seiner Schwester Elsbeth Geld. Das hatte er all die Jahre hindurch getan, auch als ihm die Selbstunterrichtsbriefe nach »Methode Mentor« seine Wochenlöhne fast verzehrt hatten. Er brauchte die Sendung nicht mehr zu tarnen; es war üblich geworden, daß Soldaten Geld und gute Dinge an Verwandte schickten. Auch in Lilians Briefen summten Wünsche: »Kann man in Paris nicht seidene Unterröcke ohne Bezugsschein kaufen? Hier gibt es kein gutes Parfüm mehr, aber Paris – das duftet wohl wie Tausendundeine Nacht?«

Stanislaus antwortete auf diese Briefe nicht. Er schob sie auch jetzt in seine fettbefleckte Briefmappe zurück. Er beschloß, Paris zu entdecken. Er wollte erkunden, was diese Stadt, von der alle schwärmten, mit der alle umgingen wie mit einer schnellvertrauten Straßengeliebten, für ihn bereithielt.

Die Bäume am Seineufer standen wie große Schattenschirme. Stanislaus stakte mit blank geputzten Stiefeln unter diesen Laubschirmen dahin. Kein gutes Wandern: Offiziere, Vorgesetzte aller Gattungen gingen spornig einher. Stanislaus hatte keine Lust, fortwährend die ausgestreckten Finger an seine Kappe zu legen, sich steif zu machen, den Kopf zu verdrehen und alles das zu tun, was sie grüßen nannten. Die Vorgesetzten aber waren hitzig wie die Hofhähne. Sie wollten gesehn und beachtet werden, verdammt, wollten wer sein – hier in Paris, wollten Eindruck auf gewisse Damen machen, die auf der Promenade einhertändelten. Die Herren Vorgesetzten wollten Liebe, verflucht, wollten diesen unfruchtbaren Franzosen zeigen, wie man Kinder macht, sakra!

416

Stanislaus kehrte diesem Hühnerhofgetümmel den Rücken. Er besah sich die Auslagen der Buchhändler an der Kaimauer. Buchhändler wie Vogelhändler, und bunt war, was sie anboten: vergilbte Kupferstiche, Büchlein mit farbigen Deckeln, ehrwürdige Bände mit Lederrücken, verstockte Leinenüberzüge, grünschimmeliges Schweinsleder. Die mageren Männchen neben den Holzkästen schienen trotz der Maisonne zu frieren. Stanislaus sah keinen der verhutzelten Händler etwas verkaufen. Sie führten die kleine Herde ihrer Bücher an die Luft, in die Sonne und standen wartend wie die Schäfer daneben, betrachteten den Himmel über Paris oder nahmen ab und an eines ihrer Buchschafe in die Hand, um es zu streicheln.

Stanislaus versuchte, die Buchtitel zu lesen. Er erinnerte sich einiger französischer Wörter wie eines Traumes und dachte an sein nicht zu Ende gebrachtes Studium. Die Zeit, bevor er Lilian kennengelernt hatte, die Zeit, da er in seiner Kammer gesessen und studiert hatte, erschien ihm wie ein Windhauch aus dem Paradiese.

Vorbei – jetzt stand er hier und konnte nur ungenau entziffern, was die ausgelegten Bücher mit ihren Titeln versprachen. Er ging durch dieses fremde Land wie ein Halbblinder. Alles einer Liebe wegen, die sich nicht gelohnt hatte. – Wie? Woher solche Gedanken? Er war fast dankbar, als ihn ein Feldwebel anrempelte und schrie: »Die Pariser Schlamperei treib ich dir aus!«

Stanislaus mußte dreimal grüßen, mußte dreimal mit eckigen Bewegungen wie die Figur von einer Rummelorgel an diesem Feldwebel vorübergehn. Die Damen auf der Promenade kicherten dezent; ob über ihn, ob über den starrenden Feldwebel, wußte er nicht.

Die Feldwebel hatten sich also auch hier in der großen, fremden Stadt eingenistet und breitgemacht, um ihm das Leben wie daheim in der deutschen Kleinstadt zu vergällen.

Er verließ den Kai und stieg eine der Steintreppen zum Fluß hinab. Die Seine floß schmutzig und jauchig wie alle Flüsse, die große Städte durchfahren. Gemauerte Ufer, Boote auf ölhäutigem Wasser, kleine Schiffe, Wasserdunst. In schützenden

417

Strauchnestern standen Bänke. Im herabhängenden Geäst der Uferweiden hingen wie Früchte an Hexenbäumen zerrissene Socken, graugraue Hemden und durchlöcherte Hosen. Hier hockten die Armen der fröhlichen Stadt, entkleidet, nackthäutig, und warteten auf das Trocknen ihrer Hüllen. Ein alter Mann zermalmte Kommißbrotrinden. Speise aus Unratkübeln. Kehricht vom Tische der Deutschen. Brennstoff für den Lebenstag eines alten Mannes. Ein mageres, verzaustes Weib betrachtete mit irren Augen seine Zahnprothese. Die Prothese lag auf dem Rand einer Bank. Das Weiblein schien sich der Zeit zu erinnern, da ihm diese Kunstzähne noch von Nutzen gewesen waren. Stanislaus wollte leise vorüber. Seine deutschen Soldatenstiefel verrieten ihn. Sein Schatten fiel auf die Bank der Alten, auf ihr überflüssiges Gebiß. Das Weiblein hielt ihm die Prothese bettelnd hin. Es tippte mit dem mageren Zeigefinger auf einen blinkenden Metallzahn. »Kaufen Gold, Err Ofissier?«

Stanislaus stolperte über die eigenen Stiefel, hob einen Fetzen Papier auf, zerknüllte ihn, warf ihn ins Wasser und verfolgte das schwimmende Bällchen. Sein Verlegenheitstun wurde von zwei jungen Leuten gehemmt, die vor ihm gingen und sich umarmt hielten. Das Mädchen küßte den Burschen. Es gnubberte wie ein weiches Heidschaf am Ohr des jungen Mannes. Die Verliebten schienen sich nicht um die knirschenden Stiefel des deutschen Soldaten zu kümmern.

Wenn die Liebenden standen, um zärtlich miteinander zu sein, blieb auch Stanislaus stehn. Nein, er wollte hier nicht stören. Liebt euch, wenns euch gegeben ist! Seid gut zueinander! – Er hatte Zeit, sich auszudenken, was geschehen würde, wenn er den Liebenden in seiner Sprache zurufen würde: Seid gut zueinander! Er begriff, daß er in diesem fremden Lande nicht nur ein Halbblinder, sondern dazu noch ein Stummer war. Er verfluchte sein Schicksal.

Die Sonne ging im Dunst unter. Die Bäume am Seinekai schummerten sich ein. Die Nacht wurde warm und satt. Die Menschen hungerten. Jeder nach etwas anderem.

Stanislaus stieg bei Notre-Dame wieder auf die Kaipromenade. Er setzte einen Stiefel vor den anderen, ging und ging, ein

418

Golem, der durch Paris stampfte. Menschen, kleine und große, traurige und leis lächelnde, eilende und schlendernde, trieben vorüber. Dazwischen immer wieder graue Uniformen mit mehr oder weniger Silber auf Rockärmeln, Krägen und Schultern: deutsche Menschen, seine Nachbarn von daheim. Er vergaß, sich für sie steif zu machen, die Augen zu verdrehn und zu grüßen. Es murmelte aus ihm wie aus einem Sprechautomaten: »Laßt mich! Ich kenn mich nicht aus!«

Eine Menschenwolke zog die Straße herauf. Die Eiligen und die Schlenderer, die Traurigen und die Leislächelnden auf den Gehsteigen blieben stehn. Die Menschenwolke drängte heran, begleitet von donnernden Kommandos und unflätigen Flüchen: Junge Männer, hin und her ein Mädchen dazwischen, eskortiert von grauen deutschen Soldaten.

»He, los. Hier ist kein Luderlager. Parti, parti!«

Trapp, trapp, trapp. – Die jungen Männer mit fragenden Gesichtern, mit ängstlichen, mit spähenden, mit herausfordernden Blicken, mit Halt suchenden Händen, mit geballten Fäusten. Trapp, trapp, trapp!

»He Hunde, marschee, marschee!«

Ein kleiner Alter mit grauem Knebelbärtchen trat wippend vom Gehsteig herunter, ging aus der Menge der Schauenden auf einen deutschen Soldaten zu. Der Soldat riß sein Gewehr von der Schulter. Das aufgepflanzte Bajonett stand wie ein spitzer Warnpfiff vor den Rockknöpfen des Mannes. Der Alte fuchtelte, wies auf einen Jungen in der Menschenwolke. Der Junge winkte matt.

»Eda, mon fils, mon fils – mein Sohn!«

»Spring ab, du Grauwolf, nix verstehn!«

Der Alte erhielt einen Schubs, taumelte, setzte sich auf die Bordkante, hielt sich die Hände vor das Gesicht. Der Soldat ging weiter und schulterte das Gewehr. – Der Alte blieb nur Sekunden hinter den Händen, dann sprang er auf, rannte am Rande der Menschenwolke entlang, drang durch die Eskorte zu seinem Sohne, packte dessen Hand, marschierte mit und munterte die Burschen an seiner Seite mit forschen Blicken aus seinen kleinen Grauaugen auf. Vorn in der Menschenwolke wurde ein Lied angestimmt. Die Soldaten der Eskorte preschten. »Schnauze!«

Der Gesang schwoll an.

Stanislaus stand am Straßenrand und war doch kein Zuschauer; denn er trug die graue Uniform der Deutschen und fühlte sich zerbohrt von verächtlichen Blicken. Er verbarg sich hinter einem Baum. Unter den letzten der Dahergetriebenen sah er jenes Liebespaar vom Steig am Fluß. – Seid gut zueinander! – Ja, was denn? Hinter dem Paar ging mit aufgepflanztem Bajonett der ehemalige Schrankenwärter August Bogdan aus Gurow bei Vetschau. Stanislaus trat auf die Straße. »Bogdan!«

Bogdan packte den jungen Franzosen beim Rockkragen und blieb stehn. Auch das Liebespaar blieb stehn. Stanislaus war blaß geworden. Er sprach leise und eindringlich wie früher, wenn er mit seinen gesammelten Kräften experimentiert hatte. »Kannst du es verantworten, Bogdan?«

Bogdan fuhr mit seinem Bajonett in den Stiefel und kratzte sich die Wade. »Ich habe keine Verantwortung nicht, will ich dir sagen. Wir mußten dir ein Kino ausheben. Es warn, wie sie sagen taten, Unruhstifter drin.«

Stanislaus zitterte. »Unruhstifter? – Nicht die da. Ich sah sie am Flusse. Sie liebten sich.«

Die Liebenden lauschten, versuchten zu verstehn. Bogdan hob sein Gewehr und tippte mit der Bajonettspitze an die dünne Seidenbluse des Mädchens. »Die da sollte dir gar nicht mit, will ich dir sagen. Sie hat sich dir an den da geklammert. Was sollt ich machen? Wenn sie dir mit will? Dienst ist Dienst.«

Ein Feldwebel kam zurück, fuhr auf Stanislaus los und fuchtelte. »Wo ist dein Gewehr, Hundesohn?«

Der Feldwebel rannte wie ein Herdenhund wieder nach vorn. In Stanislaus zischte der Jähzorn auf: Hundesohn? War er nicht ein Mensch? Mußte er sich immer und immer wieder von diesen Feldwebeln beleidigen lassen? – Die Marschkolonne der Unglücklichen bog um eine Straßenecke. Bogdan schulterte sein Gewehr und wollte weiter.

»Jetzt läßt du sie laufen«, sagte Stanislaus und packte Bogdan bei der Schulter. Bogdan setzte sich in Bewegung.

»Du wirst sie laufenlassen, sonst sollst du verflucht sein dein Leben lang!«

Der hexengläubige Bogdan sah die Wildheit in Stanislaus' Augen, wich zurück und blieb dann starr stehn. Stanislaus trat zu den Liebenden, breitete die Arme aus, bewegte sie scheuchend. »Fuyez! Entflieht!«

Die Liebenden sahen sich an.

»Fuyez!«

Sie rannten. Unter den bergenden Bäumen packten sie sich bei den Händen, die Zuschauer auf den Gehsteigen deckten sie. Sie verschwanden. Rufe aus der Menge; erst schüchtern, dann lauter: »Bravo, eeh, bravo!«

Stanislaus stieß Bogdan an. Bogdan erschrak, als sei er aus tiefem Schlaf gescheucht worden. »Du hast mir behext! Du hast mir beflucht!« schrie er. Stanislaus riß ihn weiter. Sie mischten sich unter die Menschen auf dem Gehsteig.

---

14 Stanislaus sucht nach neuen Lebenszielen, bezweifelt die Zulänglichkeit der Philosophen und wird in die Niederungen der Kleinkunst gestoßen.

Morgendunst wehte von der Seine herauf. Die Bäume schüttelten sich. Die Einwohner der ungewöhnlichen Stadt gingen aufs neue daran, das zu tun, was in ihrer Lage, in diesem durch und durch vertrackten Krieg zu tun war. Sie hielten den Gang ihrer privaten Dinge ein wenig aufrecht, tauschten verstehende Blikke, machten Andeutungen, liebten und litten. – All das sah an der Oberfläche wie ein großes Warten aus, während sich der Untergrund rührte und bewegte: Ein Trupp junger Menschen war während der Nacht in Viehwaggons aus Paris verschickt worden; nicht so viele Menschen, daß man ihr Fehlen am täglichen Stadtbild hätte wahrnehmen können, aber Menschen. Hier und da fehlte einer bei einer wichtigen Beratung in einem Versteck.

In der Kaserne jener Kompanie, die nun keine Reiterkompanie mehr war, jener Kompanie, von der niemand mehr recht wußte, was sie war und wozu sie gut sein sollte, schrillte die

Pfeife des Unteroffiziers vom Dienst zum Wecken. Der Trillerton zersägte die mannigfaltigsten Träume; schlechte und laue Träume, Träume von Weibern und Waren, Träume, verwildert vom Wein, Träume, durchtrieft von Tränen, Träume von Siegen und Eichengirlanden.

Um diese Zeit stand der zweite Koch der Kompanie bereits in der Küche. Der Morgenkaffee war gekocht. Der einzige Mann, der kam, um sich sein Kochgeschirr mit deutscher Gerstenbrühe füllen zu lassen, war Otto Rolling aus der ehemaligen Stube achtzehn. Um seine Nasenflügel zuckte leiser Spott. »Du hast den Bogdan behext, wie ich höre.«

Stanislaus erschrak. »Hat er darüber gesprochen?«

»Ich habe es ihm verboten. Du hast ihn hypnotisiert, wie?«

Stanislaus rührte verlegen mit der Küchenkelle im schwarzen Trinksaft. »Ich habe ihm zwanzig Mark Schweigegeld gegeben.«

Rolling packte die Kelle und zwang den Koch zum Aufschaun. »Sind dir das zwei Franzosen wert?«

»Sie liebten sich. Sie hatten nichts verbrochen.«

Rolling wurde ernst. »Und wenn sie was verbrochen hätten?«

Stanislaus legte Kohlen aufs Feuer. Als er wieder aufschaute, stand Rolling am gleichen Fleck. »He?«

Stanislaus knallte die Herdtür zu. »Ein Feldwebel nannte mich Hundesohn. Ich haß die Webel. Sie haben mein Mädchen verdorben. Sie quälen und quälen mich ...«

Rolling hob die Hand. Er setzte sein Kochgeschirr an die Lippen, tat, als ob er tränke, und sagte in das Aluminiumgefäß hinein: »Man tut, was man kann, aber man überlegt, was man tut. Dein Haß ist nicht umfassend genug!« Er nahm zwei, drei gurgelnde Schlucke von der schwarzen Brühe, wischte sich den Mund, ächzte und ging.

Stanislaus ging in der halbdunklen Küche auf und nieder. Das Mahlwerk seiner Gedanken war wieder in Gang gekommen, rumpste, schnurrte und stieß Grobschrot aus: Alle seine Hoffnungen, die er in den letzten Jahren ausgeschickt hatte, waren niedergefallen wie Zugvögel, deren Flügel im jachen Winterwind erstarrten. Er erwartete nichts mehr für sich, doch am vergangenen Abend war er trotz der Angst vor Bogdans Verrat innegeworden, daß einer, der nichts mehr für sich erwartete, ein wenig Glück unter die Menschen streuen konnte: Er hatte einem fremden Liebespaar zu seinem bescheidenen Glück verholfen, und er dachte mit Genugtuung an jene Zeit seines Lebens, da er sich gedrungen gefühlt hatte, mit seinen gesammelten Kräften die Böstaten unter den Menschen einzudämmen. Konnte das nicht ein Lebensziel für einen sein, dem sonst alles fehlgeschlagen war?

So also ging es in Paris zu, der geistvollen Stadt, der modernen Stadt mit den alten Häusern, der modernen Stadt mit soviel aufgesparter Traulichkeit und Romantik in Gassen und Winkeln, mit soviel eingefangener Vergangenheit um Bauten und Gebäude. Es gab da Gäßchen, in denen noch das Getrappel der Esmeraldaziege stand, und es gab da Mauern, um die noch die Schüsse nach mutigen Kommunarden hallten. – Nun aber war ein Geierschwarm von deutschen Männern in Paris eingefallen, und die gaben vor, mit diesem Einfall in die Stadt an der Seine ihren Geierhorst zu schützen, der weitab in einer Stadt lag, die Berlin hieß.

Da waren viele deutsche Männer in den Kasernen, die hatten Berlin niemals gesehn, weil sie nie Ferien und Fahrgeld genug gehabt hatten, dorthin zu gehn; aber jetzt sahn sie Paris, und der große Führer der deutschen Menschheit bezahlte ihnen die Reise. Sie schickten Pakete, Kisten und Kasten heim – Atzung für ihre Brut im Geierhorst; und manche von ihnen waren in Frankreich gut und besser verpaart als daheim. Sie vergaßen den Krieg.

Der Krieg aber vergaß sie nicht. Der große Führer der deutschen Menschheit und seine Vorsehung hatten es für nötig erachtet, Rußland zu überfallen, um diesen Verbündeten, wie es hieß, niederzuschlagen, ehe er zum Feinde wurde.

Wieder quarrten die Lautsprecher aus den Schreibstuben von einer Großtat, die da seit vierundzwanzig Stunden im Gang wäre. Wieder hielten die Offiziere Reden vor der Mannschaft und verlangten Begeisterung für die große vaterländische Sache. »Alles fällt, wenn wir nur anrücken: Polen – achtzehn Tage,

Frankreich – Spaziergang mit kleinen Verlusten, verstanden!« – Und die, denen in Paris Kisten und Pakete nicht mehr voll wurden, und jene, die sich mit ihrem Altväter-Dummstolz berufen fühlten, über Europa zu herrschen, trugen erregte Gesichter umher, übertrafen sich gegenseitig in Lobpreisungen der weisen, von der Vorsehung eingesetzten Führung.

Doch da waren auch andere, dünnere, stillere Stimmen, Gewisper unter dicken Militärdecken, nachts, wenn der Mond, schimmeligen Frieden vortäuschend, in die Stuben spähte; Geflüster auf den Latrinen, wo den Flüchen nicht nachgewiesen werden konnte, worauf sie sich bezogen.

Als die Nachricht die beiden Köche im Küchenkeller erreichte, ließ Willi Hartschlag einen halbgaren Schweinskopf in den Kessel zurückplumpsen, ging in seine Vorratsecke, wählte unter den Flaschen, riß eine auf, setzte an und gluckerte klaren Wein in sich hinein. Stanislaus hackte Zwiebeln und blinzelte mit vertränten Augen zum vergitterten Kellerfenster. »Du lieber Gott!«

Willi Hartschlag schob ihm die Flasche hin. Stanislaus trank nicht. Hartschlag nahm noch einen Hieb, schluckte, gurgelte, setzte die leere Flasche ab und sagte mit ersoffener Stimme: »Paris ist zu Ende. Denn also los, auf die dicken Russenweiber, brr!«

»Schwein«, sagte Stanislaus und erwartete Hartschlags Zornausbruch. Nichts. Hartschlag blieb ruhig, stellte die Flasche weg und sagte: »Kleines Schwein, mußt du sagen; es gibt größere Schweine, wo du nicht hindenkst.«

Am Abend war Ausgehverbot. Die Männer lümmelten sich in ihren Stuben und fausteten bunte französische Spielkarten auf ihre zerlegenen Strohsäcke.

Johannis Weißblatt lag in seinem Schlafwinkel und las. Das Rischeln der Buchblätter war ein schüchternes Geräusch gegen das grobe Gerede und Geraschel in der Stube.

Stanislaus las einen Brief von Lilian: »Ich bin einsam, seit Du weg bist, und möchte Dich fragen, ob es Dir bisher nicht geglückt ist, etwas Seidenstoff für die Ausstattung des Kinderwagens für unser Zweites aufzutreiben ...« Er zerknüllte den

Brief und warf ihn weg. Das Papierbällchen sprang auf Weiß-blatts Buchseiten und hopste von dort in einen Schaftstiefel vor Weißblatts Pritsche. Stanislaus blickte hinunter. »Entschuldigung.«

Der Dichter hob den Kopf. »Hab sie wiedergetroffen. Irgend-wie verändert, unnahbar. Qual für mich. Hélène!« Er sagte den Mädchennamen wie den Namen einer süßen, fremden Frucht. Stanislaus starrte vor sich hin. Er dachte an das Liebespaar vom Seinekai – an seine Liebenden.

August Bogdan stieß den schreibenden Rolling. »Der Büdner starrt mir wieder an.«

Rolling fuhr unwillig aus seiner Schreiberei. »Quatsch nicht. Denk an die zwanzig Mark!«

August Bogdan gehorchte. Er hatte die zwanzig Mark seiner Frau nach Gurow geschickt. Sie sollte ein Ferkel dafür kaufen.

»Was liest du?« fragte Stanislaus den Dichter.

»Philosophie: Schopenhauer, irgendwie interessant.«

»Früher hast du viel von Nietzsche gehalten. Bist satt vom Übermenschen, von der Schwärmerei für Schlachten?«

»Ich bin irgendwie, was weiß ich, über ihn hinausgewach-sen.«

Es wurde laut in der Stube. Die Kartenspieler auf der anderen Seite zeterten gegen Bogdan. »Weg mit dem Kiebitz!«

Bogdan ging in Kraftczeks Ecke, zog seinen Kautabak aus der Hosentasche und lud den Kramladenbesitzer zum Abbeißen ein.

»Ich freß keine Gänsekrumpel nicht«, sagte Kraftczek.

Stanislaus klopfte an Weißblatts Pritschenkante. »Sie sind mir sehr verdächtig, deine Philosophen.«

Weißblatt setzte sich auf. »Du hast den Schopenhauer nicht gelesen.«

»Den Nietzsche aber, den ich von dir hatte.«

Weißblatt wurde unwillig. »Der Mensch wandelt sich, was weiß ich!«

»Bist du katholisch?« fragte Kraftczek in seiner Bettecke. Bogdan schüttelte den Kopf und spuckte Priemsaft auf die Dielen. Kraftczek schnitt sich durch ein Loch im Strumpf mit dem Taschenmesser den Nagel vom großen Zeh. »Katholisch ist besser, weil, da hast du die Heiligen, wo du zu Rate ziehn kannst. Ich möcht kein Evangelischer sein, weil, wen sollt ich anrufen, wenn mir grüne Heringe im Laden anfangen überständig zu riechen?«

»Hat die Eisenbahn bei euch auch einen Heiligen?« fragte Bogdan.

Stanislaus konnte sichs nicht verkneifen, den Philosophenjünger Weißblatt ein wenig zu reizen. »Der Kaiser hatte den Nietzsche, diesen Übermenschen-Vater, einmal eingezogen, zur Kavallerie. Pferde hat der Philosoph putzen solln und hats nicht geschafft. Unterm Pferdebauch hat er gelegen und gejammert: ›Schopenhauer, hilf!‹ «

Weißblatt blieb ernst. »Eine Anekdote, irgendwie.«

»Nietzsches Biographie berichtet es.«

Weißblatt wurde eifrig. »Soll ich dir sagen, was ich herausfand?«

Stanislaus kroch hinunter und setzte sich auf die Kante der Philosophenpritsche; denn die Skatspieler sangen schon. Sie spielten um Weinhumpen.

Weißblatt brannte sich eine »Amarilla« an. Er rauchte noch immer keine anderen Zigaretten. Die »Amarillas« wurden ihm von seiner Frau Mutter regelmäßig nach Paris geschickt. Der dünnblaue Qualm umwalmte das Haupt des Dichters, und was er sagte, war in diesen Qualm gehüllt. »Die Philosophen sind irgendwie weiser, je weiter man zurückgeht. Die modernen sind nichts mehr wert. Die Philosophie verfällt.«

»Der Fehler ist«, sagte Stanislaus, »daß deine Weisen zu lange tot sind. Ich möchte schon gern wissen, was sie zu unserer Zeit gesagt hätten.«

»Wenn du katholisch wärst, möchtest du besser merken, wie der Mensch ein Fliegendreck ist«, erklärte Kraftczek auf der anderen Stubenseite und knabberte Butterkekse. »Der Herr setzt dich hin, wo es ihm recht ist.«

»Ist der Herr bei euch Katholischen eine Fliege?« fragte Bogdan.

Es sah so aus, als sollten ihre Tage in Paris gezählt sein. Auch die Herren Offiziere würden sich nicht gerade gern und leicht von dieser charmanten Stadt trennen. Sie mußten sich an den Gedanken gewöhnen, daß sie Wärme und Wonnen der Weltstadt mit Bauernkaten und Maruschkas im winterlichen Rußland würden vertauschen müssen.

»Hol der Hund das Kriegshandwerk, Herr Kamrad!«

»Wollten Sie nur noch auf Huren, nicht auf Pferden reiten?«

»Prost, Herr Kamrad, eine kleine Anwandlung, verzeihen!«

Ein großes Bataillonsfest sollte stattfinden, ein Abschiedsfest, denn das Gemunkel von der großen Abreise, dem gigantischen Marsch nach dem Osten, war zäh. Die Kompanien wurden auf Kleinkünstler und Unterhalter durchkämmt. Die Heimat schickte ihnen keine Frontspieltruppe nach Paris. Alle guten Dinge gingen jetzt nach dem Osten. – Im Offizierskorps war man nicht allzu traurig darüber: Deutsche Tänzerinnen waren nicht delikat genug. Sie traten nur so nackt auf, wie es die Heeresdienstvorschrift erlaubte, und wirkten gegen gewisse Pariser Damen wie gepanzerte germanische Walküren aus Wagner-Opern. Rittmeister Beetz allerdings fürchtete die Pariser Damen. Sie waren mannszuchtzersetzend. Er ließ sein bayrisches Bierbrauerweib lange vor dem Abschiedsfest nach Paris kommen. Es kam eine blaunasige Frau mit befedertem Kapotthut, langem Silberfuchsmantel und fünf großen Schrankkoffern.

Jemand hatte auch Stanislaus zum Bataillonsfest gemeldet. Er sollte als Hexenmeister und Hypnotiseur auftreten. Wenn es notwendig wäre, sollte er dienstfrei nehmen, sich in der Stadt nach Utensilien umschaun und seine Nummer ff proben. In Stanislaus war Furcht. Hatte Bogdan geschwatzt? Dienstlicher Befehl!

Rolling kam in die Küche. »Gemeldet hab ich dich.«

Stanislaus war empört. »Ist das Kameradschaft?«

»Sei nicht dumm«, beruhigte ihn Rolling. »Greif dir die Silbersöhnchen, treib deinen Hokuspokus mit ihnen! Man tut, was man kann. Sie sind dümmer, als du denkst. Laß deine Freunde, die Feldwebel, hopsen. Ich hab mir was ausgedacht.«

Es wurden Probesitzungen des Kompaniehypnotiseurs auf der Stube abgehalten. Der Reiter August Bogdan, ehemaliger Schrankenwärter, Kleingärtner und Gurkenzüchter aus Gurow bei Vetschau, der an Stationsvorsteher und Hexen glaubte, wurde in Starre versetzt. Stanislaus legte ihn wie einen Laufsteg zwischen zwei Stuhlsitze. Willi Hartschlag, der aus Gründen der Küchenrepräsentation unbedingt mit auftreten wollte, setzte sich auf den plankenstarren Schrankenwärter und trank – mit den Beinen schlenkernd – eine Flasche Wein aus. »Ich sitz hier wie auf einer Gartenbank.« Er hielt dem erstarrten Schrankenwärter die offene Weinflasche unter die Nase. Bogdan war weit weg und ohne jeden Weinappetit. Er schlief, im Wahne, verhext zu sein, in einem Heuhaufen im Spreewald.

Willi Hartschlag hatte in einer Rummelbude gesehn, wie einem Hypnotisierten Nähnadeln durch die Wangen gezogen und Stricknadeln durch die Halshaut gespießt wurden. Diese Nummer wollte er liefern. Er trank zur Vorsicht noch eine Flasche Wein und stellte sich dann zur Hypnose. »Spür ich den Stich, hau ich dir eine runter«, sagte er zu Stanislaus. »Ich bin dein Vorgesetzter, sollst du nicht vergessen!«

Die Nadeln flitzten durch das gedunsene Wangenfleisch des ersten Kochs, und er muckte keinmal.

Auch Kraftczek meldete sich freiwillig für Stanislaus' Nummer. »Du sollst mich so verzaubern, als ob ich möchte zu Hause in Oberschlesien sein und möchte mir ein Bild machen, wie das Geschäft geht und ob im Laden alles in Ordnung ist.«

Auch das klappte, sogar in Gegenwart von Kompaniewachtmeister Zauderer. Der Wachtmeister wurde ein bißchen grau im Gesicht, hüpfte um Stanislaus wie ein Sperling um einen besonders großen Roßapfel. »Ist Ihnen diese Kraft angeboren oder wie?«

Rolling stieß Stanislaus in die Seite.

»Sie ist mir angeboren, Herr Wachtmeister«, sagte Stanislaus.

»Ich dacht es mir«, sagte der Wachtmeister. »Man hat einen Blick dafür. Man ist nicht von gestern.«

Stanislaus fürchtete das Bataillonsfest nicht mehr.

---

15 Stanislaus wird ein weitgereister Magier, beköstigt fünf Feldwebel mit Wasser und erhält Beifall für seine Kleinkunst.

In den Kompanieschreibstuben hingen große handgemalte Plakate: Das Bataillonsfest wurde angekündigt. An die zwanzig Kleinkünstler würden auftreten. Man hatte denen in Berlin bewiesen, daß man nicht auf Frontspieltruppen angewiesen war. Man hatte seine eigenen Reserven: Tänzer und Akrobaten, Kraftmenschen und Reckturner, Damendarsteller und Feuerfresser. Auf dem Plakat stand auch eine Aufforderung: »Alle Bataillonsangehörigen, die über Pariser Damenbekanntschaften verfügen, haben solche zur Verschönerung des Festes mitzubringen!«

Die Männer bürsteten ihre Röcke samt den Nähten, schmierten Koppel und Stiefel und walkten sie mit den Handballen wie in der Rekrutenzeit. Im großen Vorführungssaal stanks wie in einer Schuhcremefabrik, und dieser Gestank war der Inbegriff von militärisch-preußischer Sauberkeit. Der Major und Bataillonskommandeur, die Rittmeister und die Kompanieoffiziere saßen in gepolsterten Sesseln vor der Bühne. Die Mannschaften hockten auf Gartenstühlen. Eine männchenmachende Herde grauer Hasen mit steifen Rücken, die Hände flach auf die Schenkel gelegt wie beim Bataillonsgottesdienst. Zwischendrin die Männer aus Stanislaus' Stube. Rolling mit steifem Gesicht, seine Stirnnarbe gerötet. Die Jacke mit einem großen Flicken besetzt. Verkleisterte Rocklöcher, zugezogen beim Abtransportieren von Offizierskisten zum Bahnhof. Kraftczek mit verschobener Halsbinde und hervorlugendem Goldkettchen seines Priesteramuletts. August Bogdan mit viel Pomade im schmutzig-blonden Haar und im rötlichen Schnurrbart. Wonnig lächelnd wie ein Kind vor der Weihnachtsbescherung. Alles ist gut! Willi Hartschlag mit abstehenden Ellenbogen, vollgepumpt mit

Kraft, fast zwei Plätze einnehmend und Weißblatt halb verdek-
kend. Neben Weißblatt saß Stanislaus, beobachtend und blaß.

Musik der geliehenen Regimentskapelle. Reitermärsche.
Manche Männer schuckelten im Marschtakt auf ihren Gartenstühlen, in der Aussicht, wieder Pferde zu erhalten, endlich
durch das weite Rußland zu reiten, sich kühn und heldenhaft
zu erweisen, alles niederzureiten, was nicht weichen würde.

Die Rede des Bataillonskommandeurs: »Meine Männer!« Die
Feder am Kapotthut von Frau Rittmeister Beetz, der einzigen
Frau in dieser Männerherde, wippte beim bestätigenden Kopf-
nicken. »Das Vaterland wird uns vielleicht bald von diesem
Platz rufen, auf dem wir hielten und bewachten, was Deutsche
eroberten …«

Weißblatt beugte sich zu Stanislaus. »Sie wird kommen. Wirst
selber sehn: irgendwie schöner als früher.«

»Das aber, was sich dort im Osten unter dem Protektorat der
weisen Vorsehung zu vollziehen beginnt, ist nicht Krieg
schlechthin, sondern Herstellung von Gleichgewicht im – äääh
– europäischen Raum und die Rettung der Kultur – äääh – des
Abendlandes …« Der Major nahm vor lauter Hochachtung die
Hacken vor sich selber zusammen.

»Die Feldwebel werden sie dir ausspannen. Dann hast du
deine Hélène gehabt. Die Webel sind wie Raupen auf Rosen«,
flüsterte Stanislaus.

»Ssssssst!« machte jemand, und das war Marschner, der jetzt
schon Kammerunteroffizier war und zwischen den Unterfüh-
rern saß.

»… Dort wird, so ist anzunehmen, bald unser Platz sein. Dort
wollen wir Ehre an die Fahnen unseres Bataillons heften und
den Ruhm des deutschen Soldaten – äääh – vermehren …«

»Soll er hingehn, soll er ruhig hingehn«, brummelte Rolling,
der vergessen zu haben schien, wo er saß. Wonnig stieß Rolling
in die Seite. Rolling blickte ihn an. »Die Welt ist noch nicht
fertig!«

»Alles ist gut!« flüsterte Wonnig.

»Auf denn zum Bataillonsfest!« rief der Bataillonskommandeur. »Es ist vielleicht das letzte für lange, hurra!«

»Hurra, hurra, hurraaaaa!« Die Offiziere erhoben sich und schwenkten die Arme von der Brust weg in den Raum hinein.

»Hurra!« Auch Frau Bierbraurittmeister Beetz streckte den Arm aus. Eine pralle Handtasche baumelte daran. In der Handtasche war Wehrmachtsgeld – hergestellt in einer Fabrik für Kellnerblocks. »Hurra!« Kein Örtchen in dieser verdorbenen Stadt, wo man diese Tasche hinterlegen konnte, um Feste in aller Ruhe feiern zu können. »Hurra!«

Die Kleinkünstler des Bataillons wickelten sich aus den Kulissen und gaben, was sie geben konnten. Paule Palm, ehemaliger Feuilletonredakteur von der VOSSISCHEN ZEITUNG, als Ansager.

> Verachtet mir die kleinen Künste nicht!
> Den Vorhang auf! Es werde Licht!

Der ehemalige Schießbudenbesitzer Karl Knefel verschlang unter Trommelwirbel drei Hindenburg-Lichte, hielt sich einen Lappen vor den großen Mund und spuckte bei Trompetengeschmetter Handwagenladungen von Feuer in den Bühnenhimmel. Er wurde von der Bajadere Albert Meier II, im Zivilberuf Damenfriseur und Bubenkopfschneider, von der Bühne getanzt. Oh, die wilden Schläge auf das Tamburin! Oh, die mit Gewehröl blitzend gemachten Augen und das Gerassel von alten Aluminiumfünfzigern auf seinem blanken Bauch!

An der Eingangstür begannen sich die bestellten Damen einzufinden. Hier und da sprang ein Soldat oder ein Unteroffizier aus der Stuhlreihe, holte seine Dame heran, gab ihr seinen Platz und stellte sich an der Saalwand auf. Frau Biermeister Beetz schaute nicht mehr zur Bühne. Sie begutachtete die eintretenden Damen. Ihr Kopf wackelte empört. »Diese Ausgeschnittenheit!«

In der Pause wurde ausgiebig getrunken. Die Herren Offiziere zogen sich an ihre Tafel im Nebenraum zurück, tranken Sekt und beglückwünschten sich gegenseitig zum glänzenden Bataillonsfest. Die Mannschaften knackten ihre Zuteilung – zwei Mann drei Flaschen geringen Weins. Die Bajadere Meier II saß – immer noch im Kostüm – zur allgemeinen Erheiterung auf dem Schoß von Stabsarzt Scherf.

Weißblatt wartete an der Saaltür. Seine dürre, weiße Hand lag schützend auf der rechten Rocktasche. In der Rocktasche hatte er einige angewelkte Rosen für seine Hélène.

Rolling wurde zum Servierdienst in den Offiziersraum kommandiert. Der Ordonnanzoffizier starrte die Flicken auf seinem Rock an und schickte ihn zu Marschner. Marschner mußte in die Stadt, zur Kammer, um für Rolling eine weiße Jacke zu holen. Er kam wutentbrannt zurück und warf Rolling die Servierjacke zu. »Dich erwürg ich bei Gelegenheit!«

»Man tut, was man kann«, sagte Rolling.

Stanislaus stand – ein wenig fiebernd – hinter den Kulissen und wartete auf seinen Auftritt. Die Offiziere nahmen ihre Plätze – bereits recht angeheitert – wieder ein. Auch die Männer saßen nicht mehr steifrückig in Reih und Glied, sondern begannen sich zu lümmeln und auf die Damen einzureden, die bei ihnen saßen.

Paule Palm sagte Stanislaus' Nummer ungereimt an. Er fand keinen Reim auf Hypnose. Stanislaus war ein weitgereister Magier, dem geheime Kräfte zu Gebote standen. Der weitgereiste Stanislaus trat auf die Bühne wie ein Ertrinkender, über dem sogleich das Wasser zusammenschlagen wird. Er trug zu seiner Reiteruniform einen Turban aus einem Bettlaken. Der Turban war zu groß geraten und fand seinen Halt an Stanislaus' abstehenden Ohren. Der weitgereiste Magier war mehr als bäckerbleich und sah dem geheimnisvollen Mann auf dem Titelblatt des Hypnosebüchleins, das Stanislaus einmal besessen hatte, wenig ähnlich. Er stand da, starrte und schluckte, und sein Adamsapfel ging über dem Uniformkragen auf und nieder. Gleich mußte der Saal im Gelächter erdröhnen, so fühlte er. Es lachte niemand. Frau Bierbrauerrittmeister Beetz hielt sich die Hände vors Gesicht und flüsterte: »Der hat Augen wie selbiger Fakir, wo wir in München am Oktoberfest gesehn ham, was Krokodile steif machte und ein Weibsstück schweben ließ.«

Rittmeister Beetz putzte seinen Kneifer, sah sich seinen Reiter Büdner, den zweiten Kompaniekoch, zum ersten Male an und sagte: »Do kannscht recht haben, Reserl.«

Stanislaus sagte sehr leise: »Ich bitte einige Kameraden, auf die Bühne zu kommen.«

Es kamen siebzehn Männer. Unter ihnen waren Hartschlag und Kraftczek. Bogdan fehlte. Er hatte sich im letzten Augenblick seines Grundsatzes erinnert, beim Militär nie und nirgendwo aufzufallen.

Stanislaus vergaß die Menschen, die da unten saßen und auf sein Tun starrten. Er war wieder der neugierige Bäckerlehrling Stanislaus Büdner, der spielend die Seelen anderer Menschen zu ergründen trachtete. Er glühte, setzte den lästigen Bettlakenturban ab und steckte ihn in die Hosentasche.

Kraftczek trat im hypnotischen Schlaf seine Reise nach Oberschlesien an, begrüßte seine Liesbeth mit dicken Küssen, verkaufte im Kramladen Kriegsseife und schimpfte: »Noch ein Jahr Krieg, und die deitschen Kleinhändler möchten kaputt sein.«

Stanislaus ließ Kraftczek erwachen, ehe der sich weiter über den Krieg und dessen Möglichkeiten verbreiten konnte.

Stanislaus ließ einen Reiter über ein Seil balancieren, das nicht vorhanden war, einen anderen reife Birnen von einem Kleiderständer ernten. Mannschaften und Offiziere unterhielten sich gut, krähten, lachten, schlugen sich auf die Schenkel oder gruselten in sich hinein. Zuletzt aber gab Stanislaus die Nummer zum besten, für die sich Rolling den Titel »Die Küche der Zukunft« ausgedacht hatte. Für diese Küche benötigte Stanislaus fünf Feldwebel. Sie kamen erst, nachdem sie halb und halb Befehle von den erheiterten Offizieren erhalten hatten, zögernd auf die Bühne. Dort stand ein leerer Tisch und dahinter Willi Hartschlag, der Koch der Zukunft. Stanislaus schläferte die fünf Webel ein, und nun durfte sich jeder von ihnen wünschen, was er zu essen begehrte. Jeder erhielt, was er sich wünschte, obwohl Willi Hartschlag nur Schüsseln ausgab, die mit Wasser oder rohen Kartoffeln gefüllt waren. Die Webel aßen Salzhering aus der Faust, und es war eine rohe Kartoffel; sie wickelten Fäden von Rouladen, und es waren rohe Kartoffeln; sie knabberten an Hühnerschenkeln, lutschten an Markknochen, und das waren rohe Kartoffeln. Sie schlürften Ochsenschwanz- und Eierstichsuppen, und das war reines Wasser.

Rolling stand hinter den Kulissen und feuerte Stanislaus an. Aus Toben und Gelächter im Saal steilte eine Stimme: »Mann, mit mir machen Sie den Zauber nicht. Die Feldwebel sind gezinkt!«

»Ich bin nicht gezinkt, ich bin hungrig!« schrie einer der hypnotisierten Feldwebel auf der Bühne. Neues Gelächter. Der Zurufer sprang auf und gestikulierte. Es war der Zugführer Leutnant Zärtling von der dritten Kompanie. Stanislaus verbeugte sich und sagte, seines Erfolges sicher: »Bitte, Herr Leutnant!«

Der junge Leutnant erbat sich Erlaubnis beim Rittmeister, knallte die Hacken zusammen und stolzierte steif wie das Standbild des jungen Reiters aus einer Siegesallee auf die Bühne. Stanislaus bat den Leutnant, zwischen seinen schmatzenden Gästen Platz zu nehmen.

»Halt!«

Die fünf Männer erstarrten; ein jeder in der zuletzt gemachten Bewegung. Lachen und Fußgetrappel im Saal.

Als die Arme des jungen Leutnants schlaff herabsanken, sein Kopf zur Seite fiel, saß da auf der Bühne kein Offizier mehr, sondern ein halbwüchsiger Junge; sehr müde und sehr abgespielt. Der halbwüchsige Junge aber begann zu lachen. Die Offiziere im Saal wähnten, der Herr Kamerad auf der Bühne stimme nun sein großes Verlachen des Hypnotiseurs an. Es war nicht so. Der uniformierte Junge lachte, lachte, hielt dabei die Augen geschlossen und schrie: »Das Kitzeln einstelln, sofort das Kitzeln einstelln, Lustlümmel Sie. Ich bin jetzt Leutnant!«

Großes, grobes Lachen, Beifallsgeprassel aus dem Saal. Der Leutnant lachte, lachte, und je lauter das Lachen unten im Saal wurde, desto spitzer lachte und kicherte er. »Ki ... ki ... kitzeln einstelln! Ich, hähähä, vergeh, hihihi!« Stanislaus trat zum Leutnant. »Halt!«

Das Gelächter des Leutnants war zu Ende. Die Männer im Saal verstummten.

»Was wünschen Herr Leutnant zu essen?«

Der halbwüchsige Junge lauschte in sich hinein und begann bitterlich zu weinen. Er wischte sich die Tränen mit dem Handrücken, rief nach seiner Mutter wie ein Bürgersöhnchen, das von Straßenjungen verbleut wurde, schluchzte und schluchzte: »Mutter, Mutter, ich wollt nicht in den Krieg.«

Aus den Kulissen kam Pferdegewieher. Sofort setzte im Saal das Gelächter wieder ein. Die Offiziere wurden unruhig.

Der Bataillonskommandeur sprang auf. »Schluß!«

»Mutter, sie haben mich in einer Lehmgrube erschossen. Ich habe ihnen nichts getan. Sie sind immer so frech!« schrie der Leutnant.

»Schluß«, schrie der Bataillonskommandeur wieder.

Der Vorhang fiel.

Frau Biermeister Beetz weinte. Sie suchte in ihrem Handtäschchen nach einem Taschentuch. Sie fand darin nur Geldscheine und wischte sich das Gesicht mit den flachen Händen.

Die Vorstellung ging weiter. Weißblatt stand seit der Pause an der Eingangstür, schützte seine Taschenblumen und wartete auf seine Hélène. Sie kam, als der Fahnenschmied der dritten Kompanie mit bloßen Händen auf der Bühne Hufeisen zerknackte. Sie kam still, schwarz und feierlich, nicht wie eine Soldatenbraut, sondern wie ein Hinweis auf eine Welt, die nicht verging trotz aller Kriege, Soldaten, Roheiten und Raserei. Weißblatt begleitete sie blaß und gebeugt an seinen Platz, stellte sich an die Saalwand und betrachtete sie wie ein Gemälde aus dem Louvre. Bei den Offizieren knackten die Halswirbel vom jähen Umschaun. Der Adjutant stieß den Ordonnanzoffizier an.

»Schaun Sie diesen Dichter, diese intellektuelle Nulpe! Apparat von Frau, wie?«

Der Ordonnanzoffizier nickte. »Schnittige Stute!«

16
Stanislaus betrachtet die Frauen aus philosophischen Höhen und sieht einen gipsernen Engel zur Erde fahren.

Der Saal verwandelte sich in eine Eßscheune. Die Männer standen in Schlangen vor der Theke, um ihre Eßportionen zu empfangen. Jeder Soldat seine Eßmarke. An den Hunger der wenigen Damen, die gekommen waren, hatte niemand gedacht. Das war eine glänzende Gelegenheit für die Herren Offiziere, die Damen zu speisen und sich als Kavaliere zu erweisen. Hélène saß still, bescheiden und beobachtend neben Weißblatt. Der Adjutant schaukelte heran. Er hatte ein krummes Bein. Er verneigte sich, ohne Weißblatt zu beachten, vor Hélène. Weißblatt wurde noch blasser und legte den Zeigefinger an die Lippen wie ein Kind, das überlegt, was die Erwachsenen von ihm wollen. Hélène veränderte sich. Sie warf dem Adjutanten einen vielversprechenden Seitenblick zu. Der Adjutant reichte ihr den Arm. Hélène ergriff den Arm des Adjutanten mit beiden Händen. Oh, diese katzenhafte Schmiegsamkeit! Sie nickte leicht und wohlwollend zu Weißblatt hin. »Adieu!« Sie schwebte schwarz und schlank neben dem Krummbein des Adjutanten in den Eßraum der Offiziere.

Weißblatt biß sich in den Zeigefinger und sah hilfesuchend zu Stanislaus hinüber. Stanislaus war kein guter Tröster. »So sind die Fraun. Sie zitterte, als er sie ansah«, sagte er.

Die Eßportionen verschwanden in den Mägen der Männer. Der Rest der Weinzuteilung reichte kaum zum Nachspülen. Die heimlichen Reserven wurden aus der Garderobe geholt. Die Regimentskapelle spielte Schlager:

> Der Soldat hat seine feste Liebe,
> Und im Urlaub bleibt er ihr auch treu ...

Die Männer sangen mit. Tanz war verboten. Was der Heimat nicht erlaubt war, durfte auch die kämpfende Truppe nicht beanspruchen. Wieso auch? Waren vielleicht Damen genug da? Nicht die Spur.

»Wenn er immer in der Heimat bliebe ...«, sang der Schrankenwärter August Bogdan. Er mochte kein Gulasch. »Man weiß nie nicht, was drin ist.« Er hatte sein Essen gegen französischen Kognak vertauscht, war schon betrunken und sah dem schmatzenden Kraftczek zu. »Ich denk, ihr Katholischen tut am Freitag fasten?«

»Im Krieg ist das Fasten aufgehoben, weil wir sonst möchten von Kräften kommen und dem Feind ein gefundenes Fressen sein.«

436

Marschner mischte ein wenig Zigarettenasche in Rotwein, gab das Glas der Garderobenfrau und stieß mit ihr an. »Wär die Liebe immer, immer neu...«, sang er zur Musik der Kapelle.

Der zerquälte Weißblatt stand an der Tür zum Offiziersraum und spähte nach seiner Hélène aus. Stanislaus bat den hin und her gehenden Rolling, die Tür ab und an ein bißchen länger aufzulassen.

»Für Weißblatt nicht«, sagte Rolling und rannte mit leeren Gläsern zur Theke. Rätselhafter Rolling! Stanislaus stellte sich selber hinter die Tür und hielt sie fest. Weißblatt konnte in den Offiziersraum hineinsehen. Er hob den Kopf und spähte. Er wurde von einer Ordonnanz zur Seite gedrängt, stellte sich wieder auf, nickte und winkte. Die Tür wurde Stanislaus aus der Hand gerissen. Weißblatt lebte auf. »Sie hat wiedergewinkt. Irgendwie ein kleiner Gruß.« Er stieß mit Stanislaus an.

Hélène saß zwischen dem Adjutanten und dem Bataillonskommandeur. Der Bataillonskommandeur kratzte sein Einjährigenfranzösisch zusammen und würzte es mit vielen Verbeugungen: »Voulez-vous un peu ... un, äääh, peu sauver, madame?« Er fuchtelte mit der Sektflasche.

»Oh, non, non, non, pas sauver quelqu'un ici«, antwortete Hélène und lachte freimütig. Der Adjutant wurde eifersüchtig. »Darf ich Herrn Major darauf aufmerksam machen, daß die französische Vokabel sauver nichts mit Trinken zu tun hat?«

Der Bataillonskommandeur wurde nicht verlegen. »Kümmern Sie sich um Frau Rittmeister Beetz, hähähä«, sagte er. Der Adjutant bekam schmale Lippen.

»Guter Witz, wie?« fragte der Kommandeur Hélène.

Frau Rittmeister Beetz stieß ihren Mann. »Ich hätte nie dacht, daß der ein solcher ist, was sich mit so Weibsgeschmeiß abgibt, wo sich am Oktoberfest an die Mannsleut hängt, hörscht.«

Der Rittmeister putzte seinen Kneifer am Tischtuch, setzte ihn wieder auf, schaute zum Bataillonskommandeur hinüber und sagte: »Daß dei Guschen haltst, Reserl, mir san hier nit alloan.«

Rolling brachte frischen Sekt. Er schenkte zuerst dem Major ein und erhielt einen Verweis vom Adjutanten: »Zuerst die Dame, verstanden?«

Rolling griff nach Hélènes Handtäschchen. Es lag ihm im Wege. Hélènes feine, schmale Hände flogen zum Täschchen. Sie nahm es hastig an sich. Rolling erhielt eine zweite Rüge. Der Ordonnanzoffizier erhielt Befehl, Rolling ablösen zu lassen.

Hélène verfolgte die Auseinandersetzung der Offiziere, trank ein wenig, legte ihr Täschchen vom Schoß auf den Tisch zurück, sprang auf, funkelte den Major an und sagte auf deutsch: »Erlauben ein wenig zu singen?«

»Bravo!«

Der Adjutant klopfte an sein Glas. »Gestatten, man wird uns etwas singen ...« Die Herren legten sich genüßlich zurück.

»Jetzt wird dös Luderweib a no z'singen afanga«, sagte die Bierbrauerin Beetz. Sie wurde von ihrem Mann und Rittmeister niedergezischt.

Hélène stand hinter den Offizieren. Die Herren verrenkten sich die Hälse. Die schwarze Hélène sah keinen der lüsternen Offiziere an. Sie starrte zum Fenster hinaus in die Weite. Es war, als ob sie betete, sehr dunkel, sehr leise:

> Toujours triste, toujours triste,
> Quand j'y pense, quand j'y pense...

Der Ordonnanzoffizier war hinausgegangen, um nach einer Ablösung für Rolling zu suchen. Er hatte die Saaltür offengelassen. An der Tür stand Weißblatt. Er winkte Stanislaus heran. »Hör, sie singt!«

> Der Abend kommt.
> Ich denke daran.
> Die Nacht besternt sich.
> Ich denke daran.
> Zwölf Schläge von Notre-Dame...

Hélène ging hinter der Offizierstafel auf und ab, sang selbstvergessen irgendwem in der Ferne zu:

438

Der Morgen kommt.
Ich denke daran.
Die Sonne rollt rot.
Ich denke daran.
Zwölf Raben auf Notre-Dame.
Immer traurig, immer traurig
Denk und denk ich daran.

Der Ordonnanzoffizier kam zurück, sah unwillig auf Weißblatt und Stanislaus und knallte die Tür zu.

»Nun singt sie für die da. Ich überleb das nicht«, sagte Weißblatt.

Stanislaus zog ihn mit zu Wonnig. »Alles ist gut!« Als Wonnig
mit dem traurigen Weißblatt anstieß, fiel ihm das Glas aus der
Hand. Scheiben klirrten. Der große Lüster pendelte. Kalk fiel
von der Saaldecke. Ein kleiner Stuckengel segelte vom Sims und
zerschellte auf der Theke. Einige Männer fielen um, andere
warfen sich hin. Jemand brüllte: »Feuerüberfall!« Die Tür zum
Offizierszimmer war aufgesprungen. Qualm wälzte sich in den
Saal. Auf der Türschwelle lag ein zerfleddertes Handtäschchen,
angefetztes Wehrmachtsgeld lugte heraus. Weißblatt und Stanislaus lagen nebeneinander auf dem Parkett und keuchten.
Weißblatt sprang auf und schrie: »Hélène, Hélèène!«

Stanislaus hielt ihm den Mund zu.

»Eine Bombe!« schrie jemand. »Höllenmaschine!«

Ein Oberleutnant sprang aus dem Offiziersraum und trug in
der rechten seine abgerissene linke Hand vor sich her.

17

**Stanislaus heißt den Tod willkommen, wird
vom Beinernen verschmäht und durch ein merkwürdiges Liebespaar wieder dem Leben zugeführt.**

Könnte man sich erheben, von der Erde zurücktreten, sie ansehn wie einen Apfel am Baumast, so wäre auch das menschliche Leid kleiner, verschrumpelt, ein pockiger Apfel, an manchen Stellen verschimmelt, und die Apfelpocken wären die
Erdgebirge, und die Schimmelflecke wären die Erdwälder. Stanislaus lag im Heidkraut und phantasierte, denn der Wind mit

seinem großen Ewigkeitsrauschen stand über ihm in den Waldbäumen. Stanislaus lag nicht in den Wäldern seiner Kindheit. Der große Weltwind hatte ihn aufgehoben wie ein Staubkorn, ihn zuerst in seinem Heimatlande hin und her geweht und hatte dann dieses Staubkorn Stanislaus ein Weilchen im Lande Frankreich auf dem Fleck Paris liegenlassen. Schließlich war das Staubkorn gar in einen Sturm geraten und in die großen Wälder unterhalb des Erdpols gewirbelt worden.

Sie waren nach dem großen Bataillonsfest, das buchstäblich mit einem Knall geendet hatte, nicht sofort zu großen Heldentaten nach dem Osten gezogen. Es mußte manches untersucht werden: Die Bombe war aus der Handtasche jenes französischen Mädchens Hélène gesprungen. Sie zerfetzte dieses Mädchen, zerriß den Bataillonskommandeur, zerstückelte den Adjutanten, verwundete viele Offiziere, verbreitete Schrecken und hinterließ bei den Festteilnehmern Furcht vor dem Feinde.

Große gerichtliche Erhebungen: Wer hatte das Weib mitgebracht? Der Reiter und Dichter Johannis Weißblatt hatte das Mädchen eingeladen. Keine Rede davon, daß der Adjutant dem Reiter Weißblatt diese schöne Französin einfach weggenommen hatte. War also zu vermuten, daß dieser Intellektuelle und Dichter, dieses vielleicht sogar halbjüdische Element Weißblatt, von der Bombe wußte, die diese Pariser Hure unter die Herren Offiziere getragen hatte.

Da war Kammerunteroffizier Marschner, der besonders deutlich gesehen haben wollte, wie Weißblatt um das welsche Mädchen geweint hatte. Doch es gab hinwiederum Leute, die wollten wissen, daß Marschner das nicht gesehn haben könne, weil der die allgemeine Verwirrung beim Bombenknall benutzt hätte, um die französische Garderobenfrau des Restaurants zu vergewaltigen. Aber Weißblatt wurde verhaftet, während man Marschner ausschickte, für die verwundeten und unverwundeten Offiziere Kleinigkeiten einzukaufen. Die Kleinigkeiten wurden in große Kisten verpackt und als letzter Gruß aus Paris an die Lieben der Offiziere in die Heimat geschickt.

Als ein neuer Bataillonskommandeur eingetroffen, ein neuer Adjutant herbeigeschafft und die verwundeten Kompanieoffiziere ausgetauscht worden waren, zog wieder Ruhe ein. Man schickte das Bataillon ins deutsche Hochgebirge, ließ die Männer auf Berge klettern und auf verträumten Almwiesen Kämpfe mit unsichtbaren Feinden austragen. Man rüstete die Kompanien auch wieder mit Pferden aus. Es waren zottige, kleine Gäule, Tragtiere. Reitpferde hatten nur die Offiziere. Stanislaus meldete sich freiwillig zu den Lastpferden. Er wollte die Wärme, die er bei Menschen nicht fand, bei den Tieren suchen. An der Art, wie man auf der Schreibstube seinem Wunsche ohne Zögern willfahrte, erkannte er, daß seine Spielereien beim Bataillonsfest nicht ohne Eindruck auf Kompaniewachtmeister Zauderer geblieben waren.

Im Frühsommer fuhren sie in rappelnden Lastautos die lange, löcherige Polstraße entlang: Wälder, Wälder, Wälder. Heimatliche Kiefernkusseln, breite Urkiefern; ihr Geäst wie vom Wind zerrührt, schimmernde Birkenwälder mit Erlgestrüpp; Riedgras und Rosmarin; Seen, blau vom Himmel an der Oberfläche und moorig wie die Hölle am Grunde. Nirgend ein Dorf, nirgend ein Haus.

»So was nach Paris!«

Die Weinflaschen in Taschen und Tornistern hatten sich in Schnapsflaschen voll kratzigen weißlichgelben Gesöffs verwandelt.

»Es leben die unsichtbaren Weiber von Karelien! Prost!« Zoten flogen von Auto zu Auto: »Stech dir ein Loch ins Moos, wenn du ein Weib willst!«

Und manche wußten nicht, wozu das alles sein sollte. Hier waren Wälder und Frieden. Sollte jetzt Krieg gegen die Einsamkeit und das große Waldrauschen geführt werden?

Waren sie Flugsand? Waren sie Heuschrecken? Waren sie ein Rabenschwarm oder ein reißendes Wolfsrudel? Alles war möglich, alles mochten sie sein, nur keine Menschen.

Manche murmelten einen Namen, der nichts und alles für sie bedeutete: »Petsamo«. War es der Name einer Stadt, oder war es der Name für die Einsamkeit? Petsamo! – Es klang kein Krieg aus diesem Namen.

An einem der rumpeligen Reisetage bogen sie am Kilometerstein hundertundfünfundsiebzig von der löcherigen Polstraße ab, rappelten über Wurzelstümpfe, durch welliges Waldgelände und drangen in den Urwald ein. Die dritte Kompanie wurde ausgeladen; mit ihr auch die Sanitätsstelle des Bataillons. Stabsarzt Scherf wollte mit den künftigen Verwundeten und Toten nicht allzuweit von der Polstraße, dieser letzten Ader der Zivilisation, entfernt liegen; denn der Bataillonsstab fuhr mit der ersten und der zweiten Kompanie noch weiter in den Urwald hinein.

Da also standen die Männer der dritten Kompanie wie die ersten Menschen dem Walde, dem Mahlwerk der Winde, gegenüber. Rittmeister Beetz, der Bierbrauer aus Bayern, erprobte als erster seine schnapsrauhe Kommandostimme gegen das große Rauschen der Ewigkeit. Er trug jetzt das Eiserne Kreuz zweiter Klasse und das Verwundetenabzeichen in Silber. Hatte er nicht bei einem großen Festessen in Paris seine Haut für das Vaterland zu Markte getragen, sakra?

»Absitzen! Biwakieren! Holz schlagen! Fetzen, fetzen, auf gehts!« Die Schnapsstimme drang in den Wald und in die Ohren der Männer. Nicht sehr tief in den Wald; etwas tiefer in die Ohren der Männer; die meisten schüttelten sich vor lauter Verlassenheit und sehnten sich nach Schutz und Dach.

Das Roden und Wüten durchpochte die Tage. Es war, als habe der große Wald an einer Stelle ein Herz bekommen, ein hektisches Herz. Sie bauten Bunker, legten Vorratsschuppen an, täfelten Offiziersbaracken mit Birkenholz, richteten einen Kompaniehaushalt ein und warteten auf den Krieg.

Es kamen Melder vom Bataillonsstab. Sie überbrachten die Bataillonsbefehle. Aus den Bataillonsbefehlen ging hervor, daß sie an der Front lägen. Sie sollten auf der Hut sein, wachsam sein und ihren Dienst scharf versehen. Über die Lage des Feindes gab es im Regimentsbefehl nur Vermutungen. Sie legten eine Kette aus Wachtposten um das Lager. Die Wachtposten hielten Ausschau nach dem Krieg. Der Krieg ließ sich nicht blicken.

Stanislaus setzte sich auf. Hummeln brummten im Heidkraut, blaue Heidschmetterlinge fluckten davon. Der Waldträumer glaubte, Schritte gehört zu haben. Schritte hier? Er war doch weit vom Lager weg. Er hatte die Morgenstunden seines Sonntags an einem See verbracht, an dem vielleicht noch nie ein Mensch drei Stunden gelegen hatte, solange die Erde bestand. Er war dann weitergegangen, war müde geworden, hatte eine Weile geschlafen, war wieder aufgewacht und ins Grübeln gekommen. Jetzt also Schritte? Nein. Hummelgetön, Mückengesumm, leises Windrauschen im Baumgeäst – Gott spielte auf seiner großen Orgel. Hier am Pol schien der Himmel und Gottes Wohnung zu sein. Der Herr war vielleicht alt geworden und hatte sich zurückgezogen. Er verzichtete auf den Verkehr mit den Menschen und überließ diese neunmalgescheiten Wesen sich selber. Mochten sie einander in ihrer Überklugheit doch vernichten!

Nein, Stanislaus hatte keine hohe Meinung mehr von sich und seinesgleichen. Paris hatte ihn das Lachen nicht wieder gelehrt; es hatte die letzten, versteckten Fröhlichkeiten in ihm getötet. Da war der Nachmittag, an dem er das Liebespaar am Seinekai gesehen hatte. Da war der Abend, an dem er es gerettet hatte. Eine kleine Tat, aber eine Tat auf eigene Faust gewissermaßen. Und da war sein Vorsatz, das menschliche Leid auf der Erde, diesem pockigen, angeschimmelten Apfel, zu vermindern. Konnte er das als einzelner, wenn Tausende seinesgleichen Leid anfertigten und zubereiteten? Hätte er nicht ebensogut den Vorsatz fassen können, einen karelischen Moorsee mit seinem Feldbecher auszuschöpfen?

Der Tod des französischen Mädchens Hélène hatte ihn fiebrig gemacht wie jahrs zuvor der Tod seines Kameraden Ali Johannsohn in Polen. Stanislaus hatte auf der Fahrt in die großen Wälder versucht, etwas über dieses Mädchen aufzuschreiben, das ihm mehr und mehr zu einer Heiligen wurde: eine wiedergeborene Jungfrau von Orleans. Er schrieb und schrieb in den Rastpausen, strich, schrieb wieder, strich und zerriß die beschriebenen Seiten. Zuerst war er nur traurig über sich und seine Unwissenheit, dann aber wurde er zornig, und schließlich begann er, sich zu verachten: Er hatte zuwenig gelernt. Er wußte nichts von den Dingen, die Menschen veranlassen, sich selber als Opfer darzubringen. Wollten solche Menschen Gott gefallen? Wollten sie den Menschen gefallen? Hatten sie einem Geliebten ein Gelübde abgelegt? Viele Fragen – keine Antwort. In durchfieberten Nachtträumen hörte er Gustav Gerngut sagen: »Das Richtige hast du nicht gelesen.«

Da waren also doch Schritte. Er preßte das Ohr an die Erde wie als Knabe, wenn er feststellen wollte, aus welcher Richtung die Spielräuberhorde nahte. Jemand ging durch die Stille, mitten durch Gottes Orgelkonzert. Kam der Feind? Es gab eine strenge Anweisung: »Bataillonsangehörige haben das Lager nur bewaffnet und in Gruppen zu verlassen!« Stanislaus hatte sich um diese Anweisung nie gekümmert und sein Gewehr im Lager gelassen. Wozu brauchte er hier im großen Waldrauschen ein Gewehr? Sollte er nach den Lemmingen schießen, die sich auf die Hinterbeine setzten, um ihn neugierig zu betrachten? Freilich gab es Kameraden, die nach der Vorschrift in Gruppen ausgingen, sich nach Stunden von der großen Stille bedroht sahen und in die Luft schossen, um etwas Menschliches, etwas von sich selber zu hören. Sie schossen nach der Einsamkeit, die sie zu überwältigen drohte, führten Krieg gegen die Stille, die sich anschickte, sie zu verschlingen.

Bomm, bomm, bomm, bo, bomm!

Waren das Menschenschritte, oder ging Gott von der Orgel, um zu ruhn? Wer konnte wissen, ob Gott nicht ein Vierbeiner, ein Achtbeiner war?

Ein Kiefernzweig wippte. Es raschelte. Stanislaus vernahm Geflüster. Sein Herz begann zu pochen. Jetzt war vielleicht schon ein Gewehr auf ihn angelegt. Die letzten Sekunden seines Lebens waren herangekommen. Sollte er schrein? Sollte er bitten? Sollte er beten? Er duckte sich tiefer ins Heidkraut, bekam herben Honiggeruch in die Nase und fühlte die Wärme des sonnendurchstrahlten Sandes auf seinen Handflächen. War sein Leben so überaus viel wert? Hatte es nicht Zeiten gegeben, wo er geneigt gewesen war, es einfach abzulegen wie einen zertragenen Anzug? Gab es einen besseren Ort, totzugehn und zu zerfallen, als diese blühende Einsamkeit unter dem Pol der Erde? Wenn ein Schuß für ihn in einer Gewehrkammer bereit-lag, müßte er jetzt – genau jetzt auf ihn zufliegen. Jetzt war er willig und bereit. In Sekunden konnte es anders sein. Die Le-benslust war so unberechenbar, konnte sich, eh man sichs versah, wieder mit Macht in das Herz stürzen und alle Glieder beherrschen.

Es fiel kein Schuß. Der Tod hatte einen guten Tag. Auch er lauschte wohl auf Gottes Orgelspiel, lächelte und übersah eine Gelegenheit, leichte Beute zu machen.

Bomm, bomm! Die Schritte schienen sich zu entfernen. Es klang, als hätte jemand nein gesagt. Ein deutlich deutsches Nein. Stanislaus hob den Kopf über die Heidkrautstengel; er wollte wenigstens sehn, wer ihn da an den Rand seines Lebens gedrängt und ihm allerlei Todesgedanken abverlangt hatte.

Wenn er richtig sah, so handelte es sich um den Batail-lonsarzt. Der Arzt trug seinen Karabiner wie ein Wachteljäger, hatte den linken Arm ausgestreckt auf dem Gewehrlauf liegen. Neben ihm schlenderte der junge Leutnant Zärtling. Auch der Leutnant trug sein Gewehr lässig. Er kitzelte den Stabsarzt mit einer gelben Habichtskrautblüte unter der Nase. Stabsarzt Scherf schüttelte sich, rieb sein Bärtchen, drängte sich an den jungen Leutnant heran und umschlang dessen Hüften. Stabsarzt und Leutnant schauten einander in die Augen. So stolperten sie ein paar Schritte voran. Vor einem Birkenbusch blieben sie stehn und küßten sich, jeder sein Gewehr ge-schultert. Jedesmal, wenn sich die Gewehrträger zum neuen Kusse fanden, gingen auch die Gewehrläufe aufeinander zu. Stanislaus schlich davon. Er schleppte einen Sack voll Ekel mit sich.

---

18   Stanislaus zweifelt an seiner Dichtermission und geht in die Gilde der verhinderten Dichter.

Rittmeister Beetz schrie schon am Morgen beim Anziehn seiner Reitstiefel: »Hat die Welt so was gesehn: so an Scheiß-krieg!«

Der Wald verpackte den Wutausbruch des verrückten Bierbrauers in sein Rauschen und gab nur das letzte Wort zurück. »Scheißkrieg!«

Beetz warf einen Stiefel nach seinem Burschen. Nachts hatten Lemminge, jene schwanzlosen, hamsterähnlichen Gelbmäuse, unter dem Schlafsack des Rittmeisters im Moos der Bettstatt rumort und gequiekt. In der Nacht? Nicht einmal das! In diesem verfluchten Polakenlande gab es kein Trumm einer anständigen bayrischen Nacht.

Beetz ging in die Kompanieschmiede und schwänzte dort die Männer auf: »Los, los, tut 's was. Ein Bett brauch ich, ein eisenes mit Spiralfedern, wo ich drauflieg!«

Von der Schmiede ging Beetz zu den Tragtierbunkern. Dort saß Rolling vor der Tür und kochte sich auf einem offenen Feuer einen Hecht. »Das gefallt eich, ihr Schlappschwänz!« schrie Beetz schon von weitem. Rolling erhob sich langsam, spuckte ein paar lange Gräten in den Sand und nahm, nicht im mindesten erschreckt, das allernötigste an Haltung an.

»Bist narrisch, Sauhund, ein Feier machst hier vor die Roßställ?«

Rolling stand stumm und sah auf seinen Hecht, der nun des Bierbrauers wegen zerkochte.

»Wo bist her, du Batzi, he?«

Rolling zog das rechte Bein heran, aber nicht so, daß die Hacken aufeinanderknallten, und sagte gelassen: »Rheinland.«

»Hab ich mir denkt, du Luderhund, daß du aus dieser Franzosengegend kimmst, wo sie Karneval sagen, weil, Fasching ist ihnen zu deitsch. Die Kappen ab, du Ramasuri!«

Rolling nahm seine Kappe herunter. Sein kahler Kopf leuchtete in der Morgensonne.

Unteroffizier Leder, der Führer des Tragtiertrupps, steckte den Kopf zum Pferdebunker heraus. Beetz zog ihn mit seinen Bierbrauerfäusten aus der Tür. »Auf Trab bringst mir den rheinischen Ludrian!«

Unteroffizier Leder machte sich sofort an die Arbeit. Er ließ Rolling zum Bach traben. Der Hechtfischer mußte dort Wasser in seine Kappe schöpfen und zum Feuer zurückrennen. Rolling rannte gemächlich hin und her, goß die in der Kappe verbliebene Wasserneige in die Flammen und hoppelte wieder zum Bach. Das Quentchen Wasser aus Rollings Kappe verzischte, aber das Feuer ging keineswegs aus.

Der Rittmeister ging in den Stallbunker, stieß eine mit Roßäpfeln gefüllte Munitionskiste um und schrie: »Preißensäu!« Er blieb am Stand seines Reitpferdes stehn, das man aus Deutschland über Paris hierhergeschleppt hatte. Er nahm die Reitpeitsche vom Geschirrhaken, klopfte gegen die Schäfte seiner Reitstiefel und schrie: »Eich, wenn ich in den Krieg komm, will ich zeigen, wo bei den Heiligen die Haar sein.« Er putzte seinen Kneifer und erkannte Stanislaus, der seinen kleinen Brandfuchs striegelte. »Ist das nachher der Haderlump von Wahrsager?«

»Reiter Büdner beim Pferdputzen!«

»Was sagt 's Orrrakel, du Lausnickel! Gehts fort, das Luderleben, verteifelte, hier bei die Eskimos?«

Stanislaus lächelte und schwieg. Der Bierbrauer Beetz beugte sich nach vorn, um die Stallaus Stanislaus im dunklen Stallgang besser erkennen zu können. »Das Orrrakel schweigt also. Da kann 's a beim Regimentsstab Dienst macha.«

Das Reitpferd wurde hinausgeführt. Der Rittmeister hob im Hinausgehn eine Handvoll Hafer aus dem Futterkasten und musterte das Getreide wie daheim die Braugerste.

Die Fuchsstute schnaubte. Der Rauch von Rollings verschwelendem Feuer war ihr in die Nüstern gefahren. Als der Bierbraurittmeister aufsaß, kam Rolling mit seinem tropfenden Käppchen angerannt: Die Glut zischte auf, die Stute erschreckte und sauste, ehe Beetz sie in die Hand bekam, die Lagerstraße hinunter. Unteroffizier Leder stand einen Augenblick mit offenem Munde und rannte dann hinterher, weil Pferd und Bierbrauer um eine Kurve rasten.

»Man tut, was man kann«, sagte Rolling und schnaufte, »in diesem Hause bleib ich nicht!« Damit pinkelte er das Feuer aus.

Die Stute hatte den Rittmeister abgeworfen. Eine halbe Stunde später tobte er auf der Kompanieschreibstube: »An Exerzierplatz muß her. Die Leut verschlampen mir!«

Kompaniewachtmeister Zauderer duckte sich wie der Sperling vor der umherschießenden Eule. Biermeister Beetz wollte einen Exerzierplatz – so groß wie der Flugplatz daheim in Fürstenfeldbruck.

Hier war nun das Land, in dem die Sonne nicht unterging. Bis Mittag stieg sie, und am Nachmittag senkte sie sich zur Erde herab; doch wenn sie den aus Wipfeln gewebten Waldsaum erreicht hatte, blieb sie stehn und rollte seitwärts auf dem gezackten Wipfelkamm bis zu der Stelle, wo sie am Morgen wieder in den hohen blauen Himmel hineinzuklettern hatte.

In diesen Nächten versuchte Stanislaus wieder und wieder, die Geschichte des Mädchens Hélène niederzuschreiben. Aber er war wohl kein Dichter. Es gebrach ihm an Kraft, in die Seelen anderer Menschen einzudringen. Ach, du graue Verzweiflung!

Es war dem Stümper Stanislaus gerade recht, daß ein großes Rumoren und Lärmen im Lager begann. Man ließ ihm keine Zeit zum Dichten, man hinderte ihn.

»Alles raustreten, zum Arbeitsdienst!«

Und sie fällten Bäume, rodeten, schippten und schufteten. Sie planierten, hackten und fluchten. Sie kämpften mit der Mücke, diesem sechsbeinigen, blutgierigen Insekt. Milliarden Mücken umsirrten sie. Die Männer trugen grüne Mückennetze, aber wo diese Netze nur ein wenig an der schweißklebrigen Menschenhaut anlagen, setzte sich eine Traube aus tausend Blutsaugern an. Die Bunker waren die helle Nacht hindurch vom feinen Mückengesirr durchwirkt. Die Männer schmierten sich Hände, Arme und Gesicht mit Birkenteer ein. Der scharfe Teergeruch durchsetzte die stickige Luft in den Bunkern. Sie konnten kaum atmen. Wohl blieben die Mücken den eingeteerten Händen, den Armen und den Gesichtern der Männer fern, doch sie fanden deren Naslöcher, deren Gehörgänge, saugten sich dort voll und ließen sichs wohl sein. Über den Stahlhelmen der Posten in den Erdlöchern standen ganze Mückentürme – Mückensäulen bis in die Waldwipfel hinein.

Als der Kahlschlag geräumt, die Stubben gerodet und auf einem Fleck mitten in den Wäldern vollkommene Jüterbog-

Öde hergestellt worden war, kam wieder Sinn in das Leben des Bierbraurittmeisters Beetz, es wurde inhaltsreicher. Nun konnte er jeden Morgen auf den Schindanger reiten und sich seiner Schnapsstimme und der bayrischen Flüche erfreuen. Auf dem funkelnagelneuen Exerzierplatz wurde mit Platzpatronen geschossen, wurden Gräben aufgerollt, wurde gepfiffen, wurde geschliffen, wurden ganze Heere »angenommener Feinde« in Nahkämpfen erschlagen. So verging die Zeit in den großen Wäldern unterhalb des Pols.

19
Stanislaus reist durch eine Feldwebelseele, erhält eine Kostprobe Krieg und wird eines Verrückten ansichtig.

Als die Nächte es bereits wieder zu zwei, drei Stunden Dunkelheit gebracht hatten, wurde das scharfe Exerzieren auf dem Schindanger des Biermeisters Beetz langsam zur stumpfen Gewohnheit. Sobald der Kompaniechef den Rücken wendete, strengten sich weder die Unteroffiziere noch die Männer an. Auch Leutnant Zärtling, der Führer des ersten Zuges, schätzte Strapazen nicht. »Wir sind keine Rekruten; wir sind Frontsoldaten, verdammt!«

Leider wußte niemand recht, wo sich die Front befand. Sie war mit schönen Buntstiftstrichen auf den Karten der Offiziere eingezeichnet, doch in Wirklichkeit war dort, wo der bunte Frontstrich verlief, dichtester karelischer Urwald, waren dort Sümpfe und Seen, war dort kein Mensch und kein Feind.

Die Männer wurden auf ihre Weise mit dieser Buntstiftfront und dem aus der Art geschlagenen Krieg fertig. Rolling zum Beispiel angelte und stellte Reusen. Er ging am Nachmittag, vorschriftsmäßig mit seinem Gewehr bestückt, aus dem Lager und hatte sein Getu im Urwald. Er zog seine Reusen in einem See, der sehr weit vom Lager entfernt war, entnahm ihnen die Fische, wählte zwei besonders große Hechte aus und ließ die übrige Beute wieder ins Wasser zurück. Die Hechte legte er bei einer Birke nieder. Die Birke besah er sich genau, betastete sie von allen Seiten, pellte mit dem Taschenmesser ein wenig

Rinde vom Stamm und ging dann weiter in den Urwald hinein. Er hielt sich an einen Wildpfad, zog einen Kompaß, riß sein Feuerzeug an, starrte auf die Kompaßnadel, murmelte vor sich hin, suchte ein Zettelchen aus der Rocktasche, notierte etwas, ging wieder weiter und gebärdete sich, als ob er den ganzen karelischen Urwald zu vermessen hätte.

Stanislaus hatte an jenem Abend Order von Kompaniewachtmeister Zauderer: Kleine Audienz im Verschlag hinter der Schreibstube bei der Mutter der Kompanie. Kurz und gut, Zauderer hatte Stanislaus' Vorführungen in Paris mit Interesse verfolgt und bewundert. Nun müsse er das ergründen – verstehn. Er sei so gründlich, so, sagen wir, preußisch. Der Krieg hier in den karelischen Wäldern sei ein wenig langweilig, ein wenig ungewiß, und die größte Ungewißheit herrsche in bezug auf Urlaub für Unteroffiziere und Mannschaften. Kompaniewachtmeister Zauderer wollte jedenfalls schnell nachsehn, was zu Hause los sei. Bloß Moment mal – verstehn.

Stanislaus verstand. Die Feldwebel hatten sein Leben nicht gerade versüßt. Hier ergab sich Gelegenheit, in die Seele eines solchen Mädchenräubers hineinzusehn: Er schläferte Zauderer ein.

»Erzählen – verstehn«, befahl Stanislaus.

Zauderer merkte den Spott nicht mehr und erzählte.

Es war ein durch und durch eintöniges, gewöhnliches Leben, in das der neugierige Stanislaus hineinsah: Zauderer war Hilfsarbeiter in der Kistenfabrik einer deutschen Garnisonstadt gewesen. Fünfundsechzig Pfennig Stundenlohn. Trotzdem heiratete er früh; denn zu zweit lebt man billiger. Die Frau wurde schon nach dem ersten Kind alt und verknurrt vom Knapsen, Sparen und Haushalten. Fünfundsiebzig Pfennig Taschengeld für Zauderer. Gröbster Rippentabak, das Päckchen zu dreißig Pfennig, für Zauderers zerbissene Stummelpfeife. Er sah täglich die Soldaten singend und fröhlich durch die Stadt trappen. Er fragte bei den Soldaten an: »Wieviel Stundenlohn und wieviel Stunden die Woche?« – »Gute Stunden und Sold«, wurde ihm geantwortet. Da ging er in die Soldatenfabrik und arbeitete dort gewissenhaft wie zuvor in der Kistenfabrik. Als er Gefreiter wurde, fühlte er sich wie ein Schichtführer in der Kistenfabrik, fühlte er sich warm und wohl. Nun war er bereits Kompaniewachtmeister, jawohl, und die Soldatenfabrik, in der er Meister war, war in den karelischen Urwald verlegt worden.

»Wem haben Herr Kompaniewachtmeister die Frau weggenommen?«

»Niemand.«

»Wieviel unschuldige Mädchen verführt?« fragte Stanislaus, denn das war sein Anliegen beim Durchkämmen der Feldwebelseele. Nein, Kompaniewachtmeister Zauderer habe auch keinem ein Mädchen abspenstig gemacht, habe nie seines Nächsten Weib begehrt; er hatte genug an dem seinen – verstehn.

Stanislaus war enttäuscht. Am Ende handelte es sich bei Zauderer um einen ganz und gar unechten Feldwebel. Er ließ ihn erwachen.

Zauderer rieb sich die Augen und sagte: »Gut der Mann. Ausgezeichnet!«

Er hatte auf seinem Ausflug zu seiner Familie, über den Stanislaus freilich keine Gewalt hatte, festgestellt, daß seine Frau für sein jüngstes Kind, für seinen Liebling, noch kein Bett angeschafft hatte. »Morgen Brief an Martha wegen Kinderbett!« schrieb er in sein Notizbuch. Auf diese Weise gab sich Zauderer zuweilen selber seine Befehle. Allerdings wußte er nicht, daß Bettfedern in seiner deutschen Heimat ein rarer Artikel geworden waren.

Rolling mußte seine Nachtwanderung beenden. Seine Uhr war stehngeblieben. Als er sich der Postenkette des Lagers näherte, ging er auf das Postenloch zu, in dem um diese Zeit Wonnig zu wachen hatte. Der zweite Hecht in Rollings Netz war für Wonnig bestimmt. »Alles ist gut!« Wonnig saß auf Posten, hielt die Luft für Rollings Rückkehr rein und erhielt dafür einen Hecht. Rolling schüttelte einen Kiefernzweig. Das war das verabredete Zeichen. Wenn alles in Ordnung war, sollte Wonnig leise ein paar Töne auf seiner kleinen Mundharmonika blasen. Die Mundharmonikatöne blieben aus. Rolling schüttelte seinen

Zweig etwas heftiger. Es knallte ein Schuß. Ein schöner Mund-
harmonikaton! Rolling warf sich hin und kroch langsam zurück.
Wieder knallte es. In Wonnigs Postenloch saß seine Ablösung,
der pflichttreue Schrankenwärter August Bogdan. Wenn sich
ein einzelner Zweig so heftig bewegte, so hatte sich vielleicht
eine Hexe bei ihrem Ritt durch die Nacht darauf abgerastet.
Bogdan schoß noch einmal und noch einmal, und dann begann
es aus allen Postenlöchern auf der Ostseite des Lagers zu knal-
len. Bald schossen alle Posten ringsum, ohne zu wissen, wonach
und weshalb. Rolling kratzte sich den Kopf. »Man tut, was man
kann!«

Im Verschlag hinter der Kompanieschreibstube hatte Kompaniewachtmeister Zauderer ein Kartenspiel hervorgeholt. Stanislaus sollte ihm nun auch noch etwas über die Zukunft sagen,
in Sachen Urlaub, verstehn.

Stanislaus wich aus. »Es ist mir nicht gegeben, in die Zukunft
zu sehn. Hält der Mensch sich gut, wird seine Zukunft gut sein!«
So sei es und nicht anders. Kompaniewachtmeister Zauderer
hatte keine Zeit mehr, enttäuscht oder unzufrieden mit dem
Tragtierführer und Wahrsager Büdner zu sein. Handgranaten-
schläge durchzitterten das Lager. Ein Maschinengewehr, diese
Schreibmaschine des Todes, rasselte ... Zauderer wurde blaß.
Die Zukunft begann schon.

Der Fahrer hielt das große Lastauto an und stieß den schlafenden Weißblatt. »Kilometer hundertundfünfundsiebzig. Steig
aus, Matztunke!«

Weißblatt war wach, sehr wach. »Bin kein Dienstgrad. Maß
mir keinen Offizierstitel an.« Er gab dem Fahrer ein Päckchen
französischer Zigaretten. Der Fahrer wurde freundlicher und
schwang sich dazu auf, Weißblatt die ungefähre Richtung anzu-
deuten, in der er das Lager vermutete. Daß der Bläßling, den er
da mit über die Polstraße geschleift hatte, ein Spinner war, blieb
für ihn eine Tatsache: Seit wann war »Matztunke« ein militäri-
scher Dienstgrad?

Weißblatt tappte ängstlich im Wald umher und stieß auf
die Lagerstraße. Er keuchte unter seinem Tornister und rastete

nach einigen zwanzig Schritten immer wieder ab. Er warf sich aufs Waldmoos und betrachtete die mageren, matten Sterne der Polspätsommernacht. Du lieber Gott, du lieber Gott! – Das war nun wohl so gut wie der Gang zur Hölle! Er, der Mensch, der ohne Zivilisation kaum atmen konnte, hier in diesen Urwäldern! Wie lange konnte das dauern, bis hier »Amarilla«-Zigaretten von seiner Frau Mutter eintreffen würden? Dieser Krieg aber auch! Er hatte sich ein Weilchen von der angenehmsten Seite gezeigt, hatte ihn nach Paris, der Metropole aller Kultur und Zivilisation, verschlagen, um ihm nun alles, aber auch alles zu nehmen. Es war so gut wie sicher, daß seine feinen, seine übersensiblen Nerven, wie der Hausarzt der Weißblatts sich auszudrücken pflegte, hier zerspringen würden, daß sein Hirn Wunden bekommen mußte. Weißblatt weinte ein bißchen über sich selber und sprang dann wieder auf, weil ihm das Waldmoos den Hosenboden durchfeuchtet hatte. Am Ende krochen in diesen unübersichtlichen Wäldern sogar Schlangen, Reptilien umher.

Im Lager begann das Geknall. Weißblatt fiel sofort hin. Der schwere Tornister schob sich über seinen Hinterkopf. Er war erledigt, so schien ihm. Als eine halbe Stunde und mehr Zeit verstrichen war und die Knallerei kein Ende nahm, versuchte er wenigstens seinen Kopf von der Last des Tornisters zu befreien. Da aber pfiff es über ihn hinweg, und so, wie er aus Büchern wußte, war das das Geräusch von Geschossen. Er wartete bis zum Morgenschummern auf das Geschoß, das ihn treffen sollte. Als die Vögel zu singen begannen, wußte er genau, daß ein Großteil seiner Nerven gerissen war.

Es stellte sich heraus, daß der Krieg, den sie täglich erwarteten, nur ein wenig mit dem Kleinfinger an das Lager gekratzt hatte.

Als der Bierbraurittmeister am Morgen die Luke am Chefbunker aufriß, um ein wenig nach dem Krieg zu schaun, war keiner mehr da. Dafür trottete der Tragtierführer Rolling heran, hatte zwei große Hechte in einem Netz über der Schulter und trug sein Gewehr mit dem Lauf nach unten. Biermeister Beetz schleuderte drei Tage Arrest zur Bunkerluke hinaus.

»Wie tragt man das Gewehr, Sie Batzi, Sie Karnevalist, Sie rheinischer, Sie?«

Auf der Kompanieschreibstube wurden Rolling die Hechte abgenommen. Sie erschienen am Mittag auf dem Speisetisch in der Offiziersbaracke.

Es wurden Untersuchungen über den nächtlichen Kleinkrieg angestellt. Sie verliefen ergebnislos. Niemand hatte etwas gesehn. Alle Posten hatten dem Nachbarposten Unterstützungsfeuer gegeben. August Bogdan fürchtete den Spott der Kameraden und verriet nicht, daß er zuerst geschossen hatte. Für ihn stand fest, daß er mindestens zwei bis drei Hexen den Garaus gemacht hatte.

»Alles ist gut«, sagte Wonnig, als Rolling ihn anknurrte. »Nun weiß ich wenigstens, wie sich ein Krieg anhört.«

Stanislaus besuchte Weißblatt. Man hatte den Dichter wieder zu seiner alten Gruppe, zu Kraftczek und Bogdan, gesteckt. Weißblatt lag bleich und abgezehrt auf dem Mooslager und rauchte eine seiner letzten »Amarillas«. Sein Gesicht blieb unbewegt, als ihm sein Freund Büdner die Hand entgegenstreckte. »Bist du krank, Weißblatt?«

Weißblatt nahm seine Zigarette wie ein Stück Kreide zwischen Daumen und Zeigefinger und machte Schreibbewegungen in die Luft hinein. »Kennen Sie das Zeichen, Herr Vollstrekker?«

»Ist dir nicht wohl, Weißblatt?«

»Sehr wohl. Soll demnächst irgendwie aus der Heeresküche Flügel erhalten. Propellerflügel.«

Stanislaus musterte seinen Freund. Weißblatts Blick war leer. Als Weißblatt sich jedoch taxiert fühlte, flackerte er mit den Augdeckeln und schnüffelte wie ein suchender Hund. »Sie haben, was weiß ich, einen Geruch an sich, Herr. Riechen wie der Vollstrecker von Paris.«

Weißblatt drehte sich zur Wand. Kraftczek zupfte Stanislaus beim Ärmel. »Befrag ihn nicht zuviel, weil, sonst möcht er wieder in die Luft gehn wie letzte Nacht. Er bildet sich ein, er hat Entenflügel, aber sie sind gebraten, und er stürzt immerfort ab, sobald er ein Stück in der Luft ist.«

»Er ist behext«, sagte Bogdan.

Stanislaus meldete seinen Freund Weißblatt krank.

»Er ist ein Dichter und sowieso ein Spinner«, sagte der Sanitätsunteroffizier. »Ich werd ihn im Dienst beobachten.«

---

20 Stanislaus bekommt Ehrfurcht vor einem noch nicht geschriebenen Buch, wird in ein Geheimnis eingeweiht und in Zweifel gestürzt.

Am Sonntag saßen Stanislaus und Weißblatt unter einer dicken Kiefer außerhalb des Lagers. Es war still. Die Sing- und Lärmzeit der Vögel war vorüber. Große Waldameisen zogen auf ihren Heerstraßen dahin, schleppten kleine Zweige, Kiefernnadeln, Raupen und betasteten sich, wenn sie im blinden Eifer gegeneinanderstießen. Weißblatt kritzelte mit einem Birkenzweig Figuren in den Heidesand. »Bin irgendwie wirklich irrsinnig. Zerrissene Nerven.«

»Du spielst nicht gut. Man merkt es.«

»Nur du merkst es.«

»Sie werden dich untersuchen und an die Wand stellen.«

»Ich werde besser spielen. Man kann das irgendwie. In Paris einige psychologische Bücher gelesen. Interessant!«

Es schnarrte im Baumgeäst. Sie duckten sich. Ein Specht flog ab. Sie kamen hoch und lächelten.

»Da hast du es«, sagte Stanislaus. »Mit solchen Kleinigkeiten werden sie dich überführen.«

Weißblatt hatte ein Haus in den Sand gekritzelt; das Dach nach unten. Nun malte er quellenden Rauch in den Schornstein. »Aber ich werd verrückt hier im Urwald.«

»Ja, dann kann ich dir nicht helfen.« Stanislaus erhob sich. Ein Schwarm dunkler Krähen flog durch die Dämmerung.

»Zwölf Raben auf Notre-Dame ...«, summte Weißblatt. »Hast du mal an Hélène gedacht?«

»Ich hab, glaub ich, mehr an sie gedacht als du.«

Weißblatt malte eine große Wolke um sein kopfstehendes Haus. »Hab nie jemand so geliebt wie Hélène.«

455

»Bist du sicher, daß auch sie dich geliebt hat?«

»Sie winkte mir zu, eh sie starb. Du sahst es.« Weißblatt hob den Zeigefinger. »Hörst auch du dieses Nagen, oder ist es irgendwie nur in meinem Hirn?«

»Ein Kaninchen.«

Weißblatt strich sein Gekritzel durch, setzte den Fuß drauf und radierte alles mit der Stiefelsohle aus.

»Es hatte ein Ziel und wußte von Anfang an, was es tat, denk ich!«

»Das Kaninchen?«

»Dein Mädchen Hélène.«

»Jetzt siehst du, daß ich verrückt bin. Bist du sicher, daß Hélène ein Ziel verfolgte?«

»Nichts als das.«

»Dann hat sie mich nicht geliebt. Sie hat Menschen getötet.«

»Sich auch.«

Sie gingen zum Lager. Weißblatt hielt Stanislaus am Ärmel zurück. »Hast du ein Ziel wie Hélène?«

»Ich hab eins.«

»Wie sieht es aus?« Weißblatt wurde unruhig. »Ha, jetzt dieses Brummen! Ein Flieger, würde ich sagen, aber der Vorgang findet leider in meinem Hirn statt. Dein Ziel, bitte!«

»Man muß Böstaten verhindern, hab ich mir einmal gedacht.«

Weißblatt begann zu lachen. Sein Lachen klang wie das Gemecker einer Ziege. »Böstaten? Wer will wissen, was Böstaten sind?«

»Ich«, sagte Stanislaus und packte Weißblatt. Er schüttelte ihn. Das Gemecker verstummte. Weißblatt sah ängstlich drein, wie ein Kind, das gestraft werden soll. War dieser Mensch mit den wilden Augen noch der Büdner? Sollte ihm hier an Ort und Stelle der Hals zugedrückt werden?

»Hör auf mit dem Verrücktspielen!« Stanislaus stieß den Kameraden von sich.

Weißblatt war bleich und schluckte. »Man muß in die Seelen der Menschen kriechen. Ich werde ein Buch schreiben. Ein Buch über Hélène und den Krieg; aber nicht in dieser Wildnis.«

Er begann zu rennen, stolperte über einen Kiefernknüppel, fiel hin, rappelte sich auf. »Nicht in dieser Wildnis, verstehst du?«

Stanislaus ließ ihn rennen. Ein Buch war freilich nicht dies und jenes. Seine Achtung vor Weißblatt wuchs wieder. Wie hatte er vergessen können, daß er einen Dichter, einen Kenner von Menschenseelen zum Freunde hatte! Und er hatte diesen Dichter verkannt, hatte sich gegen ihn benommen wie ein Töffel! Wie kam er dazu, er, der nicht einmal eine kleine Geschichte über dieses Mädchen Hélène zustande brachte? — Wer war er eigentlich? Niemand. Nichts. Ein bißchen Sternstaub ohne Leuchtkraft.

Nah bei den Tragtierbunkern floß der Bach, die Lebensader des Lagers. Die Männer schöpften aus diesem Bach ihr Wasser zum Trinken, zum Kochen, zum Waschen und zum Zerdünsten ihrer Läuse. Wer Zeit hatte, zog sich zudem aus diesem Wässerlein eine Mahlzeit Kleinfische oder träumte sich, in das Wasser starrend, nach Hause; nach Duisburg oder München, nach Hamburg oder Cottbus, nach einem jener deutschen Dörfer zwischen Wäldern und Wiesen.

Die Nacht trug schon den Geruch des Vorherbstes, und durch die Uferbinsen strich ein vorsichtiger Wind. Ein Stück hinter den Tragtierbunkern rann das Wasser über einige große Steine, sprang herab und sang dazu »Klungkling-kling-klung«.

Rolling zog seine Angel mit einem Ruck ein. Neben Stanislaus fiel ein kleiner Fisch ins harte Waldgras. Rolling machte den Fisch los, rückte an seinem Mützchen und pfiff leise durch die Zähne.

»Wolltest du etwas Besonderes von mir?« fragte Stanislaus.

»Kannst mir Würmer auf den Angelhaken ziehn.« Rolling reichte Stanislaus die Wurmschachtel. Stanislaus hatte andere Dinge vor, als hier bei Rolling zu sitzen und Regenwürmer aufzuspießen. Was sollte mit Weißblatt werden, der weiter den Verrückten spielte, um zum Schreiben zu kommen? Wie konnte man Weißblatt helfen? Er warf die Wurmschachtel von sich. Sie fiel auf einen Stein. Plirr! Sie öffnete sich. Dunkle Würmer wanden sich darin. Rolling klappte die Schachtel wieder zu und lauschte. »Klungkling-kling-klung«, rieselte das Bachwasser. Rolling spießte einen frischen Wurm auf den Angelhaken, zischte, pfiff und fragte unvermittelt: »Haust du mit ab?«

»Wohin?«

»Nach Deutschland zum geliebten Führer.«

Stanislaus sprang auf. »Dein Hanswurst bin ich nicht!«

Rolling ließ seine Angel fahren und packte Stanislaus bei der Hand. Stanislaus fühlte: eine warme, väterliche Hand. »Ich hab einen Weg erkundet. Für uns beide.«

Es lag schon ein gutes Dutzend kleiner Fische zwischen ihnen, aber sie waren sich noch nicht einig. Die Sache war die: Stanislaus wollte nur fliehen, wenn Rolling auch Weißblatt mitnehmen würde. »Weißblatt? Man tut, was man kann, aber das nicht.«

»Was hast du gegen Weißblatt?«

»Ich kenn ihn.« Und Rolling erzählte, erzählte so offen und lange, wie es Stanislaus bei einem vom Schlage Gustav Gernguts nicht erwartet hatte. Die Nacht ging herum.

Sie wischten sich den Tausamt von den Rockärmeln. Es schummerte schon, und sie konnten nicht am Bache sitzen bleiben, bis die Lagerwache sie gewahrte.

»Du hast mit Weißblatt nie gesprochen, obwohl du bei seinem Vater in Arbeit standest?«

»Ich kenne ihn trotzdem. Man hat Augen und vor allem einen Riecher – für das.« Rolling schnippte mit den Fingern. Seine Stirnnarbe lief rot an. Stanislaus tat weise. »Die Menschen ändern sich mit ihrer Umgebung.«

Rolling sah ihn mißtrauisch an. »Wer sagt das?«

Stanislaus erinnerte sich gut, daß er das von Gustav unter dem Pilzhut gehört hatte, aber blieb jetzt Zeit, Rolling die Geschichte Gustav Gernguts zu erzählen? »Ich sage es.«

»Nein, du hast es aus Büchern, aber das Leben liest keine Bücher. So einer ändert sich nicht. Der hat zuviel feine Muttermilch eingesoffen.« Ein Pferd wieherte. Rolling wandte sich den Bunkern zu. Stanislaus hielt ihn am Rockrand fest. »Er ist ein Dichter, will ein Buch gegen den Krieg schreiben. Man muß ihm Ruhe und Gelegenheit verschaffen.« Rolling riß sich los und verschwand im Bunker.

Das Lager belebte sich. Die Tageswache zog auf. Die Nachtwache kam zurück. Auf der Kompanieschreibstube tobte Rittmeister Beetz mit dem Kompaniewachtmeister. Es ging um ein mächtiges Paket – eine Kiste. Die Kiste war an Frau Rittmeister Beetz in der bayrischen Bierbrauerei adressiert. Zauderer hätte sie einem Urlauber mitgeben sollen. Es war bisher kein Urlauber nach Deutschland gefahren. Der Rittmeister tobte trotzdem. Es wurde täglich herbstlicher, und die Kiste mit den finnischen Silberfuchspelzen für Frau und Töchter stand im Bunker des Kompaniewachtmeisters.

»Sie hocken hier warm und mästen Ihre Läus. Ich steck Sie in den Außendienst!« schrie Biermeister Beetz und hieb mit Zauderers Lineal gegen einen Pfosten. Der Pfosten wankte nicht, aber das Lineal zersplitterte.

Zauderer war noch dabei, die Linealsplitter wegzuräumen, da kam der Kammerunteroffizier Marschner. »Was bringst du, Marschner?«

Marschner brachte die Meldung, der ehemalige Reiter Weißblatt läge in seinem Bunker, spiele verrückt und versähe keinen Dienst.

»Zum Deibel mit der Sanität!« Kompaniewachtmeister Zauderer war dankbar für diese Mitteilung. Er würde sie dem Rittmeister zum Mittag servieren. Der Rittmeister sollte sehn, daß er nicht nur hier saß und seine Läuse mästete.

Der Kammerunteroffizier Marschner kam gleichzeitig um die Genehmigung einer Dienstreise nach Deutschland ein. Die Kleiderkammer sei leer, nur noch Drecklumpen und Fetzen, und der Standort schicke keinen Ersatz.

Der Kammerunteroffizier Marschner wurde auf Dienstreise nach Deutschland geschickt. Er nahm die große Kiste des Bierbraurittmeisters Beetz mit nach Bamberg.

21

Stanislaus hilft August Bogdan eine Hexe binden, enttäuscht seinen väterlichen Freund Rolling und macht aus ihm eine Sumpfleiche.

Die Tragtierführer waren beim Pferdeputzen. Rolling und Stanislaus hatten ihre Tiere etwas abseits getrieben. Sie klopften den grauen Pferdestaub auf einem Stein aus ihren Striegeln.

»Bedenk, sie haben ihn zur Sanität geschleppt und werden ihn überführen. Du mußt ihn mitnehmen!«

»Wegen mir«, knurrte Rolling, »du kannst es ihm sagen, aber ich garantier, mit ihm kommen wir nicht rüber. Er bekleckert sich unterwegs.«

Stanislaus blies den Pferdestaub vom Stein und klapperte laut mit dem leeren Striegel. »Bist du sicher, daß sie uns drüben nicht an die Wand stellen, wenn sie uns ausgehorcht haben?«

»In der FRONTZEITUNG, jawohl.« Rolling spuckte aus und striegelte seinen kleinen Braunen. »Wenn wir nur drüben sind ... wenn wir nur ...« Er lächelte wie im Vorgenuß eines Glückes.

Stanislaus suchte am Nachmittag die Sanitätsbaracke auf. Es war still. Die Meisen zirpten leise in den Kiefern über dem Barackendach. Es roch herbstlich. Der Sanitätsunteroffizier döste vor der Baracke in der Nachmittagssonne. »Geh nur rein zu dem Phantasten und sag ihm, wir werden ihm Galgenvogelflügel verpassen!«

Stanislaus erschrak. Weißblatt lag wie immer zur Wand gekehrt. Auf der anderen Seite des Sanitätsbunkers lag ein fieberkranker Reiter und phantasierte laut. Stanislaus rüttelte Weißblatt und schob ihm ein Zettelchen in die Hand. Er beobachtete dabei den Reiter an der jenseitigen Wand, der vielleicht zum Aufpassen bestellt war. Der Reiter lag mit geschlossenen Augen, aber die Augdeckel zuckten. Stanislaus trat an das Bett des Fieberers. »Willst du trinken, Kamerad?« Jawohl, der Reiter wollte trinken, aber Wasser ohne Frösche.

Weißblatt warf sich herum und drohte mit der Faust zum fiebernden Reiter hinüber. »Ich werde auf keinen Fall nach

Rußland fliegen. Nach Deutschland will ich!« Weißblatt hatte wirklich so etwas wie Schaum vor dem Munde. Stanislaus entriß ihm das Zettelchen, mit dem er umherfuchtelte. Kurz und gut, Weißblatt werde sich in Deutschland eine Feder aus den Flügeln reißen und damit ein Buch über die Bombe der Metropole schreiben.

Stanislaus ging. In seinem Herzen blieb Ehrfurcht vor dem Dichter zurück, der sein Ziel trotz Todesbedrohung so zäh verfolgte.

Rolling rüstete, ging mehrmals mit seinem Fischsäckchen aus dem Lager und schaffte Proviant hinaus. Stanislaus unterhielt sich mit Willi Hartschlag und dem Furier in der Küche von den guten alten Zeiten in Paris. Rolling stahl indes Brote und Fleischkonserven. Zwei Tage geheimnisvollen Treibens. Zwei Tage Gespräche beim Klang der leeren Striegel. Wonnig war nicht verläßlich. Das hatte sich erwiesen. Rolling wollte diesmal über Bogdans Postenbereich nachts aus dem Lager schlüpfen.

»Er schießt dir vor Hexenangst eine Kugel in den Rücken.«

»Du wirst ihn kampfunfähig machen mit deiner Schwarzen Kunst, wirst was Vernünftiges mit deinem Hokuspokus tun.«

Stanislaus hatte es nicht mehr mit einem verknurrten und vermurrten Rolling, sondern mit einem Schwärmer zu tun. »Sie werden drüben vielleicht mißtrauisch sein, aber ich werde ihnen alles erklären.«

Der Striegel untermalte scheppernd Rollings Zukunftsmusik. Stanislaus schwieg. Er blickte drein, als schöbe er schwere Steine hin und her: Rolling würde auch ohne ihn zu seinem Ziel gelangen, Weißblatt aber... Bei Weißblatt war alles fraglich. Er war auf Hilfe angewiesen... Oder wars die Feigheit, die Stanislaus zuflüsterte, daß er bleiben und Weißblatt retten müsse?

Die Fluchtnacht kam heran. Sie lagen im Heidekraut, bis es still im Lager wurde. Sie warteten die Runde des Offiziers vom Dienst ab und krochen dann zu Bogdan ins Postenloch. Rolling war redselig wie ein Schnapstrinker. »Jetzt gehn wir los! In zwei

Stunden wirst du einen Frühstückshecht haben, über den du nicht weinen wirst.«

Bogdan wollte nicht mehr, wollte einfach nicht mehr mitmachen. »Ich hab euch so Scherereien genug.« Er hatte einen Brief von daheim erhalten. Die Kuh sei krank. Der Brief sei lange unterwegs gewesen, die Kuh sei am Ende schon tot.

»Verhext«, sagte Rolling.

»Weißdrein!« Bogdan fühlte seine Vermutungen so unumwunden bestätigt. »Wir haben dir eine im Dorfe, die hext dir und hext. Wenn ich dir die packen könnte.«

Rolling stieß Stanislaus. »Sei nicht dumm, Bogdan. Laß dich vom Büdner ein Weilchen heimbringen, verprügel das Luder!«

Bogdan sah Stanislaus an. »Geht das?«

Stanislaus kam nicht zu Wort. Rolling redete wie ein Pferdehändler: »Du kannst sie mit geistigen Stricken binden. Sie kann ihre Hexenhand nicht mehr rühren! Und du sollst keinen Lärm machen, wenn wir nicht zurück sind, bis du abgelöst bist. Der See ist weit, und der Hecht ist groß.«

Rolling kletterte aus dem Loch und verschwand im Gebüsch. Stanislaus zitterte. Seine Zähne drohten zu scheppern. Er biß sich ins Wangenfleisch. Im Gebüsch knackte es leise.

»Na, denn mach mir schläfrig wie den Kraftczek dennmals«, bat Bogdan. Stanislaus straffte sich und schläferte ihn ein. »Siehst du die Hexe aus deinem Kuhstall kommen?«

»Ich seh sie. Den Besen gib mir, einen Strick, Pauline!« flüsterte Bogdan.

Aus dem Gebüsch kam leises Schnalzen. Das verabredete Zeichen. Bogdan schlief. Stanislaus leerte Bogdans Patronentasche. Er lauschte. Wieder schnalzte es im Gebüsch. Stanislaus nahm die Patronen aus Bogdans Gewehr. Das Schnalzen aus dem Gebüsch wurde eindringlicher.

»Machs gut!« sagte Stanislaus leise und schluckte. Er wartete noch eine Weile. Das verabredete Zeichen kam nicht mehr.

»Leb wohl, ja, leb wohl, alter Rolling!« Und Stanislaus stellte sich vor Bogdan auf. »In zehn Minuten wirst du wach sein. Alles ist ausgelöscht. Alles ausgelöscht!«

Stanislaus stieg aus dem Loch. Er kroch durch das Heidekraut. Er hätte aufrecht gehn können, denn er bewegte sich dem Lager und seinem Bunker zu. Reiter Büdner vom Austreten zurück. – Er kroch lieber. Er fand das angemeßner für seinen Zustand.

Erst einen Tag später bei einem Gewehrappell bemerkte man das Verschwinden Rollings. Der bayrische Bierbrauerzorn zischte wie übergärig auf Offiziere und Mannschaften. Verhöre wurden angestellt. Wer hatte Rolling zuletzt gesehn? Stanislaus schwitzte, als Bogdan zum Verhör gerufen wurde. Bogdan wußte von nichts.

Der Bierbraurittmeister stürzte sich wieder auf die Unteroffiziere. »Schlampen seid 's alle mitnand, Kirmesweiber, Selterssäufer!« Seine Wut ergoß sich besonders über Kompaniewachtmeister Zauderer. Beetz hatte das Vergehen des Kompaniewachtmeisters gegen eine Rittmeisterkiste nicht vergessen. Es wurde ein Späh- und Stoßtrupp zusammengestellt. Den Trupp sollte Kompaniewachtmeister Zauderer führen. »Tot oder lebendig, der Desertierer muß her, sonst mach ich einen Mus aus eich!«

Stanislaus saß in einer Ecke des Tragtierbunkers und überlegte: Wie weit konnte Rolling sein? Würde der Stoßtrupp ihn einholen? Er kannte den Fluchtweg Rollings in groben Zügen und mußte etwas für ihn tun; aber konnte er Weißblatt verlassen, zusehn, wie der dem Tod entgegenrannte? Rolling – Weißblatt. Weißblatt – Rolling.

Er ging zur Kompanieschreibstube. Er zwang sich, langsam zu gehn. Er fragte auf der Poststelle nach Briefen, obwohl er keine Post erwartete. Lilian schrieb nicht mehr. Er hatte auf ihre Briefe nicht geantwortet. – Auf der Kompanieschreibstube ging es wild her. Kompaniewachtmeister Zauderer machte sich marschfertig. Er war blaß und rollte sein Kochgeschirr in eine Decke. Sturmgepäck. Der Kochgeschirrdeckel klapperte in den zitternden Händen des Wachtmeisters.

»Bitte mich freiwillig für den Stoßtrupp melden zu dürfen«, sagte Stanislaus.

»Wie?« Der Wachtmeister riß das Photo seiner Kinder von der Wand und steckte es zu sich.

»Bitte mich freiwillig ...«

»Gut, der Mann, mein Melder, verstehn!«

Der Späh- und Stoßtrupp blieb drei Tage unterwegs. Sie marschierten einen halben Tag in östlicher Richtung.

»Wo wird er hin sein? Überläufer nach Osten! Gesunder Menschenverstand – verstehn, nach Osten!« Kompaniewachtmeister Zauderer hielt sich viel zugute auf diesen braven Einfall.

Gegen Mittag erbot sich der Melder, Jägerreiter Büdner, während der Marschpause ein wenig das Gelände zu erkunden.

»Gut, der Mann!«

Reiter Büdner brachte nach zwei Stunden Nachricht von einem Sumpf, einem unpassierbaren Sumpf. Man müsse ihn nach Norden zu umgehn.

»Gut, der Mann, nach Norden zu, dann am Ende des Sumpfes wieder östlich, verstehn?«

Sie umgingen den Sumpf in nördlicher Richtung, stießen dann auf einer Zunge Trockenlandes wieder nach Osten vor und trafen wieder auf einen Sumpf, den sie nördlich umgehen mußten.

Am Mittag des zweiten Tages stießen sie auf das Lager der zweiten Kompanie ihres Bataillons. Große Begrüßung. Von Rolling keine Spur. Die Schnapsbecher kreisten. »Es lebe der Krieg von Karelien!«

Am Morgen des dritten Tages marschierten sie wieder dem eigenen Lager zu. Kompaniewachtmeister Zauderer war sehr mißmutig, und der Schnapskater wälzte sich ausgiebig in seinem kleinen Kopf. »Wird den Posten kosten«, sagte er zu seinem Melder und duckte sich wie der Spatz am Kastenloch des Stars. »Aber soll man gradwegs in den Sumpf, verstehn, gradwegs in den Tod vorstoßen?«

Gegen Mittag brachte der Melder Büdner gute Nachricht für seinen Kompaniewachtmeister. Er hatte einen Stahlhelm mitten auf dem Sumpf entdeckt. Es war ein durch und durch deutscher Stahlhelm.

»Abgesoffen, der Deserteur, verstehn?« Es kam Eifer in den Kompaniewachtmeister Zauderer. Man hieb Bäume ab, baute ein Stück Knüppeldamm in den Sumpf hinein und erreichte den Stahlhelm. Nun konnte jedermann sehn, daß es sich um Rollings Stahlhelm handelte, denn sein Name war mit Kopierstift innen auf das Schweißleder geschrieben. Sie kehrten im Eilmarsch ins Lager zurück, den Erfolg ihres Stoßtrupps zu melden.

22 Stanislaus erhält einen Brief aus dem Himmel, ertappt sich bei Haßgedanken und sieht seinen Schützling, den Dichter, ins Verderben rennen.

Biermeister Beetz nahm den Bericht des Kompaniewachtmeisters Zauderer mit Genugtuung zur Kenntnis. »Abgsoffa — 's ist recht. A feins Axempel!«

Zudem brachte die Post gute Nachrichten von daheim aus Bayern. Die Pelzkiste sei von einem Urlauber angeliefert worden. Man habe dem Mann drei Seidel Starkbier und ein kräftiges Zubrot verabreicht. Besten Dank und wie es mit finnischen Pelzschuhen stehe, weil, die Kohlenzuteilung, hört man, soll wieder knapper werden diesen Winter.

Stabsarzt Scherf entließ Weißblatt, der fort und fort nach Flügeln verlangte, aus der Sanitätsstelle. Mochte sich sonstwer mit diesem flügellahmen Dichter befassen. Er hatte kein Interesse an diesem Fall. Er war kein Psychologe, er war hierhergekommen, um den Männern zerschmetterte Arme und Beine vom Rumpf zu trennen.

In der Dämmerstunde umkreiste ein einzelnes russisches Flugzeug das Lager. Maschinengewehre wurden in Stellung gebracht und spuckten leuchtende Morsezeichen des Todes in die würzige Waldluft. Bierbrauer Beetz stand auf der Böschung eines Splittergrabens und schaute durchs Fernglas. Neben ihm stand Kompaniewachtmeister Zauderer. Auch der versuchte, aufrecht zu stehen und es dem Rittmeister gleichzutun, doch die Angst krümmte ihn innerlich zusammen. Unterhalb seines Koppels machte auch sein Leib eine Krümmung, ob Zauderer nun wollte oder nicht. Rittmeister Beetz nahm das Glas herunter und sprang in den Graben. »Er schmeißt, der Iwan-Batzi.«

Damit war auch Zauderer erlaubt, Angst zu haben. Er ließ sich in den Splittergraben kullern. Jetzt begannen wohl wirklich die Zukunft und der Krieg.

Sie lauschten mit halb zugekniffenen Augen. Kein Knall, keine Erschütterung. Das Flugzeug flog ab. In den Bäumen raschelte und knisterte es leise. Papierblätter rieselten auf das Lager herab.

Die Tragtierführer hatten ihre Tiere beim Alarm hastig in den schützenden Wald gebracht. Stanislaus lag neben seinem Pferd und lauschte dem Gebrumm des Flugzeugs nach. Es war bald nah, bald fern. Ein Schwirren wie von einer Hornisse. Stanislaus' Gedanken flogen in die Kindheit zurück. Er war daheim in Mutter Lenas Küche. Die Hornisse summte bald in der Nähe des Fensters, bald an der Küchendecke oder oben im Schrankwinkel. Er sah seinen Vater mit dem ausgezogenen Tuchpantoffel nach der Hornisse schlagen. Vater Gustav, der Wundertäter. Plötzlich verstand er ihn: Die Not hatte ihn auf die Wundertäterei hingetrieben. Er, Stanislaus, hatte Bogdan aus den gleichen Gründen die Hexe binden lassen. Wie, wenn alles Leben nur ein Kreis wäre? Ein Kreis um sich selber: Die Jungen wiederholen, was die Alten taten, weil Böstaten und Not auf der Erde nicht weniger werden?

Ein Stück Papier von der Größe eines Briefblattes sank vor dem grasenden Maule des Pferdes herab. Das Pferd schnaubte, wandte den Kopf zur anderen Seite und weidete weiter. In der Tat, es war ein Brief vom Himmel gefallen, ein Brief mit dem Photo des lachenden Rolling. Rollings Augen blickten ein wenig müde, aber sein Lachen war echt. Niemand auf der Welt konnte Rolling zum Lachen bringen, wenn der nicht wollte. Stanislaus suchte in Rollings Gesicht nach einem Vorwurf, einem leisen Vorwurf für seinen ehemaligen Kameraden Stanislaus Büdner. Saß da nicht eine winzige Spottfalte an Rollings Mundwinkel? Er las, was ihm Rolling mitzuteilen hatte: »Macht Schluß! Kommt herüber! Denkt an Deutschland! Folgt den Räubern nicht!«

Stanislaus faltete das Papierchen so lange, bis es nur noch so groß wie sein Daumennagel war. Er steckte es in die Kapsel seiner Taschenuhr. Es war die Uhr, die er sich als Bäckergeselle und cand. poet. gekauft hatte, um seine Freizeit gut für das Studium ausnutzen zu können. Die Uhr hing an einer Kette, die ihm die dicke Vogtsfrau in Waldwiesen zur Konfirmation geschenkt hatte.

Der Fliegeralarm war zu Ende. Der Bombentod war vorübergegangen. Es war nur eine Bombe mit Mahnungen abgeworfen worden. Die Mahnungen hatte der Zementarbeiter Otto Rolling geschickt. Die Jäger der dritten Kompanie huschten, gedeckt von der Dämmerung, zwischen den Baumstämmen umher und sammelten Rollings Briefe ein.

Biermeister Beetz bekam einen Tobsuchtsanfall. Er warf den Kompaniewachtmeister Zauderer aus der Schreibstube und ließ Leutnant Zärtling kommen. Rollings Weg durch die Sümpfe sollte ausgekundschaftet werden. Biermeister Beetz wollte auf eigene Faust ins sowjetische Lager vorstoßen. Er war nicht in die welschen Wälder gedrungen, um Kienzapfen zu sammeln. Das sollte seinetwegen der Regimentskommandeur tun, bittschön! Beetz war in den Krieg gegangen, um Blut zu sehn und Beute zu machen. Der Dienst wurde verschärft. Als Vorbereitung für den Vorstoß ins sowjetische Lager wurde ein großes Exerzierprogramm entworfen. »Der Unrat soll eich die Hosen feichten, preißische Batzis!«

Der ehemalige Gärtner Wonnig hatte am wenigsten auszustehn. Er nahm alle Dinge und Zustände, wie sie kamen, aus den schmutzigen Händen des Schicksals. Alles ist gut! Er saß in der Nacht in seinem Postenloch an der Ostseite des Lagers, hatte sein Koppel, diesen elenden Bauchgurt, abgeschnallt, das Gewehr an die Sandwand des Loches gelehnt und den Stahlhelm auf die Brüstung gepackt. Er summte seine Mazdaznangesänge von früher:

Alles ist gut, der Mensch wird es werden.
Alles ist gut, der Mensch strebt zum Licht...

Nach einer Weile entsann er sich seiner Mundharmonika, die er im Hosensack mit sich trug. Er duckte sich ins Loch, hielt beide Hände über das kleine Instrument und blies leise hinein.

Als die Sterne am Himmel aufzogen, wurde für eine Stunde durch und durch deutsche Nacht. Wonnig blies leise und langsam: »Der Mond ist aufgegangen ...« Alles ist gut! Wäre er nicht zum Militär gekommen, hätte er nie die Zeit gefunden, ein Meister auf der Mundharmonika zu werden. Daheim in seiner Gärtnerei kam immer etwas dazwischen. Die Menschen starben, und er mußte nach Feierabend noch Kränze für ihre Begräbnisse winden. Er mußte auf einer kleinen Presse Kranzschleifen drucken: »Immer unvergessen« oder »O Jammer, sie ging hin ...«. Für Musik und höhere Künste, die in der Mazdaznansekte als Lebenszubrot galten, blieb ihm wenig Zeit. – Alles ist gut – auch der Krieg ist gut, denn man lernt in einem Postenloch in den weiten Wäldern unterhalb des Pols das Mundharmonikaspiel. Wonnig suchte sich die Töne auf dem kleinen Mundhobel zusammen, war beglückt, wenn er den richtigen Ton auf Anhieb fand, hielt ihn lange, freute sich an seiner Wohlgetroffenheit und lauschte ihm nach. Die Mundharmonikatöne hüllten ein hartes Zweigknacken ein, überfluteten das Kollern eines kleinen Steins und deckten den jähen Abflug eines aufgestörten Birkhuhns. Wonnig wurde erst aufmerksam, als hinter ihm Sand in sein Postenloch rieselte. Er wollte sich umschaun und kam nicht mehr dazu. Sein Hals wurde umklammert. Es wurde ihm Moos in den harmonikahörigen Mund gestopft. Er stieß einen Laut aus, wie das Erstickende tun: »Ärrärr!« Er erstickte nicht, denn sein Lebensatem fand den Weg durch die Naslöcher. Er machte noch einmal »Ärrärr!«, jetzt schon nicht mehr, weil er glaubte, ersticken zu müssen, sondern weil er glaubte, daß dieser Hilferuf vielleicht doch den Posten im Nachbarloch erreichen würde. Ein Weilchen war für Wonnig nicht alles gut, denn er wurde von den Männern eines sowjetischen Spähtrupps aus seinem Postenloch in das Dikkicht gezogen, vor dem er wachen sollte, damit sich kein Feind anschleichen und womöglich Rittmeister Beetz aus dem Bett holen konnte. Eine Weile später, als man Wonnig das Moos aus dem Munde nahm, wurde seine Welt wieder gut. Jetzt brachte man ihn vielleicht in andere Länder, und er sah etwas von der Welt. Alles ist gut!

Nicht so gut wirkte sich sein Verschwinden ohne Stahlhelm, ohne Koppel und Mundharmonika auf das Leben der anderen Männer aus: Rittmeister Beetz fuchtelte in der Kompanieschreibstube vor den Unteroffizieren mit dem kleinen Mundhobel herum. »Da habt's die Schlamperei, die preißische. A Musi hat der Malefizhund gemacht und am End noch dazu geschlafen.« Er warf die Mundharmonika, diese kleine Nachtharfe, auf den Schreibtisch des Kompaniewachtmeisters. Die Unteroffiziere starrten darauf und wagten nicht, sie zu betasten. Sie war wie ein kleiner Zünder, der die Bombe Beetz zum Zischen brachte.

Stanislaus machte sich gefechtsfertig, zäumte und sattelte sein Tragtier, holte Munitionskisten aus der Waffenkammer und schnallte sie auf. Sodann lief er, um nach Weißblatt zu sehn und ihn aufzumuntern. Kraftczek und Bogdan bemühten sich schon um ihn. Weißblatt wollte nicht aufstehn. Er wollte erst seine Flügel aus der Kleiderkammer. Stanislaus riß Weißblatt herum. Weißblatt erschrak. Er öffnete die Augen. Sein Blick war klar.

»Tritt mit an, Weißblatt, treibs nicht auf die Spitze!«

»Meine Schwanenflügel, bitte, Herr Vollstrecker!«

Kraftczek stülpte sich den Stahlhelm auf. Aus dem Verehrer der Mutter Maria wurde ein gepanzerter Bunkerknacker. Weißblatt hatte sich wieder zur Wand gedreht. Kraftczek stupste ihn mit dem Karabiner. »Steh mir auf, Freundchen, sonst möchten sie dir eine Befehlsverweigerung in die Stiefel schieben und dich an die Wand stellen. Wir möchten nachher auf deinen dürren Leib schießen müssen wie dennmals auf den langen Ali, wo so verfressen war.«

Tatsächlich. Weißblatt sprang auf, scharrte wie ein Hund sein Gewehr aus dem Moos seines Lagers und setzte den Stahlhelm auf, den er als Aschenbecher benutzt hatte. Die feine Asche der »Amarillas« überstäubte sein Gesicht. Weißblatt hob die Arme und flehte zur Bunkerdecke hinauf: »Bitt um Flügel, Gottvater!«

Kraftczek wurde gerührt und putzte ihm die Zigarettenasche aus dem Gesicht. »Ruhig, sei ruhig, mein Söhnchen. Die Flügel werden dir draußen angeschnallt, weil sie möchten für den Bunker zu lang sein, und du möchtest überall damit anstoßen.«

Weißblatt umarmte Kraftczek und drückte ihn. Kraftczek war stolz. »Ich möcht nicht so genau wissen, wie man mit solchen umgeht, aber wir hatten einen daheim, wo gar zu gern der Herr Jesus sein wollte und immerzu nach Wasser geschrien hat, worüber er laufen wollte. Wir haben ihn zehn Mann an einen Grubenteich geführt, daß er nun möchte auf Wasser laufen. Beim Absaufen ist ihm der Schreck so in die Glieder gefahrn, daß er hat nicht mehr der Herr Jesus sein wollen, und ist wieder eingefahrn vor Kohle, und seine Schulden bei mir hat er auch bezahlt.«

Die Schlacht um den angenommenen feindlichen Graben war im vollen Gange. Rittmeister Beetz hatte sich etwas Teuflisches ausgedacht: Der Feind war bis zum Lager vorgestoßen. Er hatte einen Posten geraubt. Seine Männer mußten hart gemacht werden wie der Fels im oberbayrischen Gebirge. Es wurde scharfe Munition ausgegeben. »Schluß mit dem Platzpatronenspielzeug. Wir ham an echten deitschen Kriag!«

Stanislaus erschrak: Die Kiste, die er von seinem Tragtier nahm, enthielt keine Granitsteine wie sonst, sondern stumpfgelbe Gewehrpatronen. Du lieber Gott!

Im angenommenen deutschen Graben wurde der Befehl zum Angriff auf den angenommenen russischen Graben gegeben. Einige Minuten vergingen. Es rührte sich niemand. Aus dem »russischen« Graben wurde geschossen und geschossen. Die Kugeln pfiffen. Die Querschläger surrten. Es war Befehl gegeben worden, hart am Ziel vorbeizuschießen, doch es gab nicht lauter gute Schützen in der Jägerreiterkompanie.

Ein einziger Stahlhelm erschien am Grabenrand der »Deutschen« und verschwand wieder. Es war der gepanzerte Kopf eines Gruppenführers.

Rittmeister Beetz sprang aus dem Gefechtsstand und stakte auf seinen Bierbrauerbeinen durch die zwitschernden Kugeln.

Im Gefechtsstand hielt man den Atem an, aber Beetz ging zielstrebig auf die Grabenmitte zu, als wären die sirrenden Geschosse kleine Sandfliegen.

»Solchen Hunden passiert nichts«, murmelte Stanislaus.

In der Grabenmitte richtete Beetz sich auf und rief zum »russischen« Graben hinüber: »Schießen! Fetzen, was das Zeig hält, ihr russischen Batzis!« Er hockte sich hin, rutschte in den »deutschen« Graben und rief nach Leutnant Zärtling. »Ich bring Sie vors Kriegsgericht, wann Sie nicht sofort stürmen wie die Pest!«

Im »deutschen« Graben wurde es lebendig. Leutnant Zärtling sprang heraus, wand sich an der Erde entlang wie ein Aal. Die Gruppenführer folgten. Bald wimmelten die Männer zwischen den Gräben durcheinander. Vornan, in der Nähe Leutnant Zärtlings, der dienststeifrige Schrankenwärter August Bogdan. Die Kugeln pfiffen. Sie pfiffen hoch, denn keiner von den Männern im »russischen« Graben wollte zum Mörder seiner Kameraden werden.

Beetz sprang aus dem Graben, stellte sich auf, beschimpfte die Männer, die Unteroffiziere und schrie den »Russen« zu: »Tiefer schießen, hört's auf mit dem Gespiel!« Er ging aufrecht durch den Kugelhagel zum Gefechtsstand zurück.

Weshalb schießt ihn niemand nieder? dachte Stanislaus und schrie gleich darauf auf ein Tragtier ein, um seine lauten Gedanken zu übertönen.

Leutnant Zärtling war in den Graben zurückgekrochen. Er spürte das Kriegsgericht im Nacken. Im Graben hockte nur noch ein Mann. Es war Weißblatt. Zärtling zog die Pistole und trieb ihn hinaus.

August Bogdan lag ganz vorn. Er wollte den »russischen« Graben als erster erreichen, sprang auf, tat ein paar Sätze und brach zusammen.

»Beinschuß«, konstatierte der Adjutant im Gefechtsstand und reichte dem Rittmeister das Fernglas.

Weißblatt rannte. Er hielt die Arme ausgebreitet wie Vogelflügel. »Tüdelüüüt, tüdelüüüt!« schrie er und warf sich in ein Rodeloch, vor dem noch der ausgegrabene Stumpf einer Kiefer

lag. Der Stumpf sah aus wie ein alter Zahn. »Tüdelütt, tüdelü-
üt!«

»Der ist verrückt«, sagte ein Tragtierführer, der sein Tier als
Deckung benutzte.

»Der da«, brüllte Stanislaus. Er zeigte zum Gefechtsstand, wo
der Rittmeister war. Stanislaus' Hände zitterten. Das Zittern
glitt die Zügel hinunter bis zum Maul des grasenden Pferdes.
Das Pferd hob den Kopf. Stanislaus legte seine Hand auf den
warmen Pferdehals.

Der Rittmeister nahm das Fernglas herunter. »Sanität!«

»Tüdelüüüt, tüdelüüüt!« schrie Weißblatt.

Der Rittmeister nahm sein Fernglas wieder hoch. Er entdeckte Weißblatt.

»Tüdelüüüt, tüdelüüüt!«

Beetz setzte das Fernglas wieder ab und rief über die Schulter:
»Den Narrischen da, ins Arrest – sofort!«

Die Sanitäter rannten mit der Bahre über das Kampffeld zu
Bogdan. Im »russischen« Graben tobte der Nahkampf. »Hurraaa! Hurraaa! Hurraaa!«

Der Bierbrauer Beetz schüttelte sich vor Kriegswonne: Die
»Russen« waren besiegt.

---

23   Stanislaus zaubert einen Zettel in das Brot eines Todeskandidaten, vollbringt eines seiner einfachen Wunder und entfacht einen Kleinkrieg zwischen zwei hochstehenden Männern.

Nach dem Einrücken ging Stanislaus sofort nach Weißblatt
sehn. Weißblatt war nicht im Bunker. Kraftczek saß an einer
Munitionskiste, aß weiße Bohnen und weinte. Er weinte um
Bogdan. Bogdan war tot. Vor Diensteifer in den Tod gerannt. Er
brauchte sich nicht mehr den Kopf zu zerbrechen, weshalb
man jetzt mit einem Stahldraht statt seiner an der Schranke in
Gurow auskam.

»Wenns ein richtiger Krieg gewesen sein möchte, möchte
mans hingenommen haben«, lamentierte Kraftczek, »weil, die
Kolonien sind wichtig und müssen wieder herzu für den Klein-

handel, wo am Boden liegt.« Eine weiße Kochbohne kullerte ihm aus dem weinenden Mund und hüpfte über sein Knie auf den Bunkerboden. Kraftczek sah ihr nach, als habe er einen Zahn verloren.

Stanislaus wurde unruhig. »Wo ist Weißblatt?«

Kraftczek lamentierte weiter: »Eingesteckt, der Weißblatt, mit den Flügeln, wo er sich gewünscht und gewünscht hat, ins Karzer und Arrest geflogen. Man möchte an der Menschenliebe zweifeln.« Kraftczek hob den Eßlöffel. »Heilige Mutter, mach, daß er möchte wirklich verrückt sein. Ich werds nicht vergessen, daß er sich hat bei mir umgeklammert wie das Kind bei die Mutter! Büdner, befrag du die geheimen Kräfte. Am Ende möcht doch noch Rettung für ihn sein, und Gott wird mir verzeihn, daß mir ein Evangelischer so am Herzen liegt.«

Als Weißblatt am nächsten Tage den Brotkanten seiner Tagesration in Stücke brach, hielt er ein Blättchen Papier zwischen den Fingern. Obwohl er Hunger verspürte, weil ihm die Angst ins Gedärm gefahren war, ließ er das Brot liegen, befühlte und betastete dieses Zettelchen. Bunkernacht. Todesnacht. Hier sandte ihm das Leben womöglich eine Botschaft, und es war vorbei – er konnte sie nicht lesen. Zu keiner Zeit seines Lebens hatte Weißblatt so normal und unverschroben gedacht und gehandelt wie jetzt in diesem Bunker, unter diesem Berg aus rohen Waldstämmen und Erde. Das Leben durchrieselte ihn, schwemmte alle Spekulationen, alle hektischen Wünsche aus ihm. Er tastete die Bunkerwände ab, tat es nüchtern und planmäßig, und gewahrte, daß zwischen die rohen Stämme Moos gepreßt worden war, um sie licht- und luftdicht gegeneinander abzuschließen. Der praktische Sinn seines Vaters, den er als Student und Dichter stets ignoriert und belächelt hatte, wurde in ihm wach. Er suchte sich eine besonders breite Fuge im Gebälk und machte sich sogleich daran, Faser für Faser des hineingepreßten Waldmooses herauszuzupfen.

Gegen Mittag hatte sich Weißblatt ein Lichtloch erzupft. Er konnte die dünnen Schriftzeichen auf dem Zettel lesen, der im Brot zu ihm in die Finsternis gekommen war. Den Zettel mußte sein Kamerad Büdner geschrieben haben. Hinweise zu einer Rettung. Weißblatt sich retten? War er denn nicht auf das Nichts vorbereitet und von der Nutzlosigkeit des Lebens überzeugt? War er nicht Philosoph und gelassen genug, auch, wenn es sein mußte, den Tod zu begrüßen und willkommen zu heißen? Es schien nicht so, denn Weißblatt war dankbar gegen Stanislaus, machte eine Verbeugung in die Finsternis und murmelte: »Büdner, gestatte, daß ich dich Freund nenne.«

Gegen Abend wurde Leutnant Zärtling von einem Posten der Arrestwache gebeten, zum Arrestbunker zu kommen. Weißblatt sang schon seit mehreren Stunden mit hoher Fistelstimme: »Ich möchte Leutnant Zärtling sehn, ich möchte die Braut sehn. Halleluja, die Flügel wachsen, ich möchte Herrn Zärtling, diese Braut in Reitstiefeln, sehn!« Dazu klatschte Weißblatt mit den Händen gegen die Bunkerwände. Leutnant Zärtling ließ sich den Arrestbunker aufschließen. Weißblatt hielt sich die Hände vor die Augen. Sie waren blutig, aufgeschlagen an den Balken beim Takttrommeln zu seinem Singsang. Auch Weißblatts Gesicht war über und über mit Blut verschmiert.

»Stecken Sie das Lichtschwert ein, Frau Stabsarzt!« schrie er.

»Sind Sie verrückt, Mann?«

»Ja, ja, verrückt, teilen Sie es Ihrem Mann, dem Herrn Stabsarzt, mit: verrückt!« Weißblatt wollte Zärtling umarmen. Der Posten verhinderte es. Weißblatt sprach gewissermaßen durch den Posten hindurch. »Ich habe Ihrem Gatten und Stabsarzt eine wichtige Mitteilung bezüglich Ihrer Hochzeitsreise zu machen. Halleluja, meine Flügel wachsen!« Das sang Weißblatt schon wieder. Er sang den Leutnant, der keine Worte mehr fand und hilflos den Posten ansah, zum Bunker hinaus. Zärtling ging nicht so stramm, wie er gekommen war, zur Offiziersbaracke.

Weißblatt sang weiter, immer schriller und immer heiserer. Er verlangte jetzt nach dem Stabsarzt, bis ein weichherziger Posten es nicht mehr ertragen konnte und den Stabsarzt Scherf herbeiholte. Der Arzt betrat den Arrestbunker allein, ließ die Bunkertür schließen und knipste eine Taschenlampe an. »Wie?«

Weißblatt sank auf die Knie. »Löscht euer Licht, der Bräutigam ist kommen!«

»Was?«

Ja, nun sei alles gut. Weißblatt verlangte, aus dem Bunker herausgelassen zu werden. Er wollte zum Regimentsstab fliegen und dort veranlassen, daß alle Vorbereitungen für die Hochzeitsfeier getroffen werden.

»Wovon reden Sie, Herr Weißblatt?«

Jawohl, der Stabsarzt redete verbindlich. Weißblatt genierte sich keinen Augenblick, noch deutlicher zu werden. Er habe Herrn Stabsarzt und seine Braut unter Zeugen bei der Ausübung der Birkhuhnjagd beobachten können, habe die große Liebe wahrgenommen und müsse nun zum Regimentsstab fliegen ...

Der Stabsarzt war klüger als Leutnant Zärtling. Er betrachtete seinen Patienten Weißblatt nicht ohne Wohlwollen, zischelte leise durch die Zähne, machte eine leichte Verbeugung und war höflich in allen Stücken. Er bat Weißblatt herzlich, mit ihm in das Krankenrevier zu kommen, sich ein wenig auszuruhen, vielleicht einen kleinen Urlaubsflug nach Deutschland zu unternehmen, damit er frisch und überzeugend vor dem Regimentsstab auftreten könne. Er wies die Begleitung eines Postens zurück und brachte Weißblatt selber in das Krankenrevier.

Am nächsten Tage begann der Krieg zwischen dem Bierbrauer und Unternehmer Beetz und dem ehemaligen Krankenkassenarzt Scherf. Der Krieg ging um Weißblatt. Beetz befahl, Weißblatt sofort wieder in Arrest zu stecken. »Ein Markierer is dös; fressen laß ich mich.«

Stabsarzt Scherf erklärte Weißblatts Krankheit zu einem schweren Fall von Lagerkoller, verbunden mit Zwangsvorstellungen. Der Biermeister drohte, er werde Meldung beim Bataillon machen: Wehrkraftzersetzung! Der Arzt verständigte das Regiment vom geplanten Privatfeldzug des Bierbrauers Beetz gegen die Russen.

Im Hintergrunde dieses Krieges zwischen Stabsarzt und Kompanieführer stand Stanislaus, der Wundertäter. Er hatte Weißblatts Rettung durch eines seiner einfachsten Wunder zuwege gebracht. Seit er Rolling enttäuscht hatte, dachte er nicht gut von sich; nun aber hatte er eine Böstat verhindern helfen, hatte einen Dichter und ein ungeborenes Buch gerettet.

Er war sogar ein Weilchen stolz auf sich, als er von Weißblatt aus dem Revier auf einem Zettelchen die Nachricht erhielt: »Ich erkläre Dich hiermit zu meinem Freund und Lebensretter.«

Der Bierbrauerfeldzug des Kompaniechefs Beetz wurde vom Regiment verhindert. Beetz wurde zur Ordnung gerufen. Der Krieg kümmerte sich nicht um den ungenutzten Bierbrauerzorn. Die Männer des Jägerreiterregiments lernten die karelische Front nie kennen. Wozu lagen sie also hier in den Wäldern?

Ein Begriff machte die Runde: »Aktion Silberfuchs«. Es sollte nach Schweden gehn, hieß es. Es ging und ging nicht nach Schweden. Waren den deutschen Füchsen die schwedischen Trauben zu sauer? Sie exerzierten, warteten, exerzierten, und ihre »Kampfkraft« zerbröckelte.

Urlauber, die aus Deutschland zurückkamen, teilten guten Kameraden flüsternd mit, das Kriegsglück sei in die Hand der Russen gefallen. Hastig herausgestoßene Worte halfen das, was wie ein Gerücht anmutete, begründen: »Unvorstellbar harter Winter ... Erfrierungen dritten Grades ... Schnee bis unter die Arme ... Stalingrad ... eingekesselt ... General Paulus ... Kapitulation ... eine ganze Armee ... zurück, zurück!«

Weißblatt blieb nicht allein mit seinem Lagerkoller, und Rittmeister Beetz schickte sich an, die Schlacht mit dem Stabsarzt in den karelischen Wäldern zu verlieren.

24
Stanislaus läßt gegen seinen Willen dem Kameraden Kraftczek die Mutter Gottes erscheinen und wird von seinem Freund Weißblatt über die Voraussetzungen aufgeklärt, die nötig sind, um ein Buch zu schreiben.

Als es auf den neuen Frühling zuging, fuhren sie wieder. – Das Regiment unterwegs. Hatte sich der Krieg auf seine wurmstichigen Reserven besonnen?

Die Nächte waren noch kalt. Die Männer lagen im großen Stauraum eines Schiffes und erwärmten sich mit Gerüchten: »Fahren nach Deutschland ... werden Wachtregiment in Berlin ... werden zum Süden der Ostfront gebracht ... Paris will uns wiedersehn ... der Himmel weiß was ...« Alles war noch möglich, jede Hoffnung berechtigt.

Im Stauraum verwebte sich die Düsternis mit dem Licht von kleinen vergitterten Lämpchen. Stallstimmung. Die Männer lagen lang auf Stroh und hatten sich in ihre Decken gewickelt. Die See war wie ein tiefgepflügter Acker, und sie wurden, mit den Füßen voran, über die groben Schollen gezogen. Auf der eisernen Treppe zum Deck war Kommen und Gehen. Die Männer hangelten aneinander vorbei und nickten sich leise zu. Sie trugen gewissermaßen ihre Mägen im Gesicht.

Kraftczek hockte im Stroh. Sein Oberkörper wiegte sich im Takt der Schiffsmaschinenstöße. »Wenns nach Deutschland gehn möchte, so möcht alles halb so schwer sein, aber unsereiner ist wie der Wurm im Käse, wo nicht weiß, ob das Messer schon ist an die Wurzeln gelegt.«

Stanislaus starrte den hockenden Kraftczek an. Er dachte an Rolling. Wieder war ein Mensch, der ihm hätte ein Vater sein können, seinen Weg allein gegangen. Die Schuld lag nicht bei den Gustav Gernguts, bei den Otto Rollings – sie lag bei ihm. Er war schwach – ein schwacher Mensch, wie man so sagt: hin und her gerissen. Das Gefühl, das aus seinem Magen aufstieg, stärkte ihn nicht gerade. Weshalb gelang ihm nicht, selber etwas über diese Hélène von Paris zu schreiben? Weshalb mußte er warten, bis Weißblatt das tat? Weißblatt verbrachte seine Tage in der Krankenkoje, wühlte im Wust seiner Gedanken und schrieb keine Zeile. Er wartete auf gute Schreibbedingungen.

Kraftczek fühlte Stanislaus' starrenden Blick auf sich ruhn und bildete sich ein, er müsse einschlafen. Er hypnotisierte sich selber, denn er lechzte danach, einen Blick nach daheim zu tun. Stanislaus gewahrte Kraftczeks Zustand erst, als der halblaut zu lamentieren begann: »Heilige Mutter des Himmels und der Erde! Segne den Pater in Polen, was mir mein Amulett geweiht und mich kugelfest gemacht hat!« Kraftczek drückte die gefalteten Hände gegen die Brust und wandte sein Gesicht dem Lämpchen an der eisenbeschlagenen Stauraumdecke zu. Das matte Lampenlicht, das ihm durch die Lider sickerte, wurde Kraftczeks vom Himmel gefahrene Mutter Gottes. »Wenn nur nicht möchte der Satan die Hauptleute und alle, wo die Politik machen, in Händen haben. Schau da bissel drauf, Heilige Jungfrau! Kolonien müssen her, denn wo möchten wir den Milchreis hernehm. Mit ihrer Autorakie, was weiter nichts ist als ein fremdes Wort für Mangel, werden sie nicht weit kommen. Sag selber, Heilige Mutter, wie sollen wir zu Milchreis und Bohnenkaffee kommen, was immer ein gutes Geschäft war, wenn man ihn hat ungebrannt aus Hamburg schicken lassen, weil man konnte ihn dann selber brennen und die Qualität bestimmen? Aber wie solln wir dazu kommen, wenn wir uns in den Wäldern beim Nordpol verweilen und das kalte Meer befahren. Heilige Jungfrau, möchtest du nicht doch nachsehn bei den Oberen, ob Satanas sie verwirrt und die Richtung des Krieges vertauscht hat? Und wenn es sich möchte einrichten lassen bei all deiner Arbeit, so sorg auch ein bißchen dafür, daß wir nicht möchten an Deutschland und unserer Heimat vorüberfahren, ohne nach dem Rechten gesehn zu haben. Wenn der Krieg aber zu weiter nichts möchte nützlich sein, als herumzuliegen und zu warten, und man weiß nicht, auf was, so lege deine gütigen Mutterhände zwischen uns und die Feinde und mach ein Ende!«

Jemand warf einen Brotbeutel nach dem hockenden Kraftczek. »Stellt den Spinner ab!«

Kraftczek erwachte, rieb sich die Augen und sah Stanislaus dankbar an. »Es möchte sein, daß wir in Deutschland ein bissel abrasten und verpusten. Die Mutter Gottes hat auf meinen Vorschlag genickt.«

Das Schiff rollte über die Wogen. Das Wasser war giftgrün und kalt; der Himmel unergründlich grau. Der Kampf zwischen dem Stabsarzt und dem Rittmeister um den Dichter Weißblatt lebte wieder auf. Der Kammerunteroffizier Marschner war nach seiner Rückkehr aus den Beetzschen Bierbrauergefilden, wie man so sagt, die rechte Hand des Kompaniechefs geworden. Eine dreckige Hand! Sie hatte Grüße und Wünsche von Beetz' Frau und Töchtern übermittelt. Der Rittmeister zeigte sich erkenntlich. Er holte Marschner aus der verschimmelten Kleiderkammer, ließ ihn zum Feldwebel befördern und gab ihm eine Gruppe. Für Marschner bedeutete der Dienst bei der »kämpfenden Truppe« keine Wohltat. Er meldete sich bei seinem kämpferischen Wohltäter. »Bitte Herrn Rittmeister, den Lagerkoller kriegen zu dürfen.«

»Wie?«

»Bitte den Fall Weißblatt klären helfen zu dürfen.«

Verstehendes Schmunzeln. – Infames Grinsen.

Nun lag dieser Marschner in den Krankenkojen. Er beschäftigte sich mit einem Knäuel Bindfaden, rollte das Knäuel ab, umwickelte Bettgestelle, Türklinken, die Schiffslampe und alle möglichen Gegenstände damit. Er konnte nichts anderes mehr tun als Stacheldraht verlegen. Sie fuhren durch Deutschland. In den Güterwaggons war es nicht heller als im Stauraum des Schiffes, die Stimmung jedoch war vorzüglich. Sie konnten die Türen zur Seite rollen und zuschaun, wie die Heimat an ihnen vorübergezogen wurde, in der der Frühling im vollen Gange war. Pinkende Finken in den scheugrünen Bäumen; winkende Frauen in Frühlingskleidern. Von der Stoffknappheit diktierte kurze Röcke. Der Krieg machte sich seine Mode! Halleluja, die Liebe blüht auch im Krieg!

In den Waggons überschlugen sich die Gerüchte. Seit langem wurde wieder gesungen: »Die Vöglein im Waahaalde, die sangen wunder-, wunderschön, in der Heimat, in der Heimat ...«

Ein Gerücht war am hartnäckigsten, denn es war aus den Wünschen vieler entstanden: Zurück in die Garnisonstadt! Neuaufstellung des Regiments! Umgestaltung für besondere Zwecke! Heimaturlaub!

Und manche wußten schon, wie lang der Urlaub für alle sein würde: siebzehn Tage. Siebzehn Tage, das klang glaubhafter als eine runde Urlaubssumme von drei Wochen. Oh, die Phantasie kannte die Wege, Wahrheit aus sich zu machen!

Sie kamen langsam vorwärts, lagen auf manchen Güterbahnhöfen ganze Tage. Der Feind erlaubte sich in letzter Zeit häufiger, als erwartet, Bomben auf das Vaterland zu werfen.

»Wer hat gesagt, daß Generalfeldmarschall Göring jetzt Meier heißt?«

»Er hat es selber gesagt.«

»Dazu ist zu bemerken: Der Feind handelt unfair und verbrecherisch, wirft die Bomben nachts und aus großer Höhe. Das macht, er kann uns, dem Gegner, nicht ins Auge sehn.«

»Jawohl, ins blaue Auge.«

Keine leichte Aufgabe für Offiziere und Unteroffiziere, die Soldaten in den langen Transportpausen am Schnürchen zu halten.

Eines Morgens erschien Weißblatt im Waggon der Männer.

»Ja, Mutter Gottes, bist du gesund?«

»Halb und halb. Hat sich irgendwie gegeben.«

»Hast du keinen Appetit nicht mehr auf Flügel?«

Weißblatt wandte sich unwillig von Kraftczek ab, der ihn einmal wie eine Mutter betan hatte.

»Und nun?« fragte Stanislaus.

»Laß mich zufrieden!« Weißblatt suchte nach einem freien Platz im Waggon. Stanislaus erinnerte ihn an die schriftlich bestätigte Freundschaft, da wurde Weißblatt zugänglicher. Wo sollte er über Hélène schreiben? Hier in diesem Viehwaggon vielleicht? – Unbedingt, Stanislaus wollte es übernehmen, alle Neugierigen von ihm fernzuhalten.

Was für eine Ahnung dieser Büdner vom Schreiben hatte! Zum Schreiben mußten bestimmte Voraussetzungen erfüllt sein. Weißblatt war kein Reporter, der sozusagen im Liegen, in jeder Lage, seinen Dreck zusammenschrieb. Weißblatt hatte bereits seine Frau Mutter um gutes Papier und »Amarillas« gebeten. Weder Papier noch Zigaretten waren bisher eingetroffen.

Sie fuhren durch Bayern. Die Flüche in den Waggons vermehrten sich wie die Läuse, obwohl noch nicht alle Aussichten auf Heimaturlaub zuschanden waren. Gehörte nicht auch Österreich zu Deutschland, hatte es der Führer und Befreier nicht heimgeholt, um es als Heimat zu verwenden, ganz wie es ihm beliebte? Jawohl, Deutschland war groß und hinter Bayern noch nicht zu Ende.

480

Als ihr Zug auf dem Güterbahnhof in Bamberg hielt, kletterte das Weib des Bierbraurittmeisters über einen Kohlenhaufen. Der Bierbrauer begrüßte seine Ehefrau auf der Treppe des Abteils zweiter Klasse. Frau Bierbraurittmeister Beetz trug das Kriegsverdienstkreuz zweiter Klasse. Sie hatte es sich bei einem Bombenfestessen in Paris zugezogen. Beetz gab seinem Weibe Anweisungen zur Herstellung von Dünnbier. Sein bayrisches Volk sollte trotz des Krieges nicht ganz auf die Biergewohnheit verzichten müssen. »Strecken wir halt die Gersten bisserl, Reserl!«

Und es gab Leute, die wollten gehört haben, daß Rittmeister Beetz zu seinem Weibe gesagt habe: »Laß man, ich kumm nacha glei, Reserl!«

Deutete das nicht auf Urlaub hin?

»Es ist alles dagewesen, und im Krieg möcht gar alles möglich sein«, prohezeite Kraftczek. »Im Krieg ist schon passiert, daß man über Wien nach Gleiwitz, Hindenburg und Beuthen gefahren ist, daß es nur so geraucht hat. Ich würd nicht so sicher sein, wenn mir die Madonna nicht auf dem Schiff zugenickt hätte.«

Drei Tage später verließen ihre Transportzüge den Güterbahnhof von Wien, ohne daß Befehl zum Ausladen ergangen war. Kraftczek bekam es hart. Er mußte seine Madonna entschuldigen. »Sie wird bissel viel Arbeit haben, denn sie wird bald von dem, bald von dem gebraucht im Kriege.« Außerdem hatte er Anlaß zu neuen Hoffnungen: Ihre Reise ging nach dem Süden und am Ende doch noch auf die Kolonien zu. Milchreis und Kaffee – die Madonna wußte besser als manche Obrigkeit, was dem deutschen Volke fehlte.

Und doch wurde in Wien jemand ausgeladen, aber das geschah unauffällig. Es waren Stabsarzt Scherf und Leutnant Zärtling. Sie wurden von der Zugwache abgeführt und der Bahnhofskommandantur übergeben. Stabsarzt Scherf hatte die Psyche Weißblatts ergründet, aber die eines Marschner war ihm verschlossen geblieben. Man hatte Marschner alte Strümpfe beschafft, gab sie ihm zum Auftrieseln und wartete auf das Abklingen

seines Lagerkollers durch die Ortsveränderung. Marschners
Koller klang nicht ab. Marschner war mit diesem Stacheldraht-
ersatz zufrieden, wickelte, trieselte und verdrahtete. Aber der
Sanitätswagen war eng und die Liebe und Zuneigung zwischen
Scherf und Zärtling angesichts der Heimat groß. Leutnant Zärtling und Stabsarzt Scherf waren nicht vorsichtig genug. Marschner ertappte sie, drahtete sie ein.

Rittmeister Beetz ging wie ein echter Sieger vor dem Zug auf
und nieder, solange der noch in der Wiener Neustadt hielt. »Ha,
das wär mir ein Gelump, Wehrkraftzersetzung!« Er zog sein
rotes Bierbrauertaschentuch, putzte sich den Kneifer und sah,
wie die Wache mit den beiden Festgenommenen im hinteren
Teil des Bahnhofsgebäudes verschwand. Aus einem Fenster des
Sanitätsabteils zweiter Klasse schaute Marschner, grinste idio-
tisch und wickelte Wolle auf ein Knäuel.

Als sie durch die Steiermark fuhren, wußten schon viele nicht
mehr genau, ob sie noch zu Großdeutschland gehörte. Tiefer
gings in die Bergwelt hinein, und immer öfter kamen sie sich in
langen Tunnels wie lebendig begraben vor. Es wurde still in den
Waggons, denn die Flüche zerplatzten inwendig in den Männern.

25

**Stanislaus macht Bekanntschaft mit dem
Kriege, kriecht einem großen Weinen nach und entdeckt, daß
die Kriegführer sich selber bekriegen.**

Es war Nacht, und sie fuhren durch die Gebirge Jugoslawiens.
Sie hatten ihre Wünsche, ihre Urlaubspläne unter Gleichgültig-
keit verscharrt und verschliefen oder verdämmerten die Stunden ihres verpfuschten Lebens. Pfiff die Lokomotive vor der
Einfahrt in einen Tunnel, so schreckte wohl hier und da einer
auf, dachte sich zurecht und döselte wieder ein.

Stanislaus lag wach. Er war vielleicht unter den vielen Männern der einzige, der von der Heimat nichts erwartete. Zwischen ihm und Lilian lagen frostige Weiten. Es mochte sein, daß
sich seine Mutter, Lena, seine Schwester Elsbeth oder sein Vater
Gustav einige Stunden freuen würden, wenn er sie aufsuchte;

hernach aber würde alles wieder alltäglich werden. Man mußte wohl seine Freude am Leben ganz aus sich selber holen. Wie aber sollte man das durch Wirrnis und Krieg hindurch zustande bringen? Eine Kette oft gedachter Gedanken rasselte durch Stanislaus' Nacht, und die Kettenglieder waren glatt vom Gebrauch. Da waren nun Stabsarzt Scherf und Leutnant Zärtling. Er hatte beide nicht gemocht, aber weshalb durften sie sich nicht lieben? Wer verbot ihnen, der Frauen zu entraten und einander genug zu sein? Der Staat? Was befürchtete diese große Machtmaschine von ihnen?

Stanislaus' wuchernde Gedanken wurden an dieser Stelle zerquetscht. Die Lokomotive bremste scharf. Die Waggons polterten und prallten aufeinander. Es gab einen Knall. Alles kollerte durcheinander: Männer, Tornister, Kochgeschirre. Seitengewehre klirrten, Karabiner klackten. Die Finsternis war mit groben Geräuschen angefüllt. Es knallte scharf auf dem Waggondach. Feuerbündel spritzten umher. Stanislaus sprang an die Luke. Ein zweiter knallender Feuerregen trieb ihn unter den Waggon.

»Alarm!«

»Zu den Waffen!«

»Alles raus!«

»Feindberührung!«

»Heilige Mutter Gottes, vergiß nicht auf mein Amulett!«

»Mein Karabiner gestohlen!«

Immer wieder krachte und krachte es, und dazu zischte dieses fahle Feuer, spritzte umher.

»Dritter Zug auf mein Kommando!« Das war die Schilpstimme des Sperlingswachtmeisters Zauderer. Stanislaus' Zug war herrenlos geworden, nachdem Leutnant Zärtling in Wien abgeführt worden war. Waggontüren rollten quietschend auseinander. Ein Maschinengewehr begann zu tacken. Flintenschüsse.

»Gemeinheit«, brüllte jemand, »ist hier vielleicht die Front?« Nein, hier war die Front nicht, aber es knallte und splitterte. Die Teerpappe eines Waggondaches brannte.

Sie befanden sich in einer Schlucht mit schrägen Wänden. Von oben fiel Feuer und Geknall auf sie herab. Sie krochen unter die Waggons, rammten sich die Köpfe an den Wagenachsen. Bei der Lokomotive krächzte die Stimme eines Offiziers: »Banditenpack!«

»Terracktacktack!« – Das Maschinengewehr. »Blöff, blöff, blöff!« – Einzelne Gewehrschüsse. Pferdewiehern. Ein Aufschrei. Ein Todesschrei? Blökende Unteroffiziere. Der Wirrwarr nahm zu. »Weg von den brennenden Waggons! Feindeinsicht! In Deckung! Auf die Höhen!« Steinkollern. Große Steine. Kicherndes Steingesplitter.

»Hier herauf zu mir! Herauf doch!« Die Stimme des Bierbrauers von der Felswand. »Das Schießen stellt's ein!«

Das Krachen und Blitzen in der Schlucht nahm ab. Auf den Höhen rechts und links der Bahnlinie aber begann das Gefecht. Scheppernde Einschläge, von Granatwerfergeschossen.

Stanislaus lag hinter einem Felsblock oberhalb der Bahnlinie. Aus der Schlucht quoll der Dampf der Lokomotive. Funkenlohen flogen in den sterngespickten Südhimmel, Geknatter ringsum, und die Kugeln umzirpten ihn.

Wohin sollte Stanislaus schießen? Er sah keinen Feind. Auf der Felswand drüben lagen doch Leute seines Bataillons. Sollte er sie beschießen? So also sah der Krieg aus? In den Instruktionsstunden, beim Exerzieren gab es stets klare Linien: Hier wir – dort der Feind. Alle Feindumgehungen glückten, jedes Exerziergefecht endete mit einem Sieg.

Drei Kugeln prallten hintereinander gegen das Felsstück vor Stanislaus' Kopf. Sie kamen angezischt und brummten über ihn hinweg. Er lag auf seinem Karabiner. In der Schlucht wieherten die Tragtiere und schlugen in Todesangst gegen die Waggonwände.

Weißblatt fiel in die Hände eines Unteroffiziers vom zweiten Zug. Der Unteroffizier trieb ihn die Felswand zur Linken des Bahndamms hoch. Weißblatt staunte über sich selber. Woher kam ihm die Klettergeschicklichkeit? Hatten jene Philosophen recht, die da behaupteten, der Krieg fördere den Selbsterhaltungstrieb und mache aus dem Männchen wieder einen Mann? Hatte der Nietzsche recht? – Weißblatt fiel in ein Loch, das für ihn angefertigt zu sein schien. Als der Unteroffizier die Schrägwand erklommen hatte, war Weißblatt verschwunden, vom Gefels verspeist. Er ließ den Unteroffizier vorbeitappen und stellte fest, daß es sich in diesem Felsloch leben ließ. Mochte schreien und knattern, was da schreien und knattern wollte. Weißblatt zitterte, doch er fühlte sich nicht gefährdet.

»Vorwärts, vorwärts!«

Weshalb sollte Weißblatt vorwärts? Konnte er wissen, was vorwärts war? Er gewahrte den gewaltigen Himmel über sich. Nachthimmel, wie aus einem Gemälde vom Süden geschnitten. Sterne glimmerten und flimmerten, und der Mond rutschte an Bauschwolken vorbei, rutschte durch sie hindurch. Er glitt erhaben über das mauskleine Weißblattherz hinweg. Er erledigte sein Nachtprogramm. Er war da und wirkte, erhob sich über das kleine Menschengeschrei und Gewehrgeknatter. Auch der Krieg schien über Weißblatt hinweggegangen zu sein, denn er klackte, knatterte und schrie jetzt weiter weg auf einem Plateau.

Stanislaus kroch. Er kroch einem Weinen nach. Jemand schrie: »Helft! Helft mir doch!«

Er schob ein Felsstück vor sich her wie einen Schild. Maschinengewehrsalven pfiffen heran. Er schützte seinen Kopf mit dem Felsstück. Zeitweilig schien ihm, als gäbs nichts Teureres auf der Welt als seinen Kopf, aber wenn das große Weinen des Kameraden wieder herüberwehte, vergaß er diesen Kopf. Er vernahm einen Feuerbefehl von der anderen Seite der Schlucht; einen deutschen Feuerbefehl. Kein Zweifel: Die Männer vom Bataillon beschossen einander.

Weißblatt fuhr hoch. Die Stille war ihm verdächtig geworden. Er fühlte sich allein gelassen von all den Kameraden, mit denen er sonst nichts im Sinn hatte. Geschichten fielen ihm ein, wo Männer in die Hände des Feindes gefallen und zu Tode gemartert worden waren. Auf diese Weise wollte er nicht sterben. Er hatte manchmal nichts mehr für das Leben übrig; das war mehr als wahr, aber er wünschte sich einen besonderen Tod. Gewisse Bedingungen mußten erfüllt sein! Jetzt lag er in diesem Loch, und in ihm lag ein ungeschriebenes Buch; ein Buch, das alle Erkenntnisse enthalten sollte, die Weißblatt auf dieser verfahrenen Welt gemacht hatte. Die Gedanken um dieses Buch wärmten seinen kleinen Mut ein wenig an. Er hangelte sich hoch und versuchte, über den Rand des Felsloches zu schaun. Er vermochte außer ein paar sinnlos verstreuten Felsstücken auf dem Plateau nichts zu erkennen. Da aber klirrte es ganz in der Nähe. Er zog seinen Karabiner zu sich auf das mondbeschienene Plateau und konnte deutlich sehn, wie ein Mensch von einem Felsbrocken zum andern kroch. Er starrte jetzt auf diesen Felsbrocken, der nicht mehr als zwanzig Meter von seinem Loch entfernt lag. Aber was? Die Gestalt, die hinter dem Felsbrocken hockte, hob den Arm. Der Rockärmel war zurückgerutscht, der entblößte Unterarm leuchtete weiß im Mondlicht. Winkte da wer?

»Hier Weißblatt, der Dichter!«

Die Antwort war ein Aufschlag in der Nähe seines Loches. Der Jemand hinter dem Felsblock hatte also einen Stein herübergeworfen. Der Stein kollerte ein Stückchen, aber dann platzte er mit Gekrach. Feuer und Getöse. Splitter pfiffen. Weißblatt hatte nicht einmal den Kopf eingezogen. »Handgranate«, murmelte er. Er war stolz auf seinen wiedererwachten Instinkt. Nietzsche!

Der von drüben kroch auf Weißblatts Loch zu. Weißblatt zitterte. Also, der Feind kroch an. Weißblatt, wer bist du? Irgendwie handeln. Jawohl!

»In mir steckt ein Buch. He, ein Buch!« schrie er. Der Feind ließ sich nicht beirren, kroch und kroch. Weißblatt schoß dreimal hintereinander auf den kriechenden Feind und spürte, wie ihn die Nerven verließen. Er ließ sich ins Loch zurückkullern, ergab sich und wartete auf seinen Tod.

Der Tod ließ sich Zeit. Er ließ zu, daß Weißblatt ganz ruhig werden und versuchen konnte, sein Leben mit erhabenen Gedanken zu beschließen. Der Todgeweihte sah ins Geflimmer der Sterne und murmelte wie ein Beter: »Was ist eine Seele vor dir, erhabener Himmel! Was ist eine Seele vor dir, erhabener Himmel! Was ist eine Seele?«

Als Stanislaus den Kameraden gefunden hatte, war der schon tot. Es war ein Tragtierführer des zweiten Zuges, der seinen Maulesel aus dem brennenden Waggon gerettet hatte. Das Tier graste. Sein Zügel hing an einer Totenhand.

Das Gefecht kam wieder nach vorn. Stanislaus und der Tote lagen hinten. Vorn? Hinten? Was hatte das zu bedeuten in dieser verwirrten Welt! Eine Stimme schrie sich heiser: »Sanitäter! — Sanität!«

Eine schwache Stimme rief: »Mein Hirn quillt heraus!«

Das Bataillon hatte keinen Arzt. Er war wegen Wehrkraftzersetzung verhaftet worden.

26 Stanislaus verwandelt sich zu Zittergras und zweifelt leise an der Mission seines Dichterschützlings.

Der Morgen war blau, sonnenhell und unschuldig. Eine große Stille lag über der Schlucht. Die Männer des Bataillons fanden sich nach und nach zusammen. Das Bahngleis war gesprengt worden. Die Lokomotive und die ersten Wagen hatten sich in den Gleisschotter gefressen. Die Lokomotive hing über einem Abgrund. Der Abgrund sah aus wie das Maul des Bergmassivs. Die Lokomotive starrte mit ihren Lampenglotzaugen in dieses Bergmaul hinein.

Es wurde eine Kampfgruppe zur nächsten Bahnstation geschickt. Die Kampfgruppe erreichte die Station ungehindert. Die Männer der Gruppe hatten Zeit und Gelegenheit, Fels und Gebirg zu bestaunen.

»Wenn man nicht in der Welt herumkäm, möcht man nicht wissen, wie weit die Erde manchmal in den Himmel ragt, und man möcht nicht zu wissen kriegen, wieso der Segen Gottes ungleichmäßig verteilt ist. Ich könnt singen, so leicht ist mirs hier heroben, so nah am Himmel!«

Stanislaus antwortete nicht. In ihm war ein großes Zittern. War das Angst, oder war es wieder jenes Fieber, das ihn zum ersten Male in der Lehmgrube in Polen befallen hatte? Seine Nervenstränge schienen außerhalb der Haut zu liegen. Er erschrak vor jedem Windhauch. Er war wie Zittergras am Wegrand. Die Menschen brachten sich also gegenseitig um, als hätten sie nichts auf dieser Welt zu bestellen. Hatten sie vielleicht wirklich nichts zu bestellen? Weshalb erschienen sie dann erst auf dieser Erde? Die Welt schien Stanislaus an diesem hellen südlichen Morgen undurchsichtiger denn je.

Es kam ein Gleisbaukommando mit einem Hebekran, und es kam ein leerer Zug aus dem Innern des Landes für das Bataillon. Sie luden die Tiere und ihr Gepäck um. Sie mußten vielmals hin- und herlaufen, denn bei ihnen waren viele Männer, die verwundet und zu Gepäck geworden waren; die Toten nicht gerechnet!

»Scheißkerle, preißische, macht nicht an solch Wehleid!« schrie der Rittmeister. Seine Flüche heilten die Verwundeten nicht und richteten die Sterbenden nicht wieder auf.

Sie benötigten mehr als zwei Waggons für die zusammengetragenen Toten. »8 Pferde oder 48 Mann« stand an den Güterwagen. Über die Anzahl der Leichen, die eingeladen werden durfte, war an der Waggonwand nichts vermerkt.

Die Offiziere wagten nicht, einander in die Augen zu sehen. Sie rannten umher und täuschten Getu vor, bis sie wieder fuhren. Der Ersatzzug enthielt keinen Wagen zweiter Klasse mit Polstersitzen. Um nicht auf den blanken Bohlen eines Güterwagens sitzen zu müssen und mit ihren Offiziershintern Bodenläuse aufzulesen, ließen sie sich aus dem Waggon des Waffenmeisters Munitionskisten bringen. Die Leiche eines Oberleutnants fuhr mit ihnen. Man konnte sie nicht zu den Leichen der Gemeinen in die beiden Totenwaggons legen. Die Offiziersleiche war mit dem weißen Tischtuch aus dem Speiseabteil des entgleisten Zuges bedeckt.

Stanislaus saß hinter seinem verwundeten Pferd. Er kühlte die Brandwunde des Tieres und hockte im dunkelsten Winkel des Waggons. Er wollte mit sich allein sein. Als er noch die Backstuben seiner Heimat durchreist hatte, war er mehr allein gewesen, als ihm lieb war. Niemand hatte nach ihm gefragt. Seit er freiwillig zu den Soldaten gegangen war, war sein Tun und Lassen mit allen Männern hierherum verwoben. Hinter jedem eigenen Entschluß stand der Tod.

Seitab schnarchte Weißblatt. Jawohl, der Dichter schnarchte nach dieser anstrengenden Nacht wie jeder andere Landser. Er schlief mit halboffenem Mund und schnalzte mit der Zunge, wenn der Waggon ruckelte. Sein Gesicht war nicht dümmer und nicht klüger, nicht vernachlässigter und nicht begnadeter als die Gesichter all der anderen Schlafenden ringsum. – Mit Weißblatts Geschick aber hatte Stanislaus das seinige verwoben. Er hatte sich selber zu Schutz und Schild dieser Dichterseele gemacht. Hatte er sich betrogen?

Im Waggon der Bataillonsoffiziere zankte man sich regelrecht. Lag es daran, daß man auf Infanteriemunition saß? Jedenfalls hatte die Auseinandersetzung nichts mehr von der Kühle und Steifheit einer Stabsbesprechung. Fast alle Herren waren gegen den bayrischen Bierbraurittmeister Beetz. Beetz behauptete, der Feind in der letzten Nacht sei keinesfalls stärker als zehn Mann gewesen. Es seien einige Bierflaschen, gefüllt mit Karbid und Benzin, vom Hang aus auf den Zug geworfen worden. Das seien die Bomben und Höllenmaschinen gewesen, von denen die anderen Herren redeten, malefiz! Beetz wollte den grauen Karbidschlamm gesehen haben. Die anderen Herren hatten über ihn hinweggesehn. Beetz behauptete zudem, das Bahngleis sei nicht durch eine Sprengladung hochgegangen, sondern mit Hacken und Schaufeln zerstört worden. Eine ganz gewöhnliche Bauernarbeit. Zehn lumpige, verlauste, serbische Bauern hätten das Bataillon durcheinandergebracht und kopflos gemacht.

Wo denn der klare Kopf des Rittmeisters in der vergangenen Nacht gewesen sei, wurde vom Bataillonskommandeur zurückgefragt. Beetz blieb die Antwort nicht schuldig. Sein klarer Kopf sei die ganze Nacht zugange gewesen, die Schießerei zu unterbinden, mit der sich das Bataillon aufgerieben habe, Kompanie gegen Kompanie – sozusagen. Nachdem der Bataillonskommandeur den Befehl gegeben habe, zu beiden Seiten des Bahngleises auszuschwärmen, habe er seine vornehmste Aufgabe darin gesehen, das Schlimmste zu verhindern. – Das nun kam einer direkten Beleidigung des Bataillonskommandeurs gleich.

»Ich kann mir kaum vorstellen, daß diese Heldentat für ein Eisernes Kreuz erster Klasse ausreichen könnte«, sagte der Kommandeur anzüglich.

Rittmeister Beetz verlegte sich aufs Schimpfen wie daheim, wenn er die Biergerste schlecht vermalzt fand. »An Karbid ists gewesn. Fressen laß i mi, wenns koa Karbid nit war. Ein Durcheinand ists gewesen, und der Teifi hol mi, wann wir uns nit selber miteinand beschossen und beschissen ham!«

Die Offiziere rückten von diesem unflätigen Herrn Kameraden ab. Nein, so weit durfte man sich nicht vergessen. Es ging um die Ehre des gesamten Bataillonsstabes.

Der Bericht an den Regimentsstab wurde ohne die Mithilfe von Rittmeister Beetz und ohne Berücksichtigung seiner Meinung über die nächtlichen Vorgänge angefertigt: »Überfall durch eine Banditeneinheit in Stärke von etwa ein- bis zweihundert Mann, ausgerüstet mit Infanteriewaffen aller Gattungen bis zum Granatwerfer und selbstgefertigten Handgranaten und Sprengladungen…« Als der fertige Bericht verlesen wurde, saß Rittmeister Beetz mit funkelndem Kneifer auf seiner Munitionskiste in einer Ecke des Waggons, rauchte aus seiner halblangen, porzellanköpfigen bayrischen Pfeife wie eine kleine Lokomotive und murmelte vor sich her: »Zehn Banditen, nicht mehr als zehn Banditen, fressen laß i mi!« Er mochte recht haben, sofern sich seine Äußerung auf die Herren Offiziere bezog.

Zwischen den Soldatenleichen im zweiten Totenwaggon lag auch die Leiche des ehemaligen Kammerfeldwebels Marschner, der sich zur Zeit seines Todes im Krankenstand befunden und seine letzten Tage damit verbracht hatte, Wolle aufzuwickeln, um hinter die kleinen Geheimnisse des Bataillonsarztes zu kommen. Vielleicht wäre er wirklich eines Tages als Offizier in sein Dorf eingerückt und hätte seinem großbäuerlichen Rivalen Diehn den gelben Neid ins Gesicht getrieben, aber wer konnte hinter die Schliche des Schicksals sehn? Er wurde aus einem Loch, in das er sich flüchten wollte und in das er aus Angst und Vorsicht eine Handgranate geworfen hatte, erschossen. Seine Vorstellung von der Welt und der Folgerichtigkeit aller Vorgänge auf ihr hatte sich in seinen letzten Lebensminuten als unrichtig erwiesen. Als er seinen eigenen Todesschrei hörte, verwandelte der sich in den Schrei eines jungen Mädchens. Es war ein gepreßter Schrei, denn das Mädchen hatte den Mund voll Heu.

Und der Krieg änderte seine Ziele. Er war aus Deutschland gekrochen, um sich mit Lebensraum vollzufressen und die engen deutschen Grenzen zu sprengen. Jetzt kam er Schritt für Schritt zurück und spuckte den halb verdauten Lebensraum wieder aus. Was denn nun? Die Sache war die: Man nahm den Krieg zurück, um die Kräfte besser für einen neuen Vortrieb des Krieges zu sammeln. Der Vortrieb sollte über das russische Uralgebirge hinausgehn. Bitte, das war doch etwas und nicht von der Hand zu weisen. Der Plan war gemacht. Der Führer und Befreier und die Vorsehung hatten ihn unterzeichnet, doch die Vorsehung schien launisch zu sein.

27   Stanislaus nimmt Abschied von seinem Pferd und wird auf die glückseligen Inseln des Odysseus verschlagen.

Der Rest des Bataillons lag in einer griechischen Kleinstadt. Man wartete auf Reserven, trank griechischen Harzwein, spielte Karten um Drachmen und ließ Blechkanister verlöten. Die Blechkanister waren mit Oliven gefüllt. Die Oliven wurden nach Deutschland geschickt. Ließen die deutschen Kinder jetzt die Speckwürfel stehn und aßen nur noch Oliven? Es waren keine Speckwürfel mehr da. Sie mußten sich an artfremde Oliven gewöhnen.

Die Reserven kamen an. Braune, verschüchterte Männer. Kein Mensch verstand sie! Kamen sie denn nicht aus Deutschland? Sie kamen aus Großdeutschland. Es waren Volksdeutsche aus Bosnien. Man nannte sie Hilfswillige. Sie sahen mehr hilfsgezwungen aus.

Das Bataillon wurde aufgefüllt. Jetzt war es wieder schön rund und vollzählig. Die Hilfsgezwungenen übernahmen die Pferde, die Tragtiere. Kein deutscher Soldat ein Pferdeknecht!

Wozu hatte man Hilfsvölker? Der deutsche Soldat ging in Wehr und Waffen.

Stanislaus gab sein Pferd ab. Das war nicht so, als gäbe man eine getragene Hose auf der Bekleidungskammer ab. Er hatte das Tier seit den ersten karelischen Tagen täglich geputzt, umhergeführt, gestreichelt und bei den Exerzierübungen beladen. Er hatte den kleinen Brandfuchs getränkt, ihm im Frühling die ersten spitzen Grashalme gebracht und zuletzt die Brandwunden geheilt. Er hatte die samtne Schnauze des Tieres in seinem Handinnern gespürt und sich dieser Kreatur, die herrschsüchtigen Menschen dienen mußte, verwandt gefühlt. — Nun war er einer, der nichts mehr besaß, der für nichts mehr zu sorgen hatte.

Weißblatt war unterm griechischen Himmel wieder erwacht und schwärmte: »Klassisches Bildungserlebnis! Hast du je irgendwie von Pallas Athene gehört? Wohl nicht.«

»Ich habe davon gelesen«, sagte Stanislaus.

»Wo?«

»Beim Selbstunterricht.«

Weißblatt sah Stanislaus an, wie Leute seinesgleichen einen ansehn, der nie Sekt getrunken, nie Austern gegessen hat. »Oh, mein Geschichtslehrer! Humanistisches Gymnasium. Er glühte irgendwie, wenn er griechischen Himmel, Götterhaine beschrieb. Redete sich schaumig. Das Katheder voll Speicheltröpfchen.«

»Kannte er den griechischen Himmel?«

»Nein. Das ist es: klassisches Bildungserlebnis!«

Stanislaus blieb in der Nähe einer Fischbratküche stehn. »Sieh dir das an!«

»Jaja, Fische, Bratfische, piscis, ähää!« sagte Weißblatt, sah zu den kahlen Bergen auf, hob beschwörend die Hände und schwärmte. Fischhungrige Inseleinwohner standen Schlange und warteten auf kleine, magere Fische. Fischbrut vom Rande des Meeres, Fischkinder von den Kaimauern. Das große Meer mit den großen Fischen war verschlossen, mit einem deutschen Vorhängeschloß versehn. Eine dürre, gelbhäutige Griechin biß hungrig in den Rücken eines rohen Fischleins.

»Pallas Athene«, sagte Stanislaus. Weißblatt sprach vom Gre-
co-Blau des Himmels.

In einer Sommernacht wurde das Bataillon auf zwei kleine
Schiffe verladen. Es waren griechische Schiffe, und ihre Namen
»Poseidon« und »Neptun« waren übertüncht. Sie hießen jetzt
»Adolf« und »Hermann«. Das Ägäische Meer leuchtete wie auf
guten Reiseprospekten, der Himmel war bestirnt wie bei Ho-
mer, und die Erhabenheit der Inselwelt war groß wie in deutschen Geschichtsbüchern für humanistische Gymnasien.

Stanislaus fuhr auf dem Schiff »Hermann«. Er stand an Bord,
sah in das leuchtende Wasser und hielt sich an seiner Schwimm-
weste fest. Er konnte nicht schwimmen und traute diesem
korkgefüllten Gürtel nicht. – Insgeheim belächelte er seine
Todesangst. Welche widerlichen Kontraste! Das Leben zeigte
sich in südlicher Schönheit, doch sie fuhren durch diese Nacht,
um Tod auszustreuen oder sich selber den Tod zu holen. Zu
welchem Sinn? Zu welchem Ende? Woher der Krieg? Weshalb
das Morden?

Weißblatt und Kraftczek standen an der Schiffsspitze. Zwei
Schwärmer, die aneinander vorbeiredeten.

»In solcher Nacht mag Odysseus den Sang der Sirenen vernommen haben.«

»Nu ja, man hört weit hier auf dem Meer«, antwortete Kraftczek, »es möchten am Ende die Sirenen von den griechischen
Rosinenfabriken gewesen sein.«

Weißblatt hatte sich über das Schiffsgeländer gebeugt. »Sieh
das Geleucht und Geflimmer am Schiffsbug! Das Meergold der
Alten!«

»Es möchte vielleicht wirklich Gold sein«, bestätigte Kraftczek, »und die primitiven Völker haben keine Ahnung nicht
vom Abbau. Wir in Oberschlesien möchten das lange untersucht haben.«

Das mit Geschützen versehene Geleitboot vor ihnen machte
eine scharfe Wendung nach rechts. Das Schiff »Hermann« hielt
sich in der Kiellinie. Man wich einer treibenden englischen
Wasserbombe aus.

»Jetzt bin ich fast sicher«, sagte Kraftczek, »daß wir auf die Kolonien losmachen, weil, Afrika liegt rechts, und mir ist, als möcht es schon bissel nach Kakao riechen.«

Weißblatt antwortete nicht mehr. Er fühlte sich unverstanden. Die meisten Dichter wurden zu ihren Lebzeiten nicht verstanden. Einmal, so nahm er sich vor, würde er über diese Nacht, über dieses Leuchten und die hellenische Helle schreiben, die jetzt durch sein Wesen zog.

In der letzten Nachtstunde warf der »Hermann« Anker.

»Alle Männer an Deck!«

Vor ihnen lag ein dunkler Klotz im Wasser.

»Wir sind da«, sagte der verschlafene Kraftczek. »Maria, hilf, daß wir möchten drüben sein, bis die Schwarzen aufwachen, sonst möcht es uns am Ende schlecht ergehn.«

Die Beiboote wurden herabgelassen. Die Männer verluden ihr Gepäck. Sie verluden die Pferde und verluden zuletzt sich selber. Alles wurde nacheinander zum Strand gebracht. Sie erreichten den Inselstrand, im seichten Wasser watend. Das Wasser war kühl, ihre entblößten Beine waren weiß, und die Haut ihrer Füße wurde schrumpelig.

Die ersten Vogelschreie. Der Morgen kam. Sie lagen an der sanftesten Strandstelle der Insel. Roter Morgendunst, der Vorbote der Sonne, schob sich über das Gefels.

»Eos!« Weißblatts Kochgeschirr stieß an den Karabiner. Ein blecherner Kuß.

»Absolute Ruhe!« rief der neue Leutnant Krell. Das Vogelgekreisch konnte er nicht verbieten. Kraftczek wischte sich mit der Mütze den Schweiß von der Stirn. »Jesus Maria, ich hör schon das Gekreisch der Schwarzen!« Hinter den Männern gluckerte das Wasser des Meeres und schwatzte vor sich hin wie das Wasser in einem friedlichen deutschen Dorfteich.

»Auf, marsch, marsch!« Sie stürmten eine Schlucht im Felsgestein. »In Schützenreihe!«

Die Stimme von Leutnant Krell, einem Hallenser Sachsen, vermischte sich mit dem Geschrei der Schwalben. Stanislaus sah, wie sich seine Fußtapfen mit Wasser füllten. Er hinterließ eine gläserne Spur. In den kleinen Fußpfützen spiegelte sich das Morgenrot. »Rolling, verzeih mir! Vielleicht muß ich töten.«

Durch das Schwalbengelärm tönte ein helles Gezwitscher. Die Männer des Zuges Krell warfen sich in den nassen Strandsand. Sie wurden beschossen.

»Maria, hilf, die Schwarzen sind schon wach!«

Sie lagen eine Weile.

»Sprung auf, marsch, marsch!«

Jetzt pfiffen nicht nur Gewehrkugeln, es platzten auch Granatwerfergeschosse hinter ihnen. Ein Pferd steilte auf, brach zusammen, wieherte, schnarchte, und ein Bosniake schrie: »Mama!«

»Heilige Mutter, hab ein Erbarmen, weil ich hab mein Amulett für zehn Okka Oliven hergegeben. Es möcht zu billig gewesen sein, denn auf Flinten hab ich nicht gerechnet bei den Schwarzen!«

Sie blieben lange liegen und suchten nach dem Felsennest, aus dem sie beschossen wurden. Die Italiener, die diese Insel im Ägäischen Meer bislang für den »Großdeutschen Krieg« besetzt gehalten hatten, wehrten sich. Sie wollten keinen Krieg mehr gemeinsam mit den Deutschen. Sie wollten aber auch nicht von der Insel weichen, auf der der Krieg für sie erträglich gewesen war.

Zwei Melder sprangen ins Meer. Kugeln umpfiffen sie, klatschten aufs Wasser wie Steinwürfe von spielenden Jungen. Die Melder schwammen zum Kanonenboot zurück.

»Fertigmachen, Bajonett aufpflanzen!«

Stanislaus schüttelte sich: pflanzen! Was für ein Hohn! Sie pflanzten ein Mordinstrument auf das andere. Er zerrte und zerrte. Sein Seitengewehr war eingerostet; Seesand knirschte zwischen Scheide und Klinge.

Einer der Melder wurde getroffen. Er verschwand lautlos im rosarot schimmernden Meer. Der zweite Melder erreichte das Kanonenboot. Ein Knall, ein Feuerstrahl, Steingesplitter, ein Hammerschlag vom Himmel. Die Stille des Morgens wurde zerschmettert, das Geschrei der Seeschwalben zerquetscht und das Morgenrot in Stücke geschlagen. Ein deutscher Hammerschlag. Das Schiffsgeschütz hatte geschossen. Vom Felsennest der Italiener rieselte der Steinschotter, und graues Todesgewölk wehte aufs Meer hinaus. Zwei, drei, vier ... zwanzig solcher Hammerschläge, hoch, tief, wieder höher, wieder tiefer und hinüber über die Insel, dorthin, wo sich die Inselstadt befinden mußte. – Dann Stille. Der Tod holte Atem.

Stanislaus' Ohren waren taub vom Kanonengeböller. Die Schwalben schienen stumm einherzuschwirren. – Im Felsennest wurde eine weiße Flagge aufgezogen. Die Männer der Kompanie Beetz schrien: »Hurra, hurra und hurra!« Die Gewalt ihrer Kanonen hatte gesiegt.

Sie besetzten die Insel. Sie nahmen die Italiener fest. Es waren nicht mehr viele! Man brachte sie auf die Schiffe und befragte sie: »Weiterdienen beim deutschen Heer oder Gefangene?«

Die meisten wollten Gefangene sein.

Den Capitano, der den aussichtslosen Widerstand der italienischen Soldaten geleitet hatte, fanden sie nicht, obwohl die Insel nicht groß war. Man konnte sie im preußischen Marschschritt in zwei, drei Tagen umwandern. Eine kleine Stadt, weiß und weithin leuchtend, wie ein Schwalbennest ans Gefels gebaut, ein paar Dörfer, ein paar verstreute Hütten in Obstgärten und in den Gesenken die Hütten der Hirten mit den Herdstellen aus Felsgestein wie vor tausend Jahren. Im Gefels der Insel aber gab es Klüfte, Zuflüchte. Ihre Eingänge waren nicht größer als das Schliefloch an einem Fuchsbau.

Die Schiffe fuhren ab. Die Kompanie Beetz blieb auf der Insel. Der Bataillonskommandeur ließ diesen widerborstigen Rittmeister, Hauptmann und Besserwisser gern zurück. Sollte der bayrische Bierbrauer seine Erfahrungen von vierzehn-achtzehn hier auf dieser Insel verwenden und sie gut und gern gegen die lauernden Engländer verteidigen. Das Herz des Kommandeurs wandte sich der Insel zu, die den wohlklingenden Namen Santorin trug.

Die Kompanie Beetz richtete sich ein. Der Bierbrauer und Inselkommandant quartierte sich in die weiße Bürgermeisterei der kleinen Stadt. Schon am ersten Tage zog er alle Schifferboote der Insel ein und ließ sie im Hafen, gewissermaßen zu seinen Füßen, vertäuen. Es gab nicht einmal mehr magere Kleinfische, und die Einwohner der Insel wußten, daß die Deutschen gekommen waren.

28

Stanislaus hält sich für einen Kadaver, der auf Umwegen zu Grabe getragen wird. Der Geist der Dichtkunst übermannt ihn unerwartet, und sein Leben lichtet sich.

Die Tage vergingen. Die Insel lag weiß im blauen Meer. Der Himmel war hoch. Die Sonne stieg am Morgen aus dem Wasser, durchreiste das blaublaue Himmelsfeld und sank am Abend wieder ins Wasser. Der Krieg war weitab.

Stanislaus und seine Kameraden hätten nicht gewußt, daß es ihn noch gab, wenn da nicht Hauptmann Beetz aus Bamberg, Leutnant Krell aus Halle und der graue Kasten bei den Funkern gewesen wären. Diese drei Dinge führten ihnen den Krieg immer wieder vor Augen, und sie hämmerten ihnen ein, daß sie auf Wacht für Deutschland säßen.

Wenn Stanislaus keine Wache im Hafen oder auf irgendeinem Wachpunkt der Insel hatte, nahm er ein Fischerboot und ruderte hinaus. Er fing Fische, ließ sich von der Sonne bescheinen oder brütete und dachte über sein Leben nach. Er hatte Zeit, viel Zeit. Einmal war sein Leben von Wünschen getrieben worden. Nicht selten hatte sich auch die Liebe, jene geheimnisvolle Kraft, seiner bemächtigt, seine Wünsche verwirrt und seinen Lebensfaden zerzaust. Alles das gab es jetzt nicht mehr. Er war wohl nur noch eine leere Kiste, die hin und her geschickt wurde, ein Kadaver, den man auf Umwegen zu Grabe fuhr.

Es kam ein Schiff aus Piräus. Es brachte Proviant und Post. Keine Post für Stanislaus. Er war mit niemand mehr in Deutschland verbunden. Für wen stand er also hier auf Wacht? Für das Großdeutsche Reich, bitte. – Das Schiff fuhr wieder ab.

Weißblatt erhielt eine große Schachtel »Amarillas«. Die Schachtel »Amarillas« hatte Weißblatts Mutter auf Schleichwegen beschafft. »Amarillas«, Schokolade und die guten Dinge

Deutschlands waren nur noch für Flieger vorhanden. Die Flieger, diese Helden! Sie kämpften und kämpften, und trotzdem fielen die Bomben der Feinde lorenweis aufs Vaterland. Jeden Tag hieß ein gewisser Herr Generalfeldmarschall Göring ein bißchen mehr Meier.

Weißblatts Mutter sorgte sich. Johannis habe heimkommen, ein Buch über bestimmte Erlebnisse in Frankreich schreiben wollen, die ihn krank gemacht hätten. Er sei nicht gekommen. Er sei an der Heimat vorbeigereist. Schlechte Zeiten für Dichter!

Weißblatt wischte sich über die Stirn, die auch hier im Süden nicht bräunte, sondern nur krebsrot wurde. Die alte Dame! Wie sie sich den Krieg dachte. Sie hatte fast soviel überflüssige Sorge um sein ungeschriebenes Buch wie sein Kamerad Büdner. Weißblatt hatte vor Jahren einmal bei Goethe gelesen, daß es nicht dienlich sei, allzuviel über ein werdendes Werk zu sprechen. Weißblatt gab Goethe recht. Jedes klassische Land strahlte aus, schlug den Reisenden in seinen Bann. Das eine war Frankreich, und alles, was damit zusammenhing, würde sich finden, wenn die Zeit dazu reif war. Das hier war Griechenland und wollte erlebt und durchkostet sein.

Wenn Weißblatt nicht für Großdeutschland zu wachen hatte, war er Abendgast im Hause eines Priesters. Der Priester hatte eine Nichte, eine Brudertochter. Den Bruder des Priesters hatte die Regierung Metaxas ins Zuchthaus gesetzt. Man sagte, er sei Kommunist. Als die Italiener Metaxas vertrieben hatten, blieb der Bruder des Priesters im Zuchthaus, und als die Deutschen kamen, ließen auch sie ihn nicht heraus. Hatten denn Mussolini und Hitler die gleichen Ansichten über Kommunisten wie ihr Feind Metaxas, den sie besiegt und niedergekämpft hatten? Darauf wußte Weißblatt nicht zu antworten. Die Sache war die: Weißblatt war ein Dichter und hatte die gemeine Arena der Politik sein Leben lang nicht betreten.

»Poet«, sagte Weißblatt. Er formte das Wort wohl und voll mit den Lippen. Er und der Priester unterhielten sich auf französisch, und Weißblatt war im Priesterhause ein gehobener, ein anderer Mensch; ein Mensch, der sich in der Welt des Geistes bewegte wie in einer Heimat.

Der Dichter Johannis Weißblatt war auf dem besten Wege, einen gewissen Stanislaus Büdner, der ihm einmal in den dunklen Wäldern unter dem Pol das Leben gerettet hatte, zu vergessen. Was gab ihm diese Freundschaft mit dem mürrischen Einzelgänger? Büdner war nahezu nihilistisch. Das konnte man in einer deutschen Kaserne oder im karelischen Urwald sein, nicht aber im klassischen Griechenland. Alles zu seiner Zeit!

Aber eines Tages brauchte der Dichter Weißblatt den Nihilisten Büdner doch wieder. Es ging um die Nichte des Priesters. Weißblatt und Sosso waren sich nähergekommen. Den Weltmann Weißblatt störte es nicht, daß Sosso die Tochter eines Mannes war, den man des Kommunismus bezichtigte. Sosso war ein Mensch für sich allein, reif und süßer Rohstoff, der nach Weißblatts Vorstellungen geformt werden konnte. Sie hatten in Gegenwart des Onkels charmant mitsammen französisch geplaudert. Sie hatten miteinander das Feuer in der Küche angeblasen, um Erdnußkaffee zu kochen. Ihre Hände hatten sich beim Zureichen der Bergflechten, beim Feuerfachen berührt, und ihre Münder waren beim Anblasen des Feuers nicht mehr als zwei Zentimeter voneinander entfernt gewesen.

Eines Abends kam ein Hirt in die Küche. Er wollte den Onkel, den Priester, sprechen. Der Priester sprang auf, ganz ohne Würde auf, und eilte in die Küche. Er blieb lange bei dem Hirten, gab sich ungewöhnlich lange mit dem ungebildeten Mann ab. Der Hirt schien den Priester auf neugriechisch, das Weißblatt schlecht verstand, von etwas Notwendigem zu überzeugen. Weißblatt blieb mit Sosso allein und bat sie, mit ihm spazierenzugehn.

»Ooh«, sagte Sosso, und das klang wie das verschreckte Erstaunen einer gewissen Hélène in Paris. Dieses Mädchens erinnerte sich Weißblatt wohl nicht mehr recht, denn er sprach unbeeindruckt weiter: »Spazieren, Strand. Sonnenuntergang. Erhabenheit! Pallas Athene.«

»Pallas Athene«, wiederholte Sosso und lächelte. Sie wollte spazierengehn, aber es wäre nicht üblich, mit einem Manne allein ... Kurz und gut: Sie wollte eine Freundin, er sollte einen Freund bringen.

Stanislaus verbrachte den späten Nachmittag in den verzackten Bergen bei einem Hirten. Sie saßen stumm beieinander: Stanislaus auf einem Stein, der Hirt auf einem Stein. Der Hirt schaute von Zeit zu Zeit Stanislaus und Stanislaus von Zeit zu Zeit den Hirten an; dann sahen sie wieder auf die Herde, auf Lämmermäuler, die Flechten rupften, oder auf die Hörner des Widders, der wachend stand. In Stanislaus wurde ein Wort wach. Das Wort hieß: Abraham. Trugen es die Schafe in ihrem Gewölle? Saß es im Zausbart des alten Hirten?

Abraham — Schafe — Hirt. Wort kam zu Wort. Freudiger Schreck in Stanislaus: War doch nicht alles aus? Hatte der Krieg nicht zertötet, was einmal in ihm war? Er schüttelte sich. Der Hirt betrachtete ihn.

Sie verließen die Herde und unterhielten sich mit Zeichen. Es braucht nicht viel, sich zu verstehn, wenn die alten, verläßlichen Dinge da sind: die Berge, der Himmel, die Quelle, das Feuer, das Tier und die Frucht; wenn die verwirrende Vielfalt der Welt die Menschen nicht bestürmt.

»Es wird Abend«, zeigte der Hirt.

Stanislaus zeigte auf die sinkende Sonne.

»Ich hab eine Hütte«, zeigte der Hirt.

»Hütte«, sagte Stanislaus.

»Die Nächte sind kühl. — Feuer — Essen — Trinken. — Den Himmel anschaun.«

Alles war klar. Alles war einfach. Alles war zu verstehn.

Sie saßen vor der Hirtenhütte. Ein Feuer flackerte. Die Sterne traten zurück. Eine schweigende Frau ging hin und her, brachte Lammfleisch, brachte Wein. Sie trug ein schwarzes Tuch vor dem Gesicht. In der Hütte auf dem Fellager leierte sich ein Kind in den Schlaf. Es sang halb, es sprach halb: »Vater ist da. Da ist der Vater. Vater ist da.«

Sie aßen. Sie tranken. Sie waren satt. Sie waren zufrieden

miteinander, lauschten dem Chor der Zikaden auf den Höhen. Der Mond machte sich auf seine Reise über das Meer. Das Feuer fiel zusammen. Die Sterne kamen wieder näher. Sie sprachen mit den Händen vom Licht, und sie sprachen mit den Händen von der Nacht. Sie lauschten dem grellen Ruf einer Eule im Gefels. Der Hirt erwiderte den Ruf und erhob sich langsam. Er sprach nicht mehr von der Nacht. Er sprach vom Morgen. »Morgen wird ein guter Tag sein.«

»Morgen wird ein guter Tag sein«, wiederholte Stanislaus aus Höflichkeit. Ein guter Tag für ihn?

Der Hirt brach auf. Stanislaus sollte bleiben. Stanislaus konnte nicht bleiben. Auch er ging. Er verbeugte sich tief vor dem Hirten. Er verbeugte sich, wie er sich niemals verbeugt hatte, weder vor dem Grafen im Heimatdorf noch vor dem Lehrer, vor keinem Meister und vor keinem Offizier. Er war tief dankbar und wußte nicht, weshalb. Sie gingen auseinander: der eine den Berg hinauf, der andere den Berg hinunter.

> Abraham hütet die Herde:
> Lämmer und wilde Pferde.
> Abraham hinter dem Barte
> Hütet das Wilde und Zarte.
> Hält die Funken für Flammen
> Für den Morgen zusammen.
> Abraham unter dem Hute
> Hütet den Haß und das Gute.
> Abraham hinter dem Bart.

Vor dem Quartier seiner Gruppe lauerte Weißblatt. Er hatte nicht nötig, seinen Freund Büdner lange zu bitten. Weshalb sollte Stanislaus nicht mitgehn und sich ein griechisches Mädchen anschaun? Sie würden sich mit Zeichen verständigen. Er hatte das gelernt. Wenn es nichts Schlimmeres zu bestellen gab! Stanislaus war fröhlich. Es war vielleicht mehr möglich auf der Welt, als er in seinen trübsten Tagen vermutete. Er hatte wieder gedichtet. Er war wie berauscht. Das Gedicht war lange unterwegs gewesen und hatte viele Leidstunden durchmessen müssen. Nun war es da und sollte ein wenig gefeiert werden. Zu

Weißblatt sprach er darüber nicht. Er hatte das Gedicht für sich gemacht, und es war vielleicht nicht so wohlgeformt, daß es vor den Augen eines gelernten Dichters bestehen konnte.

29

Stanislaus spricht mit einem fremden Priester, faßt Liebe zu einem fremden Mädchen und verhindert, daß zwei fremde Hirten verhöhnt werden.

Stanislaus und Weißblatt saßen auf Lederpolstern in schwarzholzenen Lehnstühlen. Die Mädchen saßen auf einer Bank unter dem großen Fenster. Hinter ihnen flimmerten die weißen Häuser am Hang, und tief unten kräuselte sich das Meer. Das Blau des Wassers schimmerte durch die Blätter der Blumenstöcke. Die Nichte des Priesters trug sich streng. Ihre Augen waren wie nasse Steinkohlen. Das andere Mädchen, die Freundin, war klein und geschmeidig. Es war dunkelbraun, und alles an ihm war zierlich und türkisch. Der Priester saß auf einem Schemel ohne Lehne. Er war nicht dick und satt von Gottes Güte. Er war mager und sehnig wie ein Erkletterer hoher Berge, ein Erstürmer des Himmels. »Die Gnade Gottes ist Rohstoff«, sagte er.

Weißblatt neigte den Kopf. Er fühlte sich daheim und hatte, wie im Salon seiner Mutter, eines seiner dürren Beine über die Armlehne seines Sessels geschwungen. »Rohstoff?« fragte er fachmännisch und wie ein Kenner aller Philosophiesysteme dieser Erde.

Die Stimme des Priesters war herb, scheppernd wie die Glocke einer kleinen Bergkirche. »Gott ist das Leben. Er überließ uns diese Gnade. Nützt sie, macht etwas aus ihr!«

Weißblatt hatte lange nicht an Gott, diese unmoderne Einrichtung, gedacht. Gott kam in den neueren Philosophiesystemen nicht vor; doch weshalb sollte er nicht ein wenig in die Begriffswelt seiner Knaben- und Jünglingszeit zurückkehren? Es ging um die Unterhaltung. »Interessant«, murmelte er und schien streng nachzudenken. Das Mädchen Sosso schaute seinen wippenden Bergschuh an. Ein plumper Schuh mit dicken Zwecken, fast ein Pferdehuf.

»Macht was aus eurem Leben!« Es war lange her, da hatte auch Stanislaus so gedacht. Später hatte ihn die Vielfalt des Lebens beirrt. Das Leben spielte sich auf und machte mit ihm, was es wollte, machte einen Soldaten, einen Knecht und Bevormundeten aus ihm.

»Der Mensch also verantwortlich für alles?« fragte Weißblatt. Der Priester nickte und formte mit seinen Armen die Ründe der Erde nach.

»Für Sturmflut?« fragte Weißblatt.

»Bessere Deiche, sichere Schiffe«, sagte der Priester.

»Für Erdbeben?« fragte Weißblatt.

»Bessere Forschung«, sagte der Priester.

»Für Seuchen?« fragte Weißblatt.

»Mehr Menschenliebe, bessere Medizin«, sagte der Priester.

Sie glichen zwei Kartenspielern: Der eine spielte ein Blatt aus, der andere stach. Die Mädchen am Fenster lauschten, beugten sich gespannt in das dunkle Stübchen hinein. Weißblatt lächelte und schien seine letzte Karte auszuspielen. »Der Krieg?«

Stanislaus zuckte. Das war seine Frage.

»Die Gesellschaft in Ordnung bringen«, sagte der Priester. Er sagte es gleichmütig und mit weiser Kühle wie alles zuvor.

»Sozialisten? Marx? Kommunisten? Materialismus?« fragte Weißblatt triumphierend.

»Alles das«, sagte der Priester.

Es wurde an die Tür gebummert. Das Mädchen Sosso lauschte.

Weißblatt lachte hektisch. »Hähä, Kommunisten – Rußland. Gott im Gerümpel. Priester arbeitslos.«

Der Priester blieb ernst.

Wieder bummerte es an der Küchentür. Das türkische Mädchen hielt die Hände vors Gesicht, kleine, kaffeebraune Hände. Das Mädchen Sosso erhob sich, ging aber nicht öffnen.

»Wenn Gott im Gerümpel, war er nicht das Leben. Das Leben ist Gott. Gott ist das Leben.« Der Priester stand auf. Er wartete nicht mehr auf Weißblatts Antwort. Die Dielen knarrten. Jetzt erst sah Stanislaus, wie groß und hager der Geistliche war. Er ging nicht. Er durchschnitt den Raum. Er war wie eine Sense im wuchernden Unkraut. Die Tür war zu niedrig. Er beugte sich. In der Küche richtete er sich wieder auf, und was er auf griechisch sagte, mochte heißen: »Ich komme!«

Kraftczek hatte sich damit abgefunden, daß er nicht in den Kolonien gelandet war. Man hatte ihn zum Gefreiten befördert. Kraftczek Gefreiter? Wie ging das zu? Die Rosinen hatten ihn zum Gefreiten gemacht. Marschner, der Kompaniebesorger, der brave Kammerfeldwebel, war in Serbien von Banditen erschossen worden. Aber es konnte nichts helfen: Frau Rittmeister Beetz verlangte aus der Gegend von Bamberg nach Rosinen. Wer weiß, wo Rosinen zu haben sind? Kraftczek wußte es. Kraftczek handelte die kleinen gelben Tabletten, die ihn vor Malaria schützen sollten, gegen Rosinen ein. Ein gelbes Tablettchen gegen zwei Okka Rosinen.

Kraftczek bekam dann und wann auch Zigaretten von daheim aus seinem Laden. Die ganze Zigarettenzuteilung fürs Geschäft. Frau Kraftczek sah dann auf das Madonnenbild im Laden und schwor den lechzenden Rauchern, daß bisher keine Zigarettenzuteilung eingetroffen sei. Dafür erhielten gute, zahlungsfähige Stammkunden Rosinen. Kraftczek aber tauschte drei Zigaretten – gegen eine Tablette. Eine Tablette gegen zwei Okka Rosinen. Und da gab es arme, fieberkranke Weingärtner, die wollten nur ein Okka Rosinen für eine Tablette geben. Sie kamen bei Kraftczek nicht an. »Das möchte euch passen, Grecos, deutsche Wertarbeit für Eselscheiße. Die Rosinen wachsen hierherum wild auf den Bäumen, aber unsereiner möcht sich den Kopf zerbrechen, wie er an Tabletten kommt!«

So wurde Kraftczek auch der Besorger für Hauptmann Beetz und deshalb Gefreiter. Hauptmann Beetz' Verbrauch von »Antifibrin«-Tabletten steigerte sich von Woche zu Woche. Dieser Mensch kannte keine Angst vor Geschossen und feindlichen Kugeln, aber das Fieber schien er zu fürchten. Sanitätsunteroffizier Schulz mußte mit jedem Versorgungsschiff eine große Packung gelber »Antifibrin«-Tabletten kommen lassen.

Trotz aller Oliven, trotz aller Dankbriefe mit neuen Wünschen nach Frischtrauben und Rosinen aus der Nähe von Bamberg war der militärische Ehrgeiz des Hauptmanns Zacharias Beetz nicht eingeschlafen. Sein geheimer Groll richtete sich gegen den Bataillonskommandeur, der auf der Apfelsineninsel Santorin saß und nur durch Bataillonsbefehle mit Beetz verkehrte. Die Bataillonsbefehle gingen per Schiff nach Piräus und erreichten schließlich auf Umwegen die Insel des Bierbrauers. »Zuverlässigen Meldungen gemäß soll sich der italienische Capitano noch im Kompaniebereich Beetz' aufhalten und sogar mit einer griechischen Widerstandsgruppe korrespondieren, die mit den Engländern zusammenarbeitet. Ich befehle Hauptmann Beetz eine noch gründlichere Durchkämmung seiner Insel!«

Beetz zerknüllte den Befehl, schimpfte eine Weile auf die Bataillonsgötter, nannte sie »preißische Batzis und Selterssäufer«, händigte Kraftczek zwanzig »Antifibrin«-Tabletten aus und befahl ihm, für Zitronen zu sorgen, die unterwegs reifen konnten. Er ließ Kompaniefeldwebel Zauderer kommen und befahl, den Bataillonsbefehl aus dem Papierkorb zu kramen.

Stanislaus und Weißblatt spazierten schon den zweiten Abend mit den griechischen Freundinnen. Die Paare gingen getrennt, aber nie so, daß eines das andere nicht mehr sehen konnte. Die Mädchen wollten das so.

Weißblatt und Sosso sprachen französisch. Keine Erinnerung in Weißblatt an Hélène, mit der er in der gleichen Sprache geplaudert hatte, über deren Sterben er ein Buch hatte schreiben wollen.

Stanislaus und Melpo zeigten sich das Meer und zeigten sich den Himmel. Sie brauchtes geraume Zeit, um sich mit den Händen darüber zu verständigen, wie klein sie gegen Himmel und Meer wären.

Draußen vor der Stadt legte Stanislaus vorsichtig seinen Arm um Melpos zitternde Schultern. Sie sah ihn an und nickte. Sie wollte nicht weitergehn und setzte sich in eine Felsnische. So verloren sie Weißblatt und Sosso aus den Augen.

Sie strich mit ihren kaffeebraunen Fingern über seinen behaarten Handrücken. Er zitterte. Sie gewahrte es und drückte ihre Wange an seine Hand. Er saß wie in der Knabenzeit, wenn er den Boten der Schmetterlingskönigin nicht verscheuchen wollte. War es möglich, daß hier im fremden Lande die Liebe auf ihn gewartet hatte?

»Kannst du rudern?« fragte sie.

»Ich kann«, antwortete er.

»Rudere mit mir.«

»Wann?«

»Morgen.«

»Wirst du ohne Sosso mit mir rudern?«

»Ich werde!« Sie legte ihre Hände vors Gesicht, als ob sie sich schäme.

Der Ton einer Trillerpfeife zerspellte den Singsang der Zikaden. Melpo hob den Kopf. Sie hatte geweint.

»Warum?« fragte er.

Sie lächelte schon wieder. Das Geschrill der Trillerpfeife wurde aufdringlicher. Es kam jetzt aus der Nähe. Die Posten verständigten sich. Vielleicht war ein Schiff in Sicht. Ihr Verpflegungstransport war fällig. Im Hafen schepperte eine Schiffsglocke. Mehrere Pfeifen trillerten zugleich. Jemand kam gerannt. Weißblatt keuchte heran. »Alarm!«

Sie durchkämmten die Insel. Sie zerzausten die Stille der Nacht mit Zurufen und Zoten. Sie durchsuchten Häuser und Höhlen, durchwühlten die Hütten der Hirten. Sie suchten mit preußischer Gründlichkeit sogar zwischen den Schafherden. Sie schossen sich Schafe für ihre Küche. Sie knallten einen Widder ab. Kraftczek nahm sich das Gehörn für die Wand in der Stube hinter seinem Laden. »Die wo nicht hier waren, möchten denken, es ist ein Springbock und in Afrika geschossen.«

Sie untersuchten in den Hirtenhütten jeden Schafspelz und vergaßen, manchen wieder hinzulegen. Daheim gings auf den Winter zu. Sie fanden alles: Schafsbutter und Hirtenkäse, Dickmilch und Olivenöl, aber die Höhlen mit den Einfahrten für Füchse fanden sie nicht. – Die ganze Nacht Geschrei, Gejohl und Gelichter in den Bergen, und am Morgen brachten sie zwei verdächtige Hirten in den Hafen. Man rief die Hirten plötzlich auf italienisch an. Sie reagierten nicht.

»Dös beweist einen Dreck«, sagte Hauptmann Beetz und gab sich erfahren. »Ausziagn, die Haderlumpen die! Welcher Scheiß in der Hos hat, muß der Italiener sein.«

Alles lachte, aber sie zogen die Hirten aus. Sie fanden nichts in den Hirtenhosen und lachten wieder.

»Ab!« sagte Hauptmann Beetz. Er tat großzügig und jovial. Er sah Kraftczek, der einen großen Kübel Oliven und das Widdergehörn neben sich stehen hatte. Beetz nickte zu den Oliven hin und ging in sein Quartier. Leutnant Krell und die Unteroffiziere folgten.

Die nackten Hirten starrten die bewaffneten Männer an. Was mochte der Hauptmann über sie entschieden haben? Einer der Hirten kniete nieder, faltete die Hände und streckte die Arme mit bittender Gebärde zu den Soldaten hin. Kraftczek stellte sein Widdergehörn an den Olivenkübel. Er zeigte auf den Himmel, faltete seinerseits die Hände und fragte: »Maria?«

Der Hirt nickte. Kraftczek gab ihm die Hose zurück. »Tu dir was um. Die Mutter Gottes möcht sonst einen schönen Begriff von dir kriegen.«

Da aber hüpfte einer mit einer Schuhcremeschachtel aus dem Haufen. Schuhcreme Marke »Erdal«, deutsche Wertarbeit. Die Hirten sollten sich umdrehn. Schon hob das Johlen an, da sprang Stanislaus hervor und entriß dem Rohling die Dose. »Weh, wenn du das wagst!« Stanislaus und der dürre Kamerad aus Bochum standen sich gegenüber wie Wölfe. Es wurde still. Kraftczek setzte sein Widdergehörn ein zweites Mal gegen den Olivenkübel, tippte an seinen Gefreitenwinkel und schrie: »Alles herhören! Ablassen! Hier spricht ein Dienstgrad!«

Das Gejohle war fertig. Der Bann war gebrochen.

Stanislaus kümmerte sich nicht mehr um den dürren Soldaten.

Er gab den Hirten ein Zeichen. Die Hirten verneigten sich, rafften ihre Kleiderbündel und rannten nackt, wie sie waren, den Bergen zu.

30

Stanislaus sieht seine Geliebte entfahren, seine Hoffnungen entfallen, und seine Worte werden bitter wie Aloe.

Der Tag begann blau und goldig wie alle Tage auf dieser Insel. Keine Wolke am Himmel. Kein Schiff am Horizont. Die Verpflegung wurde knapp. Was sind Oliven ohne Brot? Was ist Hammelfleisch ohne Bohnen?

Am frühen Mittag hüpften drei englische Tiefflieger über die Bergwand. Kein Posten hatte sie herankommen sehn. Sie flogen im Schutz der gleißenden Sonne und stürzten sich, lautlos wie die großen griechischen Geier, auf den Hafen. Sie feuerten auf die Soldaten, die am Strand lagen, setzten eine Bombe auf die Mole und zersprengten die Herde der Kajiks, die im Hafen vertäut lag. Zuletzt explodierte eine Bombe neben der Unterkunft des Hauptbierbrauers Beetz. Die Flieger flogen aufs neue an und beschossen drei Soldaten, die vom Fischen in den Hafen ruderten, durchschossen den Kübel der Feldküche, Willi Hartschlags rechten Arm, und sie töteten zwei griechische Kinder, die bei Hartschlag um Olivensuppe gebettelt hatten.

Der Alarm kam zu spät, das Geschrei und Gebrüll des Rittmeisters auch. Also hatte der Krieg sie hier gefunden! Die Kompanie hatte sechs Tote. Sechs Soldaten beim Sonnenbad erschossen! Der Rittmeister verbot das Baden und in seiner Raserei sogar das Bombenabwerfen. Leutnant Krell verbiß sich das Lachen. Von jetzt an war alles verboten. Die toten griechischen Kinder wurden im Kompaniebericht nicht erwähnt.

Willi Hartschlag war verwundet. Stanislaus, der ehemalige zweite Koch, erhielt von Leutnant Krell den Befehl, die Kompanieküche zu übernehmen. Stanislaus nahm den Befehl mit mattem Hackenklappen entgegen.

Als die Sonne ins Meer getaucht war, stand er bei einem der Posten im Hafen.

»Ein Boot?«

»Zum Fischen.«

»Weißt du nicht, daß alles verboten ist?«

»Aber morgen soll was Frisches im Topf sein.«

»Fahr zu, aber keinen zähen Tintenfisch, bitte.«

Stanislaus ruderte am Rand der Insel entlang und hörte, wie sich die Posten verständigten. Seine Ausfahrt war erlaubt. Er hatte Melpo durch Weißblatt sagen lassen, wo sie auf ihn warten sollte. Er konnte kaum erwarten, ihre kleinen kaffeebraunen Finger auf seinem Handrücken zu spüren. An mehr dachte er nicht. Er war froh, zu wissen, daß er kein leeres Gehäuse war. Es war noch Liebe in ihm, und zu allem Überfluß war auch dieses Gedicht über den Hirten Abraham zu ihm gekommen. Es war vielleicht noch gar ein Stück Mensch in ihm.

Melpo stand an einem Fels. Es war, als stiege sie aus dem Stein heraus wie eine lebendig gewordene Statue. Sie setzte sich ohne Umschweife zu ihm, neigte ihr Kinderköpfchen, lauschte, faßte nach seiner Hand und tat, als hülfe sie ihm rudern. Er war dankbar. »Daß mir das hier geschieht! Nein, daß ich noch lebe!« sagte es in ihm.

Die Sterne zogen auf, am Himmel und auf dem Meer. Die Ruderschläge rissen ein Stück des gespiegelten Himmels entzwei, aber der Himmel war groß, und das Meer war groß. Sie ruderten dicht am Strand. Es war jener flache Strand, auf dem Stanislaus mit seiner Truppe gegen die Insel vorgerückt war. Über ihnen war das Felsennest, aus dem die Italiener sie beschossen hatten. Sie hatten mit Kanonen ...

Melpo hob die Hand. Es stand eine Blume am Strand, eine Blume im Sand wie ein Wunder. Melpo wollte durch das flache Wasser zu dieser Blume. Stanislaus hielt sie zurück, sprang selber aus dem Boot und watete durch das seichte Wasser. Es war eine harte Blume. Er befühlte ihre Blütenblätter. Sie waren aus Papier. Er war enttäuscht. Er wollte Melpo etwas anderes bringen, ein schönes Schneckenhaus vielleicht. Er fand eine schillernde Muschelschale. Als er zum Boot zurück wollte, sah er, daß es zur See trieb. »Melpo!«

Melpo winkte ihm zu. Als er die Hand zum Wiederwinken hob, gewahrte er, daß noch jemand im Boot saß. Ein Mann. »Gratia!« kams vom Boot her.

Stanislaus ließ den Arm sinken. Dort fuhr der italienische Capitano. Er fuhr mit Melpo.

Stanislaus schlug keinen Alarm. Er ging, wie er war, ins Wasser. Er zertrat den sich widerspiegelnden Sternenhimmel, tauchte, warf seine Mütze ins Meer, tauchte wieder und wurde ruhiger. Er watete ruhig zum Strand zurück. Bitterkeit breitete sich in ihm aus; stachlige Bitterkeit wie von Aloeblättern.

Er erreichte den Posten am Hafen und sagte: »Gekentert.«

»Wenn du nur wüßtest, wo das Boot liegt«, sagte der Posten ängstlich.

»Ich weiß es.«.

»Nun gibt es morgen wieder dieses stinkende Hammelfleisch, wie?«

Stanislaus antwortete nicht. Er ging zu seinem Quartier. Vor dem niedrigen weißen Hause entsann er sich, daß er am Spätnachmittag von der Gruppe zur Küche gezogen war. Er kehrte um. Er fror. Er fror für Melpo und den Capitano. Mehr war er nicht wert.

In der neuen Unterkunft erwartete ihn Kompaniefeldwebel Zauderer. Er saß neben Hartschlags Bett. Hartschlag war trotz seiner Verwundung nicht in die Sanitätsstelle gezogen. Es gab dies und das für die Übernahme der Küche zu bereden. Er hatte auf Stanislaus gewartet und war eingeschlafen.

Der Kompaniefeldwebel sprang auf. »Wann kommen Sie endlich?«

»Gekentert!« Stanislaus fror. Er trank einen Hieb aus der Flasche, die auf einer Kiste neben dem Bett des schlafenden Hartschlag stand. Der Wein war dick und süß. Er trank noch einmal. Seine Bitterkeit wich nicht. Kompaniefeldwebel Zauderer schob ihm eine Liste hin. »Unterschreiben Sie. Wir haben überprüft, verstehn. Die Bestände sind knapp, doch sie stimmen.«

Stanislaus unterschrieb. Draußen über dem Meer summte ein Flugzeug. Zauderer löschte ängstlich das Licht. Er trat ans Fenster. Stanislaus trank süßen Wein. Seine Bitterkeit blieb. Sie kam aus dem Herzen.

»Wieder ein Flugzeug«, sagte der Feldwebel vom Fenster her.

Stanislaus antwortete nicht. Er fühlte, wie der Wein wirkte, doch seine Bitterkeit wich nicht. Draußen wurde das Summen schwächer.

»Er fliegt ab«, sagte Zauderer und atmete auf. »Ob wir je heil hier herunterkommen?«

Stanislaus antwortete nicht. Er zündete das Licht wieder an. Zauderer schickte sich an zu gehn. Bei der Tür fiel ihm noch etwas ein.

»Kein Verpflegungsschiff in Aussicht – verstehn.« Er kratzte an einem Knopf seiner Preußenjacke. »Die Küche muß haushalten in Zukunft.«

Die Bitterkeit kroch Stanislaus auf die Zunge. »Wir haben keine Zukunft.«

Der Feldwebel kam zurück. Die Zukunft interessierte ihn. »Wie?«

»Mörder haben keine Zukunft.«

»Sie!« Der Feldwebel stand wieder am Fenster. »Ich bin kein Mörder – verstehn!«

»Niemand hier herum fragt danach, was Sie persönlich von sich behaupten. Sie sind hier. Das genügt. Sie sind nicht ohne Mord hierhergekommen.«

Der Webel stieß das Fenster auf. Es wehte vom Meer her. »Bedenken Sie, was Sie reden!«

»Sie haben mindestens einen Menschen umgebracht.«

Zauderer sah nieder. Es war, als ob er die Dielenritzen zählte. »Zugegeben, Sie haben Zugang zu geheimen Kräften – verstehn. Sie haben die Gabe ... aber ich hab niemand umgebracht.«

»Sie haben den Menschen Zauderer getötet, sonst wären Sie nicht hier.«

Der Webel wurde heftig. »Und Sie?«

»Ich habe den Büdner umgebracht!«

Zauderer ließ sich auf Willi Hartschlags Vorratskiste fallen. Das karelische Sperrholz knackte. Die Sperlingsstimme Zauderers wurde zittrig. »Ich bitt Sie, wir sind Soldaten, Büdner.«

»Mörder!« schrie Stanislaus. »Wir haben nichts zu hoffen.«

»Das ist Philosophie!« piepste Zauderer. »Ich kenn das – verstehn?«

»Schnauze!« Willi Hartschlag war vom Knacken seiner Vorratskiste wach geworden. »Büdner, ich meld dich!«

Der Feldwebel rannte hinaus. Willi Hartschlag drehte sich wieder zur Wand. Stanislaus hörte Zauderer durch den dunklen Flur tappen.

»Die Kiste geht mit, wenn ich fürs Lazarett verladen werd«, sagte Hartschlag. Stanislaus wurde höhnisch. »Wer wird sich um sie kümmern, wenn du mich in den Bunker gebracht hast?«

Hartschlag drehte sich halb um. »Wie kannst du so vor dem Spieß reden?«

Das Geräusch der Schritte im Flur kam wieder näher. Zauderer kam zurück.

»Ich schweig nicht mehr«, sagte Stanislaus.

Bei der Tür wurde der Schlüssel herumgedreht. Dazu also war Zauderer zurückgekommen.

Draußen war das Wehn vom Meer her stärker geworden. Oder rauschte es in Stanislaus' Kopf? Er trat ans Fenster.

»Wind«, sagte er und versteckte seine Gedanken dahinter. Hartschlag rührte sich nicht. Stanislaus nahm Hartschlags Karabiner, der über der Transportkiste hing, und lauschte. Hartschlag atmete tief. Er war wieder eingeschlafen. Stanislaus sackte sich Hartschlags Patronen ein, lauschte noch einmal in den Wind hinaus und sprang aus dem Fenster.

Als er den ersten Berggipfel erreicht hatte, wurde unten im Hafen Alarm gegeben. Er war stolz, daß sie seinetwegen Alarm gaben, und wünschte sich sehr, daß Rolling das hätte hören können.

31
Stanislaus erfährt, daß Menschlichkeit nicht unbelohnt bleibt, verwandelt sich in einen Mönch und wandert neuen Wandlungen entgegen.

Die Höhle war geräumig und trocken. Es war ein Lager aus Flechten darin. Stanislaus hockte den dritten Tag in der Höhle. Die Dunkelheit wurde drückend. Der Hirt, den er Abraham nannte, hatte ihn hierhergebracht. Er kam jede Nacht zu ihm und schrie wie eine Eule, bevor er einfuhr. Abraham brachte zu essen und brachte zu trinken. Er zündete einen Span an, denn um miteinander zu reden, mußten sie einander sehn.

Die Kompanie hatte es aufgegeben, weiter nach Stanislaus zu suchen. Er galt für entkommen. Der Hafenposten hatte berichtet, daß ein Boot fehlte, jenes Boot, das Melpo und den Capitano fortgetragen hatte.

»Was wird aus mir?« fragte Stanislaus.

»Warten, ein wenig warten!« Abraham zeigte die Länge der Zeit mit den Händen an. Sie war zehn Zentimeter lang.

Stanislaus dachte und schlief. Aß ein wenig, trank ein wenig, dachte und schlief wieder. Das Zeitgefühl ging ihm verloren. Seine Uhr ging nicht seit jenem Abend im Meer. Er durchdachte sein Leben immer wieder bis zu dem Punkt, an dem er sich befand. Er bereute nichts, und er war noch immer bereit, sein Leben abzubrechen. Es war zuwenig, was er als einzelner tun konnte, die Böstaten aus der Welt zu schaffen. Es lohnte nicht.

Er vernahm ein Kratzen am Höhleneingang. Ein kleiner Stein kollerte. Kam Abraham? War wieder ein Tag herum? Der Eulenruf blieb aus, aber es tappte etwas heran. Hatten sie ihn doch noch gefunden? War vielleicht draußen Sonne und Tag? Hatten sie Spuren gesichtet, die zur Höhle führten? Er griff zum Karabiner. Wirst du schießen? Nein, du wirst nicht schießen. Es kann Kraftczek sein oder dieser jämmerliche Zauderer. Nein, du wirst nicht schießen. Er legte den Karabiner weg. Nun mußte das, was kam, schon sehr nah sein. Er griff doch wieder zum Karabiner. Du hängst wohl mehr an deinem Leben, als du weißt. Du bist am Ende ein Großtuer. Und wenns Weißblatt ist, den du erschießt? Er legte den Karabiner wieder weg. Er warf ihn weg. Er wollte ihn nicht mit einer Handbewegung wiederfinden können. Vor ihm zischte es leise. Er griff zu. Er packte in Mädchenhaare. Ein leiser Aufschrei. »Stanlaus! Stanlaus!«

Er ließ los. Er schämte sich. Es war Sosso.

Sie zog ihm die benagelten Schuhe aus und zog ihm etwas anderes über die Füße. Sie war sehr eifrig.

»Fuyez! Fuyez!« murmelte sie. Stanislaus dachte an sein Liebespaar in Frankreich. Wurde jetzt der Lohn für seine Hilfe gezahlt? Es lohnte vielleicht doch, Mensch zu sein und wie ein Mensch zu handeln.

Es war nicht mehr weit bis zum Strand, da sah er den Posten. Er hielt Sosso zurück. Sosso entwand sich ihm. Sah sie so schlecht? Er packte sie. Der Posten drehte sich um. Stanislaus dachte an sein Gewehr. Es war in der Höhle geblieben. Also – aus!

Der Posten war Weißblatt. Er schimpfte leise: »Wo denn bleibt ihr so lang?«

Sosso zog sie beide mit sich fort.

Sie kamen zum Boot. Es hockte jemand darin. Sie stiegen ein. Im Boot saß Melpo. Sie nickte stumm und stieß ab. Die Mädchen ließen die Männer nicht an die Ruder. Zwei Männer, zwei Mädchen, Sternhimmel und Meer. Kein Wort – nur Ruderschläge. Keiner sah des anderen Gesicht. Einer sah nur den Umriß des anderen.

Die Sterne verfahlten. Das Meer wurde grau. Der Morgen war da. Das Meer wurde blau, auf den Wellen hüpfte Geglitzer. Sie landeten an der Insel, die die halbe Nacht dunkel, klotzig und drohend vor ihnen gelegen hatte.

Die Mädchen waren matt, doch sie blieben am Ruder. Die kleine kaffeebraune Hand von Melpo wies zum Strand. Sosso stieß Weißblatt an, der eingeschlafen war.

Die Männer stiegen aus. Die Mädchen blieben am Ruder. Sosso nestelte einen Brief hervor. Ihr Kleid hatte viele schmale Taschen. Sie gab Stanislaus den Brief und zeigte auf ein weißes Haus hoch oben im Gefels. Die Männer sahen hinauf.

»Irgendwie klassisch«, sagte Weißblatt und fuhr sich nervös durchs Haar. Als sie sich umwandten, trieb das Boot mit den Mädchen zur See.

»Au revoir!« schrie Weißblatt. Stanislaus winkte und weinte. Die Mädchen erhoben sich von der Ruderbank, verneigten sich und setzten sich wieder. Kein Blick, kein Lächeln.

»Melpo! Melpo!« schrie Stanislaus. Kein Aufschaun. Melpo senkte den Kopf noch tiefer. Es war, als wollte sie mit ihren dünnen kaffeebraunen Ärmchen das Boot mit einem Ruck auf die See hinausreißen.

Drei Tage später gingen zwei Mönche durch die Pforte des griechisch-orthodoxen Klosters einer Insel, deren Namen sie nicht kannten. Das Kloster war ein weißer Bau im Gefels. Ein Kunstwerk in seiner Art, nicht Gebäude, nicht Fels. Die Mönche sahen sich an und lächelten. Es war, als belächelten sie sich gegenseitig. Sie stiegen eine Weile bergan, bis der eine verhielt, den anderen anstieß und auf etwas weit draußen auf dem Meer zeigte. »Dort!«

Sie sahen lange schweigend zu einer Insel hinüber, die fern lag und blau war, so blau und fern wie der deutsche Wald manchmal, wenn der Morgen heraufzieht.

Und als der eine Mönch danach den anderen ansah, gewahrte er, daß dieser weinte. »Was weinst du?«

»Ich habe keinen Grund, vor Freude zu weinen.«

Sie gingen wieder ein Stück.

»Jetzt solltest du über Hélène schreiben«, sagte der, der geweint hatte. Der andere überhörte es und streckte den Arm aus. Es schwamm ein einsames Boot auf dem weiten, blauen Meer. Sie starrten beide dorthin und hofften wohl, daß das Boot auf die Insel zukommen möge, aber es kam nicht auf die Insel zu. Es blieb unverändert klein und einsam draußen auf dem blauen Meer liegen.

»Wissen möchte ich doch«, sagte da der eine der Mönche, »ob sie uns geliebt haben.«

Der andere Mönch antwortete nicht sogleich. Er war jetzt sicher, daß das Boot draußen kleiner wurde und von der Insel wegstrebte. Da sagte er: »So, wie wir sind, ist das nicht zu verlangen.«

A*t*V

Band 5410

Erwin Strittmatter
Der Laden

Romantrilogie

3 Bände in Kassette

1504 Seiten
42,00 DM
ISBN 3-7466-5410-6

Der Laden ist der magische Punkt in Erwin Strittmatters Romantrilogie. Hier treffen sich die Bossdomer, die Einwohner des kleinen Heidedorfes in der sorbischen Niederlausitz. Sie kaufen ein und erzählen sich Neuigkeiten.
Esau Matt, gelernter Bäcker und heimlicher Schriftsteller, beobachtet und sammelt menschliche Eigenarten. Er erzählt von seiner Familie, den Zerwürfnissen und Versöhnungen. Dorfalltag und Weltgeschehen vermischen sich auf amüsante und skurrile Weise: „Ob Sommer, ob Winter, ob Krieg, ob Frieden – das Merkwürdige ist stets unterwegs."

A*t*V

Band 5400 **Erwin Strittmatter**
Tinko
Roman

395 Seiten
16,90 DM
ISBN 3-7466-5400-9

Mit tiefem Mißtrauen beobachtet Tinko
den fremden Mann, der eines Tages im
Dorf auftaucht. Er ist ein »Heimkehrer«,
einer, der gerade aus der Kriegsgefangen-
schaft entlassen wurde. Tinko soll »Vater«
zu ihm sagen, aber für ihn bleibt er der
»Heimkehrer«. Und Tinkos böse Ah-
nungen bestätigen sich: Mit dem Heimkehrer kommt Unfriede und Streit. Er
nennt Großvaters 50-Morgen-Hof eine
Knochenmühle und will, daß Tinko in die
Schule geht statt aufs Feld.

A*t*V

Band 5404

Erwin Strittmatter
Ole Bienkopp
Roman

404 Seiten
19,90 DM
ISBN 3-7466-5404-1

„Was ist ein Dorf auf dieser Erde? Es kann
eine Spore auf der Schale einer faulenden
Kartoffel oder ein Pünktchen Rot an der
besonnten Seite eines reifenden Apfels
sein."
Zwischen diesen Sätzen am Anfang und
am Ende eines der wichtigsten und ein-
drucksvollsten Romane aus dem Osten
Deutschlands erzählt Strittmatter das
Leben des Bauern Ole Bienkopp, der den
schönsten aller Träume, den von der Gerechtigkeit, träumt, der enttäuscht wird,
am Ende tot ist und der den Leser klüger
als zuvor und überhaupt nicht traurig
zurückläßt.

A*t*V ———————————————

Band 5401

Erwin Strittmatter
Die blaue Nachtigall oder
Der Anfang von etwas
Nachtigall-Geschichten

122 Seiten
12,90 DM
ISBN 3-7466-5401-7

Diese vier Erinnerungen, zu einem Zyklus verbunden, sind Lebensbericht und literarische Erfindung zugleich, biographische Geschichten mit hintergründigem Witz und Humor und manchmal satirisch. Erwin Strittmatter erzählt von seinem lesehungrigen Onkel Phile, davon, wie er seinen Großvater kennenlernte, von Pferdehandel und Pferderaub und schließlich – von der blauen Nachtigall, die aufflog, als der Dichter sich aus den Armen seiner Geliebten löste.

A*t*V

Band 5403

Erwin Strittmatter
Sulamith Mingedö,
der Doktor und die Laus
Drei Nachtigall-Geschichten

164 Seiten
14,90 DM
ISBN 3-7466-5403-3

Erwin Strittmatter nennt sie Forschungs-
berichte: jene Geschichten, in denen er dem
Zustand von Poesie und Schwerelosigkeit
aus Kindheit und Jugend nachspürt. Vom
Tausendkünstler Charlie Wind und seinem
Versuch, seßhaft zu werden, wird erzählt.
Oder vom Puppenspielermädchen Sula-
mith Mingedö, das auf die Läusebank der
Schule verbannt wurde, von gefälschten
Liebesbriefen, dem traurigen Ende eines
Hundes, von den weltfremden Damen
Rasunke und deren Anteil an der Bildung
ihres Chauffeurs.

A*t*V

Band 5402

Erwin Strittmatter
Grüner Juni

Eine Nachtigall-Geschichte

166 Seiten
13,90 DM
ISBN 3-7466-5402-5

Esau Matt, der Ich-Erzähler aus der
„Laden"-Trilogie, berichtet von seinen
Erlebnissen fernab vom Familien-Laden:
von einer Odyssee durch karelischen
Urwald, Ägäisches Meer und böhmische
Kartoffelfelder, bis er heimkommt ins
thüringische Grottenstadt, wo Frau
Amanda im Begriff ist, eine Amerikanerin
zu werden.

A^tV

Band 1032 **Erwin Strittmatter**
3/4hundert
Kleingeschichten

Erstmals als Taschenbuch

144 Seiten
12,80 DM
ISBN 3-7466-1032-X

„Man wähnt, die Anpassung der Lebewe-
sen an neue Verhältnisse habe sich in weit
hinter uns liegenden Zeiten (etwa nach
der Eiszeit oder nach dem Zurückweichen
der Gewässer auf der Erde) vollzogen.
Der Wendehals belehrte mich, daß diese
Anpassung unaufhörlich stattfindet",
schrieb Erwin Strittmatter, als er 1971
seine 3/4hundert Kleingeschichten verfaßte, in denen noch von vielen anderen
Tieren die Rede ist: von Bleßhühnern,
Enten, Schildkröten, Käuzen, Rehen,
Pferden und Tauben.
Lebenskenntnis, Naturverbundenheit,
Entdeckungsfreude, Witz, Humor und
ein tiefes Gefühl für Landschaft und
Leute der Mark Brandenburg zeichnen
diese Kurzgeschichten aus.

A*t*V

Band 1007

Eva Strittmatter
Einst hab ich
drei Weiden besungen

Gedichte

Originalausgabe

240 Seiten
14,80 DM
ISBN 3-7466-1007-9

Eva Strittmatters Gedichte beschreiben
den Alltag in schönen, anrührenden
Bildern. Sie erzählen von der Natur, den
Zeiten des Tages, des Jahres und des Lebens. Sie lehren hinzusehen und machen
nachdenklich, Idyllen sind sie nicht.
Das Taschenbuch, ein Brevier für jedermann, ist die Essenz langer Schaffensjahre.

A*t*V

Band 1028

Helga Schütz
Jette in Dresden

Erstmals als Taschenbuch

240 Seiten
12,90 DM
ISBN 3-7466-1028-1

Juliane Mann aus Probstein, genannt
Jette, ist jetzt in Dresden zu Hause. Der
Krieg ist vorbei, die Stadt ein Trümmer-
feld. Es ist schwer für die Zehnjährige, sich
in den Ge- und Verboten der Erwachsenen
zurechtzufinden. Niemand hat Zeit für
Erklärungen. Warum darf man im Hei-
matkundeunterricht keine Bienen in
Seppelhosen und Wanderhut malen?
Warum ist das Hakenkreuz verboten, und
warum ist der Weihnachtsmann abge-
schafft? Jette muß selbst herausbe-
kommen, was man tun und sagen darf.
Sie probiert es: neugierig und voller Phantasie. Manchmal erfindet sie auch die
Wahrheit: „Das Meer ist blau! schwindelt
Jette."

A^{t}V

Band 5165

Anna Seghers
Sämtliche Erzählungen
in 6 Bänden

68,- DM
ISBN 3-7466-5165-4

Diese Sammlung bringt, chronologisch geordnet, sämtliche Erzählungen der Autorin, frühe, in Zeitungen abgedruckte Geschichten ebenso wie postum erschienene.
„Erzählen, was mich heute erregt, und die Farbigkeit der Märchen ...": Anliegen der Anna Seghers, seit sie Geschichten schrieb.

A*t*V

Band 5153

Anna Seghers
Transit

Roman
Mit einem Nachwort von Sonja Hilzinger

304 Seiten
15,80 DM
ISBN 3-7466-5153-0

Wenn dieser Roman zum schönsten wurde,
den Anna Seghers geschrieben hat, liegt es
wohl an der schrecklichen Einmaligkeit
der zum Vorbild gewählten geschichtlich-
politischen Situation: Marseille 1940 – was
so lieblich, in unserem Sprachgebrauch fast
wie ein Pfadfinderunternehmen, immer
noch „Frankreichfeldzug" genannt wird ...
scheuchte aus Paris, aus allen Teilen
Frankreichs, aus Lagern, Hotels, Pensio-
nen, Bauernhöfen ein ganzes Volk von
Emigranten auf. Sie strebten alle dem
einzig möglichen Ziel Marseille zu ...

Heinrich Böll